Un enorme producto de erudición exacta y bien fundame
histórica... Le doy a este libro la máxima puntuación
convincente argumentación, la calidez de su estilo y su celo po
de Dios. Lo recomiendo encarecidamente.
J. I. Packer, fallecido profesor de teología del Board of Governors, Regent College

No puedo imaginar que este libro pudiera haber sido publicado hace veinticinco años: no había entonces suficientes teólogos bien informados trabajando en la herencia reformada para producir un volumen de tal claridad y competencia. Cualquiera que sea el bando que usted tenga en este debate, no se atreva en adelante a aventurarse en la discusión sin leer detenidamente este libro, que, afortunadamente, hace mucho más difícil la argumentación mediante estereotipos y reduccionismos. Por encima de todo, este libro suscitará adoración cuando sus lectores reflexionen de nuevo sobre lo que Jesús consiguió en la cruz.
D. A. Carson, cofundador y teólogo en jefe, The Gospel Coalition

El tema es suficientemente meritorio. Sin embargo, el grupo de colaboradores de este volumen hace que esta sea, en mi opinión, la más impresionante defensa de la expiación definitiva en más de un siglo. Más allá de ensayar los argumentos tradicionales, teólogos históricos, bíblicos y sistemáticos de primer orden aportan enfoques frescos y exégesis. *Desde el Cielo Vino y la Buscó* es un regalo que, sin duda, seguirá dando frutos en las generaciones venideras.
Michael Horton, Profesor de Teología Sistemática y Apologética J. Gresham Machen, Westminster Seminary, California

Este es el estudio definitivo. Es cuidadoso, exhaustivo, profundo, pastoral y absolutamente persuasivo.
David F. Wells, Profesor Senior de Investigación Distinguida de Teología, Gordon-Conwell Theological Seminary

Existe una sabiduría popular que parece creer que la expiación definitiva es el más débil de los cinco pilares de doctrina confesados en el Sínodo de Dort. Sin embargo, usted puede terminar este libro creyendo que es el más fuerte, en lo que respecta a su atestación histórica, base bíblica y en cuanto a su bendición espiritual. Escrito por exégetas y teólogos de primer orden, este libro abarca todas las cuestiones difíciles y se presenta con un argumento muy persuasivo y atractivo. Altamente recomendable.

John M. Frame, profesor emérito de Teología Sistemática y Filosofía, Reformed Theological Seminary

¿Por quién murió Cristo? Este volumen presenta un argumento fresco e impresionantemente completo a favor de la expiación definitiva como una respuesta fiel a las Escrituras. Muestra de manera convincente, a través de contribuciones de varios autores, (1) que las cuestiones de la extensión de la expiación y su naturaleza no pueden separarse: la sustitución penal, en el corazón de por qué Cristo tuvo que morir, se mantiene o cae con la expiación definitiva; y (2) cómo la expiación definitiva es la única que proporciona una oferta evangélica de salvación del pecado que es genuinamente gratuita. Al abordar las diversas opiniones opuestas sobre este tema tan controvertido, los editores tratan de hacerlo con un espíritu constructivo e irénico, un esfuerzo en el que ellos y los demás autores han alcanzado un éxito admirable.

Richard B. Gaffin Jr., profesor emérito de Teología Bíblica y Sistemática, Westminster Theological Seminary

Este libro es formidable y persuasivo. Quienes estén familiarizados con el terreno reconocerán que los editores conocen con exactitud las cuestiones y figuras clave de este debate. Y ninguno de los autores que le siguen decepciona. El tono es tranquilo y cortés, la erudición rigurosa e implacable, el argumento claro y convincente. Esta penetrante discusión tiene en cuenta las principales críticas académicas modernas a la expiación definitiva (Barth, los Torrance, Armstrong, Kendall y otros), así como críticas más populares (Clifford, Driscoll y Breshears). Un impresionante equipo de eruditos adorna este tema y pretende orientar a los cristianos hacia una gratitud más profunda a Dios por su gracia, una mayor seguridad de la salvación, una comunión más dulce con Cristo, afectos más fuertes en su adoración a Él, más amor por la gente y un valor y sacrificio superiores en el testimonio y el servicio, y, de hecho, impulsarnos a la obra global de las misiones con compasión y confianza.

Ligon Duncan, canciller y director general del Reformed Theological Seminary.

Tanto si simpatiza con la expiación definitiva como si desconfía de ella, este libro le sorprenderá. Aquí hay detalles históricos, enlaces exegéticos, observaciones teológicas y perspectivas pastorales que resultan frescas y fascinantes, aunque también hay mucho que resultará controvertido. *Desde el Cielo Vino y la Buscó* ofrece el análisis más completo y matizado que conozco sobre la expiación definitiva, y contribuirá en gran medida al contenido y la calidad de las futuras conversaciones sobre el objetivo de la expiación. Tanto si piensas que estás de acuerdo como si no lo estás con los autores, merece con creces tu tiempo lidiar con estos ensayos.
Kelly M. Kapic, autor de *Embodied Hope*; profesor de estudios teológicos, Covenant College

¿Qué podemos decir de esta nueva obra de erudición? Michael Horton ha dicho que es "la defensa más impresionante de la expiación definitiva en más de un siglo". Basándose en los colaboradores y en el contenido de ***Desde el cielo vino y la buscó***, parece una valoración bastante justa, pero vale la pena plantear una pregunta más: ¿Es la mejor articulación de la expiación definitiva de todos los tiempos? Hasta la fecha, ese manto se ha reservado para La muerte de la muerte de John Owen. De la cual, J. I. Packer dijo una vez: "Es seguro decir que no se ha hecho ninguna exposición comparable de la obra de la redención tal como fue planeada y ejecutada por el Trino Dios desde que Owen publicó la suya. No se ha necesitado ninguna" ("Introductory Essay", en The Death of Death in the Death of Christ [Banner of Truth, 1959], 12-13). Aunque ese sentimiento puede persistir entre algunos (otros, sin duda, han descartado a Owen por una serie de razones), existe la posibilidad de que este nuevo volumen pueda eclipsar con el tiempo al de Owen. Por un lado, su formato y estilo de escritura son mucho más fáciles de leer. Por otro, porque mejora el trabajo de Owen. Además, los múltiples capítulos de una amplia selección de eruditos bíblicos, teólogos y pastores proporcionan la fuerza de veintitrés testigos, no sólo de uno. Desde el punto de vista académico, este volumen tiene la ventaja de estar al día en sus fuentes, interpretaciones y cuestiones teológicas. Han pasado muchas cosas desde el siglo XVII, y Desde el cielo vino y la buscó maneja hábilmente casi todas las controversias principales.
David Schrock

DESDE EL CIELO VINO Y LA BUSCÓ – VOL. I

LA EXPIACIÓN DEFINITIVA *en* PERSPECTIVA HISTÓRICA Y BÍBLICA

TEOLOGÍA PARA VIVIR
Fe y Palabra

Editado por DAVID GIBSON y JONATHAN GIBSON

Prólogo de J. I. PACKER

IMPRESO EN LIMA, PERÚ

DESDE EL CIELO VINO Y LA BUSCÓ – VOL. 1

Autor: © David Gibson y Jonathan Gibson
Traducción: Jorge De Sousa
Diseño de cubierta: Billy J. Gil
Revisión de estilo y lenguaje: Jorge De Sousa

Published by Crossway
a publishing ministry of Good News Publishers
Wheaton, Illinois 60187, U.S.A.
This edition published by arrangement with Crossway.

Editado por:
©TEOLOGIAPARAVIVIR.S.A.C
José de Rivadeneyra 610. Urb. Santa Catalina, La Victoria.
Lima, Perú.
ventas@teologiaparavivir.com
https://www.facebook.com/teologiaparavivir/
www.teologiaparavivir.com
Primera edición: Julio de 2022
Tiraje: 1000 ejemplares

Hecho el Depósito Legal en la Biblioteca Nacional del Perú, N°: 2022-05490
ISBN Tapa Blanda: 978-612-5034-43-4

Se terminó de imprimir en Julio de 2022 en:
ALEPH IMPRESIONES S.R.L.
Jr. Risso 580, Lince
Lima, Perú.

 Las citas bíblicas fueron tomadas de la Versión *Reina Valera* de 1960, y de la *Nueva Biblia de los Hispanos*, salvo indique lo contrario en alguna de ellas.

El único fundamento de la iglesia
es Jesucristo su Señor;
ella es Su nueva creación
por el agua y la Palabra.
Desde el cielo vino y la buscó
para que sea Su santa esposa;
con Su propia sangre la compró,
y por su vida, Él murió.

Samuel J. Stone (1839-1900)

TABLA DE CONTENIDOS

PRÓLOGO

Se ha dicho con razón que si se quiere examinar toda la sustancia de la fe de la iglesia hay que acudir a sus himnos, del mismo modo que para apreciar la plenitud de la fe del Antiguo Testamento hay que sumergirse en el Salterio. Es sobre todo en los himnos donde se aprende lo específico, no sólo de las afirmaciones doctrinales de la Iglesia, sino también de la intimidad con el Padre y el Hijo a la que el Espíritu Santo conduce a los creyentes. Los colaboradores de este volumen están claramente de acuerdo con esto, y piden en efecto que sus ensayos se lean como elucidaciones de lo que se dice sobre la acción amorosa del Señor Jesucristo en el verso del himno que han tomado como epígrafe:

> Desde el cielo vino a buscarla
> para que sea Su santa esposa;
> con Su propia sangre la compró,
> y por su vida, Él murió.

Al exponer la amorosa iniciativa y el logro del Salvador en estos términos bíblicamente justificados, los ensayistas defienden, de forma más o menos explícita, la tesis general del libro, a saber, que, así como la fe reformada y sus corolarios pastorales son la auténtica corriente intelectual del cristianismo, la creencia en una redención definitiva, particular y soberanamente eficaz —que expresan los versos citados— es su auténtico eje intelectual. Sus amplias demostraciones de que ésta es la única forma genuinamente coherente de integrar todos los datos bíblicos sobre Jesús resultan de una manera cada vez más impresionante al ser argumentadas en contra de las alternativas tan minuciosamente como se hace aquí.

Considero un honor el que se me haya pedido un prólogo para este enorme producto de erudición precisa y bien documentada. El propósito de un prólogo, tal como lo entiendo, es indicar qué es lo que los lectores encontrarán en el libro y sintonizarlos en la frecuencia apropiada para apreciarlo, y esta petición en particular me recuerda poderosamente una ocasión similar en el pasado, cuando se me encomendó una tarea semejante.

Hace más de medio siglo, en sus días de juventud, Banner of Truth me pidió que compusiera un ensayo introductorio para una reimpresión del clásico de John Owen de 1648, *Salus Electorum, Sanguis Jesu: O La Muerte de la Muerte en la Muerte de Cristo*. Recuerdo que sentí que se trataba de una petición importante, ya que, por un lado, sabía que muchos, empezando por el propio Owen, consideraban que se trataba de una composición que marcaba un hito (de hecho, fue la primera de varias que Owen produjo en el curso de su ministerio), y, por otro lado, me daba la oportunidad de clavar mis propios colores reformados en el asta, por así decirlo, y elogiar el razonamiento de Owen, siendo yo uno de los que se había beneficiado enormemente de él.

El artículo que escribí entonces, explicando y afirmando lo esencial de la posición de Owen, tuvo un impacto que me sorprendió; me alegra poder decir en este momento que no veo nada en él que deba ser modificado o retirado a la luz de trabajos más recientes míos o de otros, y me alegra que siga formando parte de mi identidad declarada en Cristo. Desde entonces, sin duda, la exploración académica del pensamiento puritano del siglo XVII se ha convertido en una continua y ajetreada actividad, parte de la cual ha contribuido a la elaboración de partes de este libro. Ahora la rueda ha completado el círculo, y una vez más se me pide que presente un volumen sobre la muerte reconciliadora de Cristo, el cual, en mi opinión, con la bendición de Dios puede tener en sí mismo un significado histórico en el fomento de lo que John Gill, hace más de dos siglos, llamó "la causa de Dios y la verdad". Me alegra mucho hacer esto.

El corazón del cristianismo reformado es su cristocentrismo trinitario, expresado hacia el hombre en la proclamación evangelizadora y pastoral acorde con la necesidad humana, según la Gran Comisión de Cristo; y hacia Dios en el ofrecimiento de culto, tanto corporativo como individual, de alabanza, oración, acción de gracias y canto. Dentro de esta vía bidireccional de comunión con Dios y servicio a Dios, la presencia personal permanente del Señor crucificado, resucitado, reinante y que regresa con su pueblo, y su dirección personal constante a través de las Escrituras escuchadas, leídas y predicadas, tanto a los que son suyos como a los que aún no lo son, son de carácter integral y, de hecho, central.

Desde el siglo XVII, el vínculo relacional en el que el Padre, a través del Hijo, atrae a los pecadores ha sido designado bajo el nombre de *pacto de gracia*, y se ha considerado que está reforzado por un plan y un compromiso previos entre el Padre y el Hijo, el cual ha sido denominado *pacto de redención*. Ambos están ampliamente atestiguados en las Escrituras, tanto implícita como explícitamente. El recuento más completo sobre el pacto de gracia (el nuevo y eterno pacto) se encuentra en la carta a los Hebreos, y la evidencia clave sobre el pacto de redención (la agenda mediadora de Cristo, establecida por el Padre) está contenida en el Evangelio de Juan.

De acuerdo con esta concepción del cristianismo, la obtención por parte de Cristo, mediante su cruz, de la redención corporativa de toda la iglesia —pasada, presente y futura—, tal como la conocen y la aman las Tres Personas de la Trinidad, y, por tanto, la redención individual de todos los que el Padre ha dado al Hijo para que los salve, es a la vez la cumbre de la gloria, en el sentido primario de que Dios se manifiesta plenamente, y el manantial de la gloria, tanto en el sentido secundario de estímulo a una doxología sin fin, como en el sentido terciario de la acción divina para glorificar a los redimidos en, con y por Cristo, de modo que lleven su imagen y semejanza de manera plena. Tal es el cristianismo que se pone de manifiesto en este excelente libro.

Desgraciadamente, la apreciación del cristianismo reformado en sus propios términos, al menos en el mundo de habla inglesa, se ha visto obstaculizada durante mucho tiempo por el hábito, formado en conflicto con el revisionismo arminiano, de llamar a la redención definitiva *expiación limitada*. Este hábito parece haberse canonizado hace aproximadamente un siglo, cuando el mnemotécnico TULIP llegó a utilizarse como resumen de lo que se supone que hace que el cristianismo reformado sea lo que esencialmente es. De hecho, la mnemotecnia abarca las cinco tesis antiarminianas que el Sínodo de Dort afirmó en 1619 para contrarrestar la agenda revisionista arminiana.

La Expiación limitada está en el centro del TULIP, flanqueada por la Depravación total y la Elección incondicional, por un lado, y la Gracia irresistible y la Perseverancia de los santos, por otro.[1] Ahora bien, es cierto que la redención definitiva es central en la comprensión reformada del evangelio y que el término *expiación*, que significa *reconciliación*, es una alternativa aceptable para referirse a la *redención*; pero *limitada* es un énfasis inapropiado que en realidad suena amenazante.

Es como si los cristianos reformados tuvieran una preocupación primordial por anunciar que hay personas por las que Cristo no murió para salvarlas, a las que, por tanto, no tiene sentido invitar a que se aparten del pecado y confíen en él como Salvador. Si fuera así, la lógica de la práctica pastoral reformada parecería ser la siguiente: las invitaciones evangelísticas exhaustivas al público ordinario no deben ser emitidas indiscriminadamente. Este no es el lugar para argumentar que restringir lo que se llama "la oferta bien intencionada de Cristo", en la predicación y el testimonio personal y el asesoramiento, es falso para el Cristo bíblico, para el apóstol Pablo y para la práctica de los evangelistas reformados más destacados de la historia (tomemos a George Whitefield, Charles Spurgeon y Asahel Nettleton, para empezar), y por lo tanto es simple y tristemente erróneo; los lectores de este libro pronto lo verán. Pero quizás deba decir que, en mi opinión, es hora de dejar descansar al TULIP, ya que su punto central hace mucho más daño que bien.

En resumen, le doy a este libro la máxima puntuación por su sólida erudición, su convincente argumentación, la calidez de su estilo y su celo por la verdadera gloria de Dios; lo recomiendo encarecidamente. Por él, y por la fe bíblica que expone, al Hijo de Dios, nuestro Redentor y Señor, con el Padre y el Espíritu, sean la adoración y la gratitud de corazón. Amén.

J. I. Packer

Vancouver, Canadá

---

[1] En el acróstico original en inglés, que conocemos como TULIP (*Total Depravity, Unconditional Election, Limited Atonement, Irresistible Grace, Perseverance of the Saints*), la doctrina de la redención definitiva se encuentra en el centro del acróstico, *Limited Atonement* (Nota del traductor).

PREFACIO

No crecimos creyendo en la expiación definitiva.[1] Tuvimos el privilegio de crecer en una tradición eclesiástica devota que nos nutrió en Cristo, pero nuestro amor por la doctrina no es el resultado de una hermenéutica reformada heredada que diera forma al único mundo que hemos conocido. Tampoco llegamos a creer en la expiación definitiva de la misma manera. Uno de nosotros estudió teología en tres universidades británicas diferentes y se ha especializado en la historia de la interpretación bíblica; el otro estudió en el Moore Theological College de Sydney y realizó una investigación doctoral en estudios hebreos en una universidad británica. Por caminos distintos, y en momentos diferentes, hemos llegado a ver en las Escrituras que la muerte de Cristo por su pueblo no contradice su mandato de proclamar el evangelio al mundo.

Este libro se presenta con la oración de que presente un cuadro convincente de la hermosura y el poder de la expiación definitiva, y así revitalizar la confianza en este entendimiento profundamente bíblico de la cruz de Cristo. La expiación definitiva es hermosa porque cuenta la historia del Hijo-Guerrero que viene a la tierra a matar a su enemigo y a rescatar al pueblo de su Padre. Es el Buen Pastor que da su vida por sus ovejas, un Esposo amoroso que se entrega por su novia, y un Rey victorioso que reparte el botín de su conquista entre los ciudadanos de su reino.

La expiación definitiva es poderosa porque muestra la gloria de la iniciativa, realización, aplicación y consumación divinas en la obra de la salvación. El Padre envió al Hijo, quien cargó con nuestros pecados en su cuerpo en el

[1] A lo largo de toda la obra, se designa como *expiación definitiva* la doctrina que, en nuestro contexto, se nos ha presentado bajo el nombre de *expiación limitada* o *particular*. Los editores y autores de este volumen prefieren el nombre expiación definitiva, y así se preserva en la traducción (Nota del traductor).

madero, y el Espíritu ha sellado nuestra adopción y garantiza nuestra herencia en el reino de la luz. La doctrina reside en el drama poético y las proposiciones didácticas de la Escritura. Y no sólo es bíblica la expiación definitiva, sino que llega a nosotros con una historia estructurada, integridad teológica y gran riqueza pastoral.

Sin embargo, a menudo escasea la confianza gozosa en la expiación definitiva. Incluso para quienes están comprometidos con la teología reformada, esta doctrina puede ser considerada a veces como ese pariente incómodo que se recibe en casa más por obligación que por placer. Pero no hay necesidad de que exista ninguna incomodidad. Pertenece al corazón de la vida familiar. Este volumen pretende dejar esto en claro proporcionando una profundidad y amplitud de perspectiva que normalmente sólo se reúne desde muchas fuentes dispares.

Algunos de los que abran estas páginas desconfiarán de la expiación definitiva y leerán convencidos de que es un error o asombrados de que algunos crean que es verdad. Los ensayos están escritos de forma irénica. Las voces discrepantes son abordadas con firmeza, pero no hay un tono estridente en nuestras respuestas. No hay animosidad de contenido en la crítica a los individuos y a los movimientos asociados a ellos. Aunque no nos referimos a nuestra posición como "calvinista" (por razones que explicaremos), la designación de John Newton debería mantenerse como una crítica justa a algunos que representan la teología que deseamos defender:

> Y me temo que hay calvinistas que, si bien consideran una prueba de su humildad el hecho de que estén dispuestos a degradar a la criatura y a dar toda la gloria de la salvación al Señor, no saben de qué espíritu son. Cualquier cosa que nos haga confiar en que somos comparativamente sabios o buenos, como para tratar con desprecio a los que no suscriben nuestras doctrinas, o no se adhieren a nuestro bando, es prueba y fruto de un espíritu farisaico. La justicia propia puede alimentarse de las doctrinas tanto como de las obras; y un hombre puede tener el corazón de un fariseo al mismo tiempo que tiene la cabeza llena de nociones ortodoxas sobre la indignidad de la criatura y las riquezas de la gracia inmerecida. Incluso, añadiría, aún los mejores hombres no están totalmente libres de esta levadura, y por lo tanto son demasiado propensos a complacerse con representaciones tales que ridiculizan a nuestros adversarios, y por consiguiente halagan nuestros propios juicios superiores. Las

> controversias, en su mayor parte, se manejan de tal manera que complacen más que reprimen esta disposición errónea; y, por lo tanto, generalmente hablando, son productoras de poco bien. Provocan a quienes deberían convencer, y envanecen a quienes deberían edificar.[2]

Precisamente porque articula el Evangelio de Dios, este volumen pretende acabar con toda la autojustificación de aquellos que aman la expiación definitiva mientras la enseñan por el bien de la iglesia. Es una invitación a explorar los fundamentos históricos de la doctrina y a pensar de nuevo en la vitalidad de sus expresiones exegéticas, teológicas y pastorales. Acaso sea justo pedir al lector la misma caridad que ha ofrecido cada escritor.

David Gibson, Old Aberdeen
Jonathan Gibson, Cambridge

Epiphany 2013

---

[2] John Newton, "On Controversy", en *The Works of John Newton*, 6 vols. (New York: Williams & Whiting, 1810), 1:245.

AGRADECIMIENTOS

Este libro, que se ha estado elaborando durante más de seis años, no habría sido posible sin varias personas que ayudaron a cultivar el proyecto desde la idea hasta la realidad. Tenemos con ellos una deuda de gratitud incalculable.

Justin Taylor, de Crossway, fue nuestro primer punto de contacto cuando nos preguntábamos si el proyecto podría funcionar. Él convirtió nuestro entusiasmo de varios tomos en la labor mucho más realista que ahora tiene en sus manos. Hemos estado en deuda con Justin en cada paso del camino, así como con Jill Carter y Allan Fisher por su supervisión. Ha sido un placer trabajar con el equipo de Crossway. Nuestro agradecimiento a Angie Cheatham, Amy Kruis, Janni Firestone, Maureen Magnussen y, especialmente, a Bill Deckard por su paciencia y su capacidad editorial.

Garry Williams aceptó hacer de lector teológico, luego se convirtió en colaborador, y cada ensayo es lo mejor debido a sus muchos años de reflexión sobre la expiación en todos sus aspectos. Tom Schreiner nos animó enormemente con su ayuda en las primeras etapas, y estamos agradecidos también con Raymond Blacketer, Henri Blocher, Jonathan Moore, Lee Gatiss, Michael Horton, Peter Orr e Ian Hamilton, que nos proporcionaron una ayuda esencial. Kylie Thomas tuvo la amabilidad de comprobar las referencias de las obras francesas del siglo XVII en la Biblioteca de la Universidad de Cambridge, además de proporcionar una excelente ayuda editorial. Tom McCall y Mark Thompson interactuaron de forma crítica con parte del material de la manera más gentil. También hay que agradecer a Aaron Denlinger, Mark Earngey, John Ferguson, Will Lind, Peter Matthess, Richard Muller, Paul Reed, David Schrock y Edwin Tay.

Más cerca de casa, Peter Dickson, de la Trinity Church de Aberdeen, ha sido el mejor ejemplo y amigo que se puede esperar. En varias etapas, se encargó voluntariamente de más trabajo para que David tuviera tiempo de leer, escribir y editar. Jonathan está en deuda con su mentor y amigo, Charles De Kiewit, pastor de la Central Baptist Church de Pretoria, Sudáfrica, por haberle introducido por primera vez en la teología reformada.

Nuestras esposas, Angela y Jacqueline, han sido una fuente constante de ánimo. Han tolerado nuestros trasnochos y han consentido nuestras frecuentes conversaciones, y el libro terminado se debe tanto a su paciencia, gracia y humor como a cualquier otra cosa. Les estamos más que agradecidos.

Dedicamos nuestro trabajo en este volumen a nuestros hijos: Archie, Ella, Samuel, Lily y Benjamin, respectivamente. Mientras escribimos, son demasiado pequeños para comprender todas las gloriosas profundidades de la muerte expiatoria de Cristo. Pero envueltos en la promesa del pacto, se les ha proclamado su belleza en sus bautismos y nuestra oración es que nunca recuerden un día en el que no conocieran el amor del Salvador.

> Por ti, pequeño, Jesucristo ha venido, ha luchado, ha sufrido. Por ti se adentró en la sombra del Getsemaní y en el horror del Calvario. Por ti gritó: "¡Consumado es!". Por ti resucitó y ascendió al cielo y allí intercede por ti, pequeño, aunque tú no lo sepas. Pero de esta manera se hace realidad la palabra del Evangelio. "Lo amamos, porque Él nos amó primero".
>
> — Liturgia Bautismal Reformada Francesa

ABREVIATURAS

AACM	*Ad Acta Colloquii Montisbelgardensis Tubingae edita Theodori Bezae responsio, Tubingae edita*, 2 vols. (Ginebra: J. le Preuz, 1587–1588)
BAGD	W. Bauer, *A Greek-English Lexicon of the New Testament and Other Early Christian Literature*, ed. W. F. Arndt, F. W. Gingrich, F. W. Danker (Chicago: University of Chicago, 1979)
BDB	F. Brown, S. R. Driver, y C. A. Briggs, *Hebrew and English Lexicon of the Old Testament* (Oxford: Oxford University Press, 1929)
BECNT	*Baker Exegetical Commentary on the New Testament*
BSac	*Bibliotheca Sacra*
BTP	Moïse Amyraut, *Brief Traitté de la Predestination et de ses principales dépendances* (Saumur, Francia: Jean Lesnier & Isaac Debordes, 1634; 2nd ed. Revisada y corregida, Saumur, France: Isaac Debordes, 1658)
CAH	Brian G. Armstrong, *Calvinism and the Amyraut Heresy: Protestant Scholasticism and Humanism in Seventeenth-Century France* (Madison: University of Wisconsin Press, 1969; reimpr. Eugene, OR: Wipf & Stock, 2004)
CD	Karl Barth, *Church Dogmatics*, ed. G. W. Bromiley y T. F. Torrance, 14 vols. (Edinburgh: T. & T. Clark, 1956–1975)
CO	*Ioannis Calvini Opera quae supersunt omnia*, ed. J. W. Baum, A. E. Cunitz, y E. Reuss, 59 vols. (Braunschweig, Germany: Schwetschke, 1863–1900)
CNTC	Comentarios de Calvino al Nuevo Testamento, ed. David W. Torrance y Thomas F. Torrance (varios traductores), 12 vols. (Grand Rapids, MI: Eerdmans, 1959–1972)

CRT	Richard A. Muller, *Calvin and the Reformed Tradition: On the Work of Christ and the Order of Salvation* (Grand Rapids, MI: Baker Academic, 2012)
CTCT	Ian McPhee, "Conserver or Transformer of Calvin's Theology? A Study of the Origins and Development of Theodore Beza's Thought, 1550–1570" (tésis doctoral, University of Cambridge, 1979)
CTJ	*Calvin Theological Journal*
CTS	Calvin Translation Society
EQ	*Evangelical Quarterly*
FRR	Jeffrey Mallinson, *Faith, Reason, and Revelation in Theodore Beza 1519–1605* (Oxford: Oxford University Press, 2003)
ICC	International Critical Commentary
JBL	*Journal of Biblical Literature*
JETS	*Journal of the Evangelical Theological Society*
JTS	*Journal of Theological Studies*
KD	Karl Barth, *Die kirchliche Dogmatik* (Munich: Chr. Kaiser, 1932; y Zürich: Evangelischer Verlag Zürich, 1938–1967)
LXX	Septuaginta
TM	Texto Masorético
NICNT	*New International Commentary on the New Testament*
NICOT	*New International Commentary on the Old Testament*
NIGTC	*New International Greek Testament Commentary*
NPNF[1]	*Nicene and Post-Nicene Fathers*, A Select Library of the Christian Church, ed. Philip Schaff, Primera serie, 14 vols. (reimpr. Peabody, MA: Hendrickson, 1994)
NPNF[2]	*Nicene and Post-Nicene Fathers*, A Select Library of the Christian Church, ed. Philip Schaff and Henry Wace, Segunda serie, 14 vols. (reimpr. Peabody, MA: Hendrickson, 1994)
NSBT	*New Studies in Biblical Theology*
NTS	*New Testament Studies*
PG	*Patrologia graeca*, ed. J.-P. Migne et al. (Paris: Centre for Patristic Publications, 1857–1886)

PL	*Patrologia latina*, ed. J.-P. Migne et al. (Paris: Centre for Patristic Publications, 1878–1890)
PNTC	*Pillar New Testament Commentary*
PRRD	Richard A. Muller, *Post-Reformation Reformed Dogmatics*, 4 vols., vols. 1–2, 2da ed. (Grand Rapids, MI: Baker Academic, 2003)
RTR	*Reformed Theological Review*
SBET	*Scottish Bulletin of Evangelical Theology*
SJT	*Scottish Journal of Theology*
TB	*Tyndale Bulletin*
TDNT	*Theological Dictionary of the New Testament*, ed. Gerhard Kittel (Grand Rapids, MI: Eerdmans: 1965)
TOTC	*Tyndale Old Testament Commentaries*
TT	Theodore Beza, *Tractationes Theologiae*
WBC	*Word Biblical Commentary*
CFW	Confesión de Fe de Westminster
WTJ	*Westminster Theological Journal*

CONTRIBUYENTES

Raymond A. Blacketer es el pastor principal de la First Cutlerville Christian Reformed Church, en Grand Rapids, Michigan. Realizó su doctorado en Teología Histórica bajo la tutela de Richard A. Muller en el Calvin Theological Seminary. Ha escrito artículos sobre Juan Calvino, William Perkins y Henry Ainsworth. Actualmente está trabajando en *The Reformation Commentary on Scripture. Volume 3: Exodus-Deuteronomy* (Downers Grove, IL: InterVarsity Press, de próxima publicación). Su trabajo sobre Calvino incluye "No Escape by Deception: Calvin's Exegesis of Lies and Liars in the Old Testament", *Reformation and Renaissance Review* 10.3 (2008): 267-89, y *The School of God. Pedagogy and Rhetoric in Calvin's Interpretation of Deuteronomy, Studies in Early Modern Religious Reforms 3* (Dordrecht, Países Bajos: Springer, 2006).

Henri A. G. Blocher fue profesor de Teología Sistemática Gunter H. Knoedler, en la Wheaton College Graduate School of Biblical and Theological Studies, y es decano honorario en la Faculté Libre de Théologie Évangélique de Vaux-sur-Seine, Francia, donde fue profesor de Teología Sistemática y donde todavía imparte algunos cursos. También fue presidente de la Fellowship of European Evangelical Theologians. Ha colaborado con artículos en numerosas revistas y volúmenes de varios autores. Entre sus libros en inglés figuran *Original Sin: Illuminating the Riddle* (Leicester, Reino Unido: Apollos, 1997); *Evil and the Cross* (Leicester, Reino Unido: Apollos, 1994); *In the Beginning: The Opening Chapters of Genesis* (Leicester, Reino Unido: Inter-Varsity Press, 1984).

Amar Djaballah es profesor de estudios bíblicos y decano de la Faculté de Théologie Évangélique (afiliada a la Universidad de Acadia) en Montreal, Canadá. Djaballah se licenció en la Faculté Libre de Théologie Évangélique, en

Vaux-sur-Seine, y se doctoró en la Université Paris I-Panthéon Sorbonne. Es autor de numerosos libros y artículos en francés, entre ellos una gramática griega del Nuevo Testamento. Djaballah ha escrito un libro sobre las parábolas en francés (*Les paraboles aujourd'hui*), que pronto se publicará en inglés (Eerdmans, de próxima publicación), una breve monografía en inglés sobre el Islam, y un volumen sobre hermenéutica de próxima publicación por les Éditions Excelsis. También es autor de "Calvin and the Calvinists: An Examination of Some Recent Views", *Reformation Canada* 5.1 (1982): 7-20.

Sinclair B. Ferguson, ex ministro principal de la First Presbyterian Church, Columbia, Carolina del Sur, es profesor de Teología Sistemática en el Redeemer Theological Seminary, así como profesor visitante distinguido en el Westminster Theological Seminary, Filadelfia. Graduado por la Universidad de Aberdeen, ha contribuido a varios volúmenes de varios autores, incluyendo *The New Dictionary of Theology* (Leicester, Reino Unido: Inter-Varsity Press, 1998) y *The New Bible Commentary* (Leicester, Reino Unido: Inter-Varsity Press, 1994). Sus propias obras incluyen *By Grace Alone: How the Grace of God Amazes Me* (Lake Mary, FL: Reformation Trust, 2010); *In Christ Alone: Living the Gospel-Centered Life* (Lake Mary, FL: Reformation Trust, 2007); y *The Holy Spirit* (Leicester, UK: Inter-Varsity Press, 1997).

Lee Gatiss es director de la Church Society y profesor adjunto de Historia de la Iglesia en la Wales Evangelical School of Theology. Ha estudiado historia y teología en Oxford y Cambridge, y tiene una maestría en Teología Histórica y Sistemática por el Westminster Theological Seminary de Filadelfia. Se formó para el ministerio en el Oak Hill Theological College de Londres y ha servido en varias iglesias anglicanas. Sus publicaciones más recientes incluyen una nueva edición anotada en dos volúmenes, *The Sermons of George Whitefield* (Wheaton, IL: Crossway, 2012); *For Us and for Our Salvation: "Limited Atonement" in the Bible, Doctrine, History, and Ministry* (London: Latimer Trust, 2012); y *The True Profession of the Gospel: Augustus Toplady and Reclaiming Our Reformed Foundations* (Londres: Latimer Trust, 2010). Es uno de los editores de la edición crítica en varios volúmenes de las Actas del Sínodo de Dort 1618/19 (Göttingen, Alemania: Vandenhoeck & Ruprecht, de próxima publicación).

David Gibson ha sido ordenado en la International Presbyterian Church y es ministro de la Trinity Church, Aberdeen, Escocia. Estudió teología en la Universidad de Nottingham y en el King's College de Londres, y se doctoró en Teología Histórica y Sistemática en la Universidad de Aberdeen. Ha colaborado en *"But My Words Will Never Passway": The Enduring Authority of the Christian Scriptures*, ed. D. A. Carson, 2 vols. (Grand Rapids, MI: Eerdmans, de próxima publicación), es autor de *Reading the Decree: Exegesis, Election and Christology in Calvin and Barth* (Londres/Nueva York: T. & T. Clark, 2009), y coeditó, con Daniel Strange, *Engaging with Barth: Contemporary Evangelical Critiques* (Nottingham, Reino Unido: Apollos, 2008; Nueva York: T. & T. Clark, 2009).

Jonathan Gibson es candidato a PhD en Estudios Hebreos en la Universidad de Cambridge. Estudió la licenciatura en Ciencias en la Universidad del Ulster, en Jordanstown, Irlanda del Norte, y luego trabajó como fisioterapeuta durante varios años, antes de terminar la licenciatura en Divinidad en el Moore Theological College, en Sidney, Australia. Actualmente investiga la exégesis bíblica interna dentro de la Biblia hebrea, con referencia específica al libro de Malaquías. Es autor de "Cutting off 'Kith and Kin', 'Er and Onan'? Interpreting an Obscure Phrase in Malachi 2:12", *JBL* (de próxima publicación); "Obadiah" en la *NIV Proclamation Bible* (London: Hodder & Stoughton, 2013); y "Jonathan Edwards: A Missionary?", *Themelios* 36.3 (2011): 380-402.

Matthew S. Harmon es profesor de Estudios del Nuevo Testamento en el Grace College and Theological Seminary. Además de una licenciatura en comunicaciones por la Universidad de Ohio, tiene un máster en Divinidad por la Trinity Evangelical Divinity School y un doctorado en Teología Bíblica por el Wheaton College. Es autor de *She Must and Shall Go Free: Paul's Isaianic Gospel in Galatians* (Berlín: deGruyter, 2010); "Philippians" en la *NIV Proclamation Bible* (Londres: Hodder & Stoughton, 2013), y *Philippians, A Mentor Commentary* (Ross-shire, UK: Christian Focus, de próxima publicación). Ha contribuido con numerosos artículos a *The Baker Illustrated Bible Dictionary*, ed. Tremper Longman III (Grand Rapids, MI: Baker, 2013), y actualmente está trabajando en *Galatians, Biblical Theology for Christian Proclamation* (Nashville: B&H, de próxima aparición).

Michael A. G. Haykin es profesor de Historia de la Iglesia y Espiritualidad Bíblica en el Southern Baptist Theological Seminary. Se licenció y doctoró en la Universidad de Toronto. Es autor y editor de varios libros sobre patrística e historia bautista inglesa, entre ellos *Rediscovering the Church Fathers: Who They Were and How They Shaped the Church* (Wheaton, IL: Crossway, 2011); *"At the Pure Fountain of Thy Word": Andrew Fuller as an Apologist* (Carlisle, UK: Paternoster, 2004); *The Spirit of God: The Exegesis of 1 and 2 Corinthians in the Pneumatomachian Controversy of the Fourth Century* (Leiden, Países Bajos: Brill, 1994); *One Heart and One Soul: John Sutcliff of Olney, His Friends, and His Times* (Darlington, Reino Unido: Evangelical Press, 1994).

Paul Helm es profesor en el Regent College de Vancouver. Estudió en el Worcester College de la Universidad de Oxford. Entre sus publicaciones recientes se encuentran *Calvin at the Centre* (Oxford: Oxford University Press, 2009); *Calvin: A Guide for the Perplexed* (Londres: Continuum, 2008); y *John Calvin's Ideas* (Oxford: Oxford University Press, 2004).

David S. Hogg es Decano Asociado de Asuntos Académicos y Profesor Asociado de Historia y Doctrina en la Beeson Divinity School de la Universidad de Samford. Es licenciado por la Universidad de Toronto, el Westminster Theological Seminary de Filadelfia y la Universidad de St. Andrews. Ha colaborado en varios volúmenes editados, entre ellos *Great Is Thy Faithfulness? Reading Lamentations as Sacred Scripture* (Eugene, OR: Pickwick, 2011); *The Lord's Supper, Remembering and Proclaiming Christ until He Comes* (Nashville: B&H Academic, 2010); *The Dictionary of Historical Theology* (Grand Rapids, MI: Eerdmans, 2000). Ha escrito sobre Anselmo de Canterbury en numerosos lugares, pero sobre todo en su obra titulada *Anselm of Canterbury: The Beauty of Theology* (Aldershot, UK: Ashgate, 2004).

Robert Letham es director de investigación y profesor titular de Teología Sistemática e Histórica en la Wales Evangelical School of Theology, profesor adjunto en el Westminster Theological Seminary de Filadelfia, y ministro presbiteriano con veinticinco años de experiencia pastoral. Tiene títulos de la Universidad de Exeter, el Westminster Theological Seminary de Filadelfia y la Universidad de Aberdeen (doctorado). Es autor de *A Christian's Pocket Guide to Baptism* (Ross-shire, UK: Christian Focus, 2012); *Union with Christ* (Phillipsburg, NJ: P&R, 2011); *The Westminster Assembly: Reading Its Theology in Historical Context* (Phillipsburg, NJ: P&R, 2009); *Through Western Eyes* (Ross-shire, UK: Mentor, 2007); *The Holy Trinity* (Phillipsburg, NJ: P&R, 2004); *The Lord's Supper* (Phillipsburg, NJ: P&R, 2001); y *The Work of Christ* (Downers Grove, IL: InterVarsity Press, 1993). Ha contribuido con capítulos a varios libros, incluyendo *Shapers of Christian Orthodoxy* (Nottingham, UK: Apollos, 2010).

Donald Macleod es ministro ordenado de la Free Church of Scotland. Desde 1978 fue profesor de Teología Sistemática en la Free Church of Scotland, Edimburgo, hasta su reciente jubilación. Se graduó en la Universidad de Glasgow en 1958, y fue galardonado con un DD honorífico del Westminster Theological Seminary, Filadelfia, en 2008. Entre sus numerosos libros figuran *Jesus Is Lord: Christology, Yesterday and Today* (Ross-shire, Reino Unido: Christian Focus, 2000); *A Faith to Live By* (Ross-shire, Reino Unido: Christian Focus, 2000); y *The Person of Christ* (Leicester, Reino Unido: Inter-Varsity Press, 1998).

J. Alec Motyer es un ministro jubilado de la Iglesia de Inglaterra, que ha servido en parroquias en Wolverhampton, Bristol, Londres y Bournemouth. Paralelamente a su labor pastoral, fue tutor, vicedirector y director, respectivamente, de Tyndale Hall, Clifton Theological College y Trinity College, Bristol. Se formó en la Universidad de Dublín y en Wycliffe Hall, Oxford, y posee los títulos de BA, MA, BD (Dublín) y DD (Lambeth/Oxford). Sus publicaciones más recientes son *Preaching for Simpletons* (Ross-shire, Reino Unido: Christian Focus, 2013); e *Isaiah by the Day: A New Devotional Translation* (Ross-shire, Reino Unido: Christian Focus, 2011). Es más conocido por su comentario *The Prophecy of Isaiah* (Leicester, Reino Unido: Inter-Varsity Press, 1993), así como por ser el editor de los comentarios del Antiguo Testamento en la serie *Bible Speaks Today*.

John Piper es fundador y profesor de *desiringGod.org*, y rector del Bethlehem College and Seminary, en Minneapolis. Se licenció en el Wheaton College, obtuvo la licenciatura en el Fuller Theological Seminary y el doctorado en Teología (Nuevo Testamento) en la Universidad de Munich. Sirvió treinta y tres años como pastor principal de la Bethlehem Baptist Church, Minneapolis. Sus libros incluyen *Desiring God* (Colorado Springs: Multnomah, revisado y ampliado en 2011); *What Jesus Demands from the World* (Wheaton, IL: Crossway, 2006); *God Is the Gospel* (Wheaton, IL: Crossway, 2004); y *Don't Waste Your Life* (Wheaton, IL: Crossway, 2003).

Thomas R. Schreiner es pastor de predicación en la Clifton Baptist Church y profesor James Buchanan Harrison de Interpretación del Nuevo Testamento en el Southern Baptist Theological Seminary. Se doctoró en Nuevo Testamento en el Fuller Theological Seminary. Es autor de numerosos libros, entre ellos *The King in His Beauty: A Biblical Theology of the Old and New Testaments* (Grand Rapids, MI: Baker, 2013); *Galatians, Zondervan Exegetical Commentary on the New Testament* (Grand Rapids, MI: Zondervan, 2010); y *New Testament Theology: Magnifying God in Christ* (Grand Rapids, MI: Baker, 2008).

Daniel Strange es vicedirector académico y tutor de cultura, religión y teología pública en el Oak Hill Theological College de Londres. Se licenció y doctoró en la Universidad de Bristol (Inglaterra). Es coautor, junto con Gavin D'Costa y Paul Knitter, de *Only One Way? Three Christian Responses to the Uniqueness of Christ in a Pluralistic World* (Londres: SCM, 2011); coeditor con David Gibson de *Engaging with Barth: Contemporary Evangelical Critiques* (Nottingham, Reino Unido: Apollos, 2008; Nueva York: T. & T. Clark, 2009); y autor de *The Possibility of Salvation among the Unevangelized: An Analysis of Inclusivism in Recent Evangelical Theology* (Carlisle, Reino Unido: Paternoster, 2001).

Carl R. Trueman es profesor Paul Woolley de Historia de la Iglesia en el Westminster Theological Seminary de Filadelfia, y pastor de la Cornerstone Presbyterian Church (OPC) de Ambler, Pensilvania. Tiene un máster por la Universidad de Cambridge y un doctorado por la Universidad de Aberdeen. Entre sus publicaciones recientes se encuentran *The Creedal Imperative*

(Wheaton, IL: Crossway, 2012) e *Histories and Fallacies* (Wheaton, IL: Crossway, 2010).

Stephen J. Wellum es profesor de Teología Cristiana en el Southern Baptist Theological Seminary, y editor de The Southern Baptist Journal of Theology. Recibió su MDiv y su doctorado en Teología Sistemática en la Trinity Evangelical Divinity School. Es coautor con Peter J. Gentry de *Kingdom through Covenant: A Biblical-Theological Understanding of the Covenants* (Wheaton, IL: Crossway, 2012). Además de varios artículos en revistas, ha contribuido con capítulos en varios libros, incluyendo *The Church: Jesus' Covenant Community* (Nashville: B&H Academic, 2013); *Whomever He Wills: A Surprising Display of Sovereign Mercy* (Cape Coral, FL: Founders Press, 2012); *The Deity of Christ* (Wheaton, IL: Crossway, 2011); *Faith Comes by Hearing: A Response to Inclusivism* (Downers Grove, IL: IVP Academic, 2008); *Believer's Baptism: Sign of the New Covenant in Christ* (Nashville: B&H Academic, 2007); *Reclaiming the Center: Confronting Evangelical Accommodation in Postmodern Times* (Wheaton, IL: Crossway, 2004); y *Beyond the Bounds: Open Theism and the Undermining of Biblical Christianity* (Wheaton, IL: Crossway, 2003).

Garry J. Williams es director del *John Owen Centre for Theological Study* del London Seminary, y profesor visitante de Teología Histórica en el Westminster Theological Seminary de Filadelfia. Estudió teología en la Universidad de Oxford, donde realizó un doctorado sobre la concepción de la expiación de Hugo Grocio. Ha realizado publicaciones sobre temas como la historia del evangelismo y la expiación, y está escribiendo una exposición bíblica, histórica y sistemática de la expiación penal sustitutiva. El Dr. Williams es considerado uno de los principales teólogos británicos de tiempos modernos.

Paul R. Williamson es profesor de Antiguo Testamento en el Moore Theological College de Sydney. Estudió teología en el Irish Baptist College de Belfast y se doctoró en la Queen's University de Belfast. Es coeditor de *Exploring Exodus* (Nottingham, Reino Unido: Inter-Varsity Press, 2008), y autor de *Sealed with an Oath: Covenant in God's Unfolding Purposes* (Nottingham, Reino Unido: Inter-Varsity Press, 2007). Ha contribuido con artículos a la serie *Dictionary of the Old Testament* (Downers Grove, IL: InterVarsity Press, 2003-2008).

INTRODUCCIÓN

§1. SAGRADA TEOLOGÍA Y LA LECTURA DE LA PALABRA DIVINA: HACIENDO UN MAPA DE LA DOCTRINA DE LA EXPIACIÓN DEFINITIVA

David Gibson y Jonathan Gibson

Es muy común que las personas, al encontrarse con un tema muy discutido, especialmente si lo es por parte de quienes consideran hombres buenos, concluyan inmediatamente que debe tratarse de un tema de poca importancia, una mera cuestión de especulación. Las controversias religiosas tienen un efecto muy negativo en estas personas, porque, al encontrar dificultades a la hora de llegar a la verdad y, al mismo tiempo, una disposición a descuidarla y a dedicarse a otras cosas, se valen fácilmente de lo que les parece una excusa plausible, dejan de lado el estudio y se entregan a un espíritu de escepticismo... Pero, si todos los temas discutidos debieran ser considerados como meras especulaciones, no nos quedaría nada realmente útil en la religión.[1]

[1] Andrew Fuller, *Reply to the Observations of Philanthropos*, en *The Complete Works of the Rev. Andrew Fuller* (Londres: Henry G. Bohn, 1848), 233b. "Philanthropos" era el

Introducción

La doctrina de la expiación definitiva afirma que, en la muerte de Jesucristo, el Dios trino se propuso lograr la redención de cada persona entregada al Hijo por el Padre en el pasado eterno, y aplicar los logros de su sacrificio a cada una de ellas por medio del Espíritu. La muerte de Cristo estaba pensada para ganar la salvación solamente del pueblo de Dios.

La expiación definitiva expresa algo esencial sobre la muerte de Cristo, pero no dice todo lo que hay que decir. Hay muchos aspectos de la expiación que deben afirmarse junto a su propósito y naturaleza definitivos: la suficiencia de la muerte de Cristo para todos; la proclamación libre e indiscriminada del Evangelio para todos; el amor de Dios por los no elegidos y su actitud salvífica hacia un mundo caído; las implicaciones de la expiación para todo el cosmos y no sólo para la Iglesia. La expiación definitiva no agota el significado de la cruz.

Sin embargo, los ensayos de este libro sostienen que la expiación definitiva se encuentra en el corazón del significado de la cruz. A menudo denominada "expiación limitada" o "redención particular", esta es una doctrina de las iglesias reformadas que se valora como una explicación profunda de la muerte de Cristo. Al revelar la naturaleza trinitaria de la obra de Cristo en la cruz, la expiación definitiva ofrece una rica explicación de cómo su muerte sacrificial tiene una dirección objetiva y orientada hacia Dios. Exhibe la salvación, en todas sus partes, como el propósito y el logro compartidos del Padre, el Hijo y el Espíritu. Es la expiación definitiva la que nos muestra que nuestra salvación es un logro divino, haciendo que la redención se cumpla plenamente por el pago de la pena del pecado efectuado por nuestro Salvador en nuestro nombre. Estos puntos se combinan para sugerir que esta doctrina es un corolario adecuado y necesario de la expiación penal sustitutiva.

Vincular la expiación definitiva a la sustitución penal expone inmediatamente el debate que acompaña a la doctrina. Algunos dentro del evangelicalismo negarían que la naturaleza de la expiación sea tanto penal como definitiva. La explicación ofrecida al principio de este capítulo contempla la expiación a través de la lente de la elección y, por tanto, como destinada a salvar a un conjunto específico de personas; sugiere que la expiación es completa como

---

seudónimo de Daniel Taylor, un teólogo bautista general, con quien Fuller dialogó sobre la naturaleza de la expiación de Cristo. Agradecemos a Henri Blocher esta referencia.

acto salvífico, y sostiene que su realización está ligada a la aplicación en la voluntad divina. Dentro y fuera del evangelicalismo y de la teología reformada, cada uno de estos aspectos de la expiación definitiva ha sido objeto de controversia.

Muchos cristianos protestan que la expiación definitiva simplemente va en contra de la clara enseñanza de la Biblia: "Porque de tal manera amó Dios al mundo, que dio a Su Hijo unigénito" (Jn. 3:16); "[Jesucristo] es la propiciación por nuestros pecados, y no solo por los nuestros, sino también por los del mundo entero" (1 Jn. 2:2); "[Cristo Jesús] se dio a sí mismo en rescate por todos" (1 Ti. 2:6). En 1610, cuando cuarenta y seis seguidores de Jacobo Arminio (1559/1560-1609) desafiaron la ortodoxia reformada de su época sobre la doctrina de la expiación —y así pusieron en marcha los acontecimientos que conducirían al Sínodo de Dort y a la declaración clásica de la expiación definitiva— citaron Juan 3:16 y 1 Juan 2:2 como prueba de que "Jesucristo, el Salvador del mundo, murió por todos y cada uno de los hombres".[2]

Más de un siglo después, John Wesley predicó que "todo el tenor del Nuevo Testamento" era "rotundamente contrario" a la expiación definitiva y que la doctrina contenía "horribles blasfemias". Presentaba a Cristo como "un hipócrita, un engañador de la gente, un hombre desprovisto de la sinceridad común" y representaba a Dios "como más cruel, falso e injusto que el diablo".[3] En la era moderna, D. Broughton Knox habla por muchos cuando afirma que la expiación definitiva es, sencillamente, "una doctrina sin un texto".[4]

Ningún texto bíblico afirma que Cristo murió *sólo* por sus elegidos, pero varios textos afirman que murió por *todos*. En términos vívidos, "la doctrina de la expiación limitada trunca el evangelio al cortar los brazos de la cruz demasiado cerca de la estaca".[5]

---

[2] Texto en Gerald Bray, ed., *Documents of the English Reformation* (Cambridge: James Clarke & Co., 1994), 454. Cf. Philip Schaff, *The Creeds of Christendom. Volume III: The Evangelical Protestant Creeds*, 4ta ed., revisada y ampliada (1877; reimpr., Grand Rapids, MI: Baker, 2000), 546.

[3] John Wesley, "Sermon CXXVIII: 'Free Grace' (Ro. viii.32). Preached at Bristol in the year 1740", en *The Works of John Wesley. Volumen VII: Second Series of Sermons Concluded. Also Third, Fourth, and Fifth Series* (London: Wesley Conference Office, 1872; reimpr., Grand Rapids, MI: Zondervan, s. f.), 380-83.

[4] D. Broughton Knox, "Some Aspects of the Atonement", en *The Doctrine of God*, vol. 1 de D. Broughton Knox, *Selected Works* (3 vols.), ed. Tony Payne (Kingsford, NSW: Matthias Media, 2000), 260-66 (263).

[5] Jack McGorman en conversación personal con David L. Allen, "The Atonement: Limited or Universal?", en *Whosoever Will: A Biblical-Theological Critique of Five-Point*

Las objeciones también se presentan más allá del ámbito exegético. R. T. Kendall se pregunta "cuántos cristianos llegarían al punto de vista de la expiación limitada con sólo leer la Biblia". Esto forma parte de su afirmación de que "a la doctrina tradicional de la expiación limitada se llega por la lógica y la necesidad de buscarla más que por la lectura directa de las Escrituras".[6] La sugerencia es que esta doctrina se alimenta de esquemas de precisión analítica ajenos a la propia estructura del relato bíblico. Para Karl Barth, la "sombría doctrina de la expiación limitada se desprende lógicamente de la doctrina de Calvino sobre la doble predestinación",[7] lo que implica, por supuesto, que lo que sigue es tan sombrío como lo que precede.

Las afirmaciones sobre el papel lógicamente distorsionador en la expiación definida son comunes, pero se formulan de diferentes maneras. En el siglo XIX, John McLeod Campbell, un ministro de la Iglesia de Escocia, fue depuesto del ministerio acusado de herejía por enseñar que Cristo hizo una expiación universal y que la seguridad es parte esencial de la fe y necesaria para la salvación.

En su obra *La naturaleza de la expiación* (The Nature of the Atonement, 1856), Campbell sostenía que teólogos reformados como John Owen y Jonathan Edwards empezaban erróneamente su pensamiento sobre la expiación con axiomas teológicos como "Dios es justo".[8] Al empezar por ahí, la venida de Cristo al mundo se ve como la revelación de la justicia de Dios, ya que Cristo muere sólo por los elegidos y no por los réprobos. La proclamación universal del evangelio para todos y la revelación de que "Dios es amor" son así desechadas.

Como resultado, según Campbell, la expiación definitiva desfigura la doctrina de Dios. Cuando Owen y Edwards "exponen la justicia como un atributo necesario de la naturaleza divina, de modo que Dios debe tratar con

---

Calvinism, ed. David L. Allen y Steve W. W. David L. Allen y Steve W. Lemke (Nashville: B&H Academic, 2010), 107. Para una respuesta a este volumen editado, véase Matthew M. Barrett y Thomas J. Nettles, ed., *Whomever He Wills: A Surprising Display of Sovereign Mercy* (Cape Coral, FL: Founders Press, 2012), esp. David Schrock, "Jesus Saves, No Asterisk Needed: Why Preaching the Gospel as Good News Requires Definite Atonement" (77-119).

[6] R. T. Kendall, *Calvin and English Calvinism to 1649* (Carlisle, UK: Paternoster, 1997), viii.

[7] Karl Barth, *Church Dogmatics*, ed. G. W. Bromiley y T. F. Torrance, 14 vols. (Edinburgh: T. & T. Clark, 1956–1975), IV/1, 57 (de aquí en adelante *CD*).

[8] John McLeod Campbell, *The Nature of the Atonement, with a new introduction by J. B. Torrance* (Edinburgh: Handsel, 1856; repr., Grand Rapids, MI: Eerdmans, 1996), 67.

todos los hombres de acuerdo con las exigencias de la misma, plantean que la misericordia y el amor no son necesarios, sino arbitrarios, y que, por lo tanto, pueden encontrar su expresión sólo en la historia de algunos hombres".[9] Dios es necesariamente justo con *todos*, pero sólo es selectivamente amoroso con *algunos*.

Todo esto resulta desastroso desde el punto de vista pastoral, afirmó Campbell, ya que la expiación definitiva "quita la garantía que la universalidad de la expiación da a todo hombre que escucha el evangelio para contemplar a Cristo con la apropiación personal de las palabras del apóstol, 'que me amó, y se entregó por mí'".[10] La acusación aquí es que la expiación definitiva destruye no sólo los motivos de llamamiento para el inconverso, sino también los motivos de seguridad para el creyente. ¿Puedo estar realmente seguro de que Cristo murió por *mí*?[11]

El trabajo de Campbell ha demostrado ser influyente. J. B. Torrance y T. F. Torrance se basan en su pensamiento para argumentar que la expiación definitiva representa el peor tipo de necesidad lógica en teología. J. B. Torrance argumenta que Cristo asumió vicariamente el juicio al que se enfrenta toda la humanidad. Negar esto es "un pecado contra el amor encarnado de Dios" y, para Torrance, comparable al pecado contra el Espíritu Santo.[12] Esto revela la cuestión clave de sus objeciones: en la encarnación, Jesucristo se une a *toda* la humanidad, no sólo a los elegidos, de modo que todo lo que consigue en su expiación lo consigue necesariamente para todos. Torrance desarrolla explícitamente el énfasis de Campbell en Dios como amor en su ser más íntimo: "el amor y la justicia son uno en Dios, y son uno en todos sus tratos con sus criaturas, en la creación, la providencia y la redención".[13]

Las palabras que abren nuestro capítulo ven la expiación a través de la lente de la elección, y para Torrance esto no haría más que confirmar nuestra

---

[9] Ibid., 73 (énfasis añadido).

[10] Ibid., 71.

[11] Bruce L. McCormack, "So That He Might Be Merciful to All: Karl Barth and the Problem of Universalism", en *Karl Barth and American Evangelicalism*, ed. Bruce L. McCormack y Clifford B. Anderson (Grand Rapids, MI: Eerdmans, 2011), 240, comenta que si la expiación limitada fuera cierta, entonces "muy probablemente desesperaríamos con respecto a nuestra salvación".

[12] J. B. Torrance, "The Incarnation and 'Limited Atonement'", EQ 55 (1983): 83-94 (85).

[13] Ibídem, 92. Torrance había expresado anteriormente su deuda con Campbell acerca de estos puntos en "The Contribution of McLeod Campbell to Scottish Theology", *SJT* 26 (1973): 295-311.

cautividad a la lógica aristotélica. Hace que la elección divina sea anterior a la gracia divina, por lo que la encarnación y la expiación se formulan simplemente como "la manera en que Dios ejecuta los decretos eternos, enseñando así 'lógicamente' que Cristo murió sólo por los elegidos, para asegurar infaliblemente la salvación de los elegidos".[14]

Corresponde a cada uno de los escritores a lo largo de este libro ocuparse de la sustancia de estos argumentos, así como de otras críticas a la expiación definitiva que no se han esbozado aquí. Sin embargo, en este momento queremos reflexionar sobre el propósito que tales críticas desempeñan en nuestra articulación de la doctrina.

Hacia un nuevo enfoque

Algunas críticas a la expiación definitiva la malinterpretan, y otras la caricaturizan, pero muchas son de peso y coherentes, y surgen de un deseo fiel de leer la Escritura con sabiduría y de honrar la bondad y el amor de Dios. Entre ellas, tocan cuatro aspectos interrelacionados de la doctrina: sus controversias y matices en la historia de la Iglesia, su presencia o ausencia en la Biblia, sus implicaciones teológicas y sus consecuencias pastorales. Esto indica que la expiación definitiva tiene un profundo significado y un amplio alcance que requiere un tratamiento exhaustivo.

Pero los ensayos de este volumen pretenden hacer algo más que simplemente cubrir cuatro áreas distintas en las que se plantean objeciones. Más bien, nuestro objetivo es mostrar que la historia, la Biblia, la teología y la práctica pastoral se unen para proporcionar un marco en el que la doctrina de la expiación definitiva se articula de forma óptima para la actualidad. No son cuatro ventanas separadas a través de las cuales vemos la doctrina; más bien, son cuatro entresuelos de una única casa donde habita la expiación definitiva. Al comenzar con la historia de la Iglesia, reconocemos que toda la lectura contemporánea de la Biblia sobre la expiación se sitúa históricamente.

No somos rehenes de las interpretaciones del pasado, ni necesitamos pretender que existe una exégesis de *tabula rasa*. Atendiendo cuidadosamente a la Escritura, buscamos someternos a lo que Dios ha dicho. Al pasar de la

---

[14] Torrance, "Incarnation", 87. Los puntos de vista de J. B. Torrance y T. F. Torrance se tratan en detalle en el capítulo de Robert Letham del presente volumen.

exégesis a la teología, afirmamos que las diversas piezas bíblicas exigen el paciente trabajo de síntesis para retratar el conjunto teológico. Al concluir con la práctica pastoral, pretendemos mostrar las implicaciones de la enseñanza bíblica para el ministerio y la misión de la iglesia. Así pues, aunque la disciplina del pensamiento doctrinal nunca es menos que la ordenación de todo lo que la Biblia tiene que decir sobre un tema determinado, al mismo tiempo es mucho más que eso.

Sugerimos que articular la expiación definitiva es similar a articular doctrinas como la Trinidad o las dos naturalezas de Cristo. Debe abordarse desde un punto de vista bíblico, pero no biblicista. Ningún texto "demuestra" la expiación definitiva, como tampoco un texto "demuestra" la Trinidad o la comunión de atributos en la cristología. En el caso de esas doctrinas, se estudian numerosos textos y se sintetizan sus implicaciones y se exploran sus términos clave en sus contextos bíblicos y en su uso histórico, de modo que, tomadas en su conjunto, las doctrinas de la Trinidad o de las dos naturalezas describen "un patrón de criterio presente en los textos".[15] Con el desenvolvimiento de un patrón coherente, estas doctrinas emergen como las formas más convincentes de nombrar al Dios cristiano o de entender la persona de Cristo. Aunque ningún texto demuestra las doctrinas, varios textos enseñan sus partes constitutivas.

Lo mismo ocurre con la expiación definitiva. No es simplemente una doctrina "bíblica" en sí misma; tampoco es una construcción "sistemática" basada en premisas lógicas o racionalistas desprovistas de fundamentos bíblicos. Más bien, la expiación definitiva es una doctrina bíblico-sistemática que surge de una cuidadosa exégesis de los textos de la expiación y de una síntesis con doctrinas internamente relacionadas como la escatología, la elección, la unión con Cristo, la cristología, el trinitarismo, la doxología, el pacto, la eclesiología y la sacramentología. Cuando ambos "dominios del discurso", exegético y teológico, se respetan como tales y se toman en conjunto,[16] entonces las

---

15 La frase forma parte de la afirmación de David S. Yeago de que los teólogos nicenos tenían garantías para su discernimiento de que el Hijo es de un solo ser con el Padre. Cf. "The New Testament and the Nicene Dogma: A Contribution to the Recovery of Theological Exegesis", *Pro Ecclesia* 3.2 (1994): 152-64 (153). Gran parte del argumento de Yeago sobre el método exegético y teológico podría aplicarse a la formulación de la expiación definitiva.

16 Véase D. A. Carson, "The Vindication of Imputation: On Fields of Discourse and Semantic Fields", en *Justification: What's at Stake in the Current Debates*, ed. Mark Husbands y Daniel J. R. Mark Husbands y Daniel J. Treier (Downers Grove, IL: Apollos, 2004), 46-80, especialmente 47-50, sobre la importancia de respetar los "campos del discurso" cuando se

objeciones reduccionistas a la expiación definitiva pierden su fuerza y esta lectura del significado de la muerte de Cristo se revela profunda y fiel. Este enfoque bíblico-sistemático puede verse pictóricamente desde dos ángulos.

En primer lugar, la construcción doctrinal se asemeja a la producción de una red. La doctrina de la expiación definitiva surge del intento de mantener unidos cada uno de los hilos canónicos relacionados con la expiación y de la conformación de los hilos en un marco coherente de pensamiento que mantiene fielmente las partes y permite verlas en su luz más auténtica cuando se consideran en relación con el conjunto.

De la misma manera que cada hebra de una tela de araña es una cosa cuando se toma por sí sola, pero otra cuando se ve en su relación con otras hebras, así los diferentes aspectos de la doctrina de la expiación pueden integrarse para manifestar una poderosa coherencia. Kevin Vanhoozer capta muy bien este concepto al sugerir que las teologías constructivas de la expiación deberían concebirla como una "mediación pactual trinitaria".[17] Para él, tres vertientes bíblicas (doctrina de Dios, teología del pacto, cristología) se combinan para formar una red teológica. Este volumen, en la suma total de sus partes, pretende ser precisamente una red de esa índole.

En segundo lugar, al mostrar la relación de las cuestiones históricas, exegéticas, teológicas y pastorales entre sí, este volumen es un mapa hacia y a través de la doctrina de la expiación definitiva. Algunas de las reflexiones teológicas más duraderas que ha producido la Iglesia a lo largo de los siglos se han entendido como un mapa doctrinal elaborado a partir del terreno bíblico para servir de guía al terreno bíblico. La *Institución de la Religión Cristiana* de Juan Calvino es considerada en general como una especie de libro de texto teológico, o incluso como una teología sistemática pre-crítica. Pero esto no capta del todo la intención del propio Calvino. En una nota introductoria al lector de la *Institución*, Calvino escribe:

> Mi propósito en esta obra ha sido preparar e instruir a los candidatos a la sagrada teología para la lectura de la Palabra divina, a fin de que puedan tener fácil

---

discuten doctrinas teológicas tales como la santificación, la reconciliación y la justicia imputada de Cristo.

[17] Kevin J. Vanhoozer, "Atonement", en *Mapping Modern Theology: A Thematic and Historical Introduction*, ed. Kelly M. Kapic y Bruce L. McCormack (Grand Rapids, MI: Baker Academic, 2012), 175-202 (201).

> acceso a ella y avanzar en ella sin tropiezos. Porque creo haber abarcado de tal manera la suma de la religión en todas sus partes y haberla dispuesto en tal orden, que, si alguien la capta correctamente, no le será difícil determinar lo que debe buscar especialmente en la Escritura, y con qué fin debe relacionar su contenido. Si, después de que este camino haya sido, por así decirlo, allanado, publico algunas interpretaciones de la Escritura, las condensaré siempre, porque no tendré necesidad de emprender largas discusiones doctrinales, ni de divagar en lugares comunes. De este modo, el lector piadoso se ahorrará grandes disgustos y aburrimientos, siempre que se acerque a la Escritura armado con un conocimiento de la presente obra, como una herramienta necesaria.[18]

Está claro que Calvino propone que su *Institución* sea un camino a través de las Escrituras por el que otros puedan transitar al leer las mismas Escrituras. Nótese que Calvino no dice que pretende que su obra instruya a los candidatos a teólogos en la doctrina. La *Institución* es ciertamente un texto doctrinal. Sin embargo, Calvino pretende instruir a los candidatos a la teología para su "lectura de la Palabra divina". Extraída de la Biblia, modelada por la Biblia, la *Institución* constituye un mapa de la Biblia.[19]

La obra de Calvino ilustra cómo funciona y se desarrolla la cartografía teológica. No es una guía conceptualmente ajena a la Biblia, ni pretende ser un esquema hermenéutico impuesto sobre la Biblia. Cuando funciona bien, un mapa doctrinal crece orgánicamente a partir de las secciones bíblicas y hace posible una visión panorámica del conjunto canónico.[20] Pero siempre está limitado por aquello que traza. La exégesis posterior siempre es capaz de ajustar la forma del mapa.

La atención renovada a los problemas intrincados, analizados cuidadosamente en el terreno concreto y estudiados de cerca en cualquier mapa

---

[18] Juan Calvino, "John Calvin to the Reader", en *Institutes of the Christian Religion*, ed. John T. McNill. John T. McNeill, trad. Ford Lewis Battles, 2 vols. (Filadelfia: Westminster, 1960), 1:4-5.

[19] Para tratamientos extensos de la relación orgánica entre las sucesivas ediciones de la Institución y la predicación y los comentarios bíblicos de Calvino, véase Stephen Edmondson, "The Biblical Historical Structure of Calvin's Institutes", *SJT* 59.1 (2006): 1-13; David Gibson, *Reading the Decree: Exegesis, Election, and Christology in Calvin and Barth* (Londres/Nueva York: T. & T. Clark/Continuum, 2009), 17-27.

[20] Cf. Gerald Bray, "Scripture and Confession: Doctrine as Hermeneutic", en *A Pathway into the Holy Scripture*, ed. P. E. Satterthwa. P. E. Satterthwaite y D. F. Wright (Grand Rapids, MI: Eerdmans, 1994), 221-36.

dado, siempre debería ser capaz de reconfigurar el mapa y alterar la ruta que se toma para el camino que hay que seguir.[21] Este enfoque establece una cuidadosa relación parte-todo, en la que la doctrina que emerge de los textos se examina constantemente en relación con los textos para ver si el conjunto en desarrollo es realmente coherente con las partes individuales. Cuando el paso a la síntesis doctrinal se hace con demasiada rapidez, se produce una distorsión.

Tomemos, por ejemplo, la cuestión de lo que significa que Dios ame al mundo (Jn. 3:16). El análisis de A. W. Pink sobre la soberanía divina en la salvación se desvía al sugerir que el amor de Dios por el "mundo" en Juan 3:16 se refiere a su amor por los elegidos.[22] Esta interpretación no sólo asigna un significado a una palabra en particular claramente diferente de lo que el texto realmente dice, sino que la naturaleza del amor de Dios y la oferta universal de Cristo a todos también se deforman bajo el peso del paradigma.

Del mismo modo, Mark Driscoll y Gerry Breshears entienden que la expiación definitiva implica una limitación del amor de Dios a los elegidos. Argumentando a favor de la "expiación limitada ilimitada, o calvinismo modificado", preguntan: "Si el calvinista de cinco puntos tiene razón y no se ha hecho ningún pago por los no elegidos, entonces ¿cómo puede Dios amar genuinamente al mundo y desear la salvación de todos?".[23]

Para Pink, la provisión efectiva de la salvación para los elegidos requiere una limitación del amor de Dios en favor de los elegidos; para Driscoll y Breshears, el pago efectivo de la pena del pecado para todos requiere la expansión del amor de Dios idénticamente para todos. En ninguno de los dos casos se permite que las diferentes formas en que la Biblia describe el amor de

---

[21] Las analogías de la red y el mapa permiten que las afirmaciones de este volumen se escuchen como provisionales, en el sentido apropiado, en lugar de ambiciosas. Por ejemplo, Stephen Wellum presenta un argumento a favor de la naturaleza sacerdotal de la obra expiatoria de Cristo que refleja la comprensión de la teología del nuevo pacto sobre la naturaleza del pacto, la elección y la eclesiología. Su rico pensamiento teológico lleva al lector a ver la realidad de la expiación definitiva en las Escrituras, pero la ruta particular que toma a través del terreno bíblico difiere de nuestra propia comprensión clásicamente reformada de la naturaleza del pacto, la elección y la eclesiología. El libro traza diferentes rutas hacia el mismo destino, y no todos los lectores querrán recorrer todos y cada uno de los caminos para llegar a la misma meta. Como herramienta, el libro es un siervo, no un maestro.

[22] A. W. Pink, *The Sovereignty of God* (Grand Rapids, MI: Baker, 1983), 204-205, 253-55. Para Pink, "el amor de Dios, es una verdad sólo para los santos, y presentarlo a los enemigos de Dios es tomar el pan de los niños y echarlo a los perros" (200).

[23] Mark Driscoll y Gerry Breshears, *Death by Love: Letters from the Cross* (Wheaton, IL: Crossway, 2008), 173.

Dios coincidan en relación con sus diferentes objetos (su mundo, su pueblo) y sus diferentes expresiones (intratrinitaria, providencial, universal, particular, condicional). Para estos autores, la concepción de la expiación exige, o es exigida por, una concepción particular del amor de Dios.[24]

Tales mapas doctrinales están desalineados con los textos bíblicos que los crean. El movimiento hacia la síntesis debe darse de manera más paciente y cuidadosa, con mayor atención a las diversas vertientes del testimonio bíblico. Esperamos que este volumen, que consta de cuatro secciones, responda a esta necesidad. La cuestión de la integración es lo suficientemente importante como para que el capítulo de Henri Blocher se dedique por completo a ella. Por supuesto, los lectores querrán acudir a partes específicas para centrarse en cuestiones concretas de su interés, y cada ensayo es un argumento autónomo que puede leerse de este modo.

Sin embargo, el efecto general de este proyecto pretende ser acumulativo. En conjunto, cada ensayo dentro de cada sección y luego cada sección dentro del libro ofrece un marco de pensamiento teológico que mapea el estudio de la expiación definitiva en la Biblia.

La expiación definitiva en la Historia de la Iglesia

Richard Muller sugiere que una cuestión relevante para la Iglesia patrística, medieval y la temprana iglesia reformada moderna era:

> El significado de aquellos pasajes bíblicos en los que se dice que Cristo pagó un rescate por todos o que Dios quiere la salvación de todos o de todo el mundo, dado el gran número de pasajes bíblicos que indican una limitación de la salvación a algunos, concretamente, a los elegidos o creyentes.[25]

---

[24] Para un acercamiento más satisfactorio, véase Geerhardus Vos, "The Biblical Doctrine of the Love of God", *en Redemptive History and Biblical Interpretation: The Shorter Writings of Geerhardus Vos*, ed. Richard B. Gaffin (Phillipsburg, NJ: P&R, 1980), 425-57; y D. A. Carson, *The Difficult Doctrine of the Love of God* (Leicester, UK: Inter-Varsity Press, 2000).

[25] Véase Richard A. Muller, "Was Calvin a Calvinist?", en su obra *Calvin and the Reformed Tradition: On the Work of Christ and the Order of Salvation* (Grand Rapids, MI: Baker Academic, 2012), 51–69 (60).

Esto no sólo identifica el rompecabezas que la doctrina de la expiación definitiva pretende resolver, sino que también muestra que las cuestiones históricas están íntimamente relacionadas con las exegéticas. Como dijo Barth, "la historia de la Iglesia es la historia de la exégesis de la Palabra de Dios".[26]

Los ensayos históricos de este libro, por tanto, exploran la cuestión en momentos significativos de la historia de la Iglesia. Proporcionan un estudio de los enfoques pasados de la expiación definitiva en la Biblia, nos presentan a los actores clave del debate y nos dejan continuar con la conciencia de cómo se han definido y entendido los términos cruciales hasta ahora. Estos ensayos crean varios indicadores para el mapa, tres de los cuales pueden destacarse aquí.

En primer lugar, las terminologías rivales de "calvinista versus arminiano", tan frecuentes en el debate popular sobre la expiación definitiva, deben dejarse de lado en favor de una comprensión más rica y sofisticada de la historia de la doctrina. Incluso cuando se amplían los parámetros para incluir las perspectivas adicionales de, por ejemplo, el universalismo y el amiraldianismo, la realidad es que ver el tema a través de la lente de las etiquetas derivadas de nombres personales prominentes en la historia de la Reforma no tarda en dar lugar a distorsiones.

Por un lado, los debates de los siglos XVI y XVII sobre la expiación no produjeron ideas teológicas y terminología *de novo*, sino que se basaron en la tradición y trataron de desarrollarla y aplicarla, aunque de forma controvertida, en los contextos particulares de la era moderna temprana. El recorrido desde la Patrística y la Edad Media hasta los períodos de la Reforma y la posreforma que se traza en esta sección revela que esto es así. "Calvinismo versus arminianismo" no hace más que aplicar una lobotomía a la historia.

Por otra parte, ninguno de los principales "ismos" ha existido nunca durante mucho tiempo como entidad monolítica con una sola expresión. J. C. Ryle señaló en una ocasión que "la ausencia de definiciones precisas es la vida misma de la controversia religiosa",[27] y estos ensayos nos impulsan a reconocer distintas posiciones y matices sobre el propósito y el alcance de la expiación —universalismo, semipelagianismo, arminianismo, amiraldianismo y enfoques

[26] Barth, *CD* I/2, 681.

[27] J. C. Ryle, *Knots Untied* (1878; reimpr., Moscú, ID: Charles Nolan, 2000), 1.

variantes del universalismo hipotético—, siempre al servicio de un pensamiento teológico disciplinado.[28]

En segundo lugar, esta cuidadosa aproximación a la historia de la expiación definitiva explica por qué el término "calvinista" está en gran medida ausente de los subsiguientes tratamientos exegéticos, teológicos y pastorales de la doctrina en el presente volumen. No sólo las cuestiones relativas a la expiación definitiva son muy anteriores a la vida y el pensamiento de Juan Calvino, sino que también es irónico llamar a la expiación definitiva una doctrina "calvinista" cuando su propia relación con ella —como todo el mundo tiene que admitir— es objeto de debate.

Más aún, ahora está muy claro que el término expresa una confianza en el individuo que fue tan insultante para Calvino como históricamente engañosa, ya que no da cuenta de la propia ubicación de Calvino dentro de una tradición en desarrollo.[29] Por lo tanto, cada uno de los escritores en este libro trabaja mostrando su preferencia por el término "reformado" o "teología reformada", tanto por la descripción histórica como por la forma de ubicarse dentro de la trayectoria particularista.[30]

De ello se desprende, en tercer lugar, que este volumen no es una presentación de "los cinco puntos del calvinismo" ni una defensa del acrónimo "TULIP", ampliamente utilizado como resumen de los Cánones de Dort y, en consecuencia, de la teología reformada. No es que ese lenguaje no tenga valor.

Sin embargo, puede haber una tendencia a utilizar dicha terminología como si fuese el mapa soteriológico en sí mismo, sin darse cuenta de que dichos términos simplemente figuran como puntos de referencia históricos en el

---

[28] Richard A. Muller, "Calvin on Christ's Satisfaction and Its Efficacy: The Issue of 'Limited Atonement", en su obra *Calvin and the Reformed Tradition*, 77 n. 22, sostiene que, "una vez que el lenguaje se analiza adecuadamente, hay al menos seis patrones distintos de formulación [de la satisfacción de Cristo] entre los primeros reformados modernos".

[29] Carl R. Trueman, "Calvin and Calvinism", en *The Cambridge Companion to John Calvin*, ed., Donald K. McKim (Cambridge: Cambridge University Press, 2004), 226, sugiere que el término "calvinismo" no es "realmente útil para la historia intellectual". Véase el capítulo de Raymond A. Blacketer en el presente volumen para conocer parte de la literatura que aborda esta cuestión.

[30] Es el argumento de este libro que mientras que, históricamente, el Universalismo Hipotético y el Amyraldianismo se presentaron bajo el paraguas de la comunidad Reformada en el siglo XVII, estas posiciones son, exegética y teológicamente, los primos incómodos de la familia. No se trata de apartarlas de la ortodoxia reformada, sino de aplicar al debate el principio reformado de *semper reformanda*, buscando que *sola Scriptura* actúe como autoridad final.

mapa.[31] El lenguaje surgió en momentos concretos, en contextos concretos, en respuesta a retos concretos, y son esas causas subyacentes y las propias cuestiones perennes las que los ensayos históricos intentan sondear. En el proceso, dan peso a la idea de J. I. Packer de que, históricamente, la fe reformada no puede reducirse a cinco puntos, mientras que, al mismo tiempo, teológicamente, los cinco puntos se sostienen o caen juntos como un solo punto: *Dios salva a los pecadores*.[32]

La expiación definitiva en la Biblia

Si los debates históricos sobre la expiación surgieron a partir de ciertos textos bíblicos, nuestra propia contribución también requiere el mismo compromiso con la Escritura como *norma normans* (norma reguladora) de la discusión.

Actualmente existe una especie de *impasse* exegético entre los textos que, por un lado, parecen señalar la particularidad de la expiación, y los textos que, por otro lado, implican una expiación universal. Los ensayos bíblicos de este volumen no pretenden convertirse en una bala de plata que permita alcanzar un consenso satisfactorio sobre la razón por la que todos estos pasajes deben unirse para afirmar la expiación definitiva. De hecho, los capítulos simplemente trabajan de forma inductiva a través del material relevante e intentan proporcionar lecturas convincentes de textos importantes en sus propios términos. Sin duda, el debate continuará.

No obstante, los capítulos exegéticos describen una relación particular entre los textos específicos sobre la expiación y un marco teológico general que esperamos pueda ahondar en el debate. Sostenemos que este marco no se impone a las partes, sino que las propias partes proporcionan la lente gran angular a través de la cual nos invitan a verlas adecuadamente. Hay dos puntos que explican lo que queremos decir con esto.

En primer lugar, no partimos de textos controvertidos, sino de la línea argumental de la historia redentora, de modo que la progresión de los capítulos coincide con la narrativa bíblica. Este es un enfoque muy simple, pero por sí mismo ya empieza a exponer el hecho de que doctrinas como la elección no son

---

[31] Cf. Richard A. Muller, "How Many Points?", *CTJ* 28 (1993): 425–33.

[32] J. I. Packer, "Introductory Essay", en John Owen, *The Death of Death in the Death of Christ* (London: Banner of Truth, 1959), 5–6.

categorías teológicas conectadas abstractamente a las teologías de la expiación por agendas hermenéuticas reformadas predeterminadas. Más bien, la elección es una categoría redentora-histórica tanto como una categoría dogmática.

La elección por parte de Dios de un pueblo que le pertenece, tan formativa en y del Pentateuco, circunscribe claramente el desarrollo de la teología bíblica del sacrificio y la expiación, de modo que la elección es siempre una expresión de la gracia de Dios que da forma a sus tratos pactuales con su pueblo. La exégesis de textos significativos que sigue a continuación,[33] junto con la discusión de cuestiones controvertidas (los significados de "muchos", "todos" y "mundo"), los sitúa naturalmente en este contexto.

En segundo lugar, algunas de las piezas exegéticas indican por sí mismas el contenido del conjunto teológico. El análisis de Efesios 1:3-14 y 2 Timoteo 1:9-11 revela que la soteriología bíblica está pintada sobre un lienzo escatológico que consta de cuatro "momentos" clave de la salvación: la redención predestinada, la redención cumplida, la redención aplicada y la redención consumada. Estos dos textos ofrecen una visión panorámica de la salvación y, debido a su alcance, apuntan inevitablemente hacia marcos teológicos globales. Ayudan a establecer un diálogo hermenéutico parte-todo por el que aprendemos a leer cada una de las diferentes partes de la narración bíblica como envuelta en la propia forma de ver la historia completa de la Biblia.

Nuestra salvación es eterna en su origen e inexorablemente escatológica en su movimiento; se predestina, se cumple, se aplica y se consuma, y varios textos bíblicos iluminan aspectos de este espectro. Por ejemplo, Tito 3:3-7 despliega dos momentos distintos de la salvación en la historia (la aparición de Cristo y el acto de regeneración del Espíritu Santo), junto con otro momento anticipatorio de la salvación en el futuro (la vida sin fin con Dios).

Lo mismo puede decirse de Romanos 5:9-11 y 8:29-34, con la adición de otro momento de salvación (el conocimiento previo y la predestinación de Dios).

Romanos 5:9–11 Entonces mucho más, habiendo sido ahora justificados por Su sangre, seremos salvos de la ira *de Dios* por medio de Él. Porque si cuando

---

[33] Isaías 53; Mateo 20:28; Marcos 10:45; Mateo 26:28; Lucas 22:20; Juan 3:16; Romanos 5:9-11, 12-21; 6:1-11; 8:1-15, 29-34; 14:15; 1 Corintios 8:11; 2 Corintios 5:14-15, 19; Gálatas 1: 4; 4:4-6; Efesios 1:3-14; 5:25-27; Colosenses 1:20; 1 Timoteo 2:4-6; 4:10; 2 Timoteo 1:9-11; Tito 2:11-14; 3:3-7; Hebreos 2:9; 2 Pedro 2:1; 1 Juan 2:2; 4:10, 14; Apocalipsis 5:9-10.

éramos enemigos fuimos reconciliados con Dios por la muerte de Su Hijo, mucho más, habiendo sido reconciliados, seremos salvos por Su vida. Y no solo *esto,* sino que también nos gloriamos en Dios por medio de nuestro Señor Jesucristo, por quien ahora hemos recibido la reconciliación.

Lo que se deduce de todos estos textos es que la escatología no es simplemente el "objetivo" de la soteriología, "sino que la engloba, constituyendo su propia sustancia desde el principio".[34]

La expiación definitiva desde una perspectiva teológica

John Webster ha argumentado recientemente que la principal tarea de la soteriología cristiana es explicar cómo Dios actúa de forma salvífica en la aflicción de Jesús. Un relato dogmático:

> Se extiende tanto hacia atrás como hacia adelante a partir de este acontecimiento central. Remonta la obra de la salvación hacia atrás, hacia la voluntad de Dios, y hacia adelante, hacia la vida de muchos que por este acontecimiento son hechos justos.[35]

Los ensayos exegéticos del volumen revelan que Webster tiene razón al identificar este flujo bidireccional en los textos bíblicos, y los ensayos teológicos y pastorales se ocupan de exponer ambos movimientos. ¿Qué más se puede decir sobre la "prehistoria" de la historia de la salvación en los propósitos del Dios trino? ¿Qué significa que nuestra salvación sea obra del Padre, del Hijo y del Espíritu? ¿Qué significa que Jesús sea el Siervo molido y el Sumo Sacerdote intercesor? ¿Qué tipo de sacrificio y pago por el pecado ofreció? Los capítulos teológicos de este volumen se unen para plantear cuatro puntos clave, cada uno de los cuales perfila el mapa de diferentes maneras.

---

[34] Richard B. Gaffin, *Resurrection and Redemption: A Study in Paul's Soteriology*, 2da ed. (Phillipsburg, NJ: P&R, 1987), 59.

[35] John B. Webster, "'It Was the Will of the Lord to Bruise Him': Soteriology and the Doctrine of God", en *God of Salvation: Soteriology in Theological Perspective*, ed. Ivor J. Davidson y Murray A. Rae (Farnham, Surrey, Reino Unido: Ashgate, 2011), 15-34 (15).

En primer lugar, la obra salvadora de Dios es indivisible. Esto expresa en una sola declaración los cuatro momentos de la salvación esbozados anteriormente,[36] y conlleva profundas implicaciones teológicas. Cada uno de estos cuatro momentos es distinto, nunca se funde con los demás, pero tampoco se separa de ellos.

En el momento uno, nuestra salvación en Cristo ha sido predestinada; en el momento dos, toda nuestra salvación ha sido obtenida y asegurada por Cristo, aunque su redención aún debe ser aplicada de forma experiencial por su Espíritu (momento tres) y consumada escatológicamente en su presencia (momento cuatro). Ninguno de los momentos de la salvación corresponde a vías teológicas separadas, como si la obra redentora de Cristo estuviera de algún modo desconectada de la elección de su pueblo. En la obra salvífica de Dios hay unidad en la distinción y distinción en la unidad. Los propósitos de Dios en Cristo son uno. Esta perspectiva ayuda a evitar el error de fusionar los momentos de la redención aplicada con la redención realizada (como se ve en la teología de Karl Barth) o el error de romper el vínculo entre estos momentos (como se ve en las exposiciones de la expiación universal).

En segundo lugar, la obra salvífica de Dios está circunscrita por la gracia y propósito electivos de Dios. Es decir, el amor redentor de Dios y la iniciativa divina moldean y guían los otros momentos de la salvación. El amor de Dios hacia los suyos en la elección y la predestinación es la fuente de la que mana la salvación. En este sentido, hay un *ordo* ineludible dentro del decreto divino.[37] El argumento expuesto en este libro es que, antes del tiempo, el Dios trino planificó la salvación, de manera que el Padre eligió para sí un pueblo de entre la humanidad caída, elección que implicaría el envío de su Hijo para comprarlo y el envío de su Espíritu para regenerarlo.

En la mente de Dios, la elección precedió lógicamente a la consecución y a la aplicación de la obra redentora de Cristo, por lo que en la historia las circunscribió a ambas. Louis Berkhof pregunta:

---

[36] Ibid, 19-20, interpreta la forma general de la soteriología en tres momentos unificados: "el propósito eterno del Dios perfecto; el establecimiento de ese propósito en la historia que culmina en el ministerio del Hijo encarnado; y la consumación de ese propósito en el Espíritu".

[37] Para una útil panorámica de las diversas posiciones sobre el orden de los decretos, véase la tabla de B. B. Warfield al final del capítulo de Donald Macleod en este volumen.

> El Padre, al enviar a Cristo, y Cristo, al venir al mundo para hacer expiación por el pecado, *¿lo hizo con el designio o el propósito de salvar sólo a los elegidos o a todos los hombres?* Esa, y sólo esa, es la cuestión.[38]

Este *ordo* divino dentro del decreto, cuyo fundamento bíblico se presenta en este volumen, pone en tela de juicio los planteamientos que harían que la elección no fuese determinante para la salvación, o que situarían el decreto de la elección después del decreto de la redención, o que subordinarían el amor electivo de Dios por sus elegidos a expensas de su amor universal por toda la humanidad; problemas que acompañan al semipelagianismo y al arminianismo, al amiraldianismo y al universalismo hipotético, respectivamente. En las Escrituras, el amor electivo de Dios recibe el mayor énfasis distributivo; no es una mera "ocurrencia tardía".[39]

En tercer lugar, la obra salvífica de Dios se centra en la unión con Cristo. La unión personal entre Cristo y los creyentes abarca los cuatro momentos de la salvación. John Murray resume sucintamente los diferentes aspectos de esta misteriosa unión con Cristo:

> La unión con Cristo es la verdad central de toda la doctrina de la salvación. Todo aquello a lo que el pueblo de Dios ha sido predestinado en la elección eterna de Dios, todo lo que se le ha asegurado y procurado en la realización de la redención una vez por todas, todo aquello de lo que llega a ser partícipe en la aplicación de la redención, y todo lo que, por la gracia de Dios, llegará a ser en el estado de bienaventuranza consumada, está comprendido en el ámbito de la unión y comunión con Cristo.[40]

Por lo tanto, nunca podemos pensar en la redención realizada por Cristo sin tener en cuenta la unión con su pueblo en el momento de la elección; tampoco podemos separar el logro redentor de Cristo —y la muerte y la resurrección de su pueblo con él— de la unión vital con Cristo que se produce a través de la fe,

---

[38] Louis Berkhof, *Systematic Theology* (Edimburgo: Banner of Truth, 1958), 394 (énfasis original).

[39] Crítica de Vos al amyraldianismo ("Biblical Doctrine of the Love of God", 456).

[40] John Murray, *Redemption Accomplished and Applied* (Grand Rapids, MI: Eerdmans, 1955), 210.

o de la unión que está por experimentarse cuando los creyentes estén finalmente en la presencia de Cristo. Como señala Sinclair Ferguson:

> Si estamos unidos a Cristo, entonces estamos unidos a él en todos los puntos de su actuación en favor nuestro. Participamos en su muerte (fuimos bautizados en su muerte), en su sepultura (fuimos sepultados con Él en el bautismo), en su resurrección (hemos resucitado con Cristo), en su ascensión (hemos sido elevados con Él), en su sesión celestial (nos sentamos con Él en los lugares celestiales, de modo que nuestra vida está oculta con Cristo en Dios), y participaremos en su prometido regreso (cuando Cristo, que es nuestra vida, aparezca, también lo haremos nosotros con Él en gloria).[41]

De ello se desprende que, si los momentos de la redención se vinculan como actos distintos pero inseparables de Dios *en Cristo*, comienzan a surgir ciertas concepciones relativas a la *naturaleza* y la *eficacia* de la expiación.

Dentro de ciertos esquemas de pensamiento, el sacrificio de Cristo no asegura la salvación de nadie en particular, ya que su eficacia está supeditada a algo fuera de la expiación, a saber, la fe, ya sea la fe sinérgica (como en las propuestas del semipelagianismo y el arminianismo)[42] o la fe monérgica elegida por Dios (como en el universalismo hipotético amiraldiano). Estos planteamientos introducen la contingencia en la expiación, lo que contrasta fuertemente con la eficacia de la cruz, que aquí se defiende.

El poder salvador de la cruz no "depende de que se le añada la fe; su poder salvador es tal que la fe fluye de ella".[43] Y precisamente dado que Cristo no obtiene una salvación hipotética para creyentes hipotéticos, sino una salvación real para su pueblo, la eficacia de la expiación fluye de su naturaleza penal

---

[41] Sinclair B. Ferguson, "The Reformed View", en *Christian Spirituality: Five Views of Sanctification*, ed. Donald L. Alexander (Downers Grove, IL: IVP Academic, 1989), 58.

[42] Esta fe sinérgica ocurre ya sea a través de (a) una cooperación igual entre Dios y el *libre albedrío* del hombre (como en el semipelagianismo), o (b) una cooperación igual entre Dios y la voluntad del hombre que *ya ha sido liberada* como resultado de la gracia preveniente (como en el arminianismo clásico). En cualquiera de los dos casos, la voluntad humana libre/liberada puede resistirse a la gracia de Dios; a la inversa, la elección del hombre es en última instancia decisiva para la fe. Para esta importante distinción, véase Roger E. Olson, *Arminian Theology: Myths and Realities* (Downers Grove, IL: IVP Academic, 2006), 158-78, esp. 164-66.

[43] Packer, "Introductory Essay", 10.

sustitutiva.[44] Lo que está en juego aquí es el significado preciso de la cruz como castigo por el pecado, y los dos ensayos complementarios de Garry Williams ofrecen relatos frescos y rigurosos que sirven para profundizar significativamente en nuestra comprensión de la penología. Sugerimos que la propia naturaleza de la expiación se redefine radicalmente cuando se amplía su alcance para que abarque a todos sin excepción.

Packer expone el caso con exactitud:

> Si vamos a afirmar la sustitución penal para todos sin excepción debemos inferir la salvación universal o bien, para evadir esta inferencia, negar la eficacia salvadora de la sustitución para cualquiera; y si vamos a afirmar la sustitución penal como un acto salvador efectivo de Dios debemos inferir la salvación universal o bien, para evadir esta inferencia, restringir el alcance de la sustitución, haciéndola una sustitución en favor de algunos, no de todos.[45]

Es la unión con Cristo la que asegura la eficacia de la expiación de Cristo, porque su muerte es una muerte "en-unión-con". Aquellos por los que Cristo murió no pueden sino verse afectados por su muerte. La unión con Cristo define también quiénes son los "algunos" por los que su muerte es eficaz. Nos rescata de una visión empobrecida de la muerte de Cristo como una mera expiación penal sustitutiva "en lugar de" todos, y en cambio nos presenta una expiación penal sustitutiva *representativa*: Cristo muere como *Individuo* por *algunos individuos*. Muere como Rey por su pueblo, como Esposo por su esposa, como Cabeza por su cuerpo, como Pastor por sus ovejas, como Maestro por sus amigos, como Primogénito por sus hermanos y hermanas, como Segundo y Postrer Adán por una nueva humanidad.[46]

---

[44] John Owen, *Salus Electorum, Sanguis Jesu: Or The Death of Death in the Death of Christ*, en *The Works of John Owen*, ed. W. H. Goold, 24. W. H. Goold, 24 vols. (Edimburgo: Johnstone & Hunter, 1850-1853; reimpr. Edimburgo: Banner of Truth, 1967), 10:235, lo expresa bien: "Cristo no murió por ninguno a condición *de que creyera*; sino que murió por todos los elegidos de Dios, *para que creyeran* y, creyendo, tuvieran vida eterna".

[45] J. I. Packer, "What Did the Cross Achieve? The Logic of Penal Substitution", en *Celebrating the Saving Work of God: Collected Shorter Writings of J. I. Packer*, Volumen 1 (Carlisle, UK: Paternoster, 2000), 85-123 (116).

[46] Henri A. G. Blocher, "The Scope of Redemption and Modern Theology", *SBET* 9.2 (1991): 102.

Por eso, la particularidad de la expiación no puede introducirse en el momento de la aplicación,[47] pues estábamos unidos a Cristo en su muerte y resurrección *antes* de apropiarnos de los beneficios de su expiación por la fe, lo que significa que el alcance de la redención realizada y aplicada son necesariamente coextensivos.

En cuarto lugar, la obra salvífica de Dios en Cristo es trinitaria. La obra eficaz e indivisible de Dios centrada en la unión con Cristo asegura que Cristo murió por un grupo definido de personas; el carácter trinitario de esta soteriología nos permite ir más allá y decir que esa es precisamente la intención de su muerte.

La Trinidad orquesta la sinfonía de la salvación en todos sus pasos: el Padre elige y envía, el Hijo se encarna y muere, el Espíritu atrae y vivifica. Pero, aunque sus obras son distintas, no son independientes: el Padre elige en Cristo, el Hijo encarnado se ofrece en la cruz al Padre por medio del Espíritu eterno, y el Espíritu es enviado por el Padre y el Hijo para atraer y sellar a los elegidos. Basados en la mutua comunión de sus personas, el Padre, el Hijo y el Espíritu sirven juntos al objetivo común de nuestra salvación.

> El Espíritu sirve al Hijo aplicando lo que éste realizó, y el Hijo sirve al Espíritu haciendo posible su morada. Tanto el Hijo como el Espíritu, en su doble misión desde el Padre, sirven al Padre y nos sirven a nosotros.[48]

Pero si, como algunos podrían argumentar, la obra expiatoria de Cristo en la cruz está destinada a todos sin excepción, mientras que su aplicación se limita sólo a los que creen por el poder del Espíritu, entonces, sostenemos, se introduce una disyunción fatal. Esta disyunción no es sólo conceptual, sino también personal. Los aspectos de la única unión con Cristo están desconectados, la redención realizada está separada de la redención aplicada, y las personas divinas están separadas entre sí en sus propósitos de salvación. El Hijo muere por todos, pero el Padre elige sólo a algunos y el Espíritu sella sólo a algunos.[49]

---

[47] Contra Knox, "Some Aspects of the Atonement", 265.

[48] Fred Sanders, *The Deep Things of God: How the Trinity Changes Everything* (Wheaton, IL: Crossway, 2010), 149.

[49] Las disyunciones en una expiación universal son muchas. "Introduce un conflicto entre el propósito de Dios, que desea la salvación de todos, y la voluntad o el poder de Dios, que en realidad no quiere o no puede conceder la salvación a todos. Da prioridad a la persona y a la obra de Cristo sobre la elección y el pacto, de modo que Cristo queda aislado de estos

Sugerimos, empero, que la naturaleza de las operaciones trinitarias envuelve una interpretación definitiva de la expiación como parte del cuadro más amplio de la glorificación de Dios:

> Porque cuando Dios concibió la gran y gloriosa obra de rescatar al hombre caído y salvar a los pecadores, para alabanza de la gloria de su gracia, dispuso, en su infinita sabiduría, dos grandes medios para ello. El uno fue *la entrega de su Hijo por ellos*, y el otro fue *la entrega de su Espíritu a ellos*. Y de esta manera se abrió el camino para la manifestación de la gloria de toda la bendita Trinidad, que es el fin supremo de todas las obras de Dios.[50]

Los universalistas hipotéticos intentan evitar la acusación de desarmonía trinitaria argumentando que cada persona de la Trinidad quiere tanto la limitación como el universalismo en diferentes niveles, eliminando así cualquier división entre ellos.[51] Su posición, sin embargo, no está exenta de problemas para la teología trinitaria, ya que introduce una división dentro de la voluntad de cada persona cuando pretende efectuar la salvación.

Esta postura debe admitir que, a nivel universal, la persona y la obra de Cristo están divididas, ya que realiza la expiación por todos sin referencia a su persona, funciones u oficios. Por lo tanto, muere, por un lado, como sustituto *representativo* de su pueblo, pero, por otro lado, como *mero* sustituto de

---

contextos y no puede expiar vicariamente por su pueblo, ya que no existe comunión entre él y nosotros. Denigra la justicia de Dios al decir que Él hace que se adquiera el perdón y la vida para todos y luego no los distribuye a todos" (Herman Bavinck, *Sin and Salvation in Christ*, vol. 3 de *Reformed Dogmatics*, ed. John Bolt. trad. John Vriend, 4 vols. [Grand Rapids, MI: Baker Academic, 2006], 469-70).

[50] John Owen, Πνευματολογια o, *A Discourse Concerning the Holy Spirit*, en *Works*, 3:23 (énfasis original).

[51] Por ejemplo, John Davenant, "A Dissertation on the Death of Christ, as to its Extent and special Benefits: containing a short History of Pelagianism, and shewing the Agreement of the Doctrines of the Church of England on general Redemption, Election, and Predestination, with the Primitive Fathers of the Christian Church, and above all, with the Holy Scriptures", en *An Exposition of the Epistle of St. Paul to the Colossians*, trad. Josiah Allport, 2 vols. (Londres: Hamilton, Adams, 1832 [trad. inglesa de la ed. latina de 1650]), 2:398 y 2:542, argumentó que el Hijo tenía una intención universal que "se ajustaba a la ordenación del Padre" y, sin embargo, al mismo tiempo, Cristo afirmó la voluntad particular de Dios cuando murió, pues ¿de qué otra manera podría Cristo "haberse exhibido como conforme a la designación eterna de su Padre, si, en su pasión salvadora, no hubiera aplicado sus méritos de una manera peculiar infalible para efectuar y completar la salvación de los elegidos?".

personas que sabe que el Padre nunca eligió y por las que Él nunca enviará su Espíritu para que las atraiga hacia sí.

El esquema hipotético no sólo sugiere que Dios tiene dos economías de salvación funcionando al mismo tiempo, sino que inadvertidamente nos presenta a un Cristo confundido. Esta postura es contraria a la descripción bíblica de que la obra y la persona de Cristo (y sus oficios) están interrelacionados, y su muerte sustitutiva se realiza de forma representativa en unión con su pueblo.

Situar cuestiones como el propósito, la naturaleza y la eficacia de la expiación en un contexto trinitario completo nos permite comprender la relación entre ellas. Del mismo modo que la eficacia de la expiación se deriva de su naturaleza penal, podemos decir a su vez que su naturaleza se deriva de su propósito divino. El Siervo es molido y sufre y es hecho ofrenda por la culpa *porque* era la voluntad de Yahveh (Is. 53:10). Con la intención de salvar a todos los que le fueron entregados por el Padre, el Hijo se ofrece a sí mismo por medio del Espíritu como sacrificio expiatorio y logra la salvación de su pueblo (Heb. 9:14).

Esto ayuda a explicar por qué hay que preferir los términos "expiación definitiva" o "particular" o "redención efectiva" por encima de "expiación limitada", que es el que se usa comúnmente para referirse a la doctrina. No sólo hay una negatividad innata ligada al lenguaje de la limitación que oscurece lo que la doctrina consistentemente abarca (como la suficiencia de la muerte de Cristo para todos o las implicaciones cósmicas de la expiación), sino que también induce al error dado que otros puntos de vista de la expiación necesariamente la "limitan" de alguna manera.

John Murray sin duda tiene razón al afirmar:

> A menos que creamos en la restauración final de toda la humanidad, no podemos hablar de una expiación ilimitada. Si partimos de la base de que algunos perecen eternamente, nos vemos abocados a una de estas dos alternativas: una eficacia limitada o un alcance limitado. No existe una expiación ilimitada.[52]

En este libro, solemos adoptar el término "expiación *definitiva*", ya que el adjetivo "definitiva" es capaz de transmitir que la expiación es específica en su

---

52 John Murray, *The Atonement* (Filadelfia: P&R, 1962), 27.

intención (Cristo murió para salvar a su pueblo) y efectiva en su *naturaleza* (realmente expía).[53]

La expiación definitiva en la práctica pastoral

El objetivo de cualquier mapa doctrinal debe ser mostrar la gloria de Dios en el rostro de Jesucristo tal como se revela en las páginas de las Escrituras. El objetivo de este volumen es mostrar el lugar vital que ocupa la expiación definitiva en ese relato de la gloria de Dios. Y es esa ambición general la que fundamenta nuestra comprensión de la conexión entre la expiación definitiva y el cuidado pastoral del pueblo de Dios.

Los tres capítulos que concluyen el volumen no son en sí mismos ensayos sobre la práctica pastoral, sino que tratan de proporcionar los fundamentos profundos sobre los que la práctica pastoral puede construirse y florecer. Porque si el fin último de la salvación es "la reafirmación de la majestad de Dios y la glorificación de Dios por parte de todas las criaturas",[54] entonces nuestra mayor necesidad humana es dar gloria a Dios en gratitud y alabanza, y estructurar nuestra vida terrenal según la sabiduría divina del Mesías crucificado.

Su muerte expiatoria y su resurrección otorgan al Hijo de Dios encarnado el pleno despliegue de la gloria de Dios (Fil. 2:5-11), y así dotan al pueblo de Dios de la más profunda de las razones para la alabanza a Dios. Una comprensión definitiva de la expiación de Cristo fluye de ver las etapas sucesivas de su humillación y exaltación como partes unificadas de una realización completa.[55]

---

[53] Del mismo modo, referirse a la "extension" de la expiación es menos propicio, dado que la palabra puede calificar diferentes aspectos de la expiación: su intención, realización o aplicación. Como sostiene Robert Letham, *The Work of Christ* (Leicester, Reino Unido: Inter-Varsity Press, 1993), 225, "extension" da la impresión de que la expiación se calcula matemática o espacialmente. "Traducido al debate sobre la expiación, el enfoque se convierte en uno *númerico*: ¿cuántos, o qué proporción se beneficia de la muerte de Cristo? ¿Cristo expió los pecados de todos o sólo los de los elegidos? ¿Expió los pecados de todos en un sentido provisional? O, desde otra perspectiva, ¿la expiación tiene un valor limitado o ilimitado? Sin embargo, si la idea de la *intención* es el tema central, el punto principal que está en juego es el de la *finalidad* o el *propósito*. En resumen, la cuestión se cristaliza en el lugar que ocupa la expiación en el plan global de Dios para la redención humana. Lo espacial y matemático cede ante lo teleológico".

[54] Webster, "It Was the Will of the Lord", 20.

[55] Bavinck explica la estructura de esta unidad en *Sin and Salvation in Christ*, 323-482, y explora bellamente su alcance cósmico (ver esp. 473-74). Es interesante que incluya su discusión de la expiación bajo la exaltación de Cristo, no su humillación. Para Bavinck,

La gloria que Jesús recibe como Hijo de Dios con poder en su exaltación le pertenece *porque ha triunfado* sobre el pecado, la muerte y el infierno, y no ha perdido a ninguno de los que el Padre le dio (Jn. 17). Como nuestro Gran Sumo Sacerdote, ocupa su puesto *porque ha abierto* un camino nuevo y vivo hacia Dios y con su sacrificio "ha hecho perfectos para siempre a los que son santificados" (Heb. 10: 14). La gloria de Dios resplandece en la cruz de Cristo porque de su muerte por el pecado procede la recreación del mundo y la reconciliación de todas las cosas con Dios (Col. 1:20). La expiación aseguró la salvación, un mundo nuevo y la shalom eterna.

A menudo se afirma que en el ámbito pastoral se agudizan las debilidades de la expiación definitiva. Esto no es así. Nosotros sostenemos que, precisamente porque la expiación definitiva es la que da mayor gloria a Dios, es esta interpretación de la expiación la que proporciona a la iglesia y al mundo el mayor bien. El drama del Hijo-Rey al que se le prometieron las naciones como herencia (Salmo 2:8) añade motivos para la evangelización de los pueblos del mundo.

El Cordero ha *comprado* gente para Dios (Ap. 5:9-11). Por otro lado, los "no evangelizados" se convierten en una incómoda "piedra en el zapato" para los defensores de una expiación universal: Cristo ha proporcionado una salvación *de jure* para todos, pero que *de facto* no es accesible a todos y, sin quererlo, acaba en realidad limitada en su alcance. La expiación definitiva garantiza que lo que se ofrece en la proclamación del evangelio es la realización real de la redención. Anunciar el Evangelio es anunciar a un Salvador que con su sangre ha *establecido* el pacto de gracia al que todos están llamados a unirse. Los defensores de una expiación general y universal no pueden, de hecho, siendo coherentes, mantener una creencia en la oferta sincera de salvación para cada persona. Todo lo que se puede ofrecer es la oportunidad o la posibilidad de salvación, y eso ni siquiera a todos en realidad.

Una expiación simbolizada por el Buen Pastor que da la vida por sus ovejas proporciona una riqueza pastoral de motivación, obediencia gozosa y perseverancia tanto para el pastor como para el pueblo. La expiación que irradia

---

cuando Cristo resucitó de entre los muertos y ascendió al cielo "se llevó consigo un tesoro de méritos que había adquirido por su obediencia", el principal de los cuales era la reconciliación que ganó en su muerte expiatoria (447). La reconciliación es, pues, un don que el Rey resucitado y ascendido otorga a su pueblo (450).

de la unión de Cristo con su pueblo y que se enmarca en el paradigma más amplio de las operaciones trinitarias no puede sino dar seguridad al creyente.

Si Dios —Padre, Hijo y Espíritu— ha obrado indivisiblemente por nosotros en Cristo, ¿quién puede entonces estar contra nosotros? Los modelos de la expiación que hacen que la salvación sea meramente posible no proporcionan esta sólida seguridad y consuelo. La seguridad de la salvación queda necesariamente separada de la fuente segura de lo que Cristo ha hecho y se aloja en el ámbito inestable de nuestra respuesta. La expiación se ha hecho, sí, pero el conocimiento de la misma suficiente para calmar nuestros temores y asegurarnos de nuestra adopción se basa en la acción humana, no en la divina. Nosotros somos los contribuyentes decisivos de la salvación.

Si John Piper está en lo cierto en su ensayo final, cuando afirma que la muerte de Cristo es el clímax de la gloria de la gracia de Dios, que es la cúspide de la gloria de Dios, entonces las cuestiones del propósito y la naturaleza de la expiación no son temas de "poca importancia" o "asuntos de mera especulación": tocan el centro neurálgico de la gloria de Dios. Él no es glorificado cuando su salvación se reduce a una mera oportunidad. No es glorificado cuando su redención de los pecadores perdidos se reduce a una simple posibilidad. Dios es glorificado cuando es visto, gustado y disfrutado por lo que realmente otorga: la gracia salvadora.

En esta glorificación, nosotros, sus criaturas, somos hechos plenos y saludables, adoradores y felices, y comisionados como sus embajadores en su mundo.

Soli Deo gloria.

PARTE I: LA EXPIACIÓN DEFINITIVA EN LA HISTORIA DE LA IGLESIA – TEOLOGÍA HISTÓRICA

§2. "CONFIAMOS EN LA SANGRE SALVADORA": LA EXPIACIÓN DEFINITIVA EN LA IGLESIA ANTIGUA

Michael A. G. Haykin[1]

Introducción

Cuando el polímata calvinista del siglo XVIII, John Gill (1697-1771), decidió defender públicamente algunas de las doctrinas cardinales de la fe reformada, el resultado fue *La causa de Dios y la verdad* (The Cause of God and Truth, 1735-1738), una obra monumental de erudición dedicada a la explicación de lo que popularmente se conocía como "las doctrinas de la gracia".

Gill se preocupó especialmente por responder a los argumentos de Daniel Whitby (1638-1726), clérigo de Salisbury, cuyo *Discurso sobre los cinco puntos* (Discourse on the Five Points, 1710), como se conoce, se reimprimió a principios de la década de 1730 causando un gran revuelo, ya que se juzgó como una crítica irrefutable de estas convicciones centrales del calvinismo inglés.[2] Comprensiblemente, las Escrituras ocuparon un lugar central en este debate,

---

[1] La cita del título es de Justino Mártir, *Diálogo con Trifón*, 24.1.

[2] Véase John Gill, "Preface" a su obra *The Cause of God and Truth* (reimpr., Londres: W. H. Collingridge, 1855), iii (publicado originalmente en cuatro partes entre 1735-1738).

pero también se consideró exhaustivamente la postura de la Iglesia antigua. La cobertura detallada de Gill de la evidencia patrística puede encontrarse especialmente en la parte 4 de *La causa de Dios y la verdad.*

Gill era ciertamente consciente de que el debate sobre las doctrinas de la gracia no se hizo explícito hasta el siglo V, cuando surgió la herejía pelagiana, pero, al igual que otros autores reformados anteriores, como François Turretini (1623-1687) y John Owen (1616-1683),[3] estaba convencido de que había huellas significativas de estas doctrinas que podían detectarse en los autores patrísticos.[4] Su estudio de los Padres sobre este tema se basaba en una lectura cuidadosa de varias fuentes primarias y contenía su propia traducción fresca de muchos de los textos que citaba. Habiendo examinado en detalle algunos de los textos que Gill discutió, uno no puede dejar de impresionarse por la profundidad de su conocimiento de los Padres.

Cabe destacar que el número de Padres citados por Gill en apoyo de la doctrina de la redención particular fue mayor que los citados para cualquiera de los otros cuatro puntos. Cita a treinta y tres autoridades patrísticas en total, desde el italiano del siglo I, Clemente de Roma (fl. 96), hasta el traductor latino de finales del siglo IV y principios del V, Jerónimo (c. 347-420).[5] Gill omitió a propósito a Agustín de Hipona (354-430), así como a Próspero de Aquitania (c. 388-c. 455) y a Fulgencio de Ruspe (c. 462-c. 527), dos de los defensores más destacados de Agustín, dado que su postura era conocida por todos.[6]

Este tipo de "prueba por textos" está fuera de uso académico hoy en día, principalmente por el peligro que conlleva de no observar el contexto del texto original y, por tanto, de malinterpretar gravemente el significado del pasaje en cuestión. Sin embargo, dado el hecho de que la doctrina de la redención particular no fue objeto de controversia ni el centro de una discusión detallada

---

[3] Véase, por ejemplo, la breve discusión de la cita de las autoridades patrísticas hecha por Turretin, por Raymond A. Blacketer, "Definite Atonement in Historical Perspective", en *The Glory of the Atonement: Biblical, Historical, and Practical Perspectives. Essays in Honor of Roger Nicole*, ed. Charles E. Hill y Frank A. James III (Downers Grove, IL: InterVarsity Press, 2004), 308, y el apéndice de cinco páginas de John Owen a su magistral *Salus Electorum, Sanguis Jesu: Or The Death of Death In the Death of Christ* (Londres: Philemon Stephens, 1648), 322-26.

[4] Gill, *Cause of God and Truth*, 220-22.

[5] Ibid, 241-65.

[6] Ibid, 221-22. Véase la declaración de Owen, *Death of Death*, 325, donde, después de citar un texto de Agustín que revela su creencia en la redención particular, comenta: "su juicio en estas cosas es conocido por todos".

en la era patrística, ni siquiera en la controversia pelagiana del siglo V,[7] a este escritor le parece que cualquier tratamiento sobre este tema en la "iglesia antigua", como Gill denomina al período patrístico,[8] debe seguir el patrón general de examen del teólogo bautista. De hecho, la lista de testimonios patrísticos de Gill constituye realmente un excelente punto de partida para cualquier ensayo sobre el presente tema.

Por lo tanto, en lo que sigue, se reexaminarán varios de los textos que Gill cita, con la debida atención a sus contextos, a fin de comprobar si hay garantía para que afirmemos que existe un testimonio de esta doctrina en la iglesia antigua y cuál es la naturaleza de ese testimonio.[9]

En este ensayo se han elegido textos de cinco de los autores examinados por Gill, que siguen siendo sólo una pequeña muestra representativa, para un análisis extenso: Clemente de Roma y Justino Mártir (c. 100-165), ambos del primer período de testimonio cristiano después de la era apostólica; e Hilario de Poitiers (310/315-367/368), Ambrosio (c. 340-397) y Jerónimo, tres teólogos importantes del siglo IV.

Además, se examinarán brevemente Agustín y Próspero de Aquitania. Al usar esta sección de *La causa de Dios y la verdad*, este ensayo no pretende ser un estudio del pensamiento de Gill; más bien, las citas de Gill se emplean como un trampolín hacia el pensamiento del cristianismo primitivo. Huelga decir que la discusión de todos los autores cristianos primitivos que figuran en *La causa de Dios y la verdad*, la obra de Gill, requeriría una monografía. Sin embargo, es de esperar que este breve estudio indique que tal monografía sería una valiosa adición a los estudios sobre las doctrinas de la gracia.

Sin embargo, antes de iniciar esta discusión, es necesario hacer una serie de observaciones generales sobre la doctrina de la expiación definitiva en el pensamiento cristiano primitivo. En primer lugar, como ya se ha indicado, no se trató de una cuestión controvertida en la Iglesia antigua, ni siquiera en la controversia pelagiana de principios del siglo V. Como tal, lo que se puede

---

[7] W. H. Goold, "Prefatory Note" en *Salus Electorum, Sanguis Jesu: Or The Death of Death in the Death of Christ*, en *The Works of John Owen*, ed. W. H. Goold, 24 vols. (Edimburgo: Johnstone & Hunter, 1850-1853; reimpr. Edimburgo: Banner of Truth, 1967), 10:140.

[8] Gill, *Cause of God and Truth*, 241.

[9] Un reto considerable al utilizar las citas de Gill para este fin es que él consulta ediciones de los Padres del siglo XVI, que ya no son fácilmente accesibles para los lectores del siglo XXI.

extraer sobre esta doctrina en esta época es sobre todo de comentarios implícitos más que de afirmaciones directas.

Pero esto no significa que no haya evidencia de la doctrina. Como comenta acertadamente Raymond A. Blacketer:

> Hay una trayectoria de pensamiento en la tradición cristiana que va desde la época patrística hasta la Edad Media, la cual subraya un propósito específico, particular y definido de Dios en la salvación; pero es una posición minoritaria y frecuentemente ambigua.[10]

Luego, al principio de la época patrística, los Padres tuvieron que enfrentarse al elitismo de varios grupos gnósticos, lo que les llevó a subrayar el universalismo del evangelio cristiano y, comprensiblemente, a restar importancia a la particularidad de la obra de la cruz de Cristo. Asimismo, la necesidad de evitar el fatalismo grecorromano, en gran parte fruto del estoicismo popular, se tradujo en una preocupación por subrayar la libertad de la voluntad humana, lo que, a su vez, sirvió para disminuir cualquier deseo de discutir el alcance de la expiación.

Por último, esta ausencia de debate en el pensamiento cristiano primitivo sobre las personas por las que murió Cristo no debería sorprendernos, dado que, mientras que la persona de Cristo fue objeto de un "animado" debate en la época patrística y, en última instancia, de pronunciamientos dogmáticos vitales, "la obra salvífica de Cristo permaneció dogmáticamente indefinida".[11] Lo que esto no significa es que los Padres no estuvieran interesados en este tema en general; de hecho, vemos todo lo contrario: la meditación y el pensamiento sobre la expiación fueron una característica central de la piedad, la exégesis y el culto de la Iglesia antigua.[12]

---

[10] Blacketer, "Definite Atonement in Historical Perspective", 313.

[11] Jaroslav Pelikan, *The Christian Tradition. A History of the Development of Doctrine. Volume 1: The Emergence of the Catholic Tradition* (100-600) (Chicago: University of Chicago Press, 1971), 141.

[12] Pelikan, *Emergence of the Catholic Tradition*, 142-43. Véanse también los comentarios de Sinclair B. Ferguson, "Christus Victor et Propitiator: The Death of Christ, Substitute and Conqueror", en *For the Fame of God's Name: Essays in Honor of John Piper*, ed. Sam Storms y Justin Taylor (Wheaton, IL: Crossway, 2010), 173-74. Brian Daley ha argumentado de forma convincente que la soteriología de los Padres se ocupaba en última instancia de las implicaciones de la unión de Dios y la humanidad en Cristo y que la muerte de Jesús era solo una parte de este panorama más amplio. Véase su "'He Himself Is Our Peace'

Clemente de Roma

Aunque se conocen pocos detalles sobre la vida de Clemente de Roma, su carta a la iglesia de Corinto bien podría ser el texto cristiano más antiguo después de los escritos canónicos del Nuevo Testamento.[13] Escrita para enmendar un cisma que había desgarrado a la comunidad corintia,[14] el propósito principal de la carta se encuentra bien resumido por una serie de alusiones a 1 Corintios 13 en *1 Clemente* 49.5:

> El amor no admite divisiones, el amor no fomenta la rebelión, el amor lo hace todo en armonía; en el amor son perfeccionados todos los elegidos de Dios; sin amor nada agrada a Dios. En amor nos recibió el Maestro; por el amor que nos tuvo, nuestro Señor Jesucristo dio su sangre por nosotros (ὑπὲρ ἡμῶν) de acuerdo con la voluntad de Dios: su carne por nuestra carne, su vida por nuestras vidas (τὴν ψυχὴν ὑπὲρ τῶν ψυχῶν ἡμῶν).[15]

(Ephesians 2:14): Early Christian Views of Redemption in Christ", en *The Redemption: An Interdisciplinary Symposium on Christ as Redeemer*, ed. Stephen T. Davis, Daniel Kendall y Gerald O'Collins (Oxford: Oxford University Press, 2004), 149-76.

[13] Para un estudio de su identidad, véase Peter Lampe, *From Paul to Valentinus: Christians at Rome in the First Two Centuries*, ed. Marshall D. Johnson, trad. Michael Steinhauser (Minneapolis: Fortress, 2003), 206-17. Para la fecha de 1 Clemente, véase Andrew Louth, "Clement of Rome", en *Early Christian Writings: The Apostolic Fathers*, trad. Maxwell Staniforth (1968 repr., Harmondsworth, Middlesex: Penguin Books, 1987), 20; Michael W. Holmes, "First Clement", en *The Apostolic Fathers: Greek Texts and English Translations*, ed. y trad. Michael W. Holmes, 3ra ed. (Grand Rapids, MI: Baker, 2007), 35-36; Andreas Lindemann, "The First Epistle of Clement", en *The Apostolic Fathers: An Introduction*, ed. Wilhelm Pratscher (Waco, TX: Baylor University Press, 2010), 65. Pace Thomas J. Herron ha argumentado a favor de una fecha anterior alrededor del año 70 dC. Véase su "The Most Probable Date of the First Epistle of Clement to the Corinthians", en *Studia Patristica*, ed. Elizabeth A. Livingston (Lovaina, Bélgica: Peeters, 1989), 21:106-21. Para una útil perspectiva general de la carta y una bibliografía selecta, véase Hubertus R. Drobner, *The Fathers of the Church: A Comprehensive Introduction*, trad. Siegfried S. Schatzmann y William Harmless (Peabody, MA: Hendrickson, 2007), 47-49.

[14] Véase, por ejemplo, 1 Clemente 1.1; 3.1-4; 46.5. Para un análisis de este cisma, véase especialmente Andrew Gregory, "1 Clement: An Introduction", en *The Writings of the Apostolic Fathers*, ed. Paul Foster (Londres/Nueva York). Paul Foster (Londres/Nueva York: T. & T. Clark, 2007), 24-28; y A. Lindemann, "First Epistle of Clement", en *Apostolic Fathers: An Introduction*, 59-62. Véase también Davorin Peterlin, "Clement's Answer to the Corinthian Conflict in AD 96", *JETS* 39 (1996): 57-69.

[15] Trad. Michael A. G. Haykin. A menos que se indique, las traducciones son mías. Para la discusión de Gill sobre este texto, véase *Cause of God and Truth, 241.*

Los creyentes corintios son amonestados a actuar en amor porque esta es la forma en que su Señor los ha tratado: en amor. No es sorprendente que, para un autor cristiano, Clemente emplee el hecho de que Cristo muriera "por nosotros" —hecho que amplía diciendo que Cristo derramó su sangre por nosotros, sacrificando su cuerpo por el nuestro y su alma/vida por la nuestra— como ejemplo de lo que constituye el verdadero amor y de cómo éste actúa desinteresadamente.

La ecuación contextual de "los elegidos de Dios" con el "nosotros" por quienes murió Cristo, ecuación que sugiere Gill, parece totalmente justificable.[16] Esta ecuación se ve reforzada por una lectura tipológica previa en la carta sobre el cordón escarlata colgado por Rahab en su ventana (véase Jos. 2:15-21): era un "signo" (σημεῖον) de que "por la sangre del Señor habría redención para todos los que creen y esperan en Dios".[17] El derramamiento de la sangre de Cristo trae consigo la redención no para todos y cada uno, sino, especifica Clemente, para "todos los que creen y esperan en Dios". En consonancia con esta interpretación de la muerte de Cristo, Clemente ora más tarde para que "el Creador de todas las cosas guarde intacto el número determinado de sus elegidos en todo el mundo",[18] un pasaje que se hace eco de la oración de Jesús específicamente por aquellos que el Padre le ha dado (Jn. 17:9).

Sin embargo, casi al principio de su carta, Clemente hace un comentario que ha sido tomado como una afirmación de una redención general. En *1 Clemente* 7.4, insta a sus lectores a que "miren atentamente la sangre de Cristo y comprendan cuán preciosa es para su Padre, porque, habiendo sido derramada por nuestra salvación, hizo accesible/ganó [ὑπήνεγκεν] la gracia del arrepentimiento para todo el mundo".[19]

---

16 Véase también un argumento similar en 1 Clemente 50.3-7. Charles Merritt Nielsen, "Clement of Rome and Moralism", *Church History* 31 (1962): 135, ha señalado que el término "elegidos" era uno de los favoritos de Clemente.

17 Clemente, *1 Clemente 12.7*. Véase la similar interpretación de este texto bíblico de Justino Mártir, *Diálogo con Trifón* 111.4.

18 Clemente, *1 Clement 59.2*, trad. Holmes, *Apostolic Fathers: Greek Texts and English Translations*, 123.

19 Clemente, 1 Clemente 7.4. Para la traducción de ὑπήνεγκεν como "hecho accessible", véase Frederick William Danker, rev. y ed., *A Greek-English Lexicon of the New Testament and Other Early Christian Literature*, 3ra ed. (Chicago: University Chicago Press, 2000), 1042-43. (Chicago: University of Chicago Press, 2000), 1042-43. Para la traducción "ganó", véase J. B. Lightfoot, ed. y trad., *The Apostolic Fathers: Clement, Ignatius, and Polycarp* (1889-1890; reimpr., Grand Rapids, MI: Baker, 1981), 1/2:37; y Holmes, *Apostolic Fathers: Greek Texts and English Translations*, 55.

En lo que sigue a esta afirmación, Clemente señala que la gracia del arrepentimiento fue puesta a disposición por Dios —el soberano de la historia, o δεσπότης, como lo llama (7.5)— para aquellas generaciones pasadas que escucharon la predicación de Noé y, más adelante, de Jonás (7.6-7). Teniendo en cuenta este contexto y a la luz de la preocupación general de la carta por llevar a la iglesia corintia al arrepentimiento por el pecado del cisma, *1 Clemente* 7.4 debe verse como un énfasis en que el alcance de esta gracia se ha ampliado en el nuevo pacto, establecido como tal por la sangre derramada de Cristo, para abarcar todo el mundo.[20]

En otras palabras, Clemente está subrayando que hay abundante gracia disponible para llevar a los corintios al arrepentimiento. Ahora bien, el medio que Clemente insta a los corintios a emplear para llegar al arrepentimiento es fijar sus ojos en la sangre derramada de Cristo, que bien puede significar la

---

Un buen número de ediciones inglesas de 1 Clemente leen el término griego ὑπήνεγκεν, como arriba. Véase Lightfoot, *Apostolic Fathers: Clement, Ignatius and Polycarp,* 1/2:36-37; Holmes, *Apostolic Fathers: Greek Texts and English Translations,* 54; Bart D. Ehrman, ed. y trad., *The Apostolic Fathers, 2 vols. The Loeb Classical Library* (Cambridge, MA: Harvard University Press, 2003), 1:46. Pero en realidad hay una variante en este punto, ἐπήνεγκεν, que debería traducirse como "concedió" o "dio" (Danker, *A Greek-English Lexicon,* 386), y que es la que siguen las recientes ediciones francesas y alemanas. Véase Annie Jaubert, ed. y trad., *Clément de Rome: Épître aux Corinthiens, Sources chrétiennes* 167 (París: Les Éditions du Cerf, 1971), 110; Gerhard Schneider, trad. e introducción, *Clemens von Rom: Brief an die Korinther, Fontes Christiani* 15 (Friburgo: Herder, 1994), 80. No obstante, véase Horacio E. Lona, trad. y anotado, *Der erste Clemensbrief, Kommentar zu den Apostolischen Vätern, 2 vols.* (Göttingen, Alemania: Vandenhoeck & Ruprecht, 1998), 2:177, que acepta ὑπήνεγκεν como la lectura correcta.

Hay dos manuscritos griegos clave de 1 Clemente: El *Codex Alexandrinus* (A), del siglo V, que también contiene casi toda la Biblia griega, y el *Codex Hiersolymitanus graecus* 54 (H), fechado en 1056. También existe una traducción al latín copiada en el siglo XI, el *Codex Latinus* (L), que tiene una versión del texto que parece ser una traducción hecha en el siglo II o III. Como tal, el *Codex Latinus* es a veces más fiable que cualquiera de los dos manuscritos griegos. También existen dos manuscritos coptos (Co) y uno en siríaco (S). Para las fuentes textuales de 1 Clemente, véase Schneider, *Clemens von Rom: Brief an die Korinther,* 56-61. La lectura ὑπήνεγκεν se encuentra en A con apoyo de S y Co, mientras que ἐπήνεγκεν es la lectura de H, que se apoya en L.

[20] Odd Magne Bakke, *"Concord and Peace": A Rhetorical Analysis of the First Letter of Clement with an Emphasis on the Language of Unity and Sedition* (Tübingen: Mohr [Paul Siebeck], 2001), 332. Véase el perspicaz comentario de Adolf von Harnack: "El universalismo de la misericordia de Dios se convirtió primero en un hecho a través de la muerte de Cristo" (mi traducción), en *Einführung in die alte Kirchengeschichte. Das Schreiben der römischen Kirche an die korinthische aus der Zeit Domitians (I. Clemensbrief),* ed. Adolf von Harnack (Leipzig: J. C. Hinrichs, 1929), 78.

muerte de Cristo.[21] Mediante la meditación sobre el sacrificio de Cristo y su valor a los ojos de Dios Padre, que contribuyen a su significado universal, Clemente espera que sus primeros lectores sean llevados a renunciar a su pecado.

Algunos estudiosos de esta carta señalan que la soteriología no es uno de sus temas prioritarios.[22] Sin duda, esto es cierto. No obstante, los pasajes de *1 Clemente* que hemos examinado permiten vislumbrar perspectivas soteriológicas, una de las cuales parece estar claramente en consonancia con el énfasis del Nuevo Testamento en que la muerte de Cristo es a favor de los elegidos.

Justino Mártir

El teólogo norteafricano Tertuliano (fl. 190-220) recordaba a Justino Mártir como "filósofo y mártir"[23] y, como ha señalado recientemente Paul Parvis, estos dos epítetos "reflejan de diferentes maneras los dos aspectos más perdurables de su legado", aunque Parvis también señala con razón que hay mucho más en Justino de lo que encapsulan estos términos.[24] Sara Parvis ha sostenido que fue Justino Mártir quien "forjó el género de la apologética cristiana".[25] A continuación, examinamos algunos aspectos de Justino, el teólogo de la cruz.

L. W. Barnard ha observado que, más que ningún otro apologista del siglo II, Justino "afirma repetidamente que Cristo nos salva por su muerte en la cruz

---

[21] En la carta no se menciona la palabra "cruz" (σταυρός). Para otras referencias a la "sangre de Cristo", véase 1 Clemente 12,7; 21,6; y 49,6. Véase también Schneider, *Clemens von Rom: Brief an die Korinther*, 46. Edmund W. Fisher, "'Let Us Look upon the Blood-of-Christ' (1 Clement 7:4)", *Vigiliae Christianae* 34 (1980): 218-36, argumenta de forma poco convincente que este verso es una referencia a la Cena del Señor.

[22] Véase, por ejemplo, Lona, *Der erste Clemensbrief*, 177 n. 6.

[23] Tertuliano, *Contra los Valentinianos* 5.

[24] Paul Parvis, "Justin Martyr", en *Early Christian Thinkers: The Lives and Legacies of Twelve Key Figures*, ed. Paul Foster (Downers Grove, IL: InterVarsity Press, 2010), 1. Se trata de una introducción muy útil a la vida y la importancia de Justino. Véase también Drobner, *Fathers of the Church*, 77-82.

[25] Sara Parvis, "Justin Martyr and the Apologetic Tradition", en *Justin Martyr and His Worlds*, ed., Sara Parvis y Paul Foster (Minneapolis: Fortress, 2007), 117. Véase su artículo completo para conocer su convincente argumento (115-27).

y por su resurrección".[26] En su *Primera Apología*, por ejemplo, Justino citó la profecía mesiánica de Génesis 49:10-11 e interpretó la frase "lavar su manto en la sangre de la uva" como un anuncio "de antemano del sufrimiento que Él [es decir, Cristo] iba a soportar, limpiando con su sangre a los que crean en Él".[27] Justino especificó que el término "manto" se refería a "los seres humanos que creen" en Cristo.

En otras palabras, la obra purificadora de Cristo se dirige específicamente a los creyentes. Justino ofrece la misma interpretación en el *Diálogo con Trifón*, donde afirma que Génesis 49:11 era una profecía del hecho de que Cristo "limpiaría con su propia sangre a los que creen en Él. Porque el Espíritu Santo llamó su manto a los que reciben de Él el perdón de los pecados, en los que está siempre presente con poder y entre los que estará visiblemente presente en su segunda venida".[28]

El *Diálogo con Trifón* está lleno de referencias a Cristo crucificado. A través del Crucificado, hombres y mujeres se vuelven a Dios.[29] Los que se arrepienten de sus pecados son purificados "por la fe mediante la sangre de Cristo y su muerte".[30] Para todos los que se acercan al Padre por medio de los sufrimientos de Cristo hay curación.[31] Cristo soportó sus sufrimientos en la cruz "por el bien [ὑπὲρ] de aquellos seres humanos que están limpiando sus almas de todo pecado".[32] Con su crucifixión, Cristo nos ha "rescatado [ἐλυτρώσατο] a nosotros, que estábamos sumergidos bajo el peso de los pecados [βεβαπτισμένους ταῖς βαρυτάταις ἁμαρτίαις]" y "nos ha convertido en casa de oración y adoración".[33]

---

[26] Barnard, *Justin Martyr*, 124. Peter Ensor, "Justin Martyr and Penal Substitutionary Atonement", *EQ* 83 (2011): 220, hace un comentario similar con referencia específica al *Diálogo con Trifón* de Justino: está "saturado de referencias a la cruz".

[27] Justino, *Primera Apología* 32.1, 5, 7, en Justin, *Philosopher and Martyr*, 171.

[28] Justino, *Diálogo con Trifón* 54.1. Cf. también 76.2 y la interpretación similar de, entre otros autores patrísticos, Ireneo, *Demostración de la predicación apostólica* 57; y Anfiloquio de Iconio, *Homilía 6: In Illud: Pater si possibile est, en Amphilochii Iconiensis Opera*, ed., Carnelis Datema, *Corpus Christianorum, Serie Graeca*, 72 vols. (Turnhout: Brepols/Leuven: University Press, 1978), 3:150-51.

[29] Justino, *Diálogo con Trifón* 11.4-5.

[30] Ibid., 13.1.

[31] Ibid., 17.1. Ver también *Segunda Apología* 13.4.

[32] Justino, *Diálogo con Trifón* 41.1.

[33] Ibid., 86.6.

La salvación del aguijón de Satanás ha llegado a través de la cruz y el refugio en Aquel que envió a su Hijo al mundo para ser crucificado.[34] En resumen, la sangre de Cristo ha salvado "de entre todas las naciones a los que una vez fueron sexualmente inmorales y malvados: han recibido el perdón de sus pecados y ya no viven en el pecado".[35] Todas estas referencias implican una especificidad en el alcance de la expiación.[36]

Sin embargo, en un texto, Justino parece hablar de forma más general sobre la muerte expiatoria de Cristo. Trifón expresó su incredulidad ante el hecho de que el Mesías que él y su pueblo esperaban fuera Jesús de Nazaret, ya que había sido crucificado y, por tanto, había experimentado una muerte tan "vergonzosa y deshonrosa [αἰσχρῶς καὶ ἀτίμως]" que la ley la calificaba específicamente de maldita.[37]

Trifón está pensando claramente en Deuteronomio 21:22-23.[38] En su respuesta, Justino repasó primero lo que consideraba una serie de predicciones del Antiguo Testamento que anunciaban que el Mesías sería crucificado.[39] A continuación, especificó que, aunque los hombres que mueren por crucifixión son realmente, según la ley, malditos, el propio Cristo no había hecho nada para merecer la maldición de Dios.[40]

A decir verdad, continuó Justino, toda la raza humana, aparte de Jesús, está bajo la maldición de Dios: ningún judío ha guardado jamás la ley por completo, y en cuanto a los gentiles, están claramente malditos, pues son idólatras, corruptores sexuales de la juventud y hacedores de toda clase de maldades.[41] "Por tanto, si el Padre del universo determinó que su propio Cristo, por el bien de seres humanos de todas las razas, asumiera la responsabilidad [ἀναδέξασθαι] de las maldiciones de todos", razonó Justino, "¿por qué lo acusan como un

---

[34] Ibid., 91.4.

[35] Ibid., 111.4.

[36] Aquí coincido con la opinión de Gill, *Cause of God and Truth*, 242.

[37] Justino, *Diálogo con Trifón* 89.1-2; 90.1. Véase también 32.1.

[38] Steve Jeffery, Michael Ovey y Andrew Sach, *Pierced for Our Transgressions: Rediscovering the Glory of Penal Substitution* (Wheaton, IL: Crossway, 2007), 164-65. Justino cita este pasaje del Deuteronomio en su *Diálogo con Trifón* 96.1.

[39] Ibid, 90-91 y 94. Entre ellas hay una a la que el propio Cristo se refiere, a saber, la serpiente de bronce que Moisés recibió instrucciones de colocar en un poste (Nm. 21:6-9). Véase Jn. 3:14-15.

[40] Justino, *Diálogo con Trifón* 94.5.

[41] Ibid., 95.1.

maldito, a Aquel soportó este sufrimiento de acuerdo con la voluntad del Padre, y no se lamentan más bien?".[42]

Cristo sufrió, no por pecados que hubiese cometido, sino "en lugar del género humano [ὑπὲρ τοῦ ἀνθρωπείου γένους]", la maldición de ellos la tomó sobre sí y en este sentido murió a la manera de un maldecido.[43] Como comentan acertadamente Steve Jeffery, Michael Ovey y Andrew Sach, esto "equivale a una clara declaración de sustitución penal".[44] El firme apoyo a su juicio radica en el despliegue del argumento de Justino y en su uso del verbo ἀναδέχομαι en relación con la muerte de Cristo.[45] En los papiros griegos, el verbo ἀναδέχομαι se utiliza a menudo con un significado jurídico, a saber, "convertirse en fiador de", y G. W. H. Lampe ha enumerado su uso con este significado en la literatura patrística que trata de la expiación.[46]

Estos textos del *Diálogo con Trifón* 89-96 son la discusión más extensa sobre la cruz en los escritos de Justino, pero no proporcionan una declaración inequívoca sobre el alcance de la expiación. Justino termina afirmando que Cristo murió por "la raza humana", aunque un poco antes en el texto había afirmado que murió por "seres humanos de toda raza". Si estos pasajes se alinean con otras afirmaciones de Justino sobre la cruz, entonces bien pueden interpretarse como afirmaciones de una particularidad en el alcance de la expiación.

Por otra parte, la posición filosófica básica de Justino, que, entre otras cosas, destacaba la libertad de elección de los seres humanos con respecto a la salvación ofrecida en el evangelio cristiano[47] —un rechazo explícito del fatalismo reinante en muchos sectores de la cultura grecorromana— habría causado tensiones con una visión que consideraba la muerte de Cristo como destinada a los elegidos de Dios.

---

[42] Ibid., 95.2.

[43] Ibid.

[44] Jeffery, Ovey, Sach, *Pierced for Our Transgressions*, 166.

[45] Ensor, "Justin Martyr and penal substitutionary atonement", 222-25. Para el debate reciente sobre este texto, véase Derek Flood, "Substitutionary Atonement and the Church Fathers: A Reply to the Authors of Pierced for Our Transgressions", *EQ* 82.2 (2010): 142-59 (144-45), y la respuesta de Garry J. Williams, "Penal Substitutionary Atonement in the Church Fathers", *EQ* 83.3 (2011): 195-216 (196-99).

[46] H. G. Meecham, *The Epistle to Diognetus* (Manchester, Reino Unido: Manchester University Press, 1949), 129; G. W. H. Lampe, *A Patristic Greek Lexicon* (Oxford: Clarendon, 1961), 101.

[47] Véase, por ejemplo, Justino, *Primera Apología* 43-44.

Cabe destacar que tanto Barnard como Henry Chadwick han señalado una tensión general entre las convicciones filosóficas de Justino y sus afirmaciones sobre la obra redentora de Cristo. Han argumentado que sus afirmaciones sobre la cruz representan una parte fundamental de la "fe tradicional de la iglesia" que estaba vigente en su época. Justino aceptaba de corazón esta fe, aunque no siempre encajaba bien con sus perspectivas filosóficas.[48]

Hilario de Poitiers

Hilario, uno de los principales defensores del trinitarismo bíblico en el apogeo de la controversia arriana del siglo IV y un "puente teológico" entre el Occidente latino y el Oriente griego, nació entre el 310 y el 315 en un hogar no cristiano en Poitiers (latín: Pictavis), en Aquitainia Secunda, y murió allí en el 367 o en el 368.[49] Se convirtió al cristianismo probablemente a los veinte años.[50]

Al leer el Nuevo Testamento, Hilario comprendió el propósito de la venida del Señor Jesucristo a este mundo y, concretamente, lo que había conseguido con su muerte:

> ... tomó la carne de pecado para que, asumiendo nuestra carne, pudiera perdonar nuestro pecado, pero, aunque toma nuestra carne, no participa de nuestro pecado. Con su muerte destruyó la sentencia de muerte para que, creando de nuevo nuestra raza en su persona, aboliera la sentencia del decreto anterior. Se deja clavar en la cruz para que, mediante la maldición de la cruz, queden clavadas y borradas todas las maldiciones de nuestra condena terrenal. Por último, sufre como hombre para avergonzar a los poderes. Mientras Dios, según las Escrituras, ha de morir, triunfa con la confianza en sí mismo de un vencedor.

---

48 Barnard, *Justin Martyr*, 124-25; Henry Chadwick, "Justin Martyr's Defence of Christianity", *The Bulletin of the John Rylands Library* 47 (1965): 293. Sobre la visión de Justino de la expiación como representante de la iglesia de su época, véase también Ensor, "Justin Martyr and Penal Substitutionary Atonement", 231-32.

49 Para la vida y las obras de Hilario y una bibliografía selecta, véase Drobner, *Fathers of the Church*, 253-61. La frase citada es de George Morrel, "Hilary of Poitiers: A Theological Bridge between Christian East and Christian West", *The Anglican Theological Review* 44 (1962): 313-16.

50 Para más información sobre la vida de Hilario, véase mi libro *The Empire of the Holy Spirit: Reflecting on Biblical and Historical Patterns of Life in the Spirit* (Mountain Home, AR: BorderStone, 2010), 63-65.

> Aunque Él, el inmortal, no sería vencido por la muerte, moriría por la vida eterna de nosotros los mortales.
> Estos hechos de Dios, pues, están más allá de la comprensión de nuestra naturaleza humana y no se ajustan a nuestro proceso natural de pensamiento, porque la obra de la Eternidad Infinita exige una facultad infinita de apreciación.[51]

Hilario es muy consciente de que la razón humana no puede comprender, en última instancia, "obras de Dios" tales como la encarnación y la expiación. Afirmaciones como "Dios se hizo hombre", "el Inmortal muere" y "el Eterno es sepultado" deben ser abrazadas por fe: "la obediencia de la fe nos lleva más allá del poder natural de la comprensión [humana]"", como señaló más adelante en dicho tratado.[52]

Ahora bien, inmediatamente antes de este pasaje, Hilario había citado Colosenses 2:8-13, y su descripción de lo que Cristo logró con su muerte está moldeada por ese pasaje paulino. La muerte de Cristo, la crucifixión de Aquel sin pecado, es el medio por el que los humanos mortales reciben el perdón de los pecados.

La mecánica de cómo ocurre esto se insinúa en la cláusula extraída de Colosenses 2:14: Cristo fue clavado en la cruz maldita para que las maldiciones que deberían haber caído sobre nosotros fueran tomadas por Él en la cruz, lo que revela una comprensión de la muerte de Cristo como una expiación vicaria. Luego, su muerte abre la puerta a la vida eterna para los mortales.

Por último, su muerte es una victoria sobre los poderes del mal, el conocido tema del *Christus Victor* de la Iglesia antigua. Este texto es un buen ejemplo del hecho de que cualquier análisis de la doctrina patrística de la expiación no puede encasillar a los Padres en una única y exclusiva visión de la expiación.[53] Aquí, Hilario enunció tanto una visión de la cruz como un triunfo sobre los poderes

---

[51] Hilario, *Sobre la Trinidad* 1.13, en *Saint Hilary of Poitiers: The Trinity*, trad. Stephen McKenna (Nueva York: Fathers of the Church, Inc., 1954), 14-15, alterado. Para el latín de este pasaje, véase *Sancti Hilarii Pictaviensis Episcopi: De Trinitate: Praefatio, Libri I-VII*, ed. Pierre Smulders, *Corpus Christianorum Series Latina* 62 (Turnhout, Bélgica: Brepols, 1979), 14-15.

[52] Hilario, *Sobre la Trinidad* 1.37, en *Saint Hilary of Poitiers: The Trinity*, 34.

[53] Williams, "Penal Substitutionary Atonement", 215.

del mal —*Christus Victor*— como de su muerte como un sufrimiento vicario por los pecadores —*Christus Vicarius*.[54]

En otro texto, el comentario de Hilario al texto latino antiguo del Salmo 130,[55] se medita sobre la necesidad de la obra expiatoria de Cristo a causa del pecado humano. Reflexionando sobre la afirmación "porque hay perdón [*propitatio*] en ti" en el Salmo 130:4, Hilario señaló que, en última instancia, la razón por la que el salmista puede decir esto es porque:

> El Hijo unigénito de Dios, Dios el Verbo, es nuestra redención, nuestra paz, en cuya sangre somos reconciliados con Dios. Él vino a quitar [*tollere*] los pecados del mundo, y al sujetar la letra de la ley a su cruz [*cruci suae chirographum legis adfigens*], abolió el edicto de condena de larga data. ... "Porque contigo hay perdón": porque el Hijo está en el Padre según la [misma] semejanza de su gloria y el Hijo mismo es el perdón, la redención y la súplica por nuestros pecados [*pro peccatis nostris et propitatio et redemption et deprecatio*], por eso no se acuerda de nuestras iniquidades, porque Él mismo es su perdón.[56]

Hilario volvió a utilizar Colosenses 2:14 para explicar cómo Cristo redime a los hombres, establece la paz entre ellos y Dios y les concede el perdón de sus pecados. Elimina sus pecados, que los condenan ante un Dios justo, al ser clavado en la cruz por esos mismos pecados. De este modo, Cristo mismo se convierte en su perdón. Y el Padre puede perdonar porque el Hijo está en Él, y Él en el Hijo, siendo así el Hijo crucificado su perdón. Al argumentar así, Hilario presupone implícitamente un modelo penal sustitutivo de la expiación, al igual que otros textos de su comentario a los Salmos.[57]

---

[54] Véase también la exégesis similar de Hilario sobre Colosenses 2:14 en *Sobre la Trinidad* 9.10, en *Saint Hilary of Poitiers: The Trinity*, 330-31.

[55] Salmo 129 en la Antigua Biblia Latina.

[56] Hilario, *Sobre el Salmo 129.9*. Para el texto latino, véase *Sancti Hilarii Pictaviensis Episcopi: Tractatus super Psalmos: In Psalmos CXIX-CL*, ed. Jean Doignon y R. Demeulenaere, *Corpus Christianorum Series Latina* 61B (Turnhout, Bélgica: Brepols, 2009), 105.

[57] Para otros textos de su comentario sobre los Salmos que contienen una visión penal sustitutiva de la expiación, véase Hilario, *Sobre el Salmo 53.13; 54.13; 69.9; 135.15*: "nos redimió, cuando se entregó por nuestros pecados, nos redimió por su sangre, por su sufrimiento, por su muerte, por su resurrección: éstos son el gran precio de nuestra vida" (*Tractatus super Psalmos*, 170). Para un análisis de la enseñanza de Hilario sobre la sustitución penal en su comentario al Salmo 53 (54), véase Jeffery, Ovey y Sach, *Pierced for Our Transgressions*, 167-69.

El uso frecuente por parte de Hilario del pronombre en primera persona del plural con respecto a la expiación en estos textos es indicativo de que el concepto de una redención particular no está fuera del marco del pensamiento de Hilario. De hecho, en algunas observaciones que Hilario hizo sobre el Salmo 55[56], proporcionó una clara declaración sobre la redención particular. Mencionó el hecho de que "toda carne ha sido redimida por Cristo para que resucite y es necesario que todos comparezcan ante su tribunal; sin embargo, en esta resurrección no todos tienen una gloria y un honor comunes". Como explicó Hilario, algunos resucitarán, en efecto, pero para la ira y el castigo divinos.

Sin embargo, tal no es el futuro de los creyentes:

> De cuya ira promete el Apóstol que seremos rescatados, diciendo: "Porque si, siendo aún pecadores, Cristo murió por nosotros, mucho más nosotros, justificados por su sangre, seremos salvados de la ira por medio de Él" (Romanos 5:8-9). Por tanto, murió por los pecadores para que tuvieran la salvación de la resurrección [*salutem resurrectionis*], pero salvará de la ira a los que han sido santificados por su sangre [*sanctificatos in sanguine suo saluabit ab ira*].[58]

Hilario distingue aquí entre los "pecadores", que serán resucitados para enfrentarse a la ira de Dios, y "los que han sido santificados" por la sangre de Cristo, que serán liberados del juicio divino. El uso que hace Hilario del término *salus* para referirse a la resurrección de los impíos es algo confuso, y es evidente que ha interpretado mal Romanos 5:8-9.

En este pasaje paulino ha distinguido entre dos grupos de seres humanos: los pecadores y los "justificados por su sangre", aunque una lectura más directa de este texto haría que ambos se consideraran equivalentes. Sea como fuere, este texto indica que en la mente de Hilario la muerte de Cristo tiene un significado especial para los creyentes.

Sin embargo, la preocupación permanente de Hilario tiene que ver más con la persona del Hijo que con su obra. En su comentario al Salmo 130, citado

---

[58] Hilario, *Sobre el Salmo 55.7*. Para el texto en latín, véase *Sancti Hilarii Pictaviensis Episcopi: Tractatus super Psalmos: Instructio Psalmorum, in Psalmos I-XCI*, ed. Jean Doignon, *Corpus Christianorum Series Latina* 61A (Turnhout, Bélgica: Brepols, 1997), 157-58. Gill, Cause of God and Truth, 253, cita este texto como "un pasaje notable", en el que Hilario "distingue la salvación de unos respecto a otros, en virtud de la redención de Cristo".

anteriormente, la vinculación de Hilario de la obra de la cruz del Hijo con la relación pericorética del Hijo y el Padre revela una preocupación importante que aparece una y otra vez en la exégesis de Hilario, a saber, su interés por demostrar la plena deidad del Hijo.

Un buen ejemplo es *Sobre la Trinidad* 10, que es el segundo libro más largo de la obra magna de Hilario y que está enteramente dedicado a una discusión de textos que son centrales en el relato evangélico del sufrimiento y la muerte de Cristo: Mateo 26:38-39, la confesión de Cristo del dolor de su alma y la súplica de que el cáliz del sufrimiento pase de Él; Mateo 27:46, el grito de abandono; y Lucas 23:46, el acto final de fe de Cristo al morir. Hilario dice muy poco en toda esta discusión que pueda utilizarse para delinear su comprensión de la dinámica de la expiación.

Su enfoque decidido es la demostración de que estos textos no implican que el Hijo sea en absoluto inferior al Padre.[59] Dada la crisis a la que se enfrentaba la Iglesia de su tiempo con la acometida arriana, esta preocupación resulta bastante comprensible. Además, desde su punto de vista, esta se trataba sobre todo de una cuestión soteriológica: si el Hijo no es plenamente igual al Padre, no puede ser nuestro Salvador.[60] Por ello, Hilario exhortó a sus lectores: "¡Aférrense a Cristo, el Dios que llevó a cabo las obras de nuestra salvación mientras moría!".[61]

La tradición patrística latina después de Hilario

La doctrina de la expiación, tal y como la desarrollaron los pensadores occidentales después de Hilario, fue una parte fundamental del trasfondo de la reflexión protestante sobre la expiación definitiva en la época de la Reforma y posteriormente.[62]

---

[59] Véase Mark Weedman, *The Trinitarian Theology of Hilary of Poitiers, Supplements to Vigiliae Christianae* 89 (Leiden/Boston: Brill, 2007), 166-73.

[60] Weedman, *The Trinitarian Theology of Hilary of Poitiers*, 174.

[61] Hilario, *Sobre la Trinidad* 9.10. *Para el texto latino, véase Sancti Hilarii Pictaviensis Episcopi: De Trinitate: Libri VIII-XII*, ed. Pierre Smulders, *Corpus Christianorum Series Latina* 62A (Turnhout, Bélgica: Brepols, 1980), 381.

[62] Gill hace referencia a varios de los Padres latinos posteriores a la época de Hilario, como Mario Victorino, Ambrosio, Rufino de Aquilea y Jerónimo (*Cause of God and Truth*, 254-65).

Ambrosio

Entre esos pensadores occidentales fue esencial Ambrosio, cuyo papel en la formación del cristianismo latino fue a la vez "notable y complejo".[63] Antes de ser nombrado obispo de Milán en el año 374, Ambrosio era un gobernador provincial y, por tanto, estaba acostumbrado a ejercer el poder, pero no le resultó fácil adaptarse a su nuevo papel. Sus relaciones con personas como la emperatriz arriana Justina (m. 388) o el decididamente ortodoxo Teodosio I (347-395), que convirtió el trinitarismo niceno en la religión oficial del Imperio Romano, ilustran los peligros a los que se enfrentaban los líderes eclesiásticos influyentes en una sociedad ahora comprometida con la fe cristiana.

Un análisis minucioso de las declaraciones de Ambrosio sobre la cruz revela las semillas de ciertas explicaciones textuales y argumentos teológicos que se emplearían más tarde para defender la expiación definitiva a finales del siglo XVI y en el XVII. Por ejemplo, Ambrosio emplea el argumento del "doble pago", tan a menudo asociado a los puritanos del siglo XVII, como John Owen, en defensa de la expiación definitiva. En su tratado *Jacob y la vida bienaventurada*, Ambrosio argumentó: "¿Puede condenarte a ti, a quien ha redimido de la muerte [*quem redemit a morte*], por quien se ofreció a sí mismo, cuya vida sabe que es la recompensa de su propia muerte?".[64]

Jerónimo

Otro de los teólogos occidentales más influyentes es Jerónimo, recordado sobre todo por su traducción de la Biblia al latín, conocida hoy como la Vulgata. Nos interesa en este capítulo por un comentario que hizo sobre las palabras de Cristo en Mateo 20:28 ("y dar su vida en rescate por muchos"):

---

[63] Ivor Davidson, "Ambrose", en *The Early Christian World*, ed. Philip F. Esler, 2 vols. (Londres/Nueva York: Routledge, 2000), 2:1175. Sobre la vida y el pensamiento de Ambrosio, véase Neil B. McLynn, *Ambrose of Milan: Church and Court in a Christian Capital* (Berkeley: University of California Press, 1994); y Daniel H. Williams, *Ambrose of Milan and the End of the Nicene-Arian Conflicts* (Oxford: Clarendon/New York: Oxford University Press, 1995). Para una selección de sus escritos, véase Boniface Ramsey, *Ambrose* (Londres/Nueva York: Routledge, 1997). El estudio clásico es F. Holmes Dudden, *The Life and Times of St. Ambrose*, 2 vols. (Oxford: Clarendon, 1935).

[64] Ambrosio, *Jacob y la vida bendita* 1.6.26, en *Ambroise de Milan: Jacob et la view heureuse, Sources chrétiennes* 534 (París: Les Éditions du Cerf, 2010), 386. La traducción aquí se basa en la de Gill, *Cause of God and Truth*, 260.

> Esto ocurrió cuando tomó la forma de un esclavo para poder derramar su sangre por el mundo. Y no dijo 'para dar su vida como redención por todos', sino 'por muchos', es decir, por quienes quisieran creer [*pro omnibus, sed pro multis, id est pro his qui credere voluerunt*].[65]

Aquí Jerónimo define a los "muchos" como "los que quisieran creer". Aunque puede haber cierta ambigüedad en la afirmación de Jerónimo, las palabras al menos insinúan que Jerónimo estimaba que la muerte de Cristo era para un grupo particular de personas: los creyentes.

Agustín

Con la llegada de la controversia pelagiana, nuevas cuestiones en el panorama soteriológico pasaron a predominar en el horizonte. En respuesta a la negación del pecado original por parte de Pelagio (hacia el año 400) y a su audaz afirmación de que la naturaleza humana es buena en su esencia y capaz de hacer todo lo que Dios le ordena, Agustín insistió en la primacía de la gracia de Dios en todas las etapas de la vida cristiana, desde el principio hasta el final.

Al meditar sobre las Escrituras, y especialmente sobre el libro de Romanos, llegó a la convicción de que los seres humanos no poseen el poder o la libertad necesarios para dar cualquier paso hacia la salvación. Lejos de poseer tal "libertad de la voluntad", los seres humanos poseen una voluntad corrompida y manchada por el pecado, que los inclina hacia el mal y los aleja de Dios. Sólo la gracia de Dios podía contrarrestar esta inclinación innata hacia el pecado. La respuesta de Agustín a Pelagio subrayaba así la esclavitud de la voluntad humana y la necesidad de la intervención radical de la gracia de Dios para salvar a los pecadores perdidos:

> El libre albedrío solamente es capaz de pecar, si el camino de la verdad permanece oculto. Y cuando lo que debemos hacer y la meta a la que debemos aspirar comienza a verse con claridad, a menos que encontremos deleite en ella y la amemos, no actuamos, no damos pie a ello, no vivimos una vida buena.

---

[65] Jerónimo, *Comentario a Mateo* 3.20, en *St. Jerome: Commentary on Matthew*, trad. Thomas P. Scheck, *The Fathers of the Church*, 125 vols. (Washington, DC: Catholic University of America Press, 2008), 117:228-29. Sobre Jerónimo, véase especialmente J. N. D. Kelly, *Jerome: His Life, Writings, and Controversies* (San Francisco: Harper & Row, 1975).

> Pero para que lo amemos, "el amor de Dios" se derrama "en nuestros corazones", no por el libre albedrío que proviene de nosotros mismos, sino "por el Espíritu Santo que se nos ha dado" (Romanos 5:5).[66]

Para Agustín, pues, la redención sólo es posible como un don divino. Es el Dios vivo quien inicia el proceso de salvación, no hombres ni mujeres.

Esta visión monergista de la salvación implicaba lógicamente una redención particular, y hay un buen número de pasajes en el *corpus* agustiniano que implican esta visión de la obra expiatoria de Cristo.[67] Al hablar del término "ovejas" en Juan 10:26, Agustín señaló que los que son ovejas de Cristo "gozan de la vida eterna", pero Cristo describe a aquellos a los que se dirige como si no estuvieran entre ellas.

¿Por qué? Pues bien, Agustín pasó a explicar que:

> Él vio que estaban predestinados a la destrucción eterna, no asegurados para vida eterna por el precio de su sangre [*ad sempiternum interitum praedestinatos, non ad vitam aeternam sui sanguinis pretio comparatos*].[68]

Como señala acertadamente Blacketer, el comentario de Agustín implica claramente que la sangre de Cristo fue el precio pagado por los predestinados a la vida eterna.[69] Luego, comentando las "muchas moradas" de Juan 14:2, Agustín argumenta que en el último día, "a los que [Cristo] redimió con su sangre los entregará también a su Padre".[70] En otras palabras, son específicamente aquellos por los que Cristo murió los que se salvarán.

La inclinación particularista de Agustín en relación con la obra expiatoria de Cristo se evidencia con mayor claridad, probablemente, en su discusión de 1

---

66 Agustín, *El espíritu y la letra* 3.5, en *Augustine: Answer to the Pelagians*, trad. Roland J. Teske, *The Works of Saint Augustine: A Translation for the 21st Century* (Hyde Park, NY: New City Press, 1997), 1/23:152, alterado.

67 Para algunos de ellos, véase Blacketer, "Definite Atonement in Historical Perspective", 308-10.

68 Agustín, *Tractatus in Ioannis Evangelium* 48.4 (PL 35:1742; NPNF1 7:267). Esta obra debe fecharse en torno a los años 406-420, por lo que coincide con los enfrentamientos de Agustín con el pelagianismo. Para declaraciones similares, véase también Agustín, *Sobre la Trinidad* 4.3.17; 13.5.19.

69 Blacketer, "Definite Atonement in Historical Perspective", 308-309.

70 Agustín, *Tratado sobre el Evangelio de Juan* 68.2, en *St. Augustine: Tractate on the Gospel of John 55-111*, trad. John W. Rettig, *Fathers of the Church*, 125 vols. (Washington, DC: Catholic University of America Press, 1994), 90:64.

Juan 2:2: "Él mismo es la propiciación por nuestros pecados, y no solo por los nuestros, sino también por los del mundo entero". Si Agustín creía en una expiación universal, esta era su oportunidad para declararla.

Sin embargo, no interpreta la frase "el mundo entero" como "todos sin excepción", sino como "la iglesia de todas las naciones" y "la iglesia en todo el mundo".[71] Además, después de 418, vemos que rechaza la interpretación universalista de 1 Timoteo 2:4 favorecida por los pelagianos, de que Dios "desea que todos los hombres se salven y lleguen al conocimiento de la verdad". Más bien, este texto paulino debe entenderse en el sentido de que "ningún hombre se salva si Él [Dios] no quiere que se salve".

El significado del texto no es que "no hay ningún hombre cuya salvación no desee Dios, sino que ningún hombre se salva a menos que Él así lo quiera".[72] Para Agustín, nadie se salva aparte de la voluntad deliberada de Dios, y puesto que no todos se salvan, Él no puede haber determinado salvar a todos.

Próspero de Aquitania

Los fuertes indicios de una expiación definitiva en Agustín se hacen aún más claros en los primeros escritos de su contemporáneo más joven, Próspero de Aquitania. En su temprana carrera cristiana, Próspero fue un ardiente discípulo de Agustín. En el debate con los pelagianos, Próspero admitió que puede decirse que Cristo murió "por todos" porque asumió la naturaleza humana que toda la humanidad comparte y por la "grandeza y valor" de su muerte redentora. Sin embargo, al mismo tiempo, Próspero sostiene que Cristo "fue crucificado sólo

---

[71] Agustín, *Tratado sobre la primera epístola de Juan 1.8*, en *St. Augustine: Tractates on the Gospel of John 112-24; Tractates on the First Epistle of John*, trad. John W. Rettig, *Fathers of the Church*, 125 vols. (Washington, DC: Catholic University of America Press, 1995), 92:132.

[72] Agustín, *Enchiridion* 27.103, en *Saint Augustine: Christian Instruction; Admonition and Grace; The Christian Combat; Faith, Hope and Charity*, trad. Bernard M. Peebles (Nueva York: CIMA Publishing Co., 1947), 456. Este texto fue escrito hacia el año 421, en plena controversia pelagiana. Agustín citó 1 Timoteo 2:4 unas doce veces en su corpus. En los cinco pasajes que aparecen en escritos posteriores al 418, lo interpreta de la manera señalada anteriormente. Véase Roland J. Teske y Dorothea Weber, eds: *De vocatione omnium Gentium, Corpus Scriptorum Ecclesiasticorum Latinorum*, 99 vols. (Viena: Verlag der Österreichischen Akademie der Wissenschaften, 2009), 97:11 n. 5.

por aquellos que habían de beneficiarse de su muerte", es decir, sólo los elegidos.[73]

En una carta a Agustín, también cuestionó la opinión de los llamados semipelagianos de que "la propiciación que se encuentra en el misterio de la sangre de Cristo fue ofrecida por todos los hombres sin excepción".[74] De la carta se desprende que Próspero no está de acuerdo con esta afirmación, y Agustín no refuta a Próspero en su respuesta. En su carrera posterior, Próspero parece haber suavizado este compromiso con la expiación definitiva,[75] o incluso lo rechazó en favor de una defensa de la voluntad salvífica universal de Dios basada en su lectura de 1 Timoteo 2:4.[76]

Con todo, fue así, al final de la era de la Iglesia antigua y a través de la respuesta de Agustín y sus seguidores a los errores del pelagianismo y el semipelagianismo, que la expiación definitiva entró en el ámbito de la investigación teológica.

Conclusión

Para finalizar, vuelvo al contexto de la impresionante recopilación de material de la Iglesia antigua que hizo John Gill, en la que respondía a *Un discurso sobre los cinco puntos* (A Discourse on the Five Points) de Daniel Whitby. Whitby había afirmado:

---

73 Próspero, *Prosper of Aquitaine: Defense of St. Augustine*, trad. P. De Letter, *Ancient Christian Writers*, 66 vols. (Nueva York: Newman, 1963), 32:149-51. Para la fascinante carrera de Próspero, véase Alexander Y. Hwang, *Intrepid Lover of Perfect Grace: The Life and Thought of Prosper of Aquitaine* (Washington, DC: Catholic University of America Press, 2009).

74 Próspero, *Carta* 225.3, en *Saint Augustine: Four Anti-Pelagian Writings*, trad. John A. Mourant y William J. Collinge, *The Fathers of the Church: A New Translation*, 125 vols. (Washington, DC: The Catholic University of America, 1992), 86:201. Véase también Próspero, *Carta* 225.6.

75 Francis X. Gumerlock, "The 'Romanization' of Prosper of Aquitaine's Doctrine of Grace" (documento inédito presentado en la Reunión Anual de la North American Patristics Society, 2001; disponible en http://francisgumerlock.com/wp-content/uploads/Romanization-of-Prospers-Doctrine-of-Grace-NAPS-paper.pdf), consultado el 4 de mayo de 2013.

76 Teske y Weber, eds: *De vocatione omnium Gentium*.

> Ciertamente no encuentro a nadie en los ocho primeros siglos del cristianismo que haya dicho absolutamente, y en los términos como se afirma comúnmente, que Cristo murió sólo por los elegidos.[77]

Gill, sin embargo, estaba seguro de que "algunos pudieron decirlo, en otros términos y palabras equivalentes, de la misma significación, y que equivalían al mismo sentido" y que "los antiguos a menudo describen a las personas por las que Cristo murió con características que no pueden coincidir con todos los hombres".[78] La discusión anterior ha demostrado que la declaración de Gill tiene un peso significativo a la luz de toda la evidencia.

A los pasajes de la iglesia antigua que Whitby, y otros como el erudito hugonote francés Jean Daillé (1590-1674), emplearon como prueba de una "redención general", Gill respondió explicando que su lenguaje simplemente refleja el lenguaje de "todos/mundo" en las Escrituras sin significar necesariamente cada persona del mundo.

Gill presentó varias interpretaciones de los padres de la iglesia para estos textos, argumentando que el significado que se pretende es posiblemente (1) toda clase, rango y grado;[79] (2) judíos y gentiles;[80] (3) la suficiencia de la muerte de Cristo para todos;[81] (4) la voluntad de Dios de salvar a todos;[82] (5) el mundo de los elegidos/salvados/creyentes;[83] o (6) el beneficio general para todos, como la resurrección de los muertos que la muerte y resurrección de Cristo asegura para todos, a diferencia de la vida eterna para los creyentes;[84] ninguno de los cuales mitiga la expiación definitiva.

Aunque los padres de la Iglesia antigua no adoptaron una doctrina completa de la expiación definitiva, el análisis de este capítulo ha demostrado que en sus escritos seguía existiendo un "propósito particular y definido de Dios en la salvación".[85]

---

77 Citado por Gill, *Cause of God and Truth*, 241.

78 Ibid., 241.

79 Justino Mártir (ibíd., 243); Ireneo (ibid., 244); Ambrosio (ibid., 258); Jerónimo (ibid., 265).

80 Eusebio (ibid., 250); Cirilo de Jerusalén (ibid., 256); Juan Crisóstomo (ibid., 262).

81 Atanasio (ibid., 252); Basilio de Cesarea (ibid., 254); Ambrosio (ibid., 260); Juan Crisóstomo (ibid., 261); Jerónimo (ibid., 263).

82 Hilario el Diácono (ibid., 258).

83 Eusebio (ibid., 250); Cirilo de Jerusalén (ibid., 255-56).

84 Hilario de Poitiers (ibid., 253).

85 Blacketer, "Definite Atonement in Historical Perspective", 313.

Además, algunos de los argumentos clave utilizados por los reformadores de finales del siglo XVI y del XVII en defensa de la expiación definitiva están claramente presentes en forma de semilla en la iglesia antigua. Ya sea la interpretación de "todos" como "toda clase de personas", el "mundo" como refiriéndose en algunos casos a la "iglesia" o a "toda la iglesia en todo el mundo", el empleo de la lógica del "doble castigo" en relación con la muerte de Cristo y el castigo eterno, las declaraciones particularistas sobre aquellos por los que Cristo murió y el lenguaje sobre la naturaleza definitiva de la expiación, todo ello preparó el terreno para presentaciones posteriores y más maduras de la doctrina de la expiación definitiva en la historia de la iglesia.[86]

[86] Estoy en deuda con mis ayudantes de investigación, Ian Clary y Joe Harrod, y también con Paul Smythe, estudiante del Southern Baptist Theological Seminary, por su ayuda en algunos elementos de este ensayo.

§3. "SUFICIENTE PARA TODOS, EFICIENTE PARA ALGUNOS": LA EXPIACIÓN DEFINITIVA EN LA IGLESIA MEDIEVAL

David S. Hogg

Introducción

Con frecuencia se ha asumido que la expresión y defensa de la expiación definitiva careció de claridad o apoyo hasta los siglos XVI y XVII. Con respecto a la iglesia medieval, tal suposición es inexacta y engañosa. Sin duda, hubo teólogos en la Europa medieval que no estaban de acuerdo con la idea de que Cristo murió sólo por los elegidos, aquellos que estaban predestinados desde antes de la fundación del mundo.

Sin embargo, en su mayor parte, los teólogos medievales, incluidos gigantes como Pedro Lombardo y Tomás de Aquino, escribieron sobre la predestinación, la presciencia divina, el libre albedrío y la muerte expiatoria de Cristo de una manera que no sólo es coherente con las expresiones posteriores de la Reforma sobre la expiación definitiva, sino que preparó y fundamentó dicha doctrina.[1]

Apuntando a esto, Guido Stucco ha demostrado que existió una continuidad entre los teólogos de la primera época medieval y el pensamiento agustiniano. Basándose en las obras de Fulgencio de Ruspe (principios del siglo VI), del Papa Gregorio Magno (finales del siglo VI) y de Isidoro de Sevilla (principios del siglo VII), así como en la evidencia de los primeros sacramentarios, Stucco ha demostrado que las ideas y los desarrollos teológicos consistentes con lo que más tarde se definiría como expiación definitiva formaban parte del tapiz teológico de la temprana Edad Media.[2]

Además, Francis Gumerlock ha argumentado persuasivamente un caso similar con respecto al desarrollo teológico en el siglo VIII en particular.[3] Esto ciertamente ayuda a explicar cómo las cuestiones de la expiación definitiva y la predestinación se convirtieron en un tema de acalorado intercambio durante el período carolingio (desde mediados del siglo VIII hasta finales del siglo X) en la enseñanza y los escritos de Godescalco de Orbais (siglo IX). Los detalles de la disputa que se inició entre Godescalco y Rábano Mauro, arzobispo de Maguncia, a mediados del siglo IX están bien documentados, por lo que no es necesario que profundicemos en ellos, sobre todo porque el centro de atención respecto a la doctrina de la expiación definitiva ha de situarse en Pedro Lombardo. Aun así, los debates carolingios ponen de manifiesto la vigencia del compromiso con la predestinación y la expiación definitiva por parte de destacados teólogos y líderes eclesiásticos.[4]

---

[1] Raymond A. Blacketer, "The Doctrine of Limited Atonement in Historical Perspective", en *The Glory of the Atonement: Biblical, Historical and Practical Perspectives: Essays in Honor of Roger Nicole*, ed. Charles E. Hill y Frank A. James III (Downers Grove, IL: InterVarsity Press, 2004), 304-23 (313), defiende una versión de esta posición, afirmando que: "Hay una trayectoria de pensamiento en la tradición cristiana que va desde la época patrística hasta la Edad Media, la cual subraya un propósito específico, particular y definido de Dios en la salvación; pero es una posición minoritaria y frecuentemente ambigua".

[2] Guido Stucco, *The Colors of Grace: Medieval Kaleidoscopic Views of Grace and Predestination* (Bloomington, IN: Xlibris, 2008).

[3] Francis X. Gumerlock, "Predestination in the Century before Gottschalk (Part 1)", *EQ* 81.3 (2009): 195-209. También, ídem, "Predestination in the Century before Gottschalk (Part 2)", *EQ* 81.4 (2009): 319-37.

[4] Para más información sobre este debate, véase Jaroslav Pelikan, *The Christian Tradition: A History and Development of Doctrine, Volume 3: The Growth of Medieval Theology (600-1300)* (Chicago: University of Chicago Press, 1978). Un recurso más técnico aunque útil puede encontrarse en G. R. Evans, "The Grammar of Predestination in the Ninth Century", en *JTS* (1982) 33:134-45.

Godescalco de Orbais (808-867)

Aunque Godescalco fue el principal protagonista de esta disputa, es importante reconocer que no estuvo solo al publicar y predicar sus convicciones. Entre sus aliados en el asunto se encontraban intelectuales y notables como Ratramnus de Corbie, Florus de Lyon, Prudentius, obispo de Troyes, que era miembro de la corte del emperador Luis el Piadoso, y Servatus Lupus, abad de Ferrières.[5] Juntos, estos y otros defensores menos conocidos de la estricta predestinación agustiniana argumentaron que Cristo murió por los elegidos. Es cierto que ninguno de estos hombres utilizó los términos que ahora se emplean comúnmente, como expiación limitada o definitiva, pero la idea de que la sangre de Cristo fue derramada por quienes fueron elegidos y predestinados por Dios desde antes de la fundación del mundo está claramente presente.[6]

Escudriñando en los restos

Cuando abordamos los detalles de la posición de Godescalco, debemos tener en cuenta que no subsiste ningún relato exhaustivo entre las obras que nos han quedado.[7] Con esto en mente, parece ser que la esencia de la disputa residía en el peso relativo otorgado a la operación de la gracia y el libre albedrío. Godescalco creía seguir a Agustín al enseñar que la voluntad humana no posee la capacidad de elegir la justicia aparte de la gracia. Hincmar, obispo de Reims y uno de los más firmes oponentes de Godescalco, creía que tal posición era problemática porque iba en contra del libre albedrío. Esto, decía Godescalco, era dar prioridad a la naturaleza por encima de la gracia.[8]

Ahora bien, por mucho que estos dos hombres y sus respectivos compañeros estuvieran en desacuerdo sobre esta cuestión, el problema más grave para Hincmar era que Godescalco llegaba a donde Agustín se resistía a llegar: a la doble predestinación. Godescalco sostenía que tanto los elegidos

5 Pelikan, *Growth of Medieval Theology*, 81.

6 Jonathan H. Rainbow, *The Will of God and the Cross: An Historical and Theological Study of John Calvin's Doctrine of Limited Redemption* (Allison Park, PA: Pickwick, 1990), 30.

7 Victor Genke y Francis X. Gumerlock, eds. y trad., *Gottschalk and a Medieval Predestination Controversy: Texts Translated from the Latin* (Milwaukee, WI: Marquette University Press, 2010), 54.

8 Pelikan, *Growth of Medieval Theology*, 82-83.

como los réprobos habían sido elegidos y designados por Dios para sus respectivos fines antes de la creación. Este acto singular de predestinación, que se aplicaba de dos maneras, era únicamente un asunto de la propia voluntad de Dios.

En su *Breve Confesión*, Godescalco afirma que Dios ha predestinado "a los santos ángeles y a los seres humanos elegidos a la vida eterna" e igualmente ha predestinado "al mismo diablo, la cabeza de todos los demonios, con todos sus ángeles apóstatas y también con todos los seres humanos reprobados, es decir, sus miembros, a la justa muerte eterna".[9] Godescalco repite esta misma idea también en numerosos otros lugares, como en su *Respuesta a Rábano Mauro*, la *Confesión Larga*, su *Sobre la predestinación* y *Otro tratado sobre la predestinación*.[10]

Para Godescalco, la predestinación no puede aplicarse sólo a una parte de la creación (los que reciben la vida eterna); de lo contrario, Dios sería incoherente en la forma en que trata a toda la creación. Por lo tanto, el modo en que la predestinación se aplica a los elegidos no se puede sostener en distinción del modo en que la predestinación se aplica a los réprobos. El acto de elección o predestinación (los términos parecen ser sinónimos para Godescalco) es un acto que se aplica de manera doble.

En su *Confesión Larga*, Godescalco, citando y comentando a Isidoro en apoyo de este argumento, dice que, "'la predestinación es doble, o de los elegidos al descanso o de los reprobados a la muerte'. No dice que haya dos predestinaciones, porque no las hay".[11] La cuestión es que Dios no dirige una parte de la creación y deja la otra al azar, ya que con ello pondría en duda su soberanía y su cuidado providencial. Esto plantea la pregunta obvia de cómo los réprobos pueden ser condenados con justicia si Dios predestinó su estado final en primer lugar.

La respuesta de Godescalco a esto es inconsistente. Como señala Francis Gumerlock, parece que Godescalco creía inicialmente que Dios basaba su predestinación de algunos a la condenación en su conocimiento previo de la

[9] Genke y Gumerlock, *Gottschalk*, 54.
[10] Genke y Gumerlock, *Gottschalk*.
[11] Ibid., 55.

rebelión y desobediencia que cometerían en el futuro.[12] Sólo más tarde cambió su punto de vista y creyó que la predestinación de Dios a los réprobos era tan ajena a sus propias decisiones, acciones y obras, como la elección de los elegidos lo era a las suyas.[13]

Gumerlock admite, sin embargo, que debido a que no se puede determinar una cronología sólida de las obras de Godescalco, una comprensión definitiva de la posición de Godescalco sigue siendo algo difícil de alcanzar. Aun así, vale la pena señalar que la mayor parte de lo que escribió Godescalco o bien señala el simple hecho de que los réprobos están predestinados a la condenación sin explicar la base de la decisión de Dios, o bien llama la atención de sus lectores sobre Efesios 1:11, donde la elección de Dios se basa en su buena voluntad. Sea cual sea la forma en que Godescalco se exprese finalmente, debería ser evidente que la predestinación y la elección eran aspectos formativos de su soteriología. De hecho, esto se hace aún más evidente cuando pasamos a su consideración de textos bíblicos específicos.

Godescalco, el exégeta

En la década de 840, Rábano Mauro, uno de los principales teólogos de la época, pidió a Godescalco que defendiera su teología de la doble predestinación. En su defensa, Godescalco recurrió a 1 Timoteo 2:4, que dice que Dios quiere que todos los hombres se salven y lleguen al conocimiento de la verdad. Sin embargo, desde el principio, Godescalco deja claro que el "todos" al que se refiere Pablo son todos los elegidos y no todas las personas. En resumen, dice: "Por lo tanto, todos se salvan, todos los que Él quiere que se salven".[14] Aquí la doctrina de la predestinación de Godescalco está oculta en el trasfondo.

Dado que Dios ha predestinado quién se salvará desde antes de la fundación del mundo, Pablo no puede querer decir que Dios quiere que cada persona se salve. La predestinación constituye la lente a través de la cual Godescalco entiende la voluntad salvadora de Dios. La implicación para la expiación, que se hace explícita al final de la carta de Godescalco a Rábano Mauro, es que:

---

12 En su *Breve Confesión*, Godescalco afirma que todos los réprobos fueron predestinados a la muerte eterna, "a causa de sus propios méritos futuros, ciertamente conocidos de antemano" (ibid., 56).

13 Ibid., 58.

14 Ibid., 66.

> Dios, el creador y hacedor de todas las criaturas, se ha dignado a ser el reparador y restaurador gratuito de todos los elegidos solamente, pero no quiso ser el salvador, el redentor y el glorificador de ninguno de los perpetuamente reprobados.[15]

En muchos otros lugares, Godescalco afirma su posición de que Cristo murió sólo por los elegidos. En su recopilación de textos bíblicos que hablan de la predestinación y la elección (*Sobre la predestinación*), Godescalco afirma inequívocamente que "por supuesto, creemos correctamente, esperamos y confiamos en que el cuerpo y la sangre de Cristo fueron entregados y derramados sólo por la iglesia de Cristo".[16] Un poco más adelante subraya que "[el salmista] declara que los réprobos no fueron redimidos ni liberados por Dios mediante la sangre de la cruz de Cristo".[17]

En contra de esto, se podría citar 2 Pedro 2:1, donde se habla de los herejes como aquellos que han sido comprados por el Señor. Es evidente que Godescalco conocía este texto y probablemente se lo hicieron notar más de una vez, lo que podría explicar por qué lo descubrimos citado e interpretado en varios lugares diferentes. En todos los casos, Godescalco argumenta que la compra en ese pasaje se refiere al bautismo y no a lo que Cristo realizó en la cruz.[18] Además, sostiene que el bautismo es eficaz para perdonar los pecados pasados, pero no para perdonar los futuros.[19]

Lamentablemente, Godescalco nunca elaboró a qué se refiere con esto, pero lo más probable es que tenga que ver con la idea popular de que el bautismo elimina tanto el pecado original como la culpa original, pero no es una señal de salvación garantizada. Así, en el momento del bautismo, no hay nada en el bautizado que le impida entrar en la presencia de Dios si muere en ese momento. Sin embargo, si viven para pecar y eventualmente para negar al mismo en cuyo

---

[15] Ibid., 67.

[16] Ibid., 59 (cf. también 127-31, 134-40). Godescalco también hizo declaraciones explícitas de que Cristo no sufrió por los réprobos o por todos (ver 69-70, 131, 181).

[17] Ibid.

[18] Godescalco dice en su *Tomo a Gislemar*, por ejemplo: "Porque los compró por el sacramento del bautismo, pero no sufrió la cruz, ni sufrió la muerte, ni derramó su sangre por ellos" (ibid., 70).

[19] Cf. el breve tratado de Godescalco, *Sobre los diferentes modos de hablar de la redención* (ibíd., 156).

nombre fueron bautizados, serían responsables de rechazar a Cristo y por lo tanto no se salvarían.

Algunos querrán objetar la interpretación que Godescalco hizo de Pablo y Pedro, pero mi propósito no es diseccionar su exégesis, sino señalar que mantuvo una posición que es coherente con nuestra noción contemporánea de expiación definitiva, que lo hizo reuniendo pruebas de las Escrituras y de la teología, y que no estaba solo en las convicciones que mantenía. También cabe señalar que no creía que su posición fuera nueva o inusual, sino que la misma estaba muy arraigada en la tradición agustiniana.

El debate nunca se resolvió adecuadamente durante el periodo carolingio. Es cierto que el Concilio de Quiercy condenó los puntos de vista de Godescalco en el año 849, pero eso tuvo más que ver con el hecho de que el concilio estaba bajo la fuerte dirección y control de su enemigo, Hincmar, que con la veracidad de sus afirmaciones teológicas. En los años que siguieron, estalló una oleada de actividad literaria en la que los defensores de ambos bandos presentaron sus posiciones y atacaron a sus oponentes. Finalmente, el emperador Lotario convocó un concilio en Valence en el año 855, ¡el cual condenó la condena de Quiercy![20]

Naturalmente, el debate sobre la predestinación y la expiación definitiva entró en un periodo de calma una vez que los vikingos comenzaron a causar estragos en toda Europa. Aun así, este asunto no desapareció de la escena teológica. A medida que avanzamos hacia un período mucho más estable, cuando las estructuras educativas formales empezaban a desarrollarse de nuevo en serio, descubrimos que la idea de la expiación definitiva se retoma, pero esta vez sin debates ni desacuerdos vehementes. En su lugar, encontramos que la expiación definitiva se presentaba a los estudiantes de teología como el punto de vista dominante.

El mejor ejemplo de esta situación es la obra magistral de Pedro Lombardo, *Los cuatro libros de las sentencias* (*Libri Quatuor Sententiarum*).

---

[20] Para un relato más completo, véase Stucco, *Colors of Grace*, 239-42.

Pedro Lombardo (1100-1160)

Pedro Lombardo fue un canónigo del siglo XII en la catedral de Notre Dame, en París, cuya contribución más significativa al desarrollo teológico fue su teología sistemática conocida como las *Sentencias*.[21] Debido a que las *Sentencias* de Pedro han quedado fuera de casi todos los cánones de lectura obligatoria entre los protestantes en general y los evangélicos en particular, ha sido descuidado o mal representado en la erudición evangélica reciente, a pesar de haber sido una influencia seminal en el desarrollo teológico a lo largo de la Edad Media y posterior.

El núcleo de la cuestión

En los debates sobre el alcance de la expiación no es inusual escuchar a alguien decir que cree que la muerte de Cristo fue "suficiente para todos, eficiente para algunos". Esta afirmación se asocia a menudo con el amyraldianismo y el universalismo hipotético, pero en realidad procede de Pedro Lombardo. En su tercer libro, *Sobre la encarnación del Verbo*, Pedro afirma que:

> [Cristo] se ofreció en el altar de la cruz no al diablo, sino al Dios trino, y lo hizo por todos en lo que respecta a la suficiencia del precio, pero sólo por los elegidos en lo que respecta a su eficacia, porque sólo produjo la salvación de los predestinados.[22]

Lo que dice Pedro sobre el alcance de la expiación se ajusta mucho a la teología agustiniana. Cristo murió por los predestinados. Algunos, sin embargo, han cuestionado si Pedro fue lo suficientemente lejos. Jonathan Rainbow, por

---

21 Para una biografía completa y un relato de la teología de Pedro, véase Marcia Colish, *Peter Lombard* (Nueva York: Brill, 1994).

22 Pedro Lombardo, *The Sentences, Book 3: On the Incarnation of the Word*, trad. Giulio Silano (Toronto: Pontifical Institute of Mediaeval Studies, 2008), 86 (3.20.5). El comentario de la frase inicial sobre que Cristo no se ofreció al Diablo es una referencia a un debate en la Edad Media sobre a quién se pagó el rescate del Cordero de Dios (compárese, por ejemplo, Marcos 10:45). Una respuesta, muy probablemente popularizada por Orígenes, era que Jesús se ofrecía como rescate al Diablo a cambio de la liberación de las almas retenidas en su esclavitud. Anselmo de Canterbury rechazó rotundamente esta perspectiva particular de la expiación a finales del siglo XI y principios del XII.

ejemplo, sostiene que, aunque Pedro da cabida a la teología agustiniana, no es estrictamente agustiniano. La posibilidad de quiénes constituyen los predestinados permanece deficientemente definida.[23] ¿Es posible, por ejemplo, que los predestinados sean aquellos que Dios sabía de antemano que elegirían creer? Tal era, ciertamente, la posición de los oponentes de Godescalco, por ejemplo. En este caso, la expiación definitiva no sería muy limitada. Está abierta para todos los que creen, y los que creen lo hacen por un ejercicio de su libre albedrío, no por el poder de la gracia de Dios decretada antes de la fundación del mundo.

¿Pero es esa la posición de Pedro? ¿Acaso deja el asunto en cierta ambigüedad o, al menos, insuficientemente definido para permitir la posibilidad de un menor énfasis en la necesidad de la gracia? Aunque una visión miope de su máxima podría interpretarse como ambigua, el contexto de su tratamiento más amplio de la expiación, como veremos, mitiga cualquier ambigüedad. Para Pedro, Cristo murió por los elegidos, y los elegidos están determinados por la libre voluntad de Dios, al margen del ejercicio de la voluntad humana.

Entendiendo el contexto

En consonancia con su forma de pensar y de escribir, Pedro no se mete de lleno en la cuestión de los límites que pueden aplicarse o no al alcance de la obra expiatoria de Cristo. De hecho, la argumentación que sirve de base a la citada declaración del libro 3 se encuentra en el libro 1 sobre la Trinidad. Allí, en medio de una discusión sobre la naturaleza y el carácter de Dios, Pedro pasa a considerar la sabiduría de Dios con respecto al futuro. Esto es en sí mismo una noción curiosa.

¿Cuántas veces el debate sobre la expiación definitiva, la predestinación o temas similares se ha planteado en términos de la sabiduría de Dios? Aunque en este momento es sólo una insinuación, el fundamento del pensamiento de Pedro sobre la expiación está muy arraigado en la naturaleza de Dios revelada en las Escrituras. En consecuencia, cuando llega a definir los términos pertinentes, afirma claramente que:

---

[23] Rainbow, *Will of God and the Cross*, 34. Blacketer, "Definite Atonement in Historical Perspective", 311, sigue la misma línea de pensamiento en su capítulo: "Esta distinción, aunque es un avance significativo hacia el concepto de expiación definitiva, sigue dejando espacio para la ambigüedad".

> La predestinación se refiere a todos los que han de salvarse, así como a los bienes por los que éstos son liberados en esta vida y serán coronados en el futuro. Porque Dios, desde toda la eternidad, predestinó a los hombres a cosas buenas al elegirlos, y los predestinó preparándoles cosas buenas.[24]

Inmediatamente después de esta afirmación, Pedro cita una serie de pasajes bíblicos que cree que apoyan su posición.[25]

Esta declaración demuestra claramente que Pedro cree que determinadas personas han sido predestinadas a la salvación por Dios. Obsérvese que no basta con afirmar que los que se salvan fueron predestinados; también hay que afirmar que Dios también ha predestinado la forma en que los predestinados se salvarán. En otras palabras, las circunstancias —"cosas buenas"— así como el resultado son las dos partes necesarias de la predestinación. Pero, como algunos pueden insistir todavía, ¿no podrían las "cosas buenas" por las que los predestinados se salvan incluir el libre albedrío? Es decir, uno de los bienes de Dios es la capacidad de elegir la salvación. Para responder a esta refutación, volvamos con Pedro a la cuestión de la presciencia de Dios.

La presciencia divina y el libre albedrío

¿Podría ser que Pedro creyera que la predestinación de Dios se basa en lo que Él sabe de antemano que la gente elegirá? Para empezar, tal interpretación no sería coherente con la insistencia de Pedro en que el conocimiento del futuro se basa en la sabiduría de Dios. Se trata de un movimiento teológico inusual pero significativo. Pedro fundamenta la presciencia de Dios en la sabiduría de Dios. No se trata tanto de que Dios sepa lo que va a ocurrir en el sentido de que lo vea todo o conozca todas las posibles contingencias o haya planeado cada momento de cada día, sino que, a través de su inefable sabiduría, sabe lo que va a ocurrir. Esto sitúa el debate sobre la presciencia en un plano completamente distinto.

---

[24] Pedro Lombardo, *The Sentences, Book 1: The Mystery of the Trinity*, trad. Giulio Silano (Toronto: Pontifical Institute of Medieval Studies, 2007), 194 (1.35.2). Todas las demás citas de las Sentencias de Pedro se tomarán de esta traducción.

[25] Ibid.: Romanos 8:29: "A los que de antemano conoció, también los predestinó a ser hechos conforme a la imagen de Su Hijo"; Efesios 1:4: "Nos escogió en Cristo antes de la fundación del mundo, para que fuéramos santos y sin mancha"; Isaías 64:4: "El ojo no ha visto, oh Dios, fuera de ti, lo que has preparado para los que te aman o esperan".

La presciencia no es un conocimiento en sí mismo, sino un conocimiento en el contexto de la sabiduría. Dios no está orquestando cada acontecimiento, ni vigilando para ver lo que sucede en un mar de posibilidades; más bien, por su sabiduría sabe y conoce de antemano. No se trata de una sabiduría basada en la observación, sino de una sabiduría que se fundamenta directamente en Dios mismo. Al igual que la verdadera sabiduría mediante el temor del Señor, tal como se presenta en los Proverbios, se contrapone a la falsa sabiduría basada en la observación y en la creación en general en el Eclesiastés, Pedro se esfuerza por situar la presciencia de Dios dentro de la sabiduría de Dios de una manera que afecta a la creación, al tiempo que no se ve afectada por ella.

Puedo añadir a esto que, sólo un par de capítulos después, Pedro argumenta que el "conocimiento o sabiduría" de Dios es de todas las cosas temporales y eternas, de modo que, "desde la eternidad, Dios conocía la eternidad y todo lo que iba a ser, y lo conocía inmutablemente".[26] Por sí solo, esto ciertamente no cierra la puerta a la posibilidad de que Dios haya predestinado a la salvación a alguien que Él sabía que elegiría creer; pero como parte del contexto más amplio y del argumento que Pedro está presentando, sí cierra la brecha en la medida en que el conocimiento de Dios de lo que sucederá no puede sino tener lugar exactamente como Él sabe que sucederá.

Hablar de la sabiduría de Dios y de su conocimiento inmutable está muy bien, pero ¿cómo podemos nosotros o Dios estar tan seguros de que su conocimiento coincide con los acontecimientos futuros de forma precisa? La respuesta más directa que da Pedro es citar las *Enarrationes in Psalmos* de Agustín, según las cuales con Dios no hay ni pasado ni futuro. Todas las cosas son presentes para Dios. Esto es así debido a una "cierta comprensión infalible de la sabiduría de Dios".[27]

En otras palabras, Pedro está deseoso de seguir afirmando la omnisciencia de Dios, pero igualmente deseoso de evitar que Dios parezca un tirano que ha predeterminado todos los acontecimientos. Tratar de situarse entre ambos extremos de este dilema es lo que ha llevado a Pedro a plantear la pregunta que lleva varios capítulos rondando en el trasfondo; a saber, ¿es la presciencia de Dios la causa de los acontecimientos, o son los acontecimientos futuros la causa de la presciencia de Dios? A la luz de lo que ya he señalado sobre la sabiduría

---

[26] Pedro, *Sentences, Book 1*, 196 (1.35.8).
[27] Ibid., 197 (1.35.9).

de Dios, Pedro demuestra su coherencia teológica al confirmar su convicción de que la presciencia de Dios es la causa de los acontecimientos, ya que lo que Dios no conoce no puede suceder. Es más, es imposible que algo conocido por Dios no se produzca, ya que eso significaría que la presciencia de Dios es falible.[28]

Aunque esta línea de argumentación puede ser útil para sostener que nada tiene lugar fuera de la voluntad, el conocimiento o la sabiduría de Dios, plantea una cuestión problemática. Si nada puede ocurrir sin la presciencia de Dios, es más, si las cosas sólo pueden ocurrir gracias a la presciencia de Dios, ¿es Dios el autor del mal? A pesar de la larga respuesta de Pedro, su contestación a esto es un claro no: Dios no es el autor del mal. ¿Cómo es esto posible?

La presciencia divina y el mal

Dios no es el autor del mal, porque hay una diferencia entre la presciencia de Dios como conciencia y la presciencia de Dios como "beneplácito o disposición".[29] Aquí vemos a Pedro modificando o explicando más su posición sobre la relación entre presciencia y causalidad. Cuando Dios conoce algo como un asunto de buena voluntad o disposición, entonces la presciencia de Dios es causal; sin embargo, cuando la presciencia de Dios es simple conocimiento de lo que va a suceder, no hay ningún vínculo causal entre lo que Dios conoce y la acción que tiene lugar. De este modo, Dios sigue conociendo todas las cosas, pero no es la causa de todas las cosas.

Puede resultar útil explicar aquí la distinción de Pedro en términos más familiares para nuestra discusión contemporánea. El primer punto que hay que tener en cuenta es, una vez más, el contexto. Pedro no está argumentando de forma genérica o general la naturaleza y el contenido de la presciencia de Dios. No es un argumento en el vacío. Su argumento tiene que ver muy específicamente con la creación y recreación de nuestra salvación por parte de Dios. Podríamos decir que la distinción de Pedro es entre la providencia particular y la providencia general.

La providencia particular se refiere a la participación directa de Dios en el cuidado de su creación, mientras que la providencia general se refiere al hecho de que Dios proporciona los límites o el espacio en el que su creación puede

---

[28] Ibid., 213 (1.38.1).
[29] Ibid., 215 (1.38.1).

florecer, pero no afecta directamente a todos los acontecimientos dentro de ese espacio.

Tomemos, por ejemplo, los zapatos que he elegido ponerme esta mañana. Según Pedro, ¿sabía Dios que yo elegiría llevar mis zapatos marrones en lugar de mis zapatos negros? Sí, Dios sabía de antemano el color de los zapatos que iba a llevar, pero ese conocimiento no era causal. Dios no me hizo elegir mis zapatos marrones; los elegí libremente. Ciertamente, Dios creó los límites y el espacio dentro del cual podía prosperar y tener éxito hasta el punto de poder elegir entre dos pares de zapatos.

Sin embargo, no guio y dirigió mi vida en todas sus minucias, hasta el punto de que llevar hoy unos zapatos marrones fuese directamente provocado por Dios. Esto es la providencia general. Al pensar en la providencia general, es vital que no dejemos de recordar la insistencia de Pedro en que el conocimiento y la presciencia operan en el contexto de la sabiduría de Dios y en concierto con ella. Es porque Dios es sabio que sabe lo que voy a elegir libremente. En verdad, tal sabiduría es inescrutable.

El punto de esta discusión en relación con el argumento de Pedro sobre la expiación definitiva es que la presciencia de Dios puede ser causal, pero no tiene por qué serlo siempre. En asuntos de importancia, entre los que se encuentra la salvación, la presciencia de Dios es causal porque la humanidad, si fuese abandonada a su suerte, nunca podría salvarse. En asuntos de menor importancia, entre los que con toda seguridad se encuentra mi elección de zapatos, o en asuntos relacionados con el mal y el pecado, la presciencia de Dios no es causal, pero sigue siendo correcta y completa.

Decir, por lo tanto, que los propósitos electivos de Dios en la predestinación son causales y, por lo tanto, producen la salvación en personas particulares, no sólo es decir que Dios cumple lo que decreta en la presciencia; también implica, si no es que afirma claramente, que Cristo murió por los elegidos.

> De esto se da a entender que Dios, a la inversa, conoce los bienes como propios, como aquellas cosas que hará, de modo que al conocerlos se han unido su conciencia y su buena voluntad de autoría.[30]

[30] Ibid., 216 (1.38.1).

¿Es Dios justo?

Una réplica común a un argumento a favor de la elección y expiación particulares, tanto en nuestra época como en la de Pedro Lombardo, es que Dios está actuando injustamente. Para formular el desafío según las líneas planteadas en el propio argumento de Pedro: ¿es fijo el número de los redimidos? En otras palabras, ¿podría alguien que no estuviera predestinado desde la fundación del mundo elegir creer y entrar así en el reino de Dios?[31] Después de analizar algunos de los diferentes puntos de vista de este debate, Pedro, en un momento que mezcla humor con humildad, dice que "¡preferiría escuchar a otros que enseñar!".[32] No obstante, a pesar de sí mismo, sigue adelante.[33]

La respuesta de Pedro es directa. Dios decidió, por así decirlo, desde antes de la creación del mundo, y lo que ha determinado que sucederá, sucederá. En otras palabras, lo que ocurra en cualquier momento o serie de momentos en el tiempo no deshará lo que se determinó desde la eternidad pasada. Al terminar esta parte de la discusión, Pedro refuerza su punto afirmando que:

> Cuando tratamos con la presciencia o predestinación de Dios, su posibilidad o imposibilidad se refiere al poder de Dios, que fue y es siempre el mismo, porque la predestinación, la presciencia, el poder son una cosa en Dios.[34]

---

[31] Ibid., 221 (1.40.1).

[32] Ibid., 222 (1.40.1).

[33] Uno podría preguntarse cómo surgió tal cuestión. Aunque no podemos estar totalmente seguros de qué debates o discusiones pueden haber impulsado a Pedro a incluir esta consideración en su argumento, sí parece totalmente plausible que se trate de la continuación de una discusión popular medieval sobre la perfección en relación con la población de la ciudad escatológica de Dios. En la época de Pedro, el tema se había discutido durante siglos, pero el relato más famoso se encuentra en la obra *Cur Deus Homo* de Anselmo de Canterbury. En el libro 1, capítulos 16-18, Anselmo es presionado por su interlocutor, Boso, para que explique si el número de los redimidos completará el número de los ángeles caídos o si el número de los redimidos completará un número mayor que el de los ángeles creados. El resultado del asunto, en opinión de Anselmo, es que el número de los redimidos no se limitará a igualar el número de los ángeles caídos, sino que superará el número total de ángeles hasta una cantidad perfecta predeterminada. A este respecto, Lombardo continúa en la misma línea de pensamiento al sostener que el número de los redimidos está fijado de acuerdo con el plan predeterminado de Dios. La obra de Anselmo puede encontrarse en *Anselm of Canterbury: The Major Works*, ed. Brian Davies y G. R. Evans, Oxford World's Classics (Oxford: Oxford University Press, 1998).

[34] Lombardo, *Sentencias, Libro 1*, 222 (1.40.1).

Aquí vemos no sólo que es la doctrina de Dios la que constituye el fundamento de la teología de Pedro, sino también que es la doctrina de la simplicidad de Dios la que guía su método teológico. La doctrina de la simplicidad de Dios afirma que Dios es todo lo que es en todo sentido y en todo momento. Tal definición se aplica únicamente a Dios. Si, por ejemplo, se examinara mi brazo con gran detalle, por mucho que se pudiera aprender sobre mí a partir de mi brazo, eso no es todo lo que soy. No sólo hay otras partes de mi cuerpo, sino que hay otras características de mi ser. Todo lo que soy no está contenido en mi brazo. En este sentido, soy un ser complejo porque estoy formado por muchas partes.

Dios, sin embargo, no es complejo, sino simple. Si fuera posible examinar sólo una parte de Dios, y no todo a la vez, esa parte sería todo lo que Dios es. Para decirlo en términos más concretos, aunque nunca podamos comprender todo lo que Dios es, incluso lo poco que sabemos es suficiente para garantizar nuestra confianza y creencia, porque Dios no es diferente en alguna otra parte de su ser que todavía no hemos encontrado. Por ejemplo, no descubriremos un día que Dios tiene un lado malo que no podríamos haber anticipado.

Volviendo a la teología de Pedro sobre la expiación, la predestinación y la presciencia, esto significa que considera no sólo impropio, sino teológicamente dudoso en el mejor de los casos y erróneo en el peor, separar las cuestiones de la presciencia de Dios tanto de su poder de salvar como de su voluntad de elegir. Dios es todo lo que es siempre. No predestina a alguien a la salvación para luego no efectuar tal cosa, porque eso sería tanto una negación de su omnipotencia soberana como una negación de que todo lo que Él es funciona siempre en armonía y sin división o separación.

Aunque Pedro nunca utiliza el término *gracia irresistible*, definitivamente está pensando siguiendo esa dirección. Lo que Dios se ha propuesto hacer, no puede dejar de cumplirlo, y se ha propuesto que algunos de entre la humanidad caída se salven mientras que otros permanezcan en la reprobación. Al mismo tiempo, Pedro tiene cuidado de afirmar que Dios no causó el pecado o la caída, aunque lo conoció de antemano, y por lo tanto no tiene ninguna culpa de los que perecen. Sobre esta base, Pedro se acerca cada vez más a la afirmación con la que comenzamos, a saber, que Cristo murió por los elegidos que Dios había predestinado para salvación.

Un aspecto del pensamiento de Pedro que merece especial atención es la ecuanimidad con la que trata de aplicar las acciones de Dios hacia la humanidad, ya sea para la salvación o para la reprobación. Como cabría esperar de alguien que sigue tan de cerca la teología de Agustín, Pedro deja claro que la gracia nunca es merecida. No hay ninguna obra pasada, presente o futura de la que dependa la extensión o recepción de la gracia. Al fin y al cabo, la gracia ya no es gracia si se merece o se gana.[35]

Esta gracia se aplica como resultado de la presciencia y la predestinación de Dios únicamente según su voluntad divina. Igualmente, en el caso de los réprobos, no hay ninguna acción de su parte que haya efectuado o causado la presciencia y predestinación de Dios, obrando como lo hizo de acuerdo con su voluntad divina. Una vez más, lo más importante para Pedro es que la elección y la acción de Dios se ejercen libremente.[36] Dios actúa libremente para aplicar la gracia salvífica hecha posible por la muerte y resurrección del Hijo a hombres y mujeres que no la merecen. Del mismo modo, Dios actúa libremente para negar la gracia salvífica hecha posible por la muerte y resurrección del Hijo a hombres y mujeres que no la merecen.

De este modo, Pedro trata de quitar el aguijón de la injusticia de los contraargumentos, ya que, si hay alguna injusticia en esto, no puede radicar en la humanidad, ya que tanto el creyente como el incrédulo son indignos. La injusticia debe estar en Dios, pero eso no puede ser. No sólo creemos que Dios es justo, que no muestra ninguna parcialidad; también creemos que Dios es simple, y que siempre y en todo caso debe ser justo y recto. Esto nos lleva a donde Pedro comenzó esta discusión en el libro 1 de sus *Sentencias*. Ya desde el principio sostuvo que la cuestión de la predestinación y las doctrinas concomitantes que se derivan de ella —la expiación definitiva, por ejemplo— están arraigadas en la sabiduría de Dios. Por ello, Pedro se apoya directamente en los hombros del apóstol Pablo en Romanos 11 y afirma que no tiene todas las respuestas.[37]

Empezando por el final

Al principio de mi análisis de lo que Pedro Lombardo tenía que decir sobre la expiación definitiva, destaqué su ya famosa frase de que, aunque la muerte de

---

35 Ibid., 224 (1.41.1).
36 Ibid., 225 (1.41.1).
37 Ibid., 224 (1.40.2).

Cristo fue suficiente para todos, sólo fue eficaz para los elegidos. Aunque, meramente con esta afirmación, se podría argumentar que los elegidos comprenden a todos los que deciden creer, la evaluación precedente de la teología de Pedro, tal como se expone claramente en el resto de sus *Sentencias*, deja claro que la elección la determina Dios según su inefable sabiduría. Los elegidos son, ciertamente, los que creen, pero no están ejerciendo el libre albedrío al azar; más bien, están respondiendo a la gracia divina ejercida en sus vidas por el poder de Dios de acuerdo con su presciencia y predestinación.

Pedro ha reducido considerablemente la posibilidad de una expiación ilimitada al afirmar que Cristo murió por los elegidos y que, como los elegidos estaban específicamente numerados desde antes de la fundación del mundo, la aplicación de su obra expiatoria estaba destinada a ellos. Como argumenta Pedro hacia el final del libro 1 de sus *Sentencias*, la voluntad de Dios no puede ser frustrada y, por lo tanto, cualquier cosa que Dios busque realizar como un acto de su voluntad, se cumple inevitablemente en el tiempo.[38]

No sólo murió Cristo por los elegidos, sino que cada uno de esos elegidos fue conocido al margen de cualquier elección o acción propia, y la voluntad y el poder de Dios actúan de forma concertada con su presciencia y sus propósitos predeterminados para llevar a cabo la salvación a través de su Hijo para aquellos que ha elegido. Cuando se considera en su conjunto, la teología de Pedro es coherente con las articulaciones posteriores de la expiación definitiva, a pesar del hecho de que los términos técnicos y el lenguaje utilizado para expresar la teología de la expiación definitiva aún estaban por venir en el futuro.

Lo que es importante entender en todo esto, especialmente dentro de la comunidad evangélica contemporánea, es que la expiación definitiva no era un punto de vista minoritario en la iglesia medieval. Las *Sentencias* de Pedro no fueron una más de la amplia serie de teologías sistemáticas que se produjeron durante el desarrollo de las escuelas catedralicias en el siglo XI; más bien, la suya fue la obra que se adoptó como la mejor y más eficaz.

Durante siglos, las *Sentencias* de Pedro fueron de lectura obligatoria para todos los estudiantes de teología. Así, Pedro no sólo sintetizó y resumió las posiciones populares de la teología en los siglos anteriores a su vida, sino que se convirtió en un asombrosamente eficaz propagador de esos puntos de vista para las generaciones siguientes. Por lo tanto, cuando llegamos a la última parte

[38] Ibid., 255–58 (1.47.1–3).

de la Reforma y a sus secuelas teológicas, somos testigos de una continuidad entre las épocas. La teología de la Reforma sobre este tema no resucitó lo que se había perdido, sino que continuó lo que se había transmitido a través de Pedro, entre otros.

Ciertamente, hubo quienes discreparon de la teología de Pedro sobre la expiación, pero teniendo en cuenta que todos los estudiantes durante cientos de años leyeron las *Sentencias*, que innumerables teólogos comentaron esta gran obra durante un tiempo igualmente largo, que ningún otro texto teológico, salvo la *Glossa Ordinaria*, puede reclamar un nivel de longevidad y difusión como el de las *Sentencias*, y que su obra no fue reemplazada como lectura estándar hasta mucho después de la Reforma, debemos procurar darnos cuenta de que, lejos de estar apartada de la discusión teológica durante la Edad Media, las semillas de la doctrina de la expiación definitiva estaban presentes en las escuelas e iglesias.[39]

Tomás de Aquino (1225-1274)

La mejor prueba de la continuidad del pensamiento desde los tiempos de Pedro Lombardo en el siglo XII hasta mediados y finales del siglo XIII es la obra de Tomás de Aquino. La lectura de las dos obras más famosas de Aquino, su *Summa Theologiae* y su *Summa Contra Gentiles*, pone de manifiesto que, si bien estaba claramente influenciado por Aristóteles, era menor la influencia que había recibido de la *magnum opus* de Pedro.

Suficiente para todos, eficaz para muchos

En particular, Aquino no aborda directamente la cuestión de por quién murió Cristo en la forma y medida en que lo hizo Pedro. Sin embargo, hay una serie

[39] Cf. Alister E. McGrath, *Iustitia Dei: A History of the Christian Doctrine of Justification*, 3ra ed. (Cambridge: Cambridge University Press, 2005), 164-65. Aunque el propósito de McGrath en este libro no es abordar el alcance de la expiación per se, sí señala que la mayoría de los teólogos que siguieron a Pedro Lombardo, incluidos los pertenecientes a la Alta Escolástica y los primeros dominicos, argumentaron a favor de la predestinación y la presciencia divina de la manera que he esbozado aquí en las *Sentencias*. Una vez más, nos encontramos con el hecho de que el tenor de la teología medieval preparó el terreno para lo que más tarde se convertiría en articulaciones de la doctrina de la expiación definitiva.

de lugares en los que habla acerca de la extensión de la expiación, y cuando se yuxtaponen unos con otros vemos un patrón cuya trayectoria lleva en la dirección de la doctrina de la expiación definitiva.

No obstante, una primera lectura de la teología de Aquino podría llevar a dudar de la compatibilidad, por no decir de la coherencia, entre su teología y la expiación definitiva. Por ejemplo, los comentarios de Aquino sobre la eficacia de la pasión de Cristo. Aquino defiende que el sufrimiento y la muerte de Cristo fueron realmente una expiación suficiente por los pecados de la humanidad. Aquí cita 1 Juan 2:2, según el cual Jesús es la propiciación por los pecados de todo el mundo.[40] De esto se desprendería que Aquino no está de acuerdo con Pedro y apoya la opinión de que la muerte expiatoria de Cristo fue en favor de todas las personas. Esta apreciación podría verse reforzada por lo que Aquino dice unas páginas más adelante, cuando reitera que "la pasión de Cristo fue una satisfacción suficiente y superabundante para los pecados de todo el género humano".[41]

Sin embargo, esta conclusión sería prematura, ya que Aquino vuelve a tratar el tema de la extensión de la expiación un poco más adelante, cuando aborda la cuestión de la idoneidad de las palabras de consagración del vino en la celebración de la Eucaristía.[42] Al examinar las distintas partes de esta proclamación, cita una objeción según la cual la afirmación de que la sangre de Cristo es "por ustedes y por muchos" podría mejorarse diciendo "por todos y por muchos". La razón es que la muerte de Cristo es suficiente para todos, "mientras que en cuanto a su eficacia fue provechosa para muchos".[43]

La respuesta de Aquino fue mantener la fórmula de consagración tal y como estaba ("por ustedes y por muchos"), al tiempo que respaldaba la idea de que la sangre de Cristo fue derramada sólo por los elegidos. Argumentó que la distinción entre "por ustedes" y "por muchos" (reflejando las diferentes lecturas en los Evangelios) se hace para llamar la atención sobre los diferentes públicos o, más exactamente, los diferentes grupos a los que se aplica la sangre de Cristo. En otras palabras, Jesús estaba diciendo que su sangre sería derramada por los

---

[40] Tomás de Aquino, *Summa Theologiae*, trad. *Fathers of the English Dominican Province*, 5 vols. (Notre Dame, IN: Ave Maria, 1948), 3.48.2.

[41] Ibid., 3.49.3.

[42] Las palabras de la consagración, citadas por Aquino, son: "Este es el cáliz de mi sangre, del Nuevo y Eterno Testamento, el Misterio de la Fe, que será derramado por ustedes y por muchos para el perdón de los pecados" (ibid., 3.78.3).

[43] Ibid.

judíos elegidos ("por ustedes") así como por los gentiles elegidos ("por muchos").[44] La posición de Aquino puede no ser tan contundente o pulcra como lo serían las de los posteriores defensores de la expiación definitiva, pero profesa que la sangre de Cristo fue derramada para cubrir los pecados de un grupo elegido.

Además de esta breve incursión en la relación entre la elección y la expiación, Aquino trata temas como la naturaleza de la voluntad, la capacidad de elegir, la soberanía de Dios en la predestinación y en qué se basa la presciencia divina (¿afectan, por ejemplo, la propia bondad o las elecciones de uno a la presciencia divina?), temas que iluminarán aún más nuestra apreciación de su doctrina de la expiación.

De la voluntad a la predestinación

En su *Summa Theologiae*, Aquino aborda la predestinación muy pronto. La razón de esto es simplemente que Aquino comienza con Dios, y el contexto apropiado para la doctrina de la predestinación en su época era dentro de la doctrina de Dios. En otras palabras, Aquino no ve la predestinación como algo ligado principalmente a la soteriología o a la antropología teológica. Más concretamente, Aquino vincula la predestinación de manera más estrecha a la providencia de Dios.

Por eso, inmediatamente antes de introducir su discusión sobre la predestinación, Aquino aborda la cuestión de si la providencia divina impone alguna necesidad a lo que está previsto.[45] Si la providencia implica la imposición de la necesidad, entonces eso tiene implicaciones significativas para preocupaciones soteriológicas más amplias. Inicialmente, los argumentos parecen estar a favor de que Dios imponga necesidad a aquello que conoce de antemano. Si, por ejemplo, Dios sabe que algo va a suceder, y lo que Dios sabe no puede dejar de suceder, entonces parece razonable que Dios imponga su poder para cumplir sus propósitos providenciales.

Sin embargo, Aquino se opone a esto. Sostiene que la necesidad se aplica ciertamente a algunas cosas, pero no a todas. Como es típico, Aquino tiene cuidado de establecer distinciones. Hay cosas que Dios realiza por necesidad, es

---

[44] Ibid.
[45] Ibid., 1.22.4.

decir, por la fuerza de su poder y su voluntad, pero también hay cosas que "pueden suceder por contingencia, según la naturaleza de sus causas próximas".[46]

Esto significa que Dios puede realizar sus propósitos o bien directamente mediante el uso de su poder, o bien indirectamente mediante factores que rodean un acontecimiento o una decisión de tal manera que provocan un fin deseado. Si comparamos esta afirmación con lo que dice Aquino en su *Summa Contra Gentiles*, descubrimos que se muestra siempre muy dispuesto a defender tanto los propósitos providenciales soberanos de Dios como la libertad de la voluntad humana. Escribe que "la operación de la providencia, por la que Dios actúa en las cosas, no excluye las causas secundarias, sino que se cumple con ellas, en la medida en que actúan por el poder de Dios".[47] Puede que Dios no cause directamente las cosas, pero eso no significa que no tenga control sobre su ocurrencia.

Evidentemente, esta línea de pensamiento puede seguirse de muchas maneras, pero en lo que se refiere a la expiación definitiva, hay que señalar que Aquino está dispuesto a aplicarla sobre todo al libre albedrío humano. Si la providencia de Dios no exige que todo lo que Él conoce de antemano ocurra como resultado de su poder directo, entonces la voluntad humana sigue siendo libre. Esto es totalmente adecuado porque es "propio de la divina providencia usar las cosas según su modo en particular".[48] Si la naturaleza de la voluntad humana es que tiene el poder de perseguir múltiples resultados, entonces para Dios limitar esos resultados a una sola opción sería actuar en contra del modo de operación de la voluntad humana tal como la creó.

Además, Aquino cree que es axiomático que el hecho de haber sido creado a imagen y semejanza de Dios implica el libre albedrío, ya que la voluntad de Dios es libre (aunque de forma superior a la nuestra).[49] ¿Pero no es el corolario de esto que la salvación viene por el ejercicio del libre albedrío humano, lo que significa que Aquino, al menos implícitamente, desarrolló su teología en una línea de pensamiento que es inconsistente con la expiación definitiva? En síntesis, no.

---

[46] Ibid.

[47] Tomás de Aquino, *Summa Contra Gentiles*, trad. Vernon J. Bourke (Notre Dame, IN: University of Notre Dame Press, 1975), 3a.72.2.

[48] Ibid., 3.1.73.3.

[49] Ibid., 3a.73.4.

Volviendo a la *Summa Theologiae*, Aquino pasa de la providencia a la predestinación, donde afirma clara y rotundamente que "conviene que Dios predestine a los hombres. Porque todas las cosas están sujetas a su providencia, como se ha demostrado anteriormente".[50] Aquino explica además que la consecución de la vida eterna está más allá de la capacidad de todas las personas y, por tanto, debe ser dirigida por Dios. Asimismo, la base sobre la que se realiza la predestinación se encuentra enteramente en Dios mismo, en sus propósitos providenciales, y no en nada inherente a la humanidad.[51] Al responder a las diferentes objeciones a esto, Aquino argumenta que la predestinación requiere una preparación en el individuo. Esta preparación es de las pasiones "en la cosa preparada".[52] Dios no hace que un individuo tome una decisión particular, pero sí prepara las "pasiones" del individuo.

En la *Summa Contra Gentiles*, Aquino se pregunta si ciertos textos de la Escritura nos obligan a creer que Dios obliga a los predestinados a elegir la fe. Juan 6:44, por ejemplo, habla de que nadie viene al Padre sino aquellos a quienes Él atrae. Romanos 8:14 afirma que todos los que son guiados por el Espíritu de Dios son hijos de Dios. Segunda de Corintios 5:14 dice que el amor de Cristo nos domina.[53]

Aquino sostiene que la mejor manera de entender estos pasajes no es como si se nos privase del libre albedrío, sino que se obra con él, pero no de tal manera que nos convirtamos en meros receptores pasivos sin un papel activo. Dice que "la causa primera provoca la operación de la causa secundaria según la medida de esta última".[54] Esto está muy en consonancia con lo que dijo sobre que las pasiones son preparadas en los predestinados. Dios obra en nosotros de tal manera que nuestras pasiones y la capacidad de elegir lo virtuoso sean elegidas por nosotros, de modo que la decisión que ejercemos por nuestra propia voluntad sigue siendo plenamente nuestra elección.

Como afirma Aquino en otro lugar, es imposible que alguien crea por sí mismo, aparte de la actividad preparatoria del Espíritu de Dios que le permite a

---

50 Aquino, *Summa Theologiae*, 1.23.1. La referencia a lo que "se demostró anteriormente" es a la sección anterior, donde abordó la providencia divina como la he esbozado.

51 Aquino, *Summa Theologiae*, 1.23.2.

52 Ibid.

53 Aquino, *Summa Contra Gentiles*, 3b.148.1.

54 Ibid., 3b.148.3.

uno elegir la salvación libremente.[55] De hecho, en el asunto de la necesidad de que la gracia preveniente divina esté actuando para que la salvación sea posible, Aquino da un paso más al argumentar que la humanidad en el estado anterior a la caída, así como en nuestro actual estado pecaminoso, requiere la ayuda divina. "[E]n ambos estados, el hombre necesita la ayuda divina, para ser movido a actuar bien".[56]

En una afirmación adicional de su posición, Aquino continúa argumentando que somos incapaces de prepararnos para la gracia aparte de la ayuda externa de la gracia aplicada por el poder de Dios; dice, "es evidente que el hombre no puede prepararse para recibir la luz de la gracia sino por la ayuda gratuita de Dios que lo mueve interiormente".[57] Por eso Aquino afirma con convicción que aquellos que Dios predestina a la salvación no pueden dejar de llegar a la fe.[58]

Pero, ¿podría ser que la puerta del libre albedrío haya quedado entreabierta? ¿Y si los predestinados están predestinados según su elección? Tal posición es totalmente ajena al pensamiento de Aquino. En primer lugar, él argumenta de forma clara y contundente el hecho de que nada en la humanidad justifica la predestinación de Dios. En segundo lugar, Aquino asume la misma posición que Pedro Lombardo, según la cual el número de los predestinados ha sido fijado desde antes de la fundación del mundo.[59] En tercer lugar, y de manera más persuasiva, Aquino aborda la cuestión de la predestinación de Cristo hacia el final de su *Summa Theologiae*, y allí hace dos afirmaciones significativas. La primera es que el ejercicio de la gracia y la providencia divinas por el que Cristo fue predestinado es el mismo acto por el que los elegidos fueron predestinados.

En otras palabras, la predestinación de Cristo y su iglesia puede entenderse como un solo acto. Sin embargo, la predestinación también puede ser vista como una doble acción desde el punto de vista del tiempo. Hubo una predestinación

---

55 Sobre la cuestión del pecado que afecta a la voluntad y al intelecto, véase Aquino, *Summa Theologiae*, 2a.83-86.

56 Ibid., 2a.109.2.

57 Ibid., 2b.109.6.

58 Ibid., 1.23.6.

59 Ibid., 1.23.7. Aquí algunos pueden sostener que el universalismo hipotético, tal como se identifica dentro de una teología amyraldiana, se opone a establecer un corolario entre la elección definitiva basada en la gracia y la expiación definitiva. Tal noción no sólo es anacrónica, sino que no aprecia que el punto de vista de Aquino sobre la elección es el mismo que el de Pedro, y ninguno de los dos se acerca a la idea del universalismo hipotético, como queda claro en el siguiente punto, según el cual la predestinación de Cristo y de los elegidos son el mismo acto.

en la eternidad pasada que se aplica en el desarrollo de la historia humana. En este sentido, dice Aquino, la predestinación se materializa a través del acto redentor de Cristo.[60]

1 Timoteo 2:4

Como vimos con Godescalco y Pedro, también ahora vemos con Aquino que hay ciertos pasajes de la Escritura que no parecen encajar tan limpiamente con su teología. Entre los pasajes de la Escritura más citados se encuentra 1 Timoteo 2:4, donde Pablo afirma que Dios quiere que todas las personas se salven.

> **1 Timoteo 2:3–4** *Porque* esto es bueno y agradable delante de Dios nuestro Salvador, el cual quiere que todos los hombres sean salvos y vengan al pleno conocimiento de la verdad.

En respuesta, Aquino identifica tres consideraciones importantes.[61]

En primer lugar, lo que Dios quiere, no puede dejar de cumplirlo. Como muchos otros teólogos medievales, el primer movimiento de Aquino es defender el carácter de Dios. Dios no es débil; no falla. En segundo lugar, nadie se salva al margen de la voluntad de Dios. Uniendo esto con el primer punto, el argumento de Aquino es que todos los que se salvan lo hacen porque Dios quiere que todos ellos se salven. Esto lleva a su tercera consideración, que el "todos" en este pasaje se refiere a todas las clases o tipos de personas. Dios quiere que se salve todo tipo de personas, personas de todas las categorías de la humanidad.

Esta línea de pensamiento lleva a Aquino a afirmar que la voluntad de Dios no es genérica o indiscriminada, sino que tiene en cuenta las calificaciones y las circunstancias. Esto significa que cuando Dios quiere que todos se salven, su voluntad concuerda con su presciencia y predestinación tanto como con su

---

[60] Ibid., 3.24.4: "Respondo que, si consideramos la predestinación por parte del acto mismo de predestinar, entonces la predestinación de Cristo no es la causa de la nuestra: porque por un mismo acto Dios predestinó tanto a Cristo como a nosotros. Pero si consideramos la predestinación por su término, entonces la predestinación de Cristo es la causa de la nuestra: porque Dios, al predestinar desde la eternidad, decretó nuestra salvación de tal manera que se lograra por medio de Jesucristo. Pues la predestinación eterna abarca no sólo lo que ha de cumplirse en el tiempo, sino también el modo y el orden en que ha de cumplirse en el tiempo".

[61] Ibid., 1.19.6.

conocimiento de que todos han pecado y como tales son hijos de la ira. Una voluntad divina no cualificada que lleva a un "todos" no cualificado en 1 Timoteo 2:4 no tiene suficientemente en cuenta la naturaleza de Dios, y mucho menos el resto de la revelación.

Uniendo todo

De la discusión anterior, debería ser evidente que la teología de Aquino está en consonancia con la doctrina de la expiación definitiva. En este sentido, Aquino seguía una larga tradición establecida en la Iglesia en general, y en la Iglesia medieval en particular, aunque desarrolla claramente las cuestiones relacionadas con la expiación definitiva a su manera.

Lo que más importaba a los teólogos medievales que luchaban por la eficacia de la muerte de Cristo era situar la predestinación, la elección y la presciencia dentro de la doctrina de Dios, porque se basan y se apoyan en muchos de sus atributos: sabiduría, soberanía providencial, poder, gracia, misericordia y amor, por nombrar algunos. Visto así, la salvación no tiene que ver sólo con el individuo, sino con que Dios actúa de forma fiel a su naturaleza. Entender la soteriología medieval desde esta perspectiva nos ayuda a apreciar por qué Pedro Lombardo, Tomás de Aquino, y especialmente Godescalco, concibieron el alcance de la expiación en términos tan particulares.

El plan de Dios es redimir para sí a un pueblo concreto, un pueblo enumerado desde antes de la creación por el que moriría el Hijo de Dios. Una y otra vez, los teólogos medievales subrayaron que la sabiduría y los propósitos providenciales de Dios, aunque amplios y difíciles de comprender, no son aleatorios ni dependen de la acción o la elección humanas. Es cierto que estos teólogos no definieron una articulación exhaustiva de la expiación definitiva, pero también es cierto que cuando los reformadores de finales del siglo XVI y del siglo XVII lo hicieron, no estaban abriendo nuevos caminos, sino que continuaban regando semillas que habían sido plantadas mucho antes que ellos.

§4. JUAN CALVINO: LENGUAJE INDEFINIDO, EXPIACIÓN DEFINITIVA

Paul Helm

La presencia en los escritos de Juan Calvino de un lenguaje indefinido o indiscriminado con respecto al alcance y la eficacia de la expiación se considera a menudo como una prueba contundente de que negó la expiación definitiva.[1] En adelante argumentaré que esto no es así, sino que Calvino sostuvo un punto de vista sobre dicho lenguaje que es totalmente consistente con su compromiso con la expiación definitiva, y que no puede utilizarse como prueba convincente de que la negó.

En primer lugar, subrayaré una distinción que hice hace algún tiempo y que sigo considerando importante en este debate en torno a si Calvino estaba comprometido o no con una visión definitiva de la expiación. Escritores como Charles Bell, Brian Armstrong y R. T. Kendall defienden el punto de vista

[1] Aunque la elección de "indefinido" es mía, Raymond Blacketer me ha indicado que Teodoro Beza utilizó "indefinido". Por ejemplo: "P. *Pero seguramente el llamado es universal, así como la promesa.* R. Entiéndela como indefinida [*indefinatam*], (y en vista de ciertas cosas que he discutido, con respecto a las circunstancias), y tendrás un mejor entendimiento de ella" (Teodoro Beza, *Quaestionum et responsionum Christianarum libellus, in quo praecipua Christianae religionis capita κατά έπιτομήν proponuntur* [Ginebra, 1570; Londres: H. Bynneman, 1571]). Este libro se traduce ahora como *A Booke of Christian Questions and Answers*, trad. Arthur Golding (Londres: Wm. How, 1578), retraducido por Raymond Blacketer (sin publicar).

indefinido,[2] mientras que otros, como Jonathan H. Rainbow y Roger R. Nicole, defienden que Calvino confesó la expiación definitiva.[3]

Mi opinión es que, aunque Calvino no *se comprometió a sí mismo* con ninguna versión de la doctrina de la expiación definitiva, su pensamiento es coherente con esa doctrina; es decir, no la negó en términos expresos, pero por otras cosas que efectivamente sí sostuvo, puede afirmarse que *estaba comprometido* con dicha doctrina. La distinción es importante para evitar la acusación de anacronismo. Calvino vivió antes de los debates que condujeron a la formulación explícita de la doctrina de la expiación definitiva en la teología reformada, y lo mismo puede decirse del amyraldianismo.[4]

No lo declaró expresamente, pero tampoco lo negó. Nótese que tal conclusión no equivale a una respuesta afirmativa a la pregunta: Si Calvino hubiera estado presente en el Sínodo de Dort, ¿habría manifestado su asentimiento a la doctrina de la expiación definitiva? Una respuesta afirmativa a esta pregunta plantea la cuestión de si, en el intervalo entre la última palabra publicada por Calvino y los primeros años del siglo XVII, sus compromisos

---

[2] Charles M. Bell, "Calvin and the Extent of the Atonement", *EQ* 55.2 (1983): 115-23; Brian G. Armstrong, *Calvinism and the Amyraut Heresy: Protestant Scholasticism and Humanism in the Seventeenth-Century France* (Madison: University of Wisconsin Press, 1969); R. T. Kendall, *Calvin and English Calvinism to 1649, Studies in Christian History and Thought* (Nueva York: Oxford University Press, 1979). Otros incluyen: Paul M. van Buren, *Christ in Our Place: The Substitutionary Character of Calvin's Doctrine of Reconciliation* (Edimburgo: Oliver Boyd, 1957); Basil Hall, "Calvin against the Calvinists", en *John Calvin*, ed., G. E. Duffield (Madrid: Oxford University Press, 1979). G. E. Duffield (Grand Rapids, MI: Eerdmans, 1966), 19-37; James W. Anderson, "The Grace of God and the Non-Elect in Calvin's Commentaries and Sermons" (tesis doctoral, New Orleans Baptist Theological Seminary, 1976); Alan C. Clifford, *Calvinus: Authentic Calvinism, A Clarification* (Norwich, Reino Unido: Charenton Reformed, 1996); ídem, *Atonement and Justification* (Oxford: Oxford University Press, 1990); Kevin D. Kennedy, *Union with Christ and the Extent of the Atonement in Calvin* (Nueva York: Peter Lang, 2002).

[3] Jonathan H. Rainbow, *The Will of God and the Cross: An Historical and Theological Study of John Calvin's Doctrine of Limited Redemption* (Allison Park, PA: Pickwick, 1990); Roger R. Nicole, "John Calvin's View of the Extent of the Atonement", *WTJ* 47 (1985): 197-225. Véase también: Fredrick S. Leahy, "Calvin and the Extent of the Atonement", *Reformed Theological Journal* 8 (1992): 54-64.

[4] Ni siquiera Rainbow, que sostiene que la expiación definida era la visión medieval por defecto de la expiación con la que Calvino estaba de acuerdo, señala nunca el uso que hizo Calvino de la doctrina en el debate. Si Calvino se hubiera *comprometido a sí mismo* con la expiación definitiva (como afirma Rainbow), entonces es casi seguro que ésta habría surgido en diversos contextos polémicos, por ejemplo, en sus debates con Sebastián Castellio.

doctrinales podrían haber cambiado.[5] Esta puede ser o no una suposición razonable.

Hice esta distinción en *Calvino y los calvinistas* (Calvin and the Calvinists), publicado hace treinta años,[6] y el presente capítulo puede considerarse como un trabajo complementario sobre este tema. Después de citar datos de Calvino que apoyan la sustitución penal, de lugares como *Institución* 2.16.2.3.5 y 3.22.7.10, relativos al alcance definitivo de la expiación, se hizo la distinción entre que Calvino *se viera comprometido* con la expiación definitiva y que *se comprometiera a sí mismo* con ese punto de vista.[7] Una o dos líneas más que expliquen esta distinción podrían ser de utilidad.

Alguien puede estar comprometido con una doctrina sin comprometerse él mismo con ella. ¿Cómo es esto posible? Porque la proposición o proposiciones que una persona cree pueden tener consecuencias lógicas de las que esa persona no se da cuenta (aunque tales consecuencias puedan, para estudiantes posteriores, ser del todo claras). Ninguno de nosotros conoce todas las implicaciones lógicas de lo que cree.

¿Por qué? Básicamente, por nuestra finitud, expresada, tal vez, por un simple fallo de percepción lógica, al no advertir que *p* y *q* conllevan *r*, o por no aceptar que la verdad de *p* y *q* eleva la probabilidad de *r* a un alto grado. O tal vez porque las consecuencias lógicas no habían sido puestas de manifiesto. Cualquiera que sea la explicación, empleando el lenguaje de los filósofos, la creencia no está limitada por la implicación: Puedo tener la creencia verdadera de que *p* conlleva a *q*, y *p* y *q* pueden conllevar a *r*, pero no se deduce de ello que yo crea que *p* y *q* conllevan a *r*.

Uno de los resultados de la controversia puede ser que los participantes en la misma, y también los espectadores, acaben echando en cara algunas de las consecuencias lógicas de las posiciones que se discuten. Pensemos en la relación

---

[5] Por ejemplo, se podría decir más sobre los puntos de vista de Calvino que coinciden con la idea de la expiación definitiva, a pesar de que Calvino no reconoce esa idea. En su escrito contra Sebastián Castellio, *La providencia secreta de Dios*, publicado en 1558, vemos la actitud hostil de Calvino hacia el rechazo de Castellio a su comprensión de la doctrina de las dos voluntades, a la incondicionalidad de la presciencia divina y a la idea del mero permiso divino. El rechazo de estas doctrinas se convirtió en parte de la perspectiva arminiana. Véase Juan Calvino, *The Secret Providence of God*, ed. Paul Helm, trad. Keith Goad (Wheaton, IL: Crossway, 2010), 30-31.

[6] Paul Helm, *Calvin and the Calvinists* (Edimburgo: Banner of Truth, 1982).

[7] Ibid., 18.

que estableció Cristo entre "Dios es Dios vivo" y "Abraham, habiendo muerto, sigue viviendo y resucitará" (véase Mt. 22:29-32).

> **Mateo 22:29–32** Pero Jesús les respondió: «Están equivocados por no comprender las Escrituras ni el poder de Dios. »Porque en la resurrección, ni se casan ni son dados en matrimonio, sino que son como los ángeles de Dios en el cielo. »Y en cuanto a la resurrección de los muertos, ¿no han leído lo que les fue dicho por Dios, cuando dijo: "Yo soy el Dios de Abraham, y el Dios de Isaac, y el Dios de Jacob"? Él no es Dios de muertos, sino de vivos».

O consideremos los primeros debates cristológicos y el papel que desempeñaron en el perfeccionamiento de la comprensión de la persona y las naturalezas de Jesucristo.[8]

Ver que *p* implica *q* puede hacer que una persona afirme *q* o puede proporcionarle una razón para negar *p*. La cuestión de si Calvino estaba comprometido con la expiación definitiva puede llevarnos a plantear otra pregunta: ¿Es plausible creer que, si Calvino hubiera tenido a su disposición la doctrina de la expiación definitiva plenamente desarrollada, la habría abrazado? ¿O habría retrocedido a una visión más vaga o incluso contraria? Pero al plantear e intentar responder a tales preguntas contrafactuales, comienzan a mostrarse las brumas del anacronismo.[9]

Es posible reunir una colección de frases en las que Calvino escribe en términos universales acerca de que Cristo es el Salvador del mundo, y de que muere por todos los hombres y mujeres, y una segunda colección de frases que van en sentido contrario, que subrayan el alcance particularista y centrado de la expiación de Cristo.[10] Cada una de estas colecciones puede entonces ser

---

[8] Kennedy, *Union with Christ*, 74, afirma que la distinción entre comprometerse con p y estar comprometido con p es un "misterio", mientras que P. L. Rouwendal, "Calvin's Forgotten Classical Position on the Extent of the Atonement: About Sufficiency, Efficiency and Anachronism", *WTJ* 70 (2008): 33, la considera una "conclusión débil". Dejo a los lectores que se formen su juicio sobre estos veredictos respecto a una distinción que es obviamente válida.

[9] Nótese que Richard A. Muller, "A Tale of Two Wills?", *CTJ* 44.2 (2009): 212, se abstiene de utilizar el término "expiación" en relación con este tema porque resulta "altamente anacrónico". Utilizaré el término, pero la advertencia de Muller sigue en pie.

[10] Para expresiones del lenguaje universal de Calvino, véase el apéndice 1 de la nueva edición de R. T. Kendall, *Calvin and English Calvinism to 1649* (Carlisle, Reino Unido: Paternoster, 1997). Para ejemplos del lenguaje no universalista de Calvino, véase su exégesis de 1 Juan 2:2 en *Commentaries on the Catholic Epistles, Calvin's Commentaries*, vol. 22, ed. y

utilizada como "textos de prueba" por quienes sostienen una u otra posición. Sin embargo, es imposible determinar cuál era el punto de vista de Calvino a partir de su propio lenguaje, en cierto modo poco desarrollado, sobre la cuestión precisa del alcance de la expiación, o incluso avanzar mucho en ello, sin emprender un examen más amplio del pensamiento de Calvino.[11]

El lenguaje indefinido o universalista de Calvino es ampliamente advertido por los participantes en este juego de ping-pong probatorio, ya que golpean los datos de un lado a otro de la mesa de forma muy parecida a como se hace con la pelotita blanca. Por mucho que me guste jugar al ping-pong, reniego de este tipo de "textos de prueba", o de cualquier otra forma de ellos.[12] No es una herramienta apropiada para la acumulación y evaluación de las pruebas de la posición de Calvino, ni en un sentido ni en otro. Este tipo de textos de prueba se abstrae de la perspectiva teológica más profunda de Calvino.

Los que afirman que Calvino sostenía una expiación indefinida no coinciden en absoluto en sus consecuencias. G. Michael Thomas se refiere a un "dilema" en la teología de Calvino, la existencia de "puntos de tensión" que hacen que la posición general de Calvino sea "intrínsecamente inestable".[13] R. T. Kendall sostiene que, aunque Calvino tenía una visión ilimitada de la expiación, las intercesiones de Cristo eran para él definitivas, sólo en favor de los elegidos.[14]

Kevin D. Kennedy afirma que, según Calvino, mientras que la expiación es universal, la unión con Cristo es particular.[15] La dificultad con los dos últimos puntos de vista, que tienden en la dirección del post-redencionismo, o amyraldianismo, es que ponen en peligro la unidad del decreto divino, y las operaciones divinas *ad extra* que Calvino enfatizó. El propósito del Hijo de hacer una expiación universal es diferente en su alcance a su propósito al

---

trad. John Owen (Grand Rapids, MI: Baker, 1979; reimpr. de las traducciones de los comentarios de CTS). Todas las referencias posteriores a los comentarios de Calvino se refieren a esta edición de CTS.

11 El juego de enfrentar el lenguaje definido contra el indefinido parece estar a punto de agotarse, sólo para que los mismos datos sean revisados una vez más. Véase, por ejemplo, Paul Hartog, *A Word for the World: Calvin on the Extent of the Atonement* (Schaumburg, IL: Regular Baptist Press, 2009).

12 Para la analogía del ping-pong, véase Basil Mitchell, *How to Play Theological Ping Pong: Collected Essays on Faith and Reason*, ed. William J. Abraham y Robert W. Prevost (Londres: Hodder & Stoughton, 1990).

13 G. Michael Thomas, *The Extent of the Atonement: A Dilemma for Reformed Theology from Calvin to the Consensus* (Carlisle, Reino Unido: Paternoster, 1997), 34.

14 Kendall, *Calvin and English Calvinism to 1649*, 17-21.

15 Kennedy, *Union with Christ*.

interceder, o diferente al del Espíritu que lleva a un conjunto particular de hombres y mujeres a la unión con Cristo. Esta es una grave debilidad, ya que Calvino se esfuerza por subrayar tanto la unidad de la voluntad divina, como su singularidad, que es una sola voluntad.[16]

Es mejor que no busquemos una respuesta a la pregunta de si Calvino se comprometió a sí mismo con la expiación definitiva tratando de proporcionar un "texto de prueba" decisivo en un sentido u otro. En lugar de ello, debemos plantear la pregunta de Roger Nicole, es decir, si la expiación definitiva encaja mejor que la gracia universal en el esquema total de las enseñanzas de Calvino.[17] Este capítulo puede considerarse como un intento de reforzar la respuesta afirmativa a dicha pregunta, atrayendo la atención sobre los rasgos de la perspectiva general de Calvino, en particular su antropología, que, hasta donde sé, no han sido tratados hasta ahora en este contexto.

Por lo tanto, el lector no debe esperar que lo que sigue sea un ensayo de todos los argumentos para sostener que Calvino estaba comprometido con la expiación definitiva. Tampoco voy a argumentar que el punto de vista sustitutivo de Calvino sobre la expiación, su opinión de que las operaciones divinas que logran y aplican la redención están altamente unificadas, y la importancia que él le dio a la consistencia lógica, son todos relevantes para establecer que él estaba comprometido con la expiación definitiva, aunque yo creo que lo son.

Más bien, los argumentos adicionales que se presentarán son un intento de ofrecer un refuerzo adicional de las conclusiones de tales argumentos dogmáticos ofrecidos por otros. En lo que resta de este capítulo, me concentraré en aquello que los que niegan que el punto de vista de Calvino sea consistente con la expiación definitiva suelen enfocar, a saber, el *lenguaje indefinido* de Calvino, pero extraeré conclusiones diferentes a las de ellos.

Lo que sigue son tres argumentos que apoyan el punto de vista de que Calvino (o cualquier otro) puede (y tal vez debe) utilizar sistemáticamente un lenguaje indefinido y universalista sobre el alcance de la expiación de Cristo, incluso si está comprometido con la expiación definitiva. Los argumentos se refieren a la providencia y al futuro en relación con la oración aspiracional, y a

---

16 La propuesta de Kennedy conlleva el problema adicional de que tiene que descartar la opinión de Calvino de que la unión con Cristo se basa en la elección eterna de Dios (*Commentary on Ephesians*, 197-98, sobre 1:4).

17 Nicole, "John Calvin's View of the Extent of the Atonement".

los términos indiscriminados en los que se puede ofrecer el evangelio. Al concentrarse en la teología de Calvino, los contendientes sobre la cuestión de la actitud de Calvino hacia el alcance de la expiación han descuidado extrañamente su antropología.

Así, el caso general, al tiempo que evita el ping-pong, debe mantenerse fiel a los contornos del pensamiento de Calvino tal como se expresa en diversos contextos. Si esta estrategia tiene éxito, entonces no hay necesidad de que los defensores del punto de vista de que Calvino está comprometido con la expiación definitiva se empeñen en la tarea poco apetecible de manipular su lenguaje universalista. Su presencia no tiene por qué ser motivo de incomodidad o vergüenza. La fuerza del caso radica en la seriedad con la que trata el lenguaje de Calvino *tal como se presenta.*

Ofrecer una apreciación de dicho lenguaje será nuestra principal preocupación, y considerarlo, argumentaré, añadirá fuerza a la conclusión de que Calvino *está comprometido* con la expiación definitiva, una trayectoria ya establecida por su uso del lenguaje definido, su noción de expiación sustitutiva, la unidad del decreto divino, su rechazo a la idea de que la referencia a las dos voluntades de Dios es una referencia a dos decretos, la negación de la mera presciencia divina, etc.

(1) La providencia y el futuro

La primera vertiente de la evidencia es de carácter general y, por lo tanto, puede parecer bastante alejada de los debates sobre el alcance de la expiación. Es bien sabido que Calvino tiene una visión fuertemente decretista de la providencia divina: afirma que todos los acontecimientos, hasta el más mínimo, son ordenados por Dios, sostenidos por su voluntad y gobernados por Él según su buena voluntad. Pero le preocupa que, si creemos esto, como sostiene que la Escritura nos insta a ello, no nos volvamos fatalistas en nuestras actitudes hacia el futuro.

Por lo tanto, cree que es importante no sólo distinguir la doctrina de la providencia cristiana del destino estoico, sino también distinguir las actitudes propiamente cristianas hacia esa doctrina de las actitudes fatalistas hacia ella. Está muy interesado en promover exactamente el temperamento opuesto: no

Que será, será, sino una visión de la providencia que no enerva a los creyentes, sino que los energiza.

¿Cómo argumenta esto? En primer lugar, subraya la estrecha relación entre los medios y los fines. El orden providencial no es ciegamente fatalista, sino que es inteligentemente propositivo, la voluntad del Creador y Redentor omnisapiente. Además, hay una estrecha conexión entre los fines que Dios ha elegido para su pueblo y los medios que han de tomar para conseguir esos fines. Así:

> Porque el que ha fijado los límites de nuestra vida, nos ha confiado al mismo tiempo el cuidado de ella, nos ha proporcionado los medios para preservarla, nos ha advertido de los peligros a los que estamos expuestos, y nos ha suministrado precauciones y remedios, para que no seamos abrumados desprevenidamente. Ahora bien, nuestro deber es claro, a saber, ya que el Señor nos ha encomendado la defensa de nuestra vida, defenderla; ya que nos ofrece ayuda, utilizarla; ya que nos advierte del peligro, no precipitarnos despreocupadamente; ya que nos suministra remedios, no descuidarlos. Pero se dice que un peligro que no es fatal no nos hará daño, y que uno que es fatal no puede ser resistido por ninguna precaución. Ahora bien, ¿qué pasa si los peligros no son fatales, simplemente porque el Señor te ha proporcionado los medios para evitarlos y superarlos? Observa hasta qué punto tu razonamiento concuerda con el orden del proceder divino. Deduces que no hay que protegerse del peligro, porque, si no es mortal, escaparás sin precaución; mientras que el Señor te ordena que te protejas de él, precisamente porque quiere que no sea mortal.[18]

Así pues, para ser miembros inteligentes y sabios del orden providencial de Dios, debemos tomar las precauciones y adoptar las políticas que, en la medida de lo posible, corresponden a los medios y a los fines.

Sin embargo, es otro aspecto de esta actitud antifatalista el que pretendo destacar. Porque, sorprendentemente, Calvino dice, o parece decir, que, al llevar a cabo nuestros propios planes, y al mismo tiempo que llevamos en lo profundo de nuestra mente el conocimiento de que *todas las cosas están decretadas por*

---

[18] Juan Calvino, *Institutes of the Christian Religion*, trad. Henry Beveridge (Peabody, MA: Hendrickson, 2008), 1.17.4. A menos que se indique lo contrario, se utiliza la traducción de Henry Beveridge (varias ediciones).

Dios, debemos enfrentarnos al futuro *como si Dios no lo hubiera decretado.* Debemos considerar el futuro como epistémicamente abierto, aunque, desde un punto de vista metafísico, desde el punto de vista de los propósitos eternos de Dios, el futuro esté cerrado en virtud de lo que Dios ha decretado infaliblemente.

¿Tenemos entonces que creer lo que no es cierto, que Dios no ha decretado lo futuro, cuando la Escritura enseña que sí lo ha hecho? No exactamente, ya que (en general) el futuro está cerrado para nosotros, suponer que está decretado por Dios de una manera u otra es operativamente equivalente a que no esté decretado en absoluto. Porque, o bien Dios ha decretado que yo viva hasta los noventa años, o bien ha decretado que no viva hasta entonces. Cuál de los dos es el futuro nos es desconocido, y quizás incognoscible, y por lo tanto no sería razonable creer en uno y no en otro al intentar guiar nuestras vidas. No debemos creer aquello que es falso, sino suspender nuestro juicio respecto a la forma del futuro:

> Por lo tanto, en lo que respecta al tiempo futuro, dado que el resultado de todas las cosas está oculto para nosotros, cada uno debe aplicarse a su oficio, *como si no hubiera nada determinado respecto a nada.* O, para hablar con más propiedad, debe esperar el éxito que emana del mandato de Dios sobre todas las cosas, como para conciliar en sí mismo la contingencia de las cosas desconocidas y la providencia segura de Dios.[19]

Hay un pasaje paralelo en la *Institución*:

> Pero como nuestras mentes aletargadas se hallan muy por debajo de la altura de la providencia divina, debemos recurrir a una distinción que les ayude a elevarse. Digo, pues, que aunque todas las cosas están ordenadas por el consejo y la disposición segura de Dios, para nosotros, sin embargo, son fortuitas, no porque pensemos que la fortuna gobierna el mundo y la humanidad, y pone todas las cosas patas arriba al azar, (lejos esté ese pensamiento desalmado de todo corazón cristiano); pero como el orden, el método, el fin y la necesidad de los acontecimientos están, en su mayor parte, ocultos en el consejo de Dios, aunque es cierto que son producidos por la voluntad de Dios, se nos presentan

[19] Juan Calvino, *Concerning the Eternal Predestination of God*, trad. J. K. S. Reid (1552; reimpr., Londres: James Clarke, 1961), 171 (énfasis añadido).

en apariencia como fortuitos, ya sea considerados en su propia naturaleza, o estimados según nuestro conocimiento y juicio.[20]

Aquí encontramos a Calvino refiriéndose a dos voluntades en Dios, pero con un giro algo diferente. No se trata de la distinción rutinaria entre la voluntad secreta y la voluntad revelada, sino de la voluntad que se nos ordena seguir frente a la voluntad aparentemente fortuita de Dios que no podemos pretender seguir. Por lo tanto, resulta apropiado actuar en ignorancia de lo que Dios ha decretado para el futuro.

(2) El lenguaje de la aspiración

El segundo argumento se refiere a la comprensión de Calvino de lo que llamaré el "lenguaje de aspiración". Lo siguiente parece ser un rasgo regular de su pensamiento: *que una persona puede esperar debidamente algo, independientemente de si lo que se desea o se aspira está decretado por Dios, e incluso si se pudiera saber que no está decretado por Dios. El hecho de no saber si está o no decretado por Dios no hace que el deseo o la aspiración sean inmorales o poco espirituales o que tengan algún otro defecto*. Presento tres ejemplos de esto, dos de los comentarios de Calvino sobre la actitud del apóstol Pablo, y uno de su entendimiento de la oración de Cristo en Getsemaní.

Primero, en relación con la oración de Cristo: "Padre Mío, si es posible, que pase de Mí esta copa; pero no sea como Yo quiero, sino como Tú quieras" (Mt. 26:39). Aquí Calvino hace los siguientes comentarios sobre la idoneidad de la oración de Cristo pidiendo que el cáliz pase de Él:

> Respondo que no sería absurdo suponer que Cristo, de acuerdo con la costumbre de los piadosos, dejando de lado el propósito divino, encomendara al seno del Padre el deseo que le preocupaba. Porque los creyentes, al derramar sus oraciones, no siempre ascienden a la contemplación de los secretos de Dios, ni indagan deliberadamente lo que es posible hacer, sino que a veces se dejan llevar precipitadamente por la vehemencia de sus deseos. Así, Moisés ora *para que se le borre del libro de la vida* (Ex. 32:32); así, Pablo *deseaba que se le hiciera anatema* (Ro. 9:3) ... En resumen, no hay ninguna impropiedad si en la

---

[20] Calvino, *Institutes*, 1.16.9.

oración no dirigimos siempre nuestra atención inmediata a todo, a fin de conservar un orden distinto.

Calvino continúa:

> Aunque sea una auténtica rectitud el regular todos nuestros sentimientos por la buena voluntad de Dios, hay cierto tipo de desacuerdo indirecto con ella que no es defectuoso ni se considera pecado; si, por ejemplo, una persona desea ver a la Iglesia en una condición tranquila y floreciente, si desea que los hijos de Dios sean liberados de las aflicciones, que todas las supersticiones sean eliminadas del mundo, y que la furia de los hombres malvados sea contenida de tal manera que no cause perjuicios. Estas cosas, siendo en sí mismas correctas, pueden ser apropiadamente deseadas por los creyentes, aunque pueda agradar a Dios ordenar un estado diferente de las cosas: porque Él elige que su Hijo reine entre los enemigos; que su pueblo sea formado bajo la cruz; y que el triunfo de la fe y del Evangelio se haga más ilustre por las maquinaciones contrarias de Satanás. Así vemos cómo son santas estas oraciones, las cuales parecen ser contrarias a la voluntad de Dios; porque Dios no quiere que seamos siempre exactos o escrupulosos en la indagación de lo que ha dispuesto, sino que nos permite pedir lo que es deseable según la capacidad de nuestros sentidos.[21]

Fijémonos en algunas cosas sobre esto. Es permisible pedir a Dios lo que es deseable "según la capacidad de nuestros sentidos", es decir, según nuestra posición epistémica actual. En segundo lugar, las palabras de Calvino "dejando de lado el propósito divino" se refieren claramente a la intersección de la voluntad secreta y la voluntad revelada de Dios. En tercer lugar, debemos notar la referencia de Calvino a lo "indirecto".

¿A qué se refiere con esto? Quiere decir que puede haber un conflicto *prima facie* entre lo que se desea y lo que pueda estar decretado, y la necesidad de relacionar todo lo que hacemos con la buena voluntad de Dios. Pero tal carácter indirecto "no es defectuoso". Hay, en cuarto lugar, una "costumbre de los piadosos" de decir ciertas cosas, incluso de orar por ciertos asuntos, dejando el decreto divino fuera de atención, o fuera de consideración. Aunque se dejen llevar por sus deseos sinceros, Calvino no los culpa por ello. Además, no se puede reprochar una oración así, pronunciada por el inmaculadamente santo

[21] Juan Calvino, *Harmony of the Gospels*, 3:230-32.

Cristo. Así pues, Cristo está justificado al dejar de lado el propósito divino, no ascendiendo a los secretos de Dios, sino permaneciendo agraviado por sus preocupaciones inmediatas. No hay nada impropio en esto.[22]

El segundo pasaje es Hechos 26:29: "Quisiera Dios que no solo usted, sino también todos los que hoy me oyen, llegaran a ser tal como yo soy, a excepción de estas cadenas". Calvino comenta:

> Esta respuesta atestigua con qué celo por difundir la gloria de Cristo estaba inflamado el pecho de este santo hombre, cuando sufría pacientemente las cadenas con las que el gobernador lo había atado, y deseaba escapar de las trampas mortales de Satanás, y que tanto él como sus compañeros fueran partícipes de la misma gracia, estando mientras tanto contento con su condición problemática y reprobable. Debemos notar que no lo desea simplemente, sino que lo hace de parte de Dios, ya que nos remite a su Hijo; porque, a menos que nos enseñe interiormente por su Espíritu, la doctrina exterior siempre se enfriará.[23]

Aquí Calvino hace el mismo comentario sobre el deseo que antes, pero en este caso (según él) el deseo está explícitamente calificado por referencia a la voluntad divina ("lo deseo de Dios", es decir, "lo deseo si está de acuerdo con la voluntad de Dios, y espero que lo esté").

A esto se une el tercer ejemplo, su comentario sobre Romanos 9:3: "Porque desearía yo mismo ser anatema, separado de Cristo por amor a mis hermanos, mis parientes":

> Fue entonces una prueba del más ardiente amor el hecho de que Pablo no dudara en desear para sí mismo esa condena que se cernía sobre los judíos, para poder liberarlos. No supone objeción alguna el hecho de que supiera que su salvación se basaba en la elección de Dios, que de ninguna manera podía fallar; pues como esos sentimientos ardientes nos apresuran impetuosamente, así, no ven ni

---

[22] ¿Qué quiere decir Calvino con dejar el decreto "fuera de atención"? Presumiblemente, quiere decir que en ciertas circunstancias es razonable no intentar tener en cuenta, en nuestras acciones, cuál puede ser el resultado del decreto. Podemos tener en cuenta que hay un decreto, pero no cuál es. Para una exposición de la concepción general de Calvino sobre la oración, véase Oliver D. Crisp, "John Calvin and Petitioning God", en *Engaging with Calvin: Aspects of the Reformer's Legacy for Today*, ed. Mark D. Thompson (Nottingham, Reino Unido: Apollos, 2009), 136-57.

[23] Juan Calvino, *Commentary on the Acts of the Apostles*, 2:390.

> consideran nada más que el objeto que tienen a la vista. De ese modo, Pablo no relacionó la elección de Dios con su deseo, sino que el recuerdo de ésta pasó de largo, y se concentró por completo en la salvación de los judíos.[24]

Una vez más, Calvino llama la atención sobre la presencia de sentimientos profundos que se centran en el objeto que está inmediatamente a la vista, prescindiendo de todo lo demás. Por supuesto, el deseo de Pablo se centra en sus compañeros judíos, y es en ese sentido definitivo, pero expresa ese deseo para toda la clase de judíos, y sin referencia al decreto de Dios:

> Puesto que no sabemos quiénes pertenecen al número de los predestinados y quiénes no, nos conviene sentirnos deseosos de que todos se salven. Así, pues, a cualquiera que encontremos, procuraremos hacerle partícipe de la paz.[25]

Calvino formaliza aquí, en un trabajo sobre la predestinación contra Pighius, la posición que expresa la actitud profundamente aspiracional. La presencia de tal actitud es considerada por él como una marca de piedad, tanto por parte de Cristo como de Pablo. Pero detrás de la actitud que hemos identificado se esconde un punto más general expresado por Calvino: debido a nuestra ignorancia de quién está y quién no está predestinado, y al deseo del bien de cualquiera que sea nuestro prójimo, podemos desear que todos se salven.[26] En ciertas circunstancias una persona, incluso la persona del Mediador, puede distraerse de la voluntad revelada de Dios y expresar en cambio su aspiración inmediata por la salvación de quienes podrían o no estar elegidos para la salvación.

Esto se apoya en un punto teológico más amplio. En efecto, en su sermón sobre 1 Timoteo 2:4, Calvino ve las palabras de Pablo como parte del modelo teológico que éste articula en Romanos y Gálatas. Dios eligió a todos los que descendían de Abraham como hijos de la promesa, los circuncidados, los hijos de Abraham. Sin embargo, "¿no hubo una gracia especial para algunos de ese

[24] Juan Calvino, *Commentary on Romans*, 335.

[25] Calvino, *Concerning the Eternal Predestination of God*, 138.

[26] De vez en cuando, el propio Calvino utilizaba el lenguaje universal en sus oraciones. Así en sus sermones sobre el Génesis en Juan Calvino, *Sermons on Genesis Chapters 1-11*, trad. Rob Roy McGregor (Edimburgo: Banner of Truth, 2009), por ejemplo, 72, 88, 124, Calvino termina habitualmente sus oraciones después del sermón con la aspiración: "Que conceda esa gracia [la renovación 'a imagen de su Hijo, nuestro Señor Jesucristo'] no sólo a nosotros, sino a todos los pueblos y naciones de la tierra" (72).

pueblo?... No todos los que descendieron de la raza de Abraham según la carne son verdaderos israelitas". Así que, aunque la promesa a la simiente prometida de Abraham era indefinida, su implementación era definida. "He aquí, pues, que esta voluntad de Dios, que fue para con el pueblo de Israel, se manifiesta hoy para con nosotros".[27]

Del mismo modo, los seres humanos, seres humanos eminentes y piadosos como el apóstol Pablo, incluso el propio Dios-hombre, pueden tener aspiraciones para sí mismos o para los demás que son perfectamente legítimas, a pesar de que se formen en la ignorancia de lo que Dios ha decretado con respecto a ellos, o incluso, en el calor del momento, sin pensar en el decreto de Dios; aunque en el caso de Cristo, por supuesto, no existía tal ignorancia, ya que la voluntad de su Padre con respecto a su muerte le fue plenamente revelada. A veces, al expresar sus aspiraciones, los creyentes pueden deferirse explícitamente a la voluntad de Dios, pero otras veces no.

Calvino expresa este punto de vista en términos generales en varios lugares, por ejemplo, en el siguiente pasaje:

> Así como acudimos a Dios cada vez que la necesidad nos apremia, así también se lo recordamos, como un hijo que desahoga todos sus sentimientos en el seno de su padre. De este modo, en la oración, los fieles razonan y discuten con Dios, y le presentan todas las cosas por las que puede ser apaciguado hacia ellos; en resumen, tratan con Él a la manera de los hombres, como si quisieran persuadirle acerca de lo que ya ha sido decretado antes de la creación del mundo. Pero como el consejo eterno de Dios está oculto para nosotros, debemos actuar a este respecto con sabiduría y de acuerdo con la medida de nuestra fe.[28]

Resumiendo, hay aquí una importante vertiente del pensamiento de Calvino sobre la condición humana, sobre la condición de Cristo encarnado, y la del piadoso apóstol Pablo, que subraya la legitimidad de una aspiración expansiva por el bien eterno de todos, expresada en situaciones de ignorancia humana sobre cuál es la voluntad de Dios.

---

[27] Juan Calvino, *John Calvin's Sermons on Timothy and Titus*, trad. I.T., ed. facsímil. (Edimburgo: Banner of Truth: 1983), 157 col. 1. He modernizado la ortografía de la traducción original y conservado el orden de las palabras.

[28] Véase Juan Calvino, *Commentary on Jeremiah and Lamentations*, comentando Jeremías 14:22 (1:244). Agradezco a Jon Balserak esta referencia.

Esta segunda restricción epistémica forma parte de la condición humana y es compartida por los ministros del Evangelio y por los evangelistas, que desde la plenitud de su corazón y en cumplimiento de su vocación pueden llamar a los hombres y mujeres a Cristo sin tener ninguna razón para no hacerlo, y con fervor por su salvación, permaneciendo al mismo tiempo ignorantes respecto a cuáles son los propósitos de Dios con relación a dichos hombres y mujeres.

(3) Predicación universal

Teniendo en cuenta las conclusiones de nuestros dos primeros argumentos, pasamos finalmente a considerar el lenguaje indefinido del predicador, el lenguaje de la invitación universal o indiscriminada. He aquí algunas citas representativas de Calvino sobre la predicación:

> Algunos objetan que Dios sería inconsistente consigo mismo, al invitar a todos sin distinción, mientras que sólo elige a unos pocos. Así, según ellos, la universalidad de la promesa destruye la distinción de la gracia especial... El modo en que la Escritura reconcilia las dos cosas, a saber, que por la predicación externa todos son llamados a la fe y al arrepentimiento, y que, sin embargo, el Espíritu de fe y arrepentimiento no es dado a todos, ya lo he explicado, y lo repetiré de nuevo en breve... Pero es por medio de Isaías que demuestra más claramente cómo destina las promesas de salvación especialmente a los elegidos (Is. 8:16); pues declara que sus discípulos estarían constituidos sólo por ellos, y no indistintamente por todo el género humano.
>
> Por lo tanto, es evidente que se abusa de la doctrina de la salvación, de la que se afirma que está reservada sólo para los hijos de la Iglesia, cuando se la representa como efectivamente disponible para todos. Por el momento, baste observar que, aunque la palabra del Evangelio se dirige generalmente a todos, el don de la fe es singular. Isaías señala la causa cuando dice que el brazo del Señor no se revela a todos (Is. 53:1).[29]

La preocupación de Calvino es establecer que el llamado externo a creer y arrepentirse, y la restricción de la verdadera fe y el arrepentimiento sólo a los

[29] Calvino, *Institutes*, 3.22.10.

elegidos, no son cursos de acción contradictorios. Un llamamiento universal no implica un llamamiento que esté "eficazmente disponible para todos".[30]

> La expresión de nuestro Salvador: "Muchos son los llamados, pero pocos los escogidos" (Mt. 22:14), se interpreta también de manera muy inadecuada.[31] No se encontrará ninguna ambigüedad en ella si atendemos a lo que nuestras observaciones anteriores deberían haber aclarado, a saber, que hay dos especies de llamamiento: porque hay un llamamiento universal, por el cual Dios, mediante la predicación externa de la palabra, invita a todos los hombres por igual, incluso a aquellos para quienes dispone el llamamiento como un olor de muerte, y el motivo de una condenación más severa. Por otra parte, hay un llamamiento especial que, en general, Dios sólo concede a los creyentes, cuando por la iluminación interna del Espíritu hace que la palabra predicada arraigue profundamente en sus corazones.[32]

Hay dos llamados evangélicos, cada uno con un propósito y efecto distintos:

> Pero si es así, (se dirá), poca fe se puede poner en las promesas evangélicas, que, al testificar sobre la voluntad de Dios, declaran que Él quiere aquello que es contrario a su decreto inviolable. En absoluto; pues por muy universales que sean las promesas de salvación, no hay discrepancia entre ellas y la predestinación de los réprobos, siempre que atendamos a su efecto. Sabemos que las promesas son eficaces sólo cuando las recibimos con fe, pero, por el contrario, cuando la fe queda anulada, la promesa no tiene efecto.
> Si ésta es la naturaleza de las promesas, veamos ahora si hay alguna inconsistencia entre las dos cosas, es decir, que Dios, por un decreto eterno, fijó el número de aquellos a quienes se complace en abrazar en amor, y sobre quienes se complace en mostrar su ira, y que ofrece la salvación indiscriminadamente a todos. Yo sostengo que son perfectamente consistentes, pues todo lo que significa la promesa es, justamente, que su misericordia se ofrece a todos los que la desean e imploran, y esto no lo hace nadie, salvo aquellos a quienes Él ha iluminado. Y, además, Él ilumina a los que ha

---

[30] Battles traduce esto como: "Por lo tanto, está claro que la doctrina de la salvación, que se dice que está reservada única e individualmente para los hijos de la iglesia, es falsamente degradada cuando se presenta como eficazmente provechosa para todos" (Calvino, *Institutes*, 3.22.10).

[31] Véase *Institutes*, 3.2.11.1.

[32] Ibid., 3.24.8.

> predestinado a la salvación. De este modo, la veracidad de las promesas permanece firme e inamovible, de modo que no puede decirse que haya desacuerdo entre la elección eterna de Dios y el testimonio de su gracia que ofrece a los creyentes.
> Pero, ¿por qué menciona a todos los hombres? Para que las conciencias de los justos estén más seguras cuando comprendan que no hay diferencia entre los pecadores, con tal de que tengan fe, y para que los impíos no puedan alegar que no tienen un asilo en el que puedan salir de la esclavitud del pecado, cuando rechazan ingratamente la oferta que se les hace. Por tanto, puesto que por el Evangelio la misericordia de Dios se ofrece a unos y otros, es la fe, es decir, la iluminación de Dios, la que distingue entre justos e impíos, sintiendo los primeros la eficacia del Evangelio, y no obteniendo los segundos ningún beneficio de éste. La iluminación misma tiene como regla la elección eterna.[33]

El alcance del llamamiento, a "todos los hombres" o "el mundo", no determina el alcance de las intenciones salvíficas de Dios. Como vemos, Calvino se toma la molestia de argumentar que la universalidad de la invitación es coherente con la particularidad o exclusividad de las intenciones salvíficas.

Como se ha señalado anteriormente, algunos académicos se han inclinado a ver en el lenguaje indefinido de la predicación que Calvino respalda una u otra versión del post-redencionismo; es decir, han visto el lenguaje como una referencia al primero de dos pasos o etapas diferentes en la aplicación divina de la redención, dos voluntades divinas distintas. La primera fase, la fase indefinida, describe a Dios como queriendo o deseando la salvación de todas las personas, o del mundo, o de los hombres y mujeres indistintamente. Y luego hay una segunda fase, una segunda voluntad divina eterna, que se interpreta como una respuesta a la previsión divina del fracaso en dar fruto de la intención universalista. Obsérvese que el decreto de estas fases no debe entenderse como acontecimientos temporales, sino como distinciones lógicas en la mente divina. La segunda fase es el decreto de la aplicación definitiva de una expiación que tenía (inicialmente, en su primera fase) un alcance universal. Esta segunda fase es introducida por la intercesión de Cristo (Kendall) o por la provisión de la unión con Cristo (Kennedy).

---

33 Ibid., 3.24.17.

Una objeción a mi argumento desde este punto de vista proviene de Kevin D. Kennedy.[34] Kennedy sostiene que cuando se trata de "todos" y "muchos", tal como se usan en el Nuevo Testamento para caracterizar el alcance de la obra de Cristo, Calvino emplea dos "reglas" hermenéuticas para su interpretación. En primer lugar, según Kennedy, en aquellos pasajes de la Escritura en los que se afirma que Cristo vino a dar su vida como rescate por "muchos", Calvino entiende que tales pasajes significan que Cristo murió por todas las personas y no por algunas. La segunda regla es que "todos" no siempre significa "todos sin excepción" o "todos y cada uno". La afirmación de Kennedy tiene una apariencia bastante paradójica: "muchos" puede significar a menudo "todos", y "todos" puede significar a menudo "no todos". De este modo, sigue sosteniendo que Calvino no era calvinista con respecto al alcance de la expiación.

Aunque he argumentado a favor de una versión más débil de la tesis de la "continuidad" en comparación con algunos, a saber, que Calvino estaba comprometido con la expiación definitiva sin comprometerse él mismo con el punto de vista, la defensa de esta afirmación más débil requiere que niegue que Calvino opere con dos reglas de este tipo. La primera línea de tal defensa es que no hay evidencia que muestre a Calvino formulando o adoptando tales reglas. Además, Kennedy reconoce que la práctica real de Calvino está a menudo en desacuerdo con tales reglas, como el uso de Kennedy de comillas alrededor de "reglas" podría indicar.

Kennedy también piensa que es significativo el hecho de que en algunos de estos datos extraídos de Calvino "todos" se refiera al ámbito de la salvación más que al ámbito de la elección. Ni la elección ni la salvación tienen que ver en términos explícitos con la expiación. Hemos observado que Calvino tiene una variedad de posibles formas de justificar el uso del lenguaje indiscriminado por parte de los escritores del Nuevo Testamento. Dicho lenguaje puede referirse al alcance de la obra de Cristo como abarcando tanto a los gentiles como a los judíos, o al mundo en su conjunto en lugar de a cada individuo en el mundo, o puede ser el lenguaje justificable de la aspiración, y hablado en la necesaria ignorancia humana del resultado de los caminos de Dios.

El resultado de la primera parte de mi argumento, si es sólido, es que las hipótesis post-redencionistas que se ofrecen como formas de entender la

---

[34] Kevin D. Kennedy, "Hermeneutical Discontinuity between Calvin and Later Calvinism", *SJT* 64.3 (2011): 299–312.

naturaleza de la teología de Calvino, son innecesarias, además de anacrónicas. Haré uso de dos estudios de caso para establecer este punto.

Estudio de caso (A): Ezequiel 18:23

Un interesante caso de prueba para la posición de Calvino es su actitud hacia el conocimiento y la voluntad de Dios en Ezequiel 18:23.

> **Ezequiel 18:22–24** »Ninguna de las transgresiones que ha cometido le serán recordadas; por la justicia que ha practicado, vivirá. »¿Acaso me complazco Yo en la muerte del impío», declara el Señor Dios, «y no en que se aparte de sus caminos y viva? »Pero si el justo se aparta de su justicia y comete iniquidad, actuando conforme a todas las abominaciones que comete el impío, ¿vivirá? Ninguna de las obras justas que ha hecho le serán recordadas; por la infidelidad que ha cometido y el pecado que ha cometido, por ellos morirá.

Tenemos evidencia de la actitud de Amyraut hacia el mismo texto, donde expresa su creencia de que podría considerar a Calvino como aliado. En un fascinante artículo, "*Historia de dos voluntades*" (A Tale of Two Wills), Richard Muller muestra que Amyraut aborda el texto en términos de plantear dos voluntades en Dios, una primera voluntad según la cual Dios quiere la salvación universalmente sobre la base de la obediencia del pacto; y, que, puesto que el propósito de salvar se habría frustrado si Dios no hubiera querido también salvar absolutamente a los elegidos, se hizo un segundo decreto eficaz para salvar a un número de elegidos.

Amyraut cree que encuentra un aliado en el mismo Calvino, dada su comprensión de las observaciones del propio Calvino sobre este versículo. El tratamiento de Calvino del texto en sus *Conferencias sobre Ezequiel* es notable, según Muller, porque es uno de los pocos lugares en los que Calvino discute la universalidad de la oferta del evangelio explícitamente a la luz del decreto eterno.

Mientras que según la opinión de Amyraut el profeta habla de una misericordia que es universal en su alcance, pero implícita o tácitamente condicional, Muller sostiene que ésta no es la opinión de Calvino. Más bien, según Muller, Calvino sostiene que:

> Las palabras del profeta sobre la promesa universal no se refieren al consejo eterno de Dios, ni oponen la promesa universal del evangelio al consejo eterno como una voluntad diferente. Más bien, Dios siempre quiere lo mismo, presumiblemente, la salvación de los elegidos, aunque de diferentes maneras, a saber, en su consejo eterno y a través de la predicación del evangelio.[35]

Muller cita las palabras de Calvino:

> Si alguien vuelve a objetar que de este modo Dios actúa de dos maneras, la respuesta está preparada: que Dios quiere siempre la misma cosa, aunque por caminos diferentes, y de una manera inescrutable para nosotros.[36]

Calvino piensa que hay un decreto divino, pero varios medios para llevarlo a cabo. Algunos de estos medios implican las acciones de aquellos que desobedecen la voluntad revelada de Dios, como las acciones de aquellos que crucificaron a Cristo, mientras que otros implican que se guarde la voluntad revelada, sus mandatos. Por lo tanto, no hay dos voluntades separadas, sino una sola voluntad. La distinción existe entre la voluntad secreta y la revelada, estando la voluntad revelada subordinada a la voluntad secreta, no entre una voluntad divina antecedente y una consecuente.[37]

Aquí, Calvino adopta una línea "no amyraldiana", que es coherente con sus otros escritos, mientras que, por supuesto, no es consciente de los desarrollos amyraldianos por venir, a pesar del intento de Amyraut de contar con él en su equipo. Para Calvino no hay dos voluntades en Dios, sino diferentes elementos de la única voluntad, que operan a través de varias fases. No se trata (en este caso) de las tan discutidas fases pactadas o histórico-redentoras, sino de periodos en los que tanto los elegidos como los reprobados viven diferentes etapas epistémicas en las que ciertos resultados deben ser primero ocultados a los que van a disfrutarlos, si es que van a recibirlos con entendimiento, y luego, más adelante, revelados o aclarados para ellos. Gracia discriminada, predicación indiscriminada.

---

35 Muller, "A Tale of Two Wills", 218.

36 Ibid., citando a Calvino sobre Ezequiel 18:23, en Juan Calvino, *Commentaries on Ezekiel*, 2:247.

37 Ibid., 2:222, citando Ezequiel 18:5-9.

En los comentarios de Calvino sobre Ezequiel 18:23 se encuentran también estas palabras:

> Pero de nuevo argumentan neciamente, que, ya que Dios no desea que todos se conviertan, Él mismo es engañoso, y nada se puede afirmar con certeza sobre su paternal benevolencia. Pero este nudo se desata fácilmente, pues no nos deja en suspenso cuando dice que quiere que todos se salven. ¿Por qué? Porque si nadie se arrepiente sin encontrar a Dios propicio, entonces esta frase se llena [se cumple]. Pero debemos observar que Dios tiene un doble carácter: pues aquí desea que se le tome la palabra. Como ya he dicho, el Profeta no disputa aquí con sutileza sus incomprensibles planes, sino que desea mantener nuestra atención cerca de la palabra de Dios. Ahora bien, ¿cuál es el contenido de esta palabra? La ley, los profetas y el evangelio. Así, todos son llamados al arrepentimiento, y se les promete la esperanza de salvación cuando se arrepienten; esto es cierto, ya que Dios no rechaza a ningún pecador que se vuelva: perdona a todos sin excepción.[38]

¿Por qué, según Calvino, Dios elige llevar su gracia a los pecadores mediante el anuncio de que todo aquel que se convierta de su pecado será recibido, o diciendo que Cristo murió por el mundo?[39] En parte, dice Calvino, para que el creyente pueda ser humillado y el impío quede sin excusa.[40] Y en parte, por supuesto, porque es verdad. El que quiera puede venir. Dios acoge el regreso de cualquier pecador arrepentido. Calvino subraya en el pasaje anterior que las invitaciones del evangelio, las llamadas a todos a arrepentirse, son sinceras. No son engañosas ni ilusorias. Pero, además, nuestra condición epistémica requiere tales invitaciones para manifestar la gracia del Evangelio.

Estudio de caso (B): 1 Timoteo 2:4

La invitación indefinida del evangelio se hace evidente de manera vívida en el largo sermón de Calvino sobre 1 Timoteo 2:4. ¿Por qué los predicadores del

---

[38] Calvino, *Commentaries on Ezekiel*, 2:248.

[39] Él "ofrece la salvación a todos... Todos están igualmente llamados al arrepentimiento y a la fe; a todos se les propone el mismo mediador para reconciliarlos con el Padre" (Calvino, *Secret Providence*, 103).

[40] Ibid., 71.

evangelio pueden hacer afirmaciones indefinidas o universales sobre la muerte de Cristo? Debido a la situación epistémica tanto de los oyentes como de los predicadores. Porque entre las razones que Calvino ofrece para tal lenguaje universalista está que la redacción de Pablo aquí es una señal o muestra del amor de Dios a los gentiles, y llama la atención sobre nuestra ignorancia de otra manera:

> Porque no podemos adivinar y suponer cuál es la voluntad de Dios, a menos que nos la muestre y nos dé alguna señal o signo por el que podamos tener alguna perseverancia en ella. Es una cuestión demasiado elevada para nosotros saber cuál es el consejo de Dios, pero en la medida en que Él lo muestra por medio de sus efectos, así lo comprendemos.[41]
> Cuando se dice que Dios recibirá con misericordia a los pecadores que se acerquen a Él pidiendo perdón, y eso en nombre de Cristo. ¿Es esta doctrina para dos o tres? No, no, es una doctrina general. Así pues, se dice que Dios quiere que todos los hombres se salven, sin considerar lo que nosotros ideemos o imaginemos, es decir, hasta donde nuestro ingenio sea capaz de comprenderlo, pues esta es la medida a la que siempre debemos llegar.[42]

Calvino adopta aquí el punto de vista de los oyentes de la predicación evangélica, pero esto es fácilmente aplicable a los predicadores y maestros.

Consideremos esta ilustración: una forma en que un banco puede mostrar su sinceridad al afirmar que cumplirá con todas sus obligaciones con los depositantes es honrándolas de hecho. Otra forma es haciendo la declaración con sinceridad, pero viéndose impedido de cumplirla, aunque este incumplimiento sigue siendo compatible con su sinceridad. Según Calvino, Dios muestra su sinceridad al ofrecer gracia a los pecadores recibiendo a todos y cada uno de los que responden.[43] Él honra a todos los que acuden a Él.

Calvino lo dice en un tono menos formalmente teológico y más pastoral:

> Así también, cuando se dice en la Sagrada Escritura que es un dicho verdadero e indudable que Dios ha enviado a su hijo unigénito para salvar a todos los

---

[41] Calvino, *Sermons on Timothy and Titus*, 155 col. 1. El original ha sido ligeramente modernizado.

[42] Ibid.

[43] Véase también Calvino, *Secret Providence*, 100.

> miserables pecadores; debemos comprender en este mismo rango, digo, que cada uno de nosotros se aplique esto mismo particularmente a sí mismo: al oír esta frase general, que Dios es misericordioso. ¿Hemos oído esto? Entonces podemos invocarlo con confianza, e incluso decir, aunque soy una criatura miserable y desamparada, ya que se dice que Dios es misericordioso con los que le han ofendido, correré hacia él y hacia su misericordia, suplicándole que me haga sentirla. Y puesto que se dice que *Dios amó tanto al mundo, que no escatimó a su hijo unigénito, sino que lo entregó a la muerte por nosotros*, es conveniente que me fije en eso. Porque es muy necesario que Jesucristo me saque de la condenación en que me encuentro; ya que es así que el amor y la bondad de Dios se declaran al mundo, en que su Hijo Jesucristo ha sufrido la muerte, debo apropiarme de lo mismo, para saber que es a mí a quien Dios ha hablado, que quiere que me apropie de tal gracia, y que en ello me regocije.[44]

Supongamos por un momento que no existiera tal etapa de ignorancia, sino una economía de la predicación que se condujera en todas sus instancias bajo condiciones epistémicas uniformes, ya sea en términos conscientes y uniformemente dirigidos a los elegidos, ya sea en términos conscientes y uniformemente dirigidos a los réprobos. Si esto ocurriera (como se ha tendido a hacer que ocurra en algunos entornos hipercalvinistas), no se podría invitar a los oyentes a venir a Cristo, sino que primero (por los términos de la predicación) cada uno se vería obligado a preguntarse: ¿Quién soy yo? ¿Estoy entre los elegidos o entre los reprobados? ¿Cumplo los requisitos o condiciones o estados de ser entre los primeros o entre los segundos? En estas circunstancias no podría haber una invitación plena y gratuita. El evangelio no podía ser recibido "sólo por invitación", sino sólo a través del cumplimiento de algún estado o condición previa junto con la seguridad de que tal condición se hubiese cumplido.

En otras palabras, bajo tales términos la "predicación del evangelio" tendría el efecto no de hacer que los hombres y mujeres reciban las buenas noticias de un Cristo que invita libre y gratuitamente, sino de hacer que los oyentes se retraigan en la búsqueda de signos seguros de elección o reprobación. Y tal orientación hacia uno mismo no es más que un paso muy corto desde el punto

---

[44] Juan Calvino, *John Calvin's Sermons on the Hundred and Nineteenth Psalm* (Audubon, NJ: Old Paths, 1996), 133-34. Agradezco a Jon Balserak esta referencia. Una característica interesante es que Calvino formula su argumento en términos de un silogismo práctico. El argumento es: Dios es misericordioso con los que le han ofendido; (la "frase general") "le he ofendido"; (la "aplicación particular") "por lo tanto, le pediré misericordia".

en que una persona se preocupa por si está cualificada para venir a Cristo, en cuyo caso existe la perspectiva de la desesperación por lo que se tomaría como las marcas de la reprobación, o la presunción respecto a la elección. En cualquier caso, en lugar de mirar a Cristo, que tiene los brazos extendidos, la persona se introspecciona. En ese punto, la "gracia" del evangelio de la libre justificación enseñado por Calvino se convertiría en un legalismo por la necesidad del cumplimiento de ciertas condiciones previas.

Así que sugiero que lo que Calvino está identificando en su uso del lenguaje indiscriminado y universalista es una característica necesaria de la predicación de la gracia libre de Dios en Cristo tal como él la entendía. Se trata de una necesidad pastoral, y quizás incluso de una necesidad lógica. Hay una fuerte justificación pastoral para afirmar esta indiscriminación, así como, por supuesto, importantes fundamentos dogmáticos para sostenerla.

Para concluir esta discusión, me gustaría señalar tres cuestiones más. Una es que, cuando se le da la oportunidad de universalizar el alcance de la obra de Cristo, Calvino no la aprovecha, como muestra su exégesis de 2 Corintios 5:14.[45] También, Cristo es descrito como el "único salvador de todo su pueblo".[46] Difícilmente se puede negar la presencia de un lenguaje particularista. El contexto es una discusión sobre la relación entre la elección y la seguridad.

También es interesante comparar a Calvino aquí con respecto a sus comentarios sobre 1 Juan 2:2.

> **1 Juan 2:1–2** Hijitos míos, les escribo estas cosas para que no pequen. Y si alguien peca, tenemos Abogado para con el Padre, a Jesucristo el Justo. Él mismo es la propiciación por nuestros pecados, y no solo por los nuestros, sino también por *los* del mundo entero.

Se muestra satisfecho con la distinción escolástica suficiente-eficiente aplicada al sufrimiento de Cristo, pero cree que no es aplicable a este texto:

> Porque el propósito de Juan no era otro que hacer ver este beneficio como común a toda la Iglesia. Entonces, bajo la palabra todos o todo, no incluye a los

---

[45] Juan Calvino, *Commentary on 2 Corinthians*, 230–31.
[46] Calvino, *Institutes*, 3.24.6.

réprobos, sino que designa tanto a los que han de creer como a los que entonces estaban dispersos en diversas partes del mundo.[47]

Entonces, si a través de su uso de un lenguaje indefinido Calvino presupone una expiación universal (como sugieren algunos defensores), ¿por qué, cuando llega a los pasajes estándar de la "expiación universal", como 1 Juan 2:2, no aprovecha la oportunidad para declarar inequívocamente que es un defensor de dicha doctrina?

En segundo lugar, en el lenguaje universalista que Calvino respalda, Dios ordena a los hombres y mujeres que vengan a Cristo, y lo ordena con la misma autoridad divina que cuando dice: "No robarás". Utilizando las palabras de Pablo, "manda a todos los hombres en todo lugar que se arrepientan" (Hch. 17:30). El lenguaje del mandato llama la atención sobre el alcance de la obligación o responsabilidad humana. Pero es la universalidad del mandato la que, de manera "inefable", sirve en realidad para el cumplimiento del decreto de Dios, de sus propósitos particulares.

En efecto, al responder a este mandato, los hombres y las mujeres se acercarán a Cristo, tal como se les ofrece gratuitamente en el Evangelio. De este modo se cumplirá el decreto de elección de Dios. Por el contrario, sus mandatos pueden ser desobedecidos y sus invitaciones rechazadas. Los hombres y las mujeres pueden no arrepentirse y creer en el Evangelio, aunque sean invitados a hacerlo. Esto es una aplicación de la enseñanza de Calvino sobre la providencia en general, que es (como ya hemos señalado), un orden de medios-fines: en el caso de la elección, entre los medios para asegurarse de que uno es elegido están las invitaciones que son universalistas o indiscriminadas en su lógica, una invitación indiscriminada a venir a Cristo. En el caso de algunos, la invitación será aceptada en la penitencia y la fe, una base para la seguridad de ser uno de los elegidos del Señor.

Cabe preguntarse si un lenguaje tan indiscriminado justifica que un predicador afirme a todos y a cada uno: "Cristo murió por ustedes". Sólo si la formulación se tomara como una inferencia extraída de "Cristo murió por todos" o "Cristo murió por el mundo", pero no si se toma de "Cristo murió por todas las personas en particular". La primera premisa, sostendría Calvino, es verdadera, mientras que la segunda es falsa. Es decir, hay que distinguir entre el

[47] Juan Calvino, *Commentary on I John*, 173.

mundo como compuesto por clases de individuos, y el mundo como compuesto por individuos de una clase. Tomado en el primer sentido, el lenguaje no estaría justificado, pero en el segundo sentido, el lenguaje está claramente justificado. Cristo murió por el mundo.[48]

En tercer lugar, esta predicación universal o indiscriminada puede entenderse como una puesta en práctica de la conocida enseñanza de Calvino de que Cristo es el espejo de la elección. Él plantea esta cuestión: Si la gracia de Dios está decretada sólo para los elegidos, y los oyentes del evangelio pueden saberlo, ¿cómo podrá una persona a la que se le dice esto saber si está entre aquellos a los que la gracia de Dios alcanza efectivamente? Su respuesta es que Cristo es el espejo de la elección. No podemos saber de nuestra elección en Cristo por alguna apelación directa a Dios mismo a fin de que se insinúe el hecho de que somos eternamente elegidos, sino sólo en la medida en que esto se nos refleja (por inferencia) a través de nuestra comunión con Cristo:

> Pero si somos elegidos en Él, no podemos encontrar la certeza de nuestra elección en nosotros mismos; y ni siquiera en Dios Padre, si lo miramos separadamente del Hijo. Cristo, pues, es el espejo en el que debemos y en el que, sin engaño, podemos contemplar nuestra elección. Porque, puesto que es en su cuerpo donde el Padre ha decretado injertar a los que desde la eternidad quiso que fueran suyos, para considerar como hijos a todos los que reconoce como sus miembros, si estamos en comunión con Cristo, tenemos una prueba suficientemente clara y fuerte de que estamos inscritos en el Libro de la Vida.

Y continúa:

---

48 En sus observaciones sobre 1 Timoteo 2:4, Martin Foord pone en duda la opinión de que Calvino simplemente sigue la opinión de Agustín de que el versículo no enseña nada más que Dios quiere que toda *clase* de personas se salven ("God Wills All People to Be Saved—Or Does He? Calvin's Reading of 1 Timothy 2:4", en *Engaging with Calvin*, 179-203). Calvino se refiere ciertamente a todo tipo de hombres y mujeres. La opinión de Agustín es que es la voluntad decretada de Dios que (algunos de) todos los tipos de hombres y mujeres se salven. Pero la afirmación que hace Foord a continuación, de que Calvino se refiere de hecho a *todas* las personas de todo tipo (una afirmación ausente en Agustín), es menos obvia. Tiene tanto o más sentido que se entienda que Calvino interpreta el texto como indefinido con respecto a los individuos, pero definido con respecto a todas las clases y todas las naciones: algunos hombres y mujeres de todas las naciones. El espacio no permite un tratamiento más detallado del interesante artículo de Foord.

> La influencia práctica de esta doctrina debe ser manifestada también en nuestras oraciones. Porque, aunque la creencia de nuestra elección nos anima a involucrar a Dios, sin embargo, cuando formulamos nuestras oraciones, sería absurdo imponérselo a Dios, o estipularlas de esta manera: "Señor, si soy elegido, escúchame". Él quiere que estemos conformes con las promesas, y que no indaguemos en otra parte si está o no dispuesto a escucharnos. De este modo nos libraremos de muchas trampas, si sabemos hacer un uso correcto de lo que está correctamente escrito, pero no lo arranquemos desconsideradamente para fines distintos de aquellos a los que debería limitarse.[49]

Nótese aquí que, una vez más, Calvino vincula claramente todo este asunto a la ignorancia humana. Pero aquí nuestra ignorancia no es sobre nuestro futuro, sino sobre la voluntad secreta de Dios. No podemos saber directamente si somos elegidos o no. Pero podemos conocer la promesa de Dios, y confiando en ella, estando así en comunión con Cristo, haremos un uso correcto de lo que está correctamente escrito.

Conclusión

Así pues, Calvino percibe con claridad tres factores de la condición humana, cada uno de los cuales tiene que ver con la ignorancia humana. Uno de ellos es nuestro limitado conocimiento del futuro y, por tanto, nuestra ignorancia del decreto eterno de Dios con respecto al futuro. Aconseja que, aunque confiemos en la meticulosa providencia de Dios, vivamos como si el futuro no estuviera decretado, y de forma paralela, que busquemos nuestra seguridad de elección a través de la conciencia de nuestra comunión con Cristo.

Un segundo aspecto es la justificación que hace Calvino del uso de un lenguaje indiscriminado o universal en la oración aspiracional, incluso cuando

---

[49] Calvino, *Institutes*, 3.24.5. Compárese el lenguaje de Calvino en su sermón sobre 1 Timoteo 2:4, al que ya hemos hecho referencia: "Estamos injertados como en el cuerpo de nuestro Señor Jesucristo. Y ésta es la verdadera prueba de nuestra adopción: ésta es la prenda que se nos da, para sacarnos de toda duda de que Dios nos toma y nos tiene por suyos, cuando somos hechos uno por la fe con Jesucristo, que es el Hijo unigénito, a quien pertenece la herencia de la vida. Viendo, pues, que Dios nos da un testimonio tan seguro de su voluntad, vean de qué manera nos libra de la duda de nuestra elección, que no conocemos ni podemos percibir, y es tanto como si sacara una copia de su voluntad y nos la diera" (Calvino, Sermons on Timothy and Titus, 253 col. 2).

los que oran, en el calor del momento, se olvidan de remitirse al decreto de Dios. Calvino piensa que tal actitud es excusable, incluso encomiable. El tercero son los términos universales de la predicación, adoptados debido a la ignorancia de los predicadores y de los oyentes, a pesar de la elección incondicional de Dios y de su provisión de gracia eficaz a los que Él eligió. En adición, Calvino sostiene que, sin este elemento en la predicación del evangelio, los oyentes de la misma se inclinan a mirar hacia su interior en lugar de mirar sólo a Cristo.

Resumiendo el argumento, podemos decir que, en lo que respecta a Calvino, la creencia en una providencia meticulosa es coherente con la planificación del futuro como si éste estuviera abierto. No hay nada incoherente en sostener la definición de la providencia y actuar como si el futuro fuera indefinido. Del mismo modo, en el caso de la oración aspiracional, el que ora, sabiendo que existe un decreto divino de elección, está, según Calvino, justificado, sin embargo, por su ignorancia de a quién ha elegido exactamente Dios y por el amor que muestra a su prójimo, a orar por la salvación de los hombres y mujeres de todo el mundo.

Por último, debido a la ignorancia del predicador sobre quiénes son elegidos y quiénes no, y a su deseo de ver el reino de Dios expandido de acuerdo con los términos de la Gran Comisión, un predicador puede llamar a hombres y mujeres a Cristo en términos universales o irrestrictos. Estos tres casos muestran que, en las circunstancias apropiadas, creer en el carácter definitivo de la expiación puede aliarse con la indefinición en la expresión.

Si es así, entonces hemos establecido que las creencias definidas pueden existir consistentemente con ciertos tipos de indefinición. ¿No podemos concluir, entonces, que el uso de lenguaje indefinido no sólo es consistente con la providencia definida y la elección definida, sino que también es consistente con el compromiso con la doctrina de la expiación definitiva? Aunque, como he argumentado, Calvino no se compromete como tal con dicha creencia. Por lo tanto, el uso de un lenguaje indefinido no puede ser utilizado como un argumento en contra de tal compromiso.

El caso de que Calvino esté comprometido con la expiación definitiva es un caso acumulativo que abarca su visión unitaria y singular del decreto divino, sus creencias en la expiación sustitutiva, la elección incondicional y la gracia eficaz; y su negación de la simple presciencia, así como sus declaraciones explícitas sobre el alcance definitivo de la expiación. Sin embargo, se ha sostenido ampliamente que su uso del lenguaje indefinido presenta un obstáculo insuperable para completar esta trayectoria. En este capítulo se ha argumentado que la actitud de Calvino hacia el lenguaje indefinido, que podría pensarse que favorece un rechazo de la expiación definitiva, es de hecho perfectamente coherente con un compromiso con ella, y puede integrarse en ella. Esto refuerza aún más el argumento general de que Calvino estaba comprometido con la expiación definitiva. En consecuencia, los argumentos a favor del rechazo de Calvino a la expiación definitiva se debilitan cada vez más.[50]

[50] Gracias a Jon Balserak, Oliver Crisp, Richard Muller y otros lectores por su ayuda en un borrador preliminar de este capítulo.

§5. CULPANDO A BEZA: EL DESARROLLO DE LA EXPIACIÓN DEFINITIVA EN LA TRADICIÓN REFORMADA

Raymond A. Blacketer

Un laberinto histórico

¿Enseñó Juan Calvino la "expiación limitada", o acaso pensadores reformados posteriores, como Teodoro de Beza, inventaron esta doctrina supuestamente dura sustituyendo la exégesis bíblica moderada de Calvino por un sistema determinista, racionalista y deductivo? El hecho de que los eruditos hayan tenido dificultades para responder a esta interrogante se debe a que la pregunta misma presenta varios defectos. Los estudios sobre esta cuestión suelen estar plagados de giros erróneos y arranques falsos, situando a los estudiosos de la cuestión en un laberinto metodológico, por utilizar uno de los términos favoritos de Calvino.

En primer lugar, la expresión "expiación limitada" es engañosa,[1] derivada del acrónimo TULIP, poco adecuado y poco oportuno, que se originó a

[1] "Los términos 'expiación universal' y 'expiación limitada' no representan el punto de vista reformado de los siglos XVI y XVII, o, dicho sea de paso, el punto de vista de sus

principios del siglo XX para resumir las enseñanzas de los Cánones de Dort.[2] Además, el término "*expiación*" no se corresponde directamente con los términos que empleaban los teólogos continentales; y sería difícil encontrar algún pensador reformado a principios del siglo XVII que limitara el valor o la suficiencia de la satisfacción de Cristo, o, en todo caso, algún pensador de la cristiandad de esa época que no limitara su eficacia a los creyentes.[3]

Los intentos de determinar si Calvino enseñó la "expiación limitada", tal vez más adecuadamente denominada "redención definitiva",[4] ignoran anacrónicamente el hecho de que esta cuestión recibió cada vez más aclaraciones y definiciones en las décadas posteriores a la muerte de Calvino.[5]

El Sínodo de Dordrecht (o Dort, 1618-1619) estableció los límites doctrinales del pensamiento reformado sobre el tema, pero dejó un margen considerable para la variación de la formulación doctrinal.[6] Así, mientras que

---

oponentes" (Richard A. Muller, *After Calvin: Studies in the Development of a Theological Tradition* [Nueva York: Oxford University Press, 2003], 14). Véase también Muller, *Dictionary of Latin and Greek Theological Terms* (Grand Rapids, MI: Baker, 1985), s.v. *satisfactio*; y cf. la discusión en Roger R. Nicole, "Particular Redemption", en *Our Savior God: Man, Christ, and the Atonement*, ed. James Montgomery Boice (Grand Rapids, MI: Baker, 1980), 165-78.

[2] Véase Richard A. Muller, "Was Calvin a Calvinist?", en su obra *Calvin and the Reformed Tradition: On the Work of Christ and the Order of Salvation* (Grand Rapids, MI: Baker Academic, 2012), 51-69, en adelante citado como *CRT*; y Kenneth J. Stewart, "The Five Points of Calvinism: Retrospect and Prospect", *SBET* 26.2 (2008): 187-203. El acrónimo TULIP parece haberse originado en una conferencia pronunciada hacia 1905 por un pastor presbiteriano de Nueva York, Cleland Boyd McAfee, recogida por William H. Vail, "The Five Points of Calvinism Historically Considered", en el semanario neoyorquino *The New Outlook* 104 (1913): 394.

[3] Los puntos de vista de Johannes Piscator y más tarde de Herman Witsius fueron excepciones, y los Cánones de Dort pueden verse como una "refutación tranquila" de los puntos de vista de Piscator en particular, como observa Muller, *CRT*, capítulo 3 nn. 22 y 49.

[4] La frase "redención definitive" podría reflejar más exactamente las enseñanzas de los Cánones, epígrafe 2, rechazo de los errores 1, con la advertencia de que *redemptio* puede usarse tanto en un sentido objetivo indefinido como en un sentido definido aplicado a los elegidos. Cf. Muller, *CRT*, capítulo 3 n. 66.

[5] Para una visión general, véase Raymond A. Blacketer, "The Doctrine of Limited Atonement in Historical Perspective", en *The Glory of the Atonement: Biblical, Theological, and Practical Perspectives: Essays in Honor of Roger Nicole*, ed. Charles Hill y Frank A. James III (Downers Grove, IL: InterVarsity Press, 2004), 304-23. Sobre la terminología utilizada para referirse a la tradición teológica reformada, véase Richard A. Muller, "Was Calvin a Calvinist?" citado anteriormente. Sobre la diversidad dentro de la tradición reformada, véanse los ensayos en Michael A. G. Haykin y Mark Jones, editores, *Drawn into Controversie: Reformed Theological Diversity and Debates within Seventeenth-Century British Puritanism* (Göttingen, Alemania: Vandenhoeck & Ruprecht, 2011).

[6] Véase Muller, *CRT*, capítulo 3 n. 22. Sobre el Sínodo, véase Donald W. Sinnema, "The Issue of Reprobation at the Synod of Dordt (1618-1619) in Light of the History of This

las iglesias reformadas excluyeron las opiniones de Jacobo Arminio y Simón Episcopio en Dort, los sínodos posteriores sólo reprendieron el universalismo hipotético de Moïse Amyraut. Por lo tanto, no existió la "herejía de Amyraut".[7]

Aunque hay precedentes claramente identificables en toda la tradición cristiana para esta enseñanza, hay que ser cauteloso a la hora de leer los resultados de los debates posteriores en el pensamiento de Calvino.[8] Calvino legó la exposición y defensa detallada de la doctrina reformada de la predestinación a su sucesor, Teodoro de Beza, a quien los estudiosos de mediados del siglo XX tendieron a acusar como el supuesto distorsionador de las opiniones de Calvino.[9]

Doctrine" (tesis doctoral, University of St Michael's College, Toronto, 1985); W. Robert Godfrey, "Tensions within International Calvinism: The Debate on the Atonement at the Synod of Dort, 1618-1619"" (tesis doctoral, Universidad de Stanford, 1974); e ídem, "Reformed Thought on the Extent of the Atonement to 1618", *WTJ* 37 (1975-1976): 133-71. Véase también Sinnema, "The Canons of Dordt: From Judgment on Arminianism to Confessional Standard", en *Revisiting the Synod of Dordt (1618-1619)*, ed. Aza Goudriaan y Fred A. van Lieburg (Leiden, Países Bajos: Brill, 2011), 313-33.

[7] Contra Brian G. Armstrong, *Calvinism and the Amyraut Heresy: Protestant Scholasticism and Humanism in Seventeenth-Century France* (Madison: University of Wisconsin Press, 1969), en adelante citado como *CAH*. Véase Richard A. Muller, *Post-Reformation Reformed Dogmatics*, 4 vols. (Grand Rapids, MI: Baker Academic, 2003), 1:76-77; en adelante citado como *PRRD*.

[8] Entre los que sostienen que Calvino sostenía una redención universal se encuentran: Paul M. van Buren, *Christ in Our Place: The Substitutionary Character of Calvin's Doctrine of Reconciliation* (Edimburgo: Oliver Boyd, 1957); Basil Hall, "Calvin against the Calvinists", en *John Calvin*, ed., G. E. Duffield (Grand Rapids, MI: Eerdmans, 1966), 19-37; Charles M. Bell, "Calvin and the Extent of the Atonement", *EQ* 55.2 (1983): 115-23; Alan C. Clifford, *Calvinus: Authentic Calvinism* (Norwich, Reino Unido: Charenton Reformed, 1996). Los defensores de la redención definitiva en Calvino incluyen a Jonathan H. Rainbow, *The Will of God and the Cross: An Historical and Theological Study of John Calvin's Doctrine of Limited Redemption* (Allison Park, PA: Pickwick, 1990); y Roger R. Nicole, "John Calvin's View of the Extent of the Atonement", *WTJ* 47.2 (1985): 197-225. Cf. el tratamiento equilibrado en Hans Boersma, "Calvin and the Extent of the Atonement", EQ 64.4 (1992): 333-55, aunque no distingue los términos universal e indiscriminado. P. L. Rouwendal simplifica un poco el problema en su "Calvin's Forgotten Classical Position on the Extent of the Atonement: About Sufficiency, Efficiency, and Anachronism", *WTJ* 70.2 (2008): 317-35. Muller aborda la cuestión en detalle en *CRT*, 66-101. Para los precedentes, véase, por ejemplo, Rainbow, *Will of God and the Cross*, 8-22; y Blacketer, "Definite Atonement", 307-13.

[9] Además de Armstrong, *CAH*, véase Johannes Dantine, "Das christologische Problem in Rahmen der Prädestinationslehre von Theodore Beza", *Zeitschrift für Kirchengeschichte* 77 (1966): 81-96; ídem, "Les Tabelles sur la doctrine de la prédestination par Théodore de Bèze", *Revu de théologie et de philosophie* 16 (1996): 365-67; Walter Kickel, *Vernunft und Offenbarung bei Theodor Beza: Zum Problem der Verhältnisses von Theologie, Philosophie und Staat* (Neukirchen, Alemania: Neukirchener Verlag, 1967); y John S. Bray, *Theodore Beza's Doctrine of Predestination* (Nieuwkoop, Países Bajos: DeGraaf, 1975), 111-18.

Se trata de una hipótesis extremadamente improbable, dada la alta consideración que Calvino tenía por Beza y el hecho de que, en vida de Calvino, Beza comentó más explícitamente que Calvino los límites de la intención y la aplicación de la satisfacción de Cristo. Más que un alejamiento radical de la enseñanza de Calvino, los comentarios de Beza sobre el asunto representan un refinamiento y desarrollo de lo que ya estaba presente, no sólo en los escritos de Calvino, sino en una cantidad considerable de otros pensadores de toda la tradición exegética y teológica cristiana. Beza hace sus propias contribuciones originales al desarrollo del pensamiento reformado en esta materia, pero sus aportes están completamente en línea con los anteriores patrones reformados de exégesis, los cuales continuaron reflejándose a medida que la doctrina recibía la codificación confesional.[10]

Algunos estudiosos no han evaluado críticamente las declaraciones del teólogo del siglo XVII Moïse Amyraut, que intentó abrir una brecha entre Calvino y Beza para defender sus propias formulaciones doctrinales.[11] La investigación sobre Calvino en el siglo XX estuvo particularmente plagada de una tendencia a leer a Calvino a través del filtro de la neoortodoxia,[12] pero otros

---

10 Sobre el desarrollo de esta doctrina por parte de Beza, véase Paul Archbald, "A Comparative Study of John Calvin and Theodore Beza on the Doctrine of the Extent of the Atonement" (tesis doctoral, Westminster Theological Seminary, 1998).

11 Véanse, por ejemplo, los trabajos de Alan C. Clifford, que no intenta distinguir su propia agenda teológica de su análisis del registro histórico en *Atonement and Justification: English Evangelical Theology 1640-1790: An Evaluation* (Oxford: Oxford University Press, 1990), y el esencialmente autopublicado *Amyraut Affirmed: Or, "Owenism, a Caricature of Calvinism"* (Norwich, UK: Charenton Reformed, 2004). Nótese las refutaciones de los argumentos de Clifford por parte de Richard A. Muller,"A Tale of Two Wills? Calvin and Amyraut on Ezekiel 18:23", *CTJ* 44.2 (2009): 211-25, y Carl R. Trueman, *The Claims of Truth: John Owen's Trinitarian Theology* (Carlisle, Reino Unido: Paternoster, 1998), 233-40.

12 Sobre este sesgo confesional, véase, por ejemplo, el bien documentado estudio de Jeffrey Mallinson *Faith, Reason, and Revelation in Theodore Beza 1519-1605* (Oxford: Oxford University Press, 2003), 6-10, en adelante citado como *FRR*; Muller, *PRRD*, 2:17-18. Este sesgo sigue apareciendo en la literatura académica sobre Calvino; véase el reciente *Cambridge Companion to John Calvin*, ed., Donald K. McKim (Cambridge, 2004), donde un autor afirma anacrónicamente que Calvino "nunca confundió el contenido del evangelio —Cristo— con las palabras de la Escritura" (258). Esta distinción moderna no tiene sentido antes de la Ilustración y refleja una influencia no reconocida de Barth. No refleja ni podría reflejar la enseñanza real de Calvino. Los teólogos de los siglos XVI y XVII asumían universalmente que su pensamiento estaba centrado en Cristo, a pesar de la anacrónica crítica barthiana de que algunos carecían de una metodología "cristocéntrica".

partidos reformados también han reclamado a Calvino como defensor de sus preocupaciones claramente modernas.[13]

Otro callejón sin salida metodológico que hay que evitar es el cliché de oponer el Calvino bíblico y humanista a la tradición reformada posterior, no tan bíblica, "escolástica" y (por tanto) racionalista, representada por personas como Beza y los teólogos de Dort.[14] Según esta mitología historiográfica, sólo Calvino representa la pureza prístina de la tradición reformada,[15] y cualquier desarrollo del pensamiento reformado debe considerarse una distorsión.[16] Los fundamentos de este mito se han derrumbado con una investigación más contextual de los fenómenos del humanismo y el escolasticismo.[17]

---

13 Véase, por ejemplo, Keith C. Sewell, "Theodore Beza-The Man Next to John Calvin: A Review Essay", *Pro Rege* 33.3 (2005): 15-19. A causa de su abrumadora lealtad a la llamada filosofía "reformacional", Sewell es incapaz de ver el escolasticismo principalmente como un método, y sigue manteniendo la mitología histórica de que Beza y la posterior tradición reformada, aunque quizás sin saberlo, traicionaron las ideas fundacionales de Calvino.

14 Véase, por ejemplo, la definición de escolasticismo citada a menudo por Armstrong (*CAH*, 32); y cf. la caricatura en Edward A. Dowey, *The Knowledge of God in Calvin's Theology*, 3ª ed., (Grand Rapids, MI: Eerdmans, 1994), 218.

15 Nótese el revelador título de R. T. Kendall "The Puritan Modification of Calvin's Theology", en *John Calvin: His Influence in the Western World*, ed. W. Stanford Reid (Grand Rapids, MI: Zondervan, 1982), 197-214; cf. su *Calvin and English Calvinism to 1649* (Nueva York: Oxford University Press, 1979). Este enfoque de "gran pensador" se observa en obras como Hall, "Calvin against the Calvinists", 19-37; Armstrong, *CAH*; y Holmes Rolston III, *John Calvin versus the Westminster Confession* (Richmond, VA: John Knox, 1972). Sobre el concepto de mitologías historiográficas, véase Quentin Skinner, "Meaning and Understanding in the History of Ideas", *History and Theory* 8.1 (1969): 3-53.

16 Véanse, por ejemplo, J. B. Torrance, "The Incarnation and 'Limited Atonement'", *EQ* 55 (1983): 83-94; ídem, "The Concept of Federal Theology: Was Calvin a Federal Theologian?", en *Calvinus Sacrae Scripturae Professor, Fourth International Congress on Calvin Research*, 1990, ed., Wilhelm H. Neuser (Grand Rapids, MI: Eerdmans, 1994): 15-40. J. Todd Billings demuestra que tal aislamiento de Calvino de la tradición confesional es más una autoproyección académica que una realidad ("The Catholic Calvin", *Pro Ecclesia* 20.2 [2011]: 120-34).

17 Véanse los ensayos en Carl R. Trueman y R. Scott Clark, editores, *Protestant Scholasticism: Essays in Reassessment* (Carlisle, Reino Unido: Paternoster, 1999). El trabajo de Richard A. Muller en este ámbito es pionero; además de su *PRRD*, véase, por ejemplo, "The Myth of 'Decretal Theology'", *CTJ* 30.1 (1995): 159-67, y "Calvin and the 'Calvinists': Assessing Continuities and Discontinuities between the Reformation and Orthodoxy", partes I y II, en *CTJ* 30.2 (1995): 345-75 y 31.1 (1996): 125-60, publicados posteriormente en *After Calvin*, capítulos 4-5. Numerosos estudiosos han llegado a conclusiones similares, por ejemplo, Martin I. Klauber, "The Context and Development of the Views of Jean-Alphonse Turrettini (1671-1737) on Religious Authority" (tesis doctoral, University of Wisconsin-Madison, 1987); Paul Helm, *Calvin and the Calvinists* (Edimburgo: Banner of Truth, 1982); Willem J. van Asselt y P. L. Rouwendal, eds, *Inleiding in de Gereformeerde Scholastiek* (Zoetermeer: Boekencentrum, 1998); y cf. la visión tradicional de Beza representada en la primera edición de David C. Steinmetz, *Reformers in the Wings* (Philadelphia: Fortress,

El escolasticismo ya no puede ser caricaturizado como una empresa especulativa con un contenido deductivo racionalista, a menudo asociado con una lamentable adicción a la filosofía aristotélica.[18] En el siglo XVI, los eruditos de mentalidad reformadora podían utilizar el término "escolástico" como un epíteto peyorativo que se lanzaba contra los enemigos, indicando un exceso de confianza en la razón o una ignorancia con respecto a las nuevas formas de pensamiento. El propio Calvino hizo uso de la terminología, las distinciones y los métodos escolásticos (y aristotélicos),[19] mientras que al mismo tiempo pudo emplear el término de forma peyorativa, como hizo a menudo al referirse a los teólogos de París, los *sorbonistas*.[20]

El último callejón sin salida consiste en sustraer a los pensadores de la tradición reformada de su contexto intelectual. Muchos pensadores, no sólo Calvino, contribuyeron a la formación de una tradición teológica claramente identificable pero internamente diversa. Como demuestran otros capítulos de este volumen, existe una trayectoria de pensamiento claramente identificable en la tradición cristiana que puede describirse como particularista, es decir, una línea de pensamiento en la que se identifica que aquellos a los que Dios pretende otorgar los beneficios de la satisfacción de Cristo son los elegidos exclusivamente.

Los puntos de vista de Calvino sobre la elección y la soberanía de Dios en la salvación amplían esta trayectoria de pensamiento particularista, y excluyen

---

1971), 162-71, con la perspectiva sustancialmente revisada en la 2ª edición (Oxford: Oxford University Press, 2001), 114-20.

18 Obsérvese la definición de escolasticismo citada a menudo por Armstrong (*CAH*, 32); y cf. las observaciones despectivas en Edward A. Dowey, *The Knowledge of God in Calvin's Theology*, 3ª ed. (Grand Rapids, MI: Eerdmans, 1994), 218. Este punto de vista está representado por H. E. Weber, *Reformation, Orthodoxie, und Rationalismus*, 2 vols. en 3 (Gütersloh, C. Bertelsmann 1937-1951); y Ernst Bizer, *Frühorthodoxie und Rationalismus, Theologische Studien* 71 (Zürich: EVZ-Verlag, 1963). Véase la discusión en Muller, *PRRD*, 1:135-46; 2:382-86, y la nota Richard A. Muller, "Found (No Thanks to Theodore Beza): One 'Decretal' Theology", *CTJ* 32.1 (1997): 145-53. La teología decretal descubierta es la de Pierre Poiret (1646-1719), cuyo sistema racionalista no se deriva de Aristóteles sino de Descartes.

19 Véase David C. Steinmetz, "The Scholastic Calvin", en ídem, *Calvin in Context*, 2ª ed. (Nueva York: Oxford, 2010), 247-61, quien señala, por ejemplo, el tratamiento de Calvino de la necesidad y la contingencia en su *Institutes*, 1.16.9; cf. Richard A. Muller, "Scholasticism, Reformation, Orthodoxy, and the Persistence of Christian Aristotelianism", *Trinity Journal* 19.1 (1998): 81-96.

20 Véase Richard A. Muller, "Scholasticism in Calvin: A Question of Relation and Disjunction", en *The Unaccommodated Calvin: Studies in the Foundation of a Theological Tradition* (Nueva York: Oxford, 2000), 39-61.

una satisfacción y una redención universales e indefinidas obtenidas de alguna manera por Cristo que estarían potencialmente (no simplemente hipotéticamente) disponibles para cada individuo humano. En lugar de una desafortunada ruptura entre Calvino y los reformados posteriores, la evidencia apoya más bien un desarrollo continuo de la doctrina dentro de una trayectoria claramente identificable, aunque cada vez más diversa, de reflexión en torno a la predestinación y el alcance de la redención de Cristo.

Beza en su contexto, o el hombre del sombrero negro

Un retrato de Teodoro de Beza de 1597 muestra al sucesor elegido personalmente por Calvino en sus últimos años: su barba es larga y gris, y lleva un sombrero negro.[21] Curiosamente, los teólogos históricos de la era moderna han retratado a Beza como el principal villano en la historia del pensamiento reformado, distorsionando rápidamente el cristocentrismo dinámico de Calvino en las formas estáticas y rígidas de la ortodoxia reformada racionalista y escolástica.[22] Armstrong afirma que "se le puede achacar gran parte de la culpa del escolasticismo".[23]

El resultado es una caricatura retorcida del humanista, pastor, filólogo, exégeta, asesor político y diplomático, así como del teólogo y líder intelectual

---

[21] Este retrato es propiedad de *La Société de l'Histoire du Protestantisme Français* y puede verse en línea, http://www.museeprotestant.org, accesible en la fecha de publicación.

[22] La ortodoxia reformada no sustituyó la cristología por la predestinación como *principium cognoscendi* (aunque una cierta cristología podría funcionar como tal en la neoortodoxia moderna); más bien, la Escritura proporcionó el fundamento del pensamiento teológico, contra Kickel, *Vernunft und Offenbarung*, 167-69; cf. Muller, *PRRD*, 1:126.

[23] Armstrong, *CAH*, 38. El método de Amyraut era tan escolástico como el de cualquier teólogo de la época, y sus pretensiones de limitarse a reproducir a Calvino no soportan el escrutinio. Véase su *Defense de la Doctrine de Calvin sur le suiet d'election et de la reprobation* (Saumur, Francia: Isaac Desbordes, 1644), y cf. Armstrong, *CAH*, 158-60, y Bray, *Predestination*, 17. El estudio de Bray (12-17) sigue la visión prejuiciosa de Armstrong sobre el calvinismo posterior. Sobre la lectura errónea de Calvino por parte de Amyraut, véase Richard A. Muller, "A Tale of Two Wills?". El nadir de la erudición anti-Beza está representado por Philip C. Holtrop, *The Bolsec Controversy on Predestination, from 1551 to 1555*, 2 vols. (Lewiston, NY: Edwin Mellon, 1993), especialmente 830-78. Nótese la devastadora reseña de Brian G. Armstrong (que no es admirador de Beza) en *The Sixteenth Century Journal* 25.3 (1994): 747-50; y la reseña de Muller en *CTJ* 29.2 (1994): 581-89.

de la Reforma que fue Teodoro de Beza.[24] También conduce a una imagen distorsionada del desarrollo del concepto de redención definitiva.

De hecho, el humanista convertido en reformador, oriundo de Vézelay, era al menos tan experto en el humanismo francés como Calvino, e incluso, probablemente, más que él.[25] Compartían gran parte del mismo pedigrí académico, estudiando en Orleans, obteniendo títulos en derecho y aprendiendo griego con Melchior Wolmar. Beza puso en práctica su formación humanística, escribiendo una colección de poemas de amor bastante exitosa (que más tarde le causaría cierta vergüenza), y componiendo posteriormente tratados teológicos, sátiras mordaces, una tragedia dramática basada en el casi sacrificio de Isaac por parte de Abraham, además de salmos para el canto congregacional.

Al igual que Erasmo, realizó ediciones anotadas del Nuevo Testamento en griego y ayudó a conservar un importante códice griego que lleva su nombre.[26] Publicó sermones y meditaciones sobre la vida cristiana. Por encima de todo, Beza fue pastor, predicador y proveedor de atención pastoral para sus congregaciones en Lausana y Ginebra.[27] Incluso en su *Tabula Praedestinationis*, que los estudiosos más antiguos tendían a malinterpretar como un sistema deductivo racionalista, el objetivo de Beza era demostrar que la predestinación era una doctrina práctica que los pastores debían predicar desde el púlpito, siempre que lo hicieran de la manera correcta.[28]

---

24 Richard A. Muller, *Scholasticism and Orthodoxy in the Reformed Tradition: An Attempt at Definition*, discurso inaugural como profesor de teología histórica P. J. Zondervan, 7 de septiembre de 1995 (Grand Rapids, MI: Calvin Theological Seminary, 1995), 29.

25 Véase Jill Raitt, *The Eucharistic Theology of Theodore Beza: Development of the Reformed Doctrine* (Chambersburg, PA: American Academy of Religion, 1972); Scott M. Manetsch, "Psalms before Sonnets: Theodore Beza and the Studia Humanitatis", en *Continuity and Change: The Harvest of Late Medieval and Reformation History* (*Festschrift for Heiko A. Oberman*), ed. Robert J. Bast y Andrew C. Gow (Leiden, Países Bajos: Brill, 2000), 400-416; Ian McPhee, "Conserver or Transformer of Calvin's Theology? A Study of the Origins and Development of Theodore Beza's Thought, 1550-1570", (tesis doctoral, University of Cambridge, 1979), v-xiii, en adelante citado como *CTCT*; Mallinson, *FRR*.

26 Sobre la erudición de Beza sobre el NT, véase Irena Backus, *The Reformed Roots of the English New Testament: The Influence of Theodore Beza on the English New Testament* (Pittsburgh: Pickwick, 1980); Jan Krans, *Beyond What Is Written: Erasmus and Beza as Conjectural Critics of the New Testament* (Leiden y Boston: Brill, 2006).

27 Un destacado estudioso de Beza se refiere a él como un "pastor de almas preocupado por su crecimiento en Cristo" (Jill Raitt, "Beza, Guide for the Faithful Life", *STJ* 39.1 [1986]: 83-107 [aquí 83]; véase también Shawn D. Wright, *Our Sovereign Refuge: The Pastoral Theology of Theodore Beza* [Carlisle, Reino Unido: Paternoster, 2004]).

28 Teodoro Beza, *Tabula praedestinationis. Summa totius christianismi, sive descriptio et distributio causarum electorum...* (Ginebra, 1555), reimpreso en idem, *Volumen*

Al igual que Calvino, Philip Melanchthon y otros eruditos humanistas, Beza se preocupaba por el método adecuado en su trabajo. Su precisión retórica y dialéctica no constituye en ningún caso un tipo de racionalismo.[29] Irónicamente, la actitud de Beza hacia los "escolásticos", en el sentido retórico peyorativo, es, en todo caso, más mordaz que el mismo uso del término por parte de Calvino. Ambos tenían en mente principalmente a los doctores de la Sorbona.[30] Beza recurre incluso a términos escatológicos para referirse a la teología académica tradicional.[31] Con la típica manera humanista francesa, Beza compara las *Decretales* de Gracián con una letrina.[32]

La insistencia de Beza en la coherencia conceptual no fue nada fuera de lo común.[33] Todos los reformadores (incluido Lutero, a pesar de su afición a la paradoja) trataron de emplear argumentos racionales coherentes en favor de sus puntos de vista y contra sus oponentes. Las reflexiones de Beza sobre la predestinación y el alcance de la redención de Cristo no se basan en la especulación (un defecto que encuentra, más bien, en sus oponentes), sino en su

---

tractationum theologicarum, 3 vols. (Ginebra: E. Vignon, 1570-1582), en adelante citado como *TT*, 1:170-205. Sobre la *Tabula* y la caricatura de la erudición más antigua, véase Muller, "The Use and Abuse of a Document: Beza's Tabula Praedestinationis", en *Protestant Scholasticism*, 33-61. Incluso Karl Barth estaba en desacuerdo con los que afirmaban que Beza convirtió la predestinación en un "dogma central" que se volvió una especie de "clave especulativa... de la que se podían deducir todos los demás dogmas" (*Church Dogmatics*, ed. G. W. Bromiley y T. F. Torrance, 14 vols. [Edimburgo: T. & T. Clark, 1956-1975], II/2, 77-78).

29 La acusación común es que la adicción de Beza a la razón aristotélica lo alejó del supuesto biblicismo de Calvino; véase, por ejemplo, Armstrong, *CAH*, 32, 38.

30 Véase Muller, *Unaccommodated Calvin*, 50-52.

31 El término escatológico se usa aquí no en el sentido de los eventos futuros, como la disciplina teológica de la escatología, sino en lo referente a los excrementos (*scatos*), a aquello que se considera grotesco en virtud de su relación con los excrementos (Nota del traductor).

32 Como observa Mallinson, *FRR*, 43-44; Beza arroja toda la biblioteca teológica de San Víctor al mismo retrete.

33 Bray, *Predestination*, 81 n. 71, confunde la insistencia en la coherencia con el racionalismo. Calvino y otros en la tradición reformada argumentaron que el punto de vista de Lutero sobre la communicatio idiomatum no sólo era contrario a los concilios y credos ortodoxos, sino también incoherente; Beza plantea el mismo punto contra la visión de Andreae sobre la expiación universal. Al menos desde la época de Beza, la tendencia luterana hacia la paradoja dialéctica ha estado sujeta a la crítica reformada de que es una tapadera para la incoherencia. El punto de vista reformado ha sido típicamente malinterpretado y tergiversado por los teólogos luteranos más confesionales, por ejemplo, David P. Scaer, "The Nature and Extent of the Atonement in Lutheran Theology", *Bulletin of the Evangelical Theological Society* 10.4 (1967): 179-87.

exégesis de los textos bíblicos.[34] Se puede cuestionar la exégesis de Beza, pero es infundado acusarle de racionalismo. De hecho, una apropiación crítica y selectiva de Aristóteles fue característica del humanismo francés del siglo XVI.[35]

Beza fue un "escolástico" en el sentido de que se dedicó a la formación académica de los pastores y a la continua defensa, desarrollo académico y refinamiento del pensamiento reformado frente a los ataques polémicos, sin los cuales el pensamiento reformado del siglo XVI no hubiera podido sobrevivir. Se comete un error al identificar este refinamiento como una corrupción de una revelación original pura, y al desestimar a los que refinaron y desarrollaron el pensamiento reformado como necios o villanos. La etiqueta "escolástico" es inútil como descriptor del contenido doctrinal.

El término "escolástico" describe un enfoque académico que empleaba cuidadosas distinciones conceptuales y se centraba en tener un método adecuado. Para decirlo de la manera más sencilla posible, "escolástico" significaba simplemente "académico", con todas las diversas implicaciones positivas, neutras o peyorativas de este último término.[36]

Exégesis agustiniana

Típico de la erudición más antigua, John Bray afirma que Beza abandonó la "cautelosa moderación" que Calvino exhibió al adherirse estrictamente al conocimiento revelado y acomodado de Dios. Beza "se desvió de Calvino" al

---

[34] Así, por ejemplo, Beza acusa a Sebastián Castellio de ser especulativo y advierte sobre los límites del conocimiento humano de los propósitos de Dios, al tiempo que señala los absurdos lógicos de la posición de Castellio. Titulado originalmente *Ad sycophantarum quorundam calumnias... responsio* (Ginebra: C. Badius, 1558), Beza identificó posteriormente al sicofante en cuestión como Castellio: *Responsio ad defensiones et reprehensiones Sebastiani Castellionis*, en *TT*, 1:337-424 (aquí 340).

[35] "Si uno señala el hecho de que Beza tenía una visión generalmente aristotélica del mundo, esto no hace mucho para distinguirlo de la mayoría de los hombres del siglo XVI" (Mallinson, *FRR*, 55, cf. 57; véase también Eugene F. Rice, "Humanist Aristotelianism in France: Jacques Lefèvre d'Étaples and His Circle", en *Humanism in France at the End of the Middle Ages and in the Early Renaissance*, ed. A. H. T. Levi. A. H. T. Levi [Manchester, Reino Unido: University of Manchester, 1970], 132-49). Muller, "Persistence of Christian Aristotelianism", 90-91, pone en contexto los primeros ataques de Lutero a Aristóteles, que se entienden mejor en términos del rechazo de Lutero a una visión de la salvación basada en la ética, como la que propugnaba la teología semipelagiana de finales de la Edad Media.

[36] Véase Muller, *Scholasticism and Orthodoxy*; cf. PRRD, 1:34-37.

inventar la doctrina de la "expiación limitada".[37] Una comparación de sus respectivas exégesis de ciertos pasajes, argumenta Bray, hará que esto resulte evidente.

Por el contrario, las ideas de Beza sobre el alcance de la redención de Cristo resultan ser bastante cercanas a las de Calvino, y de Agustín antes que él. En su comentario sobre 1 Timoteo 2:4, Calvino califica de alucinación infantil la idea de que la referencia del apóstol a la voluntad universal de Dios de que todos se salven contradice la doctrina de la predestinación. Pablo, argumenta Calvino, no se refiere a personas individuales (*de singulis hominibus*), y el pasaje no tiene nada que ver con la predestinación.

Más bien, se refiere tanto al hecho de que Dios llama a personas de todo pueblo y rango, como a la obligación de predicar el evangelio a todas las personas indistintamente. Calvino repite que este pasaje se refiere a clases de personas, no a todos los individuos,[38] algo que tiene un sentido manifiesto en el contexto. Calvino concluye señalando el deber de los cristianos de orar por la salvación de todas las personas, ya que Dios llama a personas de todo rango y nación.[39]

Se trata de la típica estrategia exegética que empleaba Agustín cuando se encontraba con textos universalizantes. "Todos" significa todas las clases y nacionalidades, no todos los individuos.[40] Calvino utiliza esta hermenéutica con frecuencia, al igual que Beza. De hecho, aunque Beza trata este pasaje con mayor extensión en sus anotaciones al Nuevo Testamento (que se publicaron mientras Calvino aún vivía), sus comentarios guardan una continuidad sustancial con los de Calvino.

Beza comienza sus comentarios sobre este texto señalando que Dios congrega a su iglesia de toda clase (*genus*) de personas. Para que esto quede más

---

[37] Bray, *Predestination*, 111-12. Bray basa su afirmación de que Beza es el culpable de la "expiación limitada" principalmente en fuentes secundarias como Armstrong y Hall (Armstrong, *CAH*, 41).

[38] "At de hominum generibus, non singulis personis, sermo est" (Juan Calvino, *Ioannis Calvini Opera quae supersunt omnia*, ed. J. W. Baum, A. E. Cunitz y E. Reuss, 59 vols. [Braunschweig, Alemania: Schwetschke, 1863-1900], en adelante citado como *CO*, 52:268). Las traducciones de los comentarios son de la Calvin Translation Society (Edimburgo, 1844-1856), revisadas por el autor, y citadas como *CTS*.

[39] "Tam ordinibus quam nationibus" (*CO*, 52:269).

[40] Véase, por ejemplo, *Enchiridion* 3, en J. P. Migne, ed., *Patrologia Cursus Completus, serie Latina*, 217 vols. (París, 1844-1855), en adelante citado como *PL*, 40:280-281; *De civ. Dei*, 22.2.2, *PL* 41:753; *Tract. in Ev. Joan.*, 52.11, *PL* 35:1773; *De Corr. et Grat.*, 44, *PL* 44:943.

claro, Beza opta por traducir πάντας como *quosvis* en lugar de *omnes*, prefiriendo "indefinido" a "universal". El deber del cristiano, pues, es orar por todos, y no "juzgar como abandonado por Dios a quien todavía no haya ingresado en la iglesia".[41] Esta es una interpretación bastante benévola para un hombre acusado de ser fríamente racionalista. Un sentimiento similar, según el cual nunca se puede juzgar a una persona como reprobada, aparece en su *Tabula Praedestinationis*.[42]

Beza argumenta, con una intencional falta de originalidad, que el texto se refiere a tipos o clases de personas, no a cada individuo. Tampoco se refiere este pasaje a la causa de nuestra fe: ésta descansa en el ofrecimiento gratuito de Cristo a nosotros, recibido a través del don gratuito de la fe.[43] Adiós a la supuesta falta de enfoque cristocéntrico de Beza. El pasaje tampoco habla de la causa de la condenación, que no es el decreto de reprobación de Dios, sino, sobre todo, la corrupción humana y sus frutos.

A continuación, Beza amplía algo que Calvino sólo había mencionado de pasada: la distinción entre el decreto secreto de Dios y sus efectos visibles. Calvino había señalado que, aunque los "signos externos" del juicio secreto de Dios pueden no ser un indicador perfecto de su voluntad eterna, esto no significa que Dios no haya determinado el destino de cada individuo.[44] Beza amplía esta discusión en un *locus communis* sobre la predestinación y el libre albedrío. Con su estilo habitual, habla de ascender de los efectos del decreto de Dios al decreto mismo, lo cual es un medio por el cual un individuo puede estar seguro de que es elegido.[45]

---

41 "...qui Ecclesiam suam ex quorumvis hominum genere congregat. Nostrum est igitur pro quibusvis precari, non autem iudicare abjectos a Deo quicunque nondum ad Ecclesiam accesserunt" (Teodoro de Beza, *Novum D. N. Iesu Christi Testamentum. A Theodoro Beza versum... cum eiusdem annotationibus...* [Basilea: Johan Oporinus; Ginebra: Nicolas Barbier y Thomas Courteau, 1559]: 697, en adelante citado como *Annotations*).

42 Beza, Cap. 7, *TT* 1:198. Los ministros "ab extrema illa sententia abstineant, cui nulla addita sit conditio. Nam haec jurisdictio ad unum Deum pertinent".

43 "Non agimus de salutis causa: illam enim constat uno Christo niti gratuito nobis exhibito, et per gratiutum fidei donum apprehenso" (*Annotations*, 698).

44 "Nam etsi Dei voluntas non ex occultis ipsius iudiciis aestimanda est, ubi externis signis eam nobis patefacit: non tamen propterea sequitur quin constitutum intus habeat quid de singulis hominibus fieri velit" (*CO*, 52:268).

45 "Quia huc usque nos subvehit Spiritus sanctus, nempe quoties ita facere necesse est, ab inhaerentibus causis ad ipsum usque Dei propositum conscendens, tum in electis, tum in reprobis" (*Annotations*, 698). Sobre la continuidad entre Calvino y Beza en este punto, véase Muller, "Use and Abuse", 47-49.

Además, Beza niega que esta línea de razonamiento sea especulativa. De hecho, hacer tal afirmación es blasfemo, porque el Espíritu Santo ha revelado estas cosas en las Escrituras. En realidad, sin el fundamento seguro de la elección, nuestra fe se vería socavada y "la justificación por la fe se predicaría en vano".[46] Beza continúa profundizando en las cuestiones del libre albedrío humano y refutando el pelagianismo y el semipelagianismo, así como la idea tardomedieval de una gracia inicial (*gratia prima*) que permitiría a las personas tomar un papel decisivo en su propia salvación. Ninguna de estas discusiones difiere sustancialmente del pensamiento de Calvino sobre estas cuestiones, ni constituye una invención de la redención particular más allá de los acercamientos exegéticos que Agustín ya había realizado en numerosas ocasiones.

El propio Lutero había interpretado este texto de manera similar, en una línea agustiniana:

> Porque estos versículos deben entenderse siempre como pertenecientes sólo a los elegidos, como dice el apóstol en 2 Timoteo 2:10 'todo por causa de los elegidos'. Porque en un sentido absoluto Cristo no murió por todos, porque dice: 'Esta es mi sangre que se derrama por ustedes' y 'por muchos' —no dice: por todos— 'para el perdón de los pecados'.[47]

Calvino había hecho una conexión muy parecida entre la elección y el propósito de que Cristo derramara su sangre en una réplica al luterano Tilemann Heshusius: "Me gustaría saber cómo pueden los impíos comer la carne de Cristo que no fue crucificada por ellos. ¿Y cómo pueden beber la sangre que no fue derramada para expiar sus pecados?".[48] Los comentarios de ambos reformadores

---

[46] "Apertae vero blasphemae fuerit existimare curiosas, spinosas, inutiles quaestiones a Spiritu sancto nobis explicari, quia frustra praedicatur iustificatio ex fide, nisi fidei substernatur electio certa et constans" (*Annotations*, 698).

[47] "Quia haec dicta intelliguntur de electis tantum, ut ait Apostolus 2. Tim. Omnia propter electos. Non enim absolute pro omnibus mortuus est Christus, quia dicit, 'Hic est sanguis, qui effundetur pro vobis' et 'pro multis', non ait: pro omnibus-in remissionem peccatorum'" (Martín Lutero, *Scholia in Romans 8.2*, en *Werke, Weimarer Ausgabe* [Weimar: Böhlau, 1883-2009] 56:385; *Luther's Works*, ed. H. T. Lehmann et al., 55 vols. [Louis: Concordia, 1955-1986], 25:376). Sobre las declaraciones a veces incoherentes de Lutero sobre la universalidad y la particularidad en la salvación, véase Archbald, "Extent of the Atonement", 40-43.

[48] "Et quando tam mordicus verbis adhaeret, scire velim quomodo Christi carnem edant impii, pro quibis non est crucifixa, et quomodo sanguinem bibant, qui expiandis eorum

recuerdan la explicación de Agustín de las palabras de Jesús a los fariseos en Juan 10:26: "Los vio predestinados a la destrucción eterna, no ganados para la vida eterna por el precio de su propia sangre".[49]

Bray alega que Beza fue "empujado más allá de los límites de la teología de Calvino por la irresistible fuerza lógica latente en su doctrina de la predestinación", lo que se evidencia al comparar su exégesis de 2 Pedro 3:9 con la de Calvino. Pero esto también es engañoso. Calvino afirma específicamente que este texto no se refiere al "propósito oculto de Dios, según el cual los réprobos están condenados a su propia ruina, sino sólo a su voluntad tal como se nos da a conocer en el evangelio".

La invitación del evangelio es indiscriminada, pero Dios "sostiene sólo a los que ha elegido antes de la fundación del mundo para conducirlos a sí mismo".[50] La exégesis de Beza concuerda con esto, pero entra en más detalles para refutar a los que se oponen a la doctrina de la predestinación. Varios intérpretes, señala Beza, distorsionan este pasaje para eliminar la distinción entre elección y reprobación eternas, sin darse cuenta entretanto de que se ven atrapados por Caribdis mientras tratan de huir de Escila.

Porque si ese es el caso, la gente perecería en contra de la voluntad de Dios. Una permisión indiferente y separada del decreto es más epicúrea que cristiana.[51] Aquellos, por otra parte, que afirman que en realidad la voluntad de Dios puede ser cambiada, pronuncian una impiedad aún mayor que la de Epicuro.[52] Así, aunque Beza se explaya sobre la elección, no inventa repentinamente ninguna nueva doctrina sobre la redención definitiva.

---

peccatis non est effusus" (*CO*, 9:484; traducción al inglés en *Tracts and Treatises*, trad. Henry Beveridge [Edimburgo: Calvin Translation Society, 1849], 2:527). Véase la discusión de Muller sobre este texto crucial, *CRT*, 91-93.

[49] "Quia videbat eos ad sempiternum interitum praedestinatos, non ad vitam aeternam sui sanguinis pretio comparatos" (*Tract. in Ev. Joan.*, 48.4, *PL* 35:1742).

[50] *CTS Catholic Epistles*, 419-20. El editor, John Owen, señala que Calvino sostiene la misma opinión que el católico romano Willem Hessels van Est (Estius), Johnannes Piscator y Beza.

[51] Compárense las observaciones de Calvino en su sermón sobre 1 Timoteo 2:3-5, citado más adelante, n. 85.

[52] "Hunc etiam locum nonnulli depravant, ut aeternae electionis et reprobationis discrimen tollant: nec interim considerant sese in Charybdin incidere, dum Syllam volunt effugere. Nam si ita reș est, ut ipsi volunt, certe invito Deo perimus. adeo ut eum omnipotentem esse negent. Nam permissio otiosa et separata a decreto, Epicureorum est potius quam Christianorum. Mutari autem revera Dei voluntatem qui dixerit, magis etiam impie de Deo loquatur quam Epicurus" (*Annotations*, 802).

Girando la *Tabla*

Los estudiosos han identificado particularmente la doctrina de Beza sobre la predestinación, especialmente tal como se presenta en su *Tabula Praedestinationis*,[53] como un giro hacia un sistema racionalmente deductivo, desvinculado de la exégesis y de las preocupaciones pastorales. Pero esta obra fue el producto de una tarea polémica que el propio Calvino delegó en Beza con el fin de responder a Jerónimo Bolsec.[54] Si constituyera una desviación sustancial de las propias creencias de Calvino, y no un refinamiento intelectual de los mismos, cabría esperar alguna respuesta correctiva por parte de Calvino, quien, junto con Bullinger y Vermigli y otros, mantuvo correspondencia con Beza respecto al proyecto. Por el contrario, Calvino recomendó a Castellio que leyera la *Tabula* de Beza.[55]

A pesar del grandioso subtítulo, *Summa Totius Christianismi*, este breve tratado sólo trata de la cadena de la salvación, y no de toda la gama de la doctrina cristiana.[56] Es la "suma total" del cristianismo del mismo modo que podría decirse que Juan 3:16 es la suma total de la fe. Representa las causas completas de la salvación, desde el decreto divino hasta la ejecución de ese decreto en la historia, y, aun así, sólo en forma de esbozo.[57] Es el primer tratamiento de Beza, no el más completo, de la doctrina de la predestinación; Beza continuó defendiendo esta doctrina tal como percibía que había sido enseñada por su

---

[53] Véase, por ejemplo, la entrada sobre Beza en el *Oxford Dictionary of the Christian Church*, 3ª ed. (Oxford: Oxford University Press, 2005), 199.

[54] En contraste con los estudios de Kickel y Bray, véase Joel R. Beeke, "The Order of the Divine Decrees at the Genevan Academy: From Bezan Supralapsarianism to Turretinian Infralapsarianism#, en *The Identity of Geneva: The Christian Commonwealth, 1564-1864*, ed. John B. Roney y Martin I. Klauber (Westport, CT: Greenwood, 1998), 57-75.

[55] McPhee, *CTCT*, 78-81; Muller, "Use and Abuse", 37; Donnelly, *Calvinism and Scholasticism*, 134-35; Archbald, "Extent of the Atonement", 88 n. 37.

[56] Véase Bray, *Predestination*, 75.

[57] Contraste McPhee, *CTCT*, 301, y Donald W. Sinnema, "God's Eternal Decree and Its Temporal Execution: The Role of This Distinction in Theodore Beza's Theology", en *Adaptations of Calvinism in Reformation Europe: Essays in Honour of Brian G. Armstrong*, ed. Mack P. Holt (Aldershot, Reino Unido: Ashgate, 2007), 55-78 (60 n. 15). La obra de Beza no es en ningún sentido una *Summa Theologiae* ni hay un "amplio carácter teológico" en este tratado estrechamente enfocado. Cf. Muller, "Use and Abuse", 34; Bray, *Predestination*, 72.

colega Calvino, al tiempo que la reforzaba, refinaba y desarrollaba en respuesta a los ataques de sus oponentes.[58]

La *Tabula Praedestinationis* de Beza no contiene una doctrina explícita de la redención definitiva; habría que deducirla del capítulo 4, que, sobre todo, se refiere a la ejecución del decreto. Esta distinción entre el decreto y su ejecución fue crucial para entender tanto la enseñanza de Calvino como la de Beza respecto a la predestinación.[59]

Aunque está claro que Beza ve la obra de Cristo como particular en efecto ("con el único sacrificio y ofrenda de Cristo santificará a todos los elegidos"[60]), Beza no hace explícitamente en la *Tabula* la pregunta que William Ames plantearía más tarde: *An mors Christi omnibus intendatur?* (¿La muerte de Cristo está destinada para todos?).[61] E incluso entonces, la pregunta de Ames podría ser analizada e interpretada de diferentes maneras. La cuestión de la intención divina se convertiría en una cuestión más centrada y explícita en el contexto de la controversia teológica, y aún más tras la época de Beza como principal pensador reformado.

Aunque quizá pueda verse algún desarrollo menor en el enfrentamiento de Beza con el polemista luterano Jacobus Andreae en el Coloquio de Montbéliard

---

[58] Sobre los escritos de Beza, véase Frédéric Gardy y Alain Dufour, *Bibliographie des oeuvres théologiques, littéraires, historiques et juridiques de Théodore de Bèze, Travaux d'Humanisme et Renaissance 41* (Ginebra: Librairie Droz, 1960). Otras obras de Beza sobre la predestinación o que la incluyen son *Quaestionum et responsionum Christianarum libellus, in quo praecipua Christianae religionis capita κατά έπιτομήν proponuntur* (Ginebra, 1570; Londres: H. Bynneman, 1571); trad. Arthur Golding, *A Booke of Christian Questions and Answers* (Londres: W. How, 1578); *De Praedestinationis doctrinae et vero usu tractatio absolutissima. Ex Th. Bezae praelectionibus in nonum Epistolae ad Romanos, etc.*, 2ª ed. (Ginebra: E. Vignon, 1583). Sobre esta última obra, véase la caracterización extremadamente negativa de Bray, *Predestination*, 73.

[59] Cf. Donald W. Sinnema, "Beza's Doctrine of Predestination in Historical Perspective", en *Théodore de Bèze (1519-1605): Actes du Colloque de Genève* (septiembre de 2005), *Travaux d'Humanisme et Renaissance* 424, ed. Irena Backus (Ginebra: Librairie Droz, 2007), 219-39.

[60] "Denique ut una sui ipsius oblatione eligendos omnes sanctificaret..." (Beza, *Tabula* 4.5, in *TT*, 1:181).

[61] William Ames, *De Arminii Sententia qua electionem omnem particularem, fidei praevisae docet inniti, Disceptatio Scholastica...* (Amsterdam: J. Janssonius, 1613), 1, citado en Godfrey, "Reformed Thought", 163. Ames llegó a la conclusión de que el alcance de la intención, la aplicación y la realización de Dios están en completa armonía; así, Dios pretendía la redención o satisfacción de Cristo sólo para los elegidos.

de 1586,[62] el debate sobre el alcance de la redención de Cristo se haría más claro y refinado en la posterior controversia remonstrante.

Defensa y desarrollo

Del mismo modo que las asambleas reformadas circunscribieron la enseñanza reformada sobre la redención definitiva en respuesta al desafío de la teología remonstrante, la propia aclaración y desarrollo del concepto por parte de Beza se produjo en respuesta a los ataques polémicos, especialmente los de Andreae en el Coloquio de Montbéliard. El coloquio fue convocado en nombre de los hugonotes refugiados en la ciudad que se resistían a la conformidad con las doctrinas y prácticas luteranas. Los temas de disputa iban a ser la cristología y la presencia de Cristo en la Cena del Señor.

La predestinación ni siquiera figuraba en el orden del día, pero Beza, presionado, aceptó a regañadientes en el último momento debatir la cuestión.[63] El coloquio no logró mucho acuerdo y sólo sirvió para poner de manifiesto la animosidad entre los principales oponentes. No es probable que Andreae, que ya había luchado por una confesión luterana universalmente aceptable, tuviera la intención de encontrar un terreno común con Beza. La teología de Ginebra proporcionaba un enemigo común unificador; y el pensamiento de Beza era demasiado afín al de Flacius Illyricus, al que el compromiso luterano rechazaba.

Además, a estas alturas la batalla era de dominio político eclesiástico, y Montbéliard representaba un territorio más a ganar o perder. Los días en que Melanchthon pudo escribir un poema en honor a su cobeligerante Beza eran ya apenas un recuerdo lejano.[64]

---

[62] Véase el importante artículo sobre Andreae de Robert Kolb en *The Oxford Encyclopedia of the Reformation*, 4 vols. (Oxford: Oxford University Press, 1996), 1:36-38.

[63] Véase Jill Raitt, *The Colloquy of Montbéliard: Religion and Politics in the Sixteenth Century* (Nueva York: Oxford University Press, 1993), 134. En su réplica en un solo volumen en francés, *Response de M. Th. De Beze aux Actes de la Conference de Mombelliard Imprimes à Tubingue* (Ginebra: Jean Le Preux, 1587), Beza limita su discusión sobre la predestinación principalmente al prefacio y al apéndice de extractos del *De Servo Arbitrio* de Lutero.

[64] Etienne Trocmé, "L'Ascension de Théodore de Bèze (1549-1561), au miroir de sa correspondence", *Journal des savants* 4 (1965): 607-24 (613); texto en Gardy, *Bibliographie*, 80-81. Sobre la controversia sinérgica, véase Kolb, *Bound Choice, Election, and Wittenberg Theological Method: From Martin Luther to the Formula of Concord* (Grand Rapids, MI: Eerdmans, 2005), 109-69.

Las ediciones publicadas de Beza del Coloquio de Montbéliard demuestran, incluso en la polémica, un método que deriva sus argumentos principalmente de la exégesis bíblica, los credos antiguos y los escritos de los padres de la Iglesia, a pesar de que Andreae le acusaba de argumentar únicamente a partir de la razón e ignorar las Escrituras.[65] La retórica en el debate fue intensa.

Andreae afirmaba que las opiniones de Beza constituían una nueva religión; Beza afirmaba que los luteranos tergiversaban a Lutero. A Beza le preocupaba contrarrestar lo que consideraba afirmaciones extremas que ponían en peligro la doctrina de la elección, en particular las afirmaciones de los últimos luteranos de que Cristo murió por todos los individuos, que su muerte elimina el pecado original y que el único pecado por el que uno puede ser condenado es el de la incredulidad. Sostuvo que la cristología sacramental de Andreae y Johannes Brenz era contraria a las Escrituras, al Credo de Atanasio y a los primeros padres, y que representaba una nueva forma de eutiquianismo y de otras antiguas herejías cristológicas.

Beza incluso revirtió la acusación luterana de nestorianismo reformado en contra de sus acusadores.[66] El empleo mordaz de Beza de una estrategia que enfrentaba a Lutero con los luteranos, citando, por ejemplo, *La esclavitud de la voluntad*, del reformador, enfureció a Andreae.[67] La posición comprometedora luterana plasmada en *el Libro de la Concordia* de 1580, compilado por Andreae y Martin Chemnitz, afirmaba la elección pero no la reprobación, y otorgaba un papel más sustancial al libre albedrío humano en la salvación que los reformados. Beza consideraba que esta evolución se alejaba de la enseñanza de Lutero; para él comprometía una idea clave de la Reforma, a saber, que la

---

65 La respuesta de Beza a las Actas publicadas en Tubinga fue rápidamente contestada por Andreae, *Kurtzer Begriff des Mümpelgartischen Colloquii oder Gesprächs... sampt angehenckter gründtlicher Widerlegung der Antwort D. Bezae auff die Acta gedachtes Colloquii...* (Tubinga: G. Gruppenbach, 1588), 72. Cf. también folio):( ):(iii v° y 153, donde Andreae demuestra su extrema antipatía hacia Beza y la posición reformada al negarse a ofrecer a Beza la "Hand auff Bruderschafft" en el coloquio, porque consideraba a Beza un enemigo de la fe cristiana. Para la parte de Andreae en la disputa sobre la predestinación y las intenciones de Dios en la satisfacción de Cristo (*genug machen*), véase 128-40, 143-46.

66 Beza, *Response de M. Th. De Beze aux Actes*, 225.

67 Los luteranos posteriores sostendrían que Lutero modificó sus puntos de vista sobre este tema más tarde en su vida. Sobre la evolución luterana en este ámbito, véase Kolb, *Bound Choice*.

salvación es únicamente un don de la gracia de Dios. Beza llegó a criticar esta compilación de confesiones luteranas como "El Libro de la Discordia".[68]

Para Beza, el argumento de Lutero sobre la incapacidad humana de querer lo que es bueno o de abrazar a Dios o el evangelio era un factor clave para la comprensión de la obra de Cristo por parte de la Reforma. Hacer que la salvación sea meramente disponible o potencial no tendría ningún efecto sobre las voluntades vinculadas, y Beza no puede soportar ninguna supuesta gracia universal que permitiera, pero no provocara, la elección humana de creer. Para Beza, esto socavaría toda la enseñanza bíblica de la elección incondicional de Dios y haría de la elección humana el punto de inflexión para la salvación de un individuo. Los reformados, argumentaba, eran mejores luteranos que los luteranos actuales, quienes ahora hacían demasiado hincapié en el papel de la elección humana en la salvación. A Andreae, por su parte, le preocupaba que los puntos de vista predestinatarios de Beza socavaran la seguridad de personas que pudieran preocuparse ante la posibilidad de no ser elegidas.

Aunque Beza y Andreae pueden haber hablado sin realmente escucharse durante la disputa, una cosa quedó clara para Beza, si no lo estaba ya. La antigua distinción de Pedro Lombardo entre eficiente y suficiente había dejado de funcionar.[69] En su comentario sobre 1 Juan 2:2, Calvino había rechazado las "locuras de los fanáticos" y el "monstruoso" argumento de que este pasaje ofrece de algún modo la salvación a los réprobos.

Calvino hace referencia a la distinción de Lombardo, y aunque acepta su validez, no cree que se aplique al presente pasaje. Más bien, la intención de Juan era hacer ver este beneficio, el sacrificio expiatorio (ἱλασμός) de Cristo, "común a toda la Iglesia". Esto es una fuerte evidencia de que Calvino no enseñó una redención universal que incluyera a todo individuo, sino una que era particular para los elegidos. El "mundo entero" aquí "no incluye a los réprobos, sino que

---

68 Beza, *Response de M. Th. De Beze aux Actes*, 177. Rudolf Hospinian haría más tarde una comparación similar en su *Concordia Discors: De origine et progressu Formulae Concordiae Bergensis* (Zúrich: Wolph, 1607).

69 Contrasta con Rouwendal, "Calvin's Forgotten Classical Position". La distinción de Pedro Lombardo es la siguiente: "Christus ergo est sacerdos, idemque et hostia pretium nostrae reconciliationis; qui se in ara cruces non diabolo, sed Trinitati obtulit pro omnibus, quantum ad pretii sufficientiam; sed pro electis tantum quantum ad efficaciam, quia praedestinatis tantum salutem effect" (*Sententiae in IV Libris Distinctae*, 3.20.3, en PL, 192:799).

indica a los que creerían, así como a los que estaban dispersos por varias regiones del mundo".[70]

Pero mientras otros, como Zacarías Ursino, empleaban la distinción para enseñar las primeras formas de redención definitiva, Beza juzgaba que ya no era adecuada para el debate actual.[71] Andreae, basándose en 1 Juan 2:2, había argumentado que Cristo murió para propiciar a Dios por los pecados de todo el mundo, es decir, de cada individuo. Beza replicó que "el beneficio de la propiciación se aplica necesariamente sólo a los elegidos y, porque son elegidos, a los creyentes". Además, el mundo entero en ese pasaje significa todas las naciones, en cumplimiento de la promesa a Abraham en Génesis 12, y debe interpretarse como los elegidos de todo el mundo, como había argumentado Agustín (y, de hecho, Calvino).[72]

Beza no rechazaba del todo la distinción de Lombardo, si ésta se entendía correctamente; sin embargo, la consideraba una expresión poco cultivada que no llegaba al meollo de la cuestión en disputa.[73] En el contexto del ataque de Andreae a la doctrina de la predestinación tal como se enseñaba en Ginebra, Beza encontraba la distinción demasiado ambigua para resultar útil y, para este humanista francés, también era retóricamente abominable.[74]

Además, Beza también observó que la palabra "para" es ambigua cuando se afirma que la muerte de Cristo es suficiente para todos los pecadores. ¿Se refiere esto a la intención y propósito de Dios en el sufrimiento de Cristo, o al efecto de la pasión de Cristo, o a ambos? En cualquier caso, sostiene Beza, sólo puede

---

[70] "Ergo sub omnibus, reprobos non comprehendit: sed eos designat, qui simul credituri erant, et qui per varias mundi plagas dispersi erant" (*CO*, 55:310).

[71] Zacarías Ursino, *Explicationum Catecheticarum* etc., ed., David Pareus (Neustadt, Alemania: Mattheus Harnisch, 1595), 2:33-39. Pareus (33) señala que Ursinus no trató originalmente la cuestión en ese lugar, pero ha recogido los pensamientos de Ursino sobre el asunto debido a las recientes controversias-un hecho omitido por el traductor del siglo XIX G. W. Willard.

[72] Teodoro de Beza, *Ad Acta Colloquii Montisbelgardensis Tubingae edita Theodori Bezae responsio, Tubingae edita*, 2 vols. (Ginebra: J. le Preuz, 1587-1588), 2:215-16, en adelante citado como *AACM*. Beza hace referencia a Agustín, *Contra Julian*, 6.24.80.

[73] "Distinctionem autem illam inter *SVFFICIENTER & EFFICIENTER*, quam sane recte intellectam non nego, duris & ambiguis verbiis conceptam esse, nec ad quaestionem quae inter nos agitata est proximè praecedente responsione ostendi" (*AACM*, 2:221).

[74] "Illud enim, Christus mortuus est pro omnium hominum peccatis Sufficienter, sed non Efficienter, et si recto sensu verum est, dure tamen admodem et ambigue non minus quam barbare dicitur" (*AACM*, 2:217).

referirse a los elegidos.[75] Seguramente, concedió Beza, el valor de la ofrenda de Cristo de sí mismo sería suficiente:

> Para satisfacer un número infinito de mundos, si hubiera múltiples mundos, y si todos los habitantes de estos mundos recibieran fe en Cristo, por no hablar de cada persona individual de un mundo, sin excepción, si Dios quisiera tener misericordia de todos ellos.[76]

Beza no explora si tal suficiencia sería inherente a la muerte de Cristo, como argumentaban pensadores reformados como Zacarías Ursino,[77] o si era una "suficiencia ordenada", como propondrían más tarde los universalistas hipotéticos.[78] En cualquier caso, la intención divina es coextensiva con el efecto.

Beza aduce evidencia bíblica para la doctrina de que Dios elige y reprueba desde la eternidad, y que Dios tiene la intención de salvar a los elegidos, y no a los reprobados. Afirmar que Dios quiere salvar a los réprobos sería incoherente. Apela a Juan 17:9, donde Jesús no ora por el mundo, sino sólo por los discípulos, que el Padre le entregó. Cristo no se ofrecería por aquellos por quienes no intercede.

Calvino había hecho observaciones muy similares sobre este texto, afirmando que Cristo oraba por los elegidos, no por los réprobos. Los cristianos deben orar por todos indistintamente, porque no pueden, a diferencia de Dios mismo, distinguir entre elegidos y reprobados en esta vida; pero su intención, según Calvino, sigue siendo orar por quien resulte ser elegido.[79]

---

[75] "Illud enim PRO, vel consilium Patris ex quo passus est Christus, vel ipsius passionis effectum, vel potius utrumque declarat, quorum neutrum ad alios quam ad electos spectat..." (*AACM*, 2:217, cf. 221).

[76] "quamvis negandum non sit tanti esse hanc oblationem ut potuerit etiam pro infinitis mundis satisfacere, si plures essent mundi, et mundani omnes fide in Christum donarentur, nedum pro singulis unius mundi, nullo excepto, hominibus, si Deus eorum omnium vellet misereri" (*AACM*, 2:217).

[77] Véase Rainbow, *Will of God and the Cross*, 133 y n. 1.

[78] Véase Jonathan D. Moore, "The Extent of the Atonement: English Hypothetical Universalism versus Particular Redemption", en *Drawn into Controversie*, 147-48.

[79] *CO*, 47:380-81. Nótese especialmente lo siguiente: "Respondeo, preces, quas pro omnibus concipimus, restringi tamen ad Dei electos. Hunc et illum et singulos optare debemus salvos esse, atque ita complecti totum humanum genus, quia nondum distinguere licet electos a reprobis: interea tamen adventum regni Dei optando simul precamur, ut hostes suos perdat" (380).

Beza desestima el uso que hace Andreae de la distinción de Lombardo como nada más que una maniobra evasiva (*tergiversatio*) y una disimulación estratégica. Todo su debate sobre la predestinación no gira en torno a si sólo los creyentes se salvarán; sólo los origenistas diabólicos dudan de eso. Más bien, el verdadero argumento, sostiene Beza, se centra en dos puntos: primero, si Dios realmente decreta elegir y reprobar a las personas desde la eternidad (cosa que Beza afirma y Andreae niega); y segundo, si Dios tiene la intención de salvar a cada individuo (cosa que Andreae afirma y Beza niega).[80]

Lo que Beza encuentra censurable es la afirmación de Andreae de que "Cristo sufrió por los condenados, y fue crucificado y murió e hizo satisfacción por sus pecados, no menos que por los pecados de Pedro, Pablo y todos los santos".[81] Beza no niega la suficiencia de la redención de Cristo, o su valor (ordenado o inherente), sino sólo su eficacia para los réprobos. Como Calvino, Beza niega que Dios quiera efectivamente la salvación de los réprobos; tal concepto sería incoherente.

Además, Beza se indigna ante la afirmación de Andreae de que las personas son condenadas sólo por no creer en Cristo, cuando en realidad las personas son condenadas, no por ser réprobos, sino por su pecado, y no exclusivamente por la incredulidad. Para Beza, ésta es una doctrina abominable, monstruosa y novedosa que Andreae se ha atrevido a introducir impúdicamente en la iglesia.[82]

Beza ya había abordado esta cuestión en su *Libro de preguntas y respuestas* (Quaestionum et Responsionum) de 1570. Allí (como en su exégesis de 1 Timoteo 2:4) hizo la notable distinción de que el llamamiento externo del evangelio no es *universal*, sino más bien *indefinido*.[83] Hay muchos que nunca oyen el evangelio; el llamamiento no les llega.

Tampoco se puede interpretar la revelación de Dios en la naturaleza como una llamada universal, ya que algunas personas mueren en la infancia antes de ser capaces de reflexionar racionalmente sobre la realidad creada. Afirmar que

---

80 *AACM*, 2:217-18.

81 "hoc etiam ausus totidem verbis (proh scelus) scribere, et aeternum ac immutabilem veritatem vocare, quod Christus NON MINUS pro DAMNATIS SIT PASSUS, crucifixus et mortuus et pro ipsorum peccatis satisfecerit, quam pro Petri, Pauli, et omnium Sanctorum peccatis" (*AACM*, 2:218).

82 *AACM*, 2:218-19.

83 "Qu. At certe universalis est vocatio, et promissio. Re. Indefinitam intellige, (et quidam certarum, de quibus diximus, circumstantiarum respectu), et rectius senseris" (Beza, *Quaestionum et Responsionum*, 122).

"todos son llamados universalmente con la condición de que crean" es cierto hasta cierto punto (*aliquatenus*), pero puede ser engañoso. El llamamiento no sólo no alcanza a todos los individuos: "el decreto no depende de la condición, sino la condición del decreto, ya que éste precede a todas las causas subordinadas". Tampoco es del todo correcto que "esta vocación no es universalmente eficaz, no por causa de Dios, sino por la terquedad de los incrédulos que desprecian el bien que se les propone".

Aquí Beza puede estar anticipando un argumento como el de Andreae, de que las personas son condenadas sólo por rechazar a Cristo. Por el contrario, Beza insiste en que, para algunos, "no hay terquedad contra el evangelio ofrecido, sino simplemente corrupción original, la cual, sin embargo, basta por sí misma para la condenación de los réprobos".[84]

Los comentarios de Beza reflejan sustancialmente las enseñanzas de Calvino sobre estos puntos, como se puede demostrar comparándolos con el sermón de Calvino sobre 1 Timoteo 2:3-5. Aquí Calvino señala —repetidamente— que Dios no quiere la salvación de todos los individuos, sino de personas de todas las naciones y clases, judíos y gentiles, tanto grandes como pequeños.[85]

Dios se presenta a todo el mundo, pero esto no socava la elección y la reprobación, ni implica que la voluntad de Dios sea indiferente.[86] Tampoco quiere Dios que el evangelio llegue a todas las personas.[87] Además, Dios no

---

[84] Ibid., 123–24.

[85] "Cependant notons que sainct Paul ne parle point ici de chacun en particulier, mais de tous estats et de tous peuples... Pourtant sainct Paul n'entend pas que Dieu vueille sauver chacun homme, mais il dit que les promesses qui avoyent été donnees à un seul peuple, ont maintenant leur estendue par tout" (*CO*, 53:148). Calvino niega que de la declaración de Pablo se desprenda que está en el poder de la libre elección de cada individuo el ser salvado, "...que sainct Paul ne parle point ici de chacune personne (comme nous avons declaré), mais il parle de tous peuples, et des estats..." (CO, 53:150). Debemos orar por todos en general, "car sainct Paul nous monstre comme Dieu veut que tous soyent sauvez, c'est à dire de tous peuples et nations" (CO, 53:159).

[86] "...Dieu se presente à tout le monde...Car voilà qu'ils disent, Si Dieu veut que tous soyent sauvez, il s'ensuit qu'il n'a point eleu certain nombre du genre humain, et qu'il n'a point reprouvé le reste, mais que sa volonté est indifferente" (*CO*, 53:149–50).

[87] "Et mesmes encores depuis l'Evangile il n'a pas voulu que du premier coup tous cognussent l'Evangile" (*CO*, 53:151).

proporciona una gracia universal que extiende al azar; la gracia de Dios es sólo para los que Él ha elegido.[88]

La iglesia debe presentar la promesa del evangelio a todos, pero sólo porque los seres humanos no pueden determinar quién es elegido y quién es reprobado. Esto no implica dos voluntades en Dios (lo que violaría la doctrina de la simplicidad divina); más bien, debido a la limitada capacidad humana hay que hablar de dos maneras de considerar la voluntad de Dios.[89] En cuanto a la predicación del evangelio, Dios quiere la salvación de todos, lo que significa simplemente que no cabe discriminar en la predicación del evangelio.[90]

Calvino se refiere a lo que los teólogos distinguían como la *voluntas praecepti*, la voluntad del precepto, que indica la obligación humana pero no el decreto divino.[91] Pero con respecto al consejo eterno de Dios, Dios no quiere que todos se salven y no concede el conocimiento salvador a cada individuo.[92]

---

[88] "Et puis tant souvent il nous est monstré que Dieu ne iette point comme à l'abandon sa grace, mais qu'elle est seulement pour ceux qu'il a eleus, et pour ceux qui sont du corps de son Eglise et de son troupeau" (*CO*, 53:154–55. Cf. Calvino, *Institutes*, 3.22.10).

[89] "...l'Escriture saincte nous parle de la volonté de Dieu en deux sortes: non point que ceste volonté-là soit double, mais c'est pour s'accommoder à nostre foiblesse, d'autant que nous avons l'esprit grossier et pesant" (*CO*, 53:151–52, cf. 155, 156).

[90] "Mais nous disons ce que chacun voit, c'est que selon nostre regard Dieu veut que nous soyons tous sauvez, toutesfois et quantes qu'il ordonne que son Evangile nous soit presché" (*CO*, 53:155).

[91] Véase Muller, *Dictionary*, 331-33.

[92] Contraste con Martin Foord, "God Wills All People to Be Saved—Or Does He? Calvin's Reading of 1 Timothy 2:4", en *Engaging with Calvin: Aspects of the Reformer's Legacy for Today*, ed. Mark D. Thompson (Nottingham, Reino Unido: Apollos, 2009), 179-203. Foord afirma, de manera poco convincente, que Calvino produce "su propia formulación única" y que Calvino está más cerca del semipelagiano medieval Robert Holkot (202) al enfatizar la voluntad revelada de Dios. La afirmación de Foord de que Calvino enseña que Dios quiere la salvación de "todos los de toda clase" resulta incoherente, tal vez basada en su interpretación errónea de tous peuples como "todas las personas" en lugar de "todas las naciones" (198). Hace que Calvino opte por la voluntad revelada como alternativa a la voluntad oculta, cuando en realidad Calvino, de forma poco llamativa, implica ambas distinciones a su vez. Calvino limita evidente y claramente el uso del término "todos" restringiéndolo a las clases con respecto a la *voluntas beneplaciti* de Dios, y refiriéndose "todos" a la voluntad revelada de Dios, no a su voluntad secreta. Esto es difícilmente "único". La obra de Foord conserva un residuo de las problemáticas tendencias más antiguas, incluido el deseo de apartar a Calvino de los "escolásticos" y de sus interpretaciones "serviles" de determinadas escuelas de pensamiento, como alega prejuiciosamente contra Vermigli (cuyo uso de la *voluntas signi* identifica erróneamente y a quien culpa de ser poco original, a pesar de que los primeros teólogos modernos consideraban la novedad como característica de la heterodoxia). También contrapone el "humanism" (indefinido) de Calvino a "pequeños indicios de influencia escolástica", a pesar de que el propio análisis de Foord sobre Calvino se basa enteramente en distinciones escolásticas respecto a la voluntad divina (203). Para un análisis claro y preciso, véase Muller, *CRT*, capítulo 3.

Calvino, además, fundamenta aquí la seguridad no en Cristo mismo, o en alguna experiencia de Cristo, sino en la doctrina de la elección, en la que el Padre da los elegidos a Cristo.[93]

Tanto para Beza como para Calvino, era crucial sostener una doctrina de la salvación que dependiera en última instancia de la gracia divina, no de la elección humana o de una combinación de ellas. Mientras que a Andreae le preocupaba que el miedo a ser reprobado pudiera obstaculizar la fe de los débiles, a Beza le preocupaba que la Iglesia volviera a caer en una visión de la salvación pre-Reforma que hacía que la elección humana fuera fundamental. A su juicio, la evolución de los teólogos luteranos ponía en peligro, irónicamente, la salvación por la sola gracia.

La extensión de la satisfacción de Cristo como una cuestión emergente

Las opiniones de Beza sobre este asunto no eran excepcionales. Pedro Mártir Vermigli (1499-1562), un antiguo monje agustino convertido en reformador, afirmaba que "Dios decretó entregar a su propio Hijo a la muerte, y de hecho a una muerte vergonzosa, para librar a sus elegidos del pecado".[94] Vermigli fue el mentor de otro monje agustino, Girolamo Zanchi (1516-1590), que planteó la siguiente pregunta en su comentario a los Efesios: ¿por quién se ofreció Cristo? Zanchi respondió: "Por nosotros, los elegidos, que sin embargo somos pecadores".

Zanchi afirmó que el sacrificio de Cristo es eficaz para la salvación de los elegidos, aunque sería completamente suficiente para la redención de todo el mundo.[95] Formulaciones similares se encuentran en Wolfgang Musculus, y los

---

[93] "Ainsi nous voyons combien ceste doctrine de l'election nous est utile.... Et n'est-ce point aussi le vray fondement sur lequel toute la certitude de nostre salut s'appuye?" (*CO*, 53:152–53).

[94] "...decreverit Filium suum dare in mortem, et quidem ignominiosam, ut a suis electis peccatum depelleret" (Pedro Márt Vermigli, *Loci Communes* [London: Thomas Vautrollerius, 1583], 607).

[95] "Pro quibus obtulerit: Pro nobis, electis, scilicit, sed peccatoribus. Efficaciter enim pro Electorum tantum salute oblatum esse hoc sacrificium: quanquam ad totius mundi redemptionem sufficientissimum sit" (Girolamo Zanchi, *Commentarius in Epistolam Sancti Pauli ad Ephesios*, ed. A. H. De Hartog, 2 vols. [1594; repr., Amsterdam: J. A. Wormser, 1888], 2:266).

teólogos de Heidelberg Ursino, Gaspar Oleviano, y el menos conocido Jacob Kimedoncius, que escribió un tratado sobre el tema que fue traducido al inglés.[96] Kimedoncius no fue mucho más allá de Calvino o Beza, o incluso de Lutero o Agustín, cuando afirmó que "la redención es peculiar de la iglesia, y sin embargo universal, de la misma manera que confesamos que la iglesia es universal".[97] Kimedoncius incluso afirmó que Cristo murió por todos, pero no eficazmente por todos.[98]

En definitiva, es imposible sostener la mitología historiográfica de que Beza distorsionó la enseñanza de Calvino sobre el alcance de la redención de Cristo. De hecho, ni Calvino ni Beza proporcionan una doctrina totalmente elaborada sobre el alcance de la redención de Cristo, aunque comparten una tendencia discernible hacia el particularismo. Las enseñanzas de Beza son más claras y refinadas que las de Calvino, no porque haya inventado la doctrina de la redención definitiva, sino porque él —junto con muchos otros— desarrolló y refinó sus enseñanzas en el contexto de los ataques a la predestinación de gente como Castellio y Andreae.

Cuando el alcance de la satisfacción de Cristo se convirtió en el centro de nuevas controversias, y por tanto en una doctrina diferenciada, los pensadores reformados posteriores continuaron desarrollando el concepto. Otros acabarían proponiendo formulaciones alternativas, como los decretos múltiples de Amyraut, o el universalismo hipotético de ciertos teólogos ingleses, diseñado para demostrar algún tipo de intención salvífica universal por parte de Dios sin penetrar en el territorio semipelagiano o remonstrante.

En la época de Dort, la distinción tradicional entre la suficiencia y la eficiencia del sacrificio de Cristo ya no podía soportar el peso de las controversias que se desarrollaron a finales del siglo XVI, al menos no sin una

---

[96] Véase Roger R. Nicole, "The Doctrine of Definite Atonement in the Heidelberg Catechism", *Gordon Review* 3 (1964): 138-45. La principal obra de Kimedoncius sobre el tema (entre otras) fue *De redemptione generis humani Libri tres* (Heidelberg: Abraham Smesmannus, 1592); *The Redemption of Mankind in Three Bookes*, trad. Hugh Ince (Londres: Felix Kingston, 1598). Sobre Kimedoncius, véase Jonathan D. Moore, *English Hypothetical Universalism: John Preston and the Softening of Reformed Theology* (Grand Rapids, MI: Eerdmans 2007), 67-68.

[97] *De redemptione*, 324; *Redemption of Mankind*, 180.

[98] *De redemptione*, 323; *Redemption of Mankind*, 179. Esto representa una forma de universalismo hipotético no amyraldiano, no especulativo, similar al de Pierre du Moulin; véase Muller, *CRT*, capítulo 5.

considerable clarificación. Ya en la época de Calvino esta herramienta no bastaba para el trabajo.

Así, la mayoría de los pensadores reformados hicieron cada vez más explícito lo que estaba latente en la vertiente particularista del pensamiento cristiano, que la intención divina en el sacrificio de Cristo era proporcionar satisfacción específicamente en favor de los elegidos. El estudio histórico puede trazar el desarrollo del pensamiento y las variaciones sobre este tema, pero no puede emitir juicios de valor sobre la validez de tales desarrollos. Mucho menos puede hilar una historia creíble de un individuo nefasto que fue seducido por el lado oscuro del racionalismo escolástico.

Más bien, hay un patrón de continuidad con variaciones en una tradición reformada emergente que refinó sus concepciones teológicas en un contexto apologético y polémico y, a través de sus confesiones, definió sus límites doctrinales de una manera que privilegiaba el particularismo, pero que dejaba espacio para las posiciones minoritarias.[99]

[99] Por ejemplo, los delegados ingleses del Universalismo Hipotético como John Davenant y Samuel Ward pudieron suscribir los Cánones de Dort por la inclusión del término *efficaciter* aplicado a la muerte de Cristo en 2.8. Véase Moore, "The Extent of the Atonement"; e ídem, *English Hypothetical Universalism.* Aunque los universalistas hipotéticos podrían preferir ver su formulación como un "ablandamiento" de la teología reformada, los que se oponen a este punto de vista difícilmente concederían que sus puntos de vista fueran rígidos o necesitaran ser mitigados.

§6. EL SÍNODO DE DORT Y LA EXPIACIÓN DEFINITIVA

Lee Gatiss

La expiación definitiva alcanzó un estatus confesional en el Sínodo de Dort. Este primer sínodo ecuménico de las iglesias reformadas se reunió entre noviembre de 1618 y mayo de 1619 en la ciudad holandesa de Dordrecht (también conocida como Dordt o Dort). En él se hizo presente la flor y nata de los teólogos reformados holandeses, representantes de Gran Bretaña (incluido el obispo de Llandaff, Gales, y un escocés), varias ciudades alemanas importantes y delegaciones separadas en representación de Ginebra y el resto de Suiza.

También se invitó al nuevo estado unido de Brandeburgo-Prusia, aunque por diversas razones no pudieron asistir. Se colocó una fila de sillas vacías en honor a los delegados de las iglesias reformadas de Francia, a quienes el gobierno francés (católico romano) prohibió asistir. No se puede subestimar la importancia de esta reunión internacional de teólogos reformados, ya que en ella se definieron cuidadosamente por primera vez los llamados "cinco puntos del calvinismo".

En las últimas décadas, varios estudios han profundizado en los debates y las intervenciones del Sínodo sobre el tema de la expiación.[1] Dado que los delegados británicos estuvieron especialmente implicados en esta cuestión, los

[1] Por ejemplo, W. Robert Godfrey, "Tensions within International Calvinism: The Debate on the Atonement at the Synod of Dort" (tesis doctoral, Stanford University, 1974); Stephen Strehle, "The Extent of the Atonement and the Synod of Dort", *WTJ* 51.1 (1989): 1-23; Michael Thomas, *The Extent of the Atonement: A Dilemma for Reformed Theology* (Carlisle, Reino Unido: Paternoster, 1997).

estudios sobre su papel son también especialmente útiles.[2] Mi objetivo en este capítulo no es necesariamente repetir lo que dijeron, ni siquiera ofrecer una exposición completa de las deliberaciones del Sínodo.[3]

Para evitar tratar los Cánones de Dort de forma meramente abstracta, situaré el Sínodo en su contexto histórico y señalaré algunas de las diferencias entre los delegados. Sin embargo, su impacto a más largo plazo se dejó sentir no sólo a través de sus Cánones doctrinales, sino también, y quizás más profundamente, a través de la traducción y el comentario de la Biblia que encargó. Dado que estos aspectos han sido indebidamente ignorados por los estudiosos hasta la fecha, examinaré las anotaciones bíblicas junto con sus interlocutores y rivales para comprender mejor cuál ha sido el legado de Dort en cuanto a la aclaración de la enseñanza de la Biblia.

Me centraré especialmente en la clásica distinción entre suficiente y eficiente, tal como se empleó en Dort, para mostrar que se matizó cuidadosamente y se aclaró en una dirección particular como resultado del choque con el arminianismo. Sin embargo, también señalaré que, aunque hubo un acuerdo generalizado entre los reformados, no se produjo una homogeneidad monolítica, sino un grado de diversidad en sus respuestas a la amenaza teológica.

I. Contexto histórico

Las Provincias Unidas de los Países Bajos eran famosas por su tolerancia a un cierto grado de diversidad religiosa. Tras liberarse del dominio católico romano español, se agruparon en la Unión de Utrecht en 1579, en la que se acordó que "nadie será perseguido ni examinado por motivos religiosos".[4] Casi un siglo

---

[2] Nicholas Tyacke, *Anti-Calvinists: The Rise of English Arminianism* (Oxford: Clarendon, 1987); Peter White, *Predestination, Policy, and Polemic* (Cambridge: Cambridge University Press, 1992); Anthony Milton, *The British Delegation and the Synod of Dort* (Woodbridge, Reino Unido: Boydell, 2005).

[3] Entre los comentarios favorables se encuentra Homer Hoeksema, *The Voice of Our Fathers: An Exposition of the Canons of Dordrecht* (Grand Rapids, MI: Kregel, 1980); Cornelis Venema, *But for the Grace of God: An Exposition of the Canons of Dort* (Grand Rapids, MI: Reformed Fellowship, 1994); Peter Feenstra, *Unspeakable Comfort: A Commentary on the Canons of Dort* (Winnipeg: Premier Publishing, 1997); y Cornelis Pronk, *Expository Sermons on the Canons of Dort* (St. Thomas, ON: Free Reformed, 1999); Matthew Barrett, *The Grace of Godliness: An Introduction to Doctrine and Piety in the Canons of Dort* (Kitchener, ON: Joshua, 2013).

[4] C. Berkvens-Stevelinck, J. Israel y G. H. M. Posthumus Meyjes, editores, *The Emergence of Tolerance in the Dutch Republic* (Leiden, Países Bajos: Brill, 1997), 41.

después, un observador extranjero escribió sobre "cuántas religiones hay en este país, gozando de total libertad para celebrar sus misterios y servir a Dios como les plazca", incluyendo luteranos, arminianos, anabaptistas, socinianos, e incluso judíos y turcos (musulmanes), ya que "los Estados dan una libertad ilimitada a todo tipo de religiones; en Holanda se encuentran más sectas, abiertas y reconocidas, que en el resto de Europa".[5] Un delegado suizo en Dort tuvo la inusual experiencia de alojarse con una familia en la que la madre y la hija eran reformadas, el padre y el hijo católicos romanos, la abuela menonita y un tío jesuita.[6]

Sin embargo, esta cultura religiosa multiforme existía bajo un paraguas protestante reformado; la iglesia políticamente dominante de la República suscribía las normas reformadas de la Confesión Belga y el Catecismo de Heidelberg. El catolicismo romano, demasiado asociado al dominio español y a la Inquisición, estaba proscrito.

Sin embargo, este estado oficialmente reformado y confesional fomentaba más la contención connivente de la disidencia religiosa que la aplicación estricta o la laxitud libertaria. A finales del siglo XVII, esto dio lugar a lo que Jonathan Israel describe como "una semitolerancia ambivalente... hirviendo de tensión, teológica y política".[7] Es importante reconocer que este es el telón de fondo del Sínodo de Dort y también, en parte, su legado.

La unión entre Holanda y Zelanda en 1575 incluía un acuerdo para mantener "la práctica de la religión evangélica reformada".[8] Sin embargo, lo que realmente era esta religión se convirtió en objeto de disputa cuando Jacobo Arminio tuvo su primer enfrentamiento con las autoridades en 1592.[9] Después

---

5 Jean-Baptiste Stouppe, *La Religion des Hollandois* (Colonia, 1673), 32, 79. Las traducciones de textos no ingleses son mías, a menos que se indique lo contrario.

6 Véase J. Pollmann, "The Bond of Christian Piety", en *Calvinism and Religious Toleration in the Dutch Golden Age*, ed. R. Po-Chia Hsia. R. Po-Chia Hsia y Henk van Nierop (Cambridge: Cambridge University Press, 2002), 56.

7 Jonathan Israel, *The Dutch Republic: Its Rise, Greatness, and Fall* (Oxford: Clarendon, 1998), 676. Cf. J. Spaans, "Religious Policies in the Seventeenth-Century Dutch Republic", en *Calvinism and Religious Toleration*, 72–86.

8 Israel, *Dutch Republic*, 362.

9 Existe un debate entre los historiadores sobre si la teología de Arminio puede considerarse como generalmente reformada pero idiosincrática, o como algo fundamentalmente diferente. Carl Bangs, *Arminius: A Study in the Dutch Reformation* (Nashville: Abingdon, 1971), como representante de la primera postura, es superado por Richard A. Muller, "Arminius and the Reformed Tradition", *WTJ* 70.1 (2008): 19-48, que defiende la segunda postura. Cf. Keith D. Stanglin y Thomas H. McCall, *Jacob Arminius: Theologian of Grace* (Oxford: Oxford University Press, 2012), 201-204.

de predicar una visión poco ortodoxa de Romanos 7, se le ordenó echar al olvido la disputa que mantenía con otro predicador por este motivo y no dejar que se extendiera más allá de sus congregaciones en Ámsterdam.[10]

Sin embargo, la controversia arminiana estaba destinada a causar grandes problemas durante muchos años, y se convirtió en parte de una disputa política entre los oligarcas patricios de la república, representados por el Abogado de Holanda, Johan van Oldenbarnevelt, y el popular y militarmente exitoso Maurice, Stadtholder de varias provincias e hijo de Guillermo de Orange, que había liderado la revuelta contra España. Durante un tiempo, compartieron el poder en una relación compleja y tensa. Las pasiones políticas y religiosas se dispararon especialmente cuando Oldenbarnevelt, en 1607, intentó persuadir a los líderes reformados para que autorizaran un sínodo nacional, que modificara sus normas doctrinales y ampliara teológicamente la iglesia pública.

Los líderes reformados insistieron en que la Confesión Belga no debía ser modificada. Bajo el liderazgo de Johannes Uytenbogaert, aquellos que se habían inspirado en Arminio (fallecido en 1609) emitieron una enérgica protesta o "Remonstrancia" en 1610 en la que detallaban sus objeciones a la doctrina reformada oficial.[11]

Este documento, según un teólogo holandés, marcó el rumbo del "liberalismo" en general,[12] y expuso cinco puntos doctrinales clásicos relativos a la predestinación, el alcance de la expiación, el libre albedrío, la gracia resistible y la perseverancia cristiana. Afirmaban que Dios decretó salvar a aquellos que por su gracia creen y perseveran en la obediencia hasta el final, y:

> Que, de acuerdo con esto, Jesucristo, el Salvador del mundo, murió por todas las personas, por cada individuo, de modo que ameritó la reconciliación y el

---

[10] Bangs, *Arminius*, 140-46.

[11] La Remonstrancia armonizaba con las enseñanzas de Arminio, aunque no estaba inspirada sólo por él, y la teología arminiana se desarrolló más una vez que él murió. Sobre Arminio, véase Theodoor van Leeuwen, Keith Stanglin y Marijke Tolsma, editores, *Arminius, Arminianism, and Europe: Jacobus Arminius* (Leiden, Países Bajos: Brill, 2009); y William den Boer, *God's Twofold Love: The Theology of Jacobus Arminius* (Göttingen, Alemania: Vandenhoeck & Ruprecht, 2010), esp. 185-86.

[12] L. Van Holk, "From Arminius to Arminianism in Dutch Theology", en *Man's Faith and Freedom: The Theological Influence of Jacobus Arminius*, ed. Gerald McCulloh (Eugene, OR: Wipf & Stock, 2006), 41.

perdón de los pecados para todos a través de la muerte de la cruz; pero de modo que nadie goza realmente de este perdón de los pecados, excepto los que creen.[13]

En defensa de esto se citaron Juan 3:16 y 1 Juan 2:2.

> **Juan 3:16** »Porque de tal manera amó Dios al mundo, que dio a Su Hijo unigénito, para que todo aquel que cree en Él, no se pierda, sino que tenga vida eterna.
> **1 Juan 2:1–2** Hijitos míos, les escribo estas cosas para que no pequen. Y si alguien peca, tenemos Abogado para con el Padre, a Jesucristo el Justo. Él mismo es la propiciación por nuestros pecados, y no solo por los nuestros, sino también por *los* del mundo entero.

Un año más tarde, en la Conferencia de La Haya entre los líderes de ambos bandos, los reformados emitieron una "Contrarremonstrancia".[14] Se quejaron de que la Remonstrancia era deliberadamente ambigua y deshonesta.[15] Insistieron en que Dios decretó primero el fin y luego los medios:

> Que para este fin [salvar a sus elegidos] primero les ha presentado y dado a su Hijo unigénito Jesucristo, a quien entregó a la muerte de la cruz para salvar a sus elegidos, de modo que, aunque el sufrimiento de Cristo como Hijo unigénito y único de Dios es suficiente para la expiación de los pecados de todos los hombres, sin embargo, el mismo, según el consejo y el decreto de Dios, es eficaz para la reconciliación y el perdón de los pecados sólo en los elegidos y verdaderos creyentes.[16]

Como señala William den Boer, "para los Remonstrantes, la suficiencia presupone la obtención real, así como la voluntad por parte de Dios de extender

---

[13] Philip Schaff, *The Creeds of Christendom. Volume III: The Evangelical Protestant Creeds* (Nueva York: Harper & Brothers, 1877), 546 (traducción mía).

[14] Testimonios rivales fueron publicados por Henricus Brandus, *Collatio Scripto Habita Hagae Comitis* (Middelburg, 1615), y por Petrus Bertius, *Scripta Adversaria Collationis Hagiensis* (Leiden, 1615). Véase Milton, *British Delegation*, 62 n. 40, 218 n. 110.

[15] Véase la valoración de Jan Rohls, "Calvinism, Arminianism, and Socinianism in the Netherlands until the Synod of Dort", en *Socinianism and Arminianism: Antitrinitarians, Calvinists, and Cultural Exchange in Seventeenth-Century Europe*, ed. Martin Mulsow y Jan Rohls. Martin Mulsow y Jan Rohls (Leiden, Países Bajos: Brill, 2005), 19.

[16] Peter Y. De Jong, *Crisis in the Reformed Churches: Essays in Commemoration of the Great Synod of Dort* (Grand Rapids, MI: Reformed Fellowship, 1968), 247-50.

a todos lo que es suficiente para todos".[17] Para los Contra-Remonstrantes, la voluntad, el decreto y el consejo de Dios se centraban en la eficacia más que en la suficiencia de la redención. Así pues, la reunión se disolvió sin llegar a un acuerdo.

Sin embargo, cuando Maurice acabó saliendo airoso de la disputa política, permitió a los reformados convocar un sínodo para aclarar la situación eclesiástica. Como sínodo nacional, impulsaría el proceso de unificación nacional en el que participaban regiones y estados que hasta entonces habían permanecido relativamente independientes. Pero también se invitaría a participar a otras personas de fuera de los Países Bajos. El escenario estaba preparado para la mayor reunión internacional de teólogos reformados de la historia.

II. Los Cánones de Dort y la muerte de Cristo

Podemos aprender mucho sobre la forma y el método del Sínodo a partir de sus documentos oficiales y extraoficiales, así como de los relatos contemporáneos de su actividad diaria. A menudo se citan en este sentido las cartas de John Hales, capellán del embajador británico en los Países Bajos.[18]

Cada delegación preparó su propio documento con su postura sobre las cinco doctrinas elegidas por los arminianos para la disputa, que luego se leyeron en la reunión del Sínodo. Después de la discusión de estos documentos,

---

[17] Den Boer, *God's Twofold Love*, 234. Cf. James Arminius, *The Works of James Arminius*, trad. James Nichols y William Nichols, 3 vols. (Londres, 1825; repr. Grand Rapids, MI: Baker, 1956), 3:345-46.

[18] Estoy editando la correspondencia relevante de Hales y Balcanquhall para una edición crítica en varios volúmenes de los documentos del Sínodo, que se publicará en su 400 aniversario en 2018. Véase Anthony Milton, "A Distorting Mirror: The Hales and Balcanquahall Letters and the Synod of Dordt", en *Revisiting the Synod of Dort*, ed. Aza Goudriaan y Fred van Lieburg (Leiden, Países Bajos: Brill, 2011), 135-61, sobre el especial cuidado que hay que tener al utilizar a Hales, y no exagerar la participación británica. Véase también Donald Sinnema, "The Drafting of the Canons of Dordt: A Preliminary Survey of Early Drafts and Related Documents", en el mismo volumen, sobre los documentos existentes.

posteriormente recopilados y publicados,[19] se redactaron los Cánones o sentencias del Sínodo.[20]

Los británicos participaron plenamente en esta discusión, interviniendo Walter Balcanquhall en un momento dado durante más de una hora sobre el tema de la muerte de Cristo ante los teólogos reunidos,[21] al tiempo que la delegación se resistía a ciertos aspectos del borrador de los Cánones sobre este punto.[22] Su posición era, como veremos, diferente a la de la mayoría, pero tuvo cierta influencia significativa en la redacción final.

Los propios remonstrantes intervinieron varias veces en el Sínodo y se les pidió repetidamente que expusieran sus desacuerdos con la doctrina oficialmente aceptada. Habían cuestionado la Confesión Belga y tratado de enmendarla durante muchos años, pero en lugar de aceptar la oportunidad de defender su caso, se empeñaron en posturas políticas y maniobras obstructivas. Debido a lo que Balcanquhall denominó su "increíble obstinación",[23] fueron finalmente licenciados en enero de 1619.

Un comentarista afirma que esto "demuestra que todos los procedimientos contra el partido arminiano eran propios de una facción que luchaba por la preeminencia sin tener en cuenta la justicia".[24] Balcanquhall se quejó a veces del trato que recibían de algunos delegados.[25] Sin embargo, las opiniones de este partido eran muy conocidas y de dominio público, por estar claramente expuestas en la *Remonstrancia*, en las extensas actas de la Conferencia de La Haya, en la *Sententia Remonstrantium* presentada oficialmente en dos sesiones en diciembre de 1618,[26] y en las obras publicadas por sus líderes, como Simón Episcopio.

Se les dio una audiencia justa,[27] por parte de una reunión internacional nada homogénea de la cual no se puede decir que representase una mera "facción"

---

[19] *Acta Synodi Nationalis* (Leiden, 1620), 1.78-126; 3.88-153.

[20] Sobre el reñido debate sobre el procedimiento de redacción, véase Milton, *British Delegation*, 295-97, y John Hales, *Golden Remains of the Ever Memorable Mr. John Hales of Eton College, &c* (Londres, 1673), ii.146-50.

[21] *Acta*, 1.195; Hales, *Golden Remains*, ii.93.

[22] Ibid., ii.144–45; Sinnema, "Drafting", 299–307.

[23] Hales, *Golden Remains*, ii.73; Tyacke, *Anti-Calvinists*, 95.

[24] Frederick Calder, *Memoirs of Simon Episcopius* (Nueva York, 1837), 327.

[25] Mark Ellis, *The Arminian Confession of 1621* (Eugene, OR: Pickwick, 2005), xii-xiii n. 36, compila algunas de sus declaraciones.

[26] *Acta*, 1.113, 116-18.

[27] Varias sesiones del Sínodo se ocuparon en leer las páginas en voz alta. Véase, por ejemplo, Hales, *Golden Remains*, ii.108, 113. Los delegados tenían un conocimiento detallado

dentro de la iglesia holandesa. Quienes escribieron y suscribieron los Cánones de Dort estaban muy bien informados sobre la enseñanza remonstrante, y el registro oficial celebra la "diversidad en asuntos menores" (*in minutioribus diversitas*) que podía verse entre ellos, como indicación de la libertad de expresión y de juicio que ejercían sin dejar de ser sólidamente antiarminianos.[28]

Cuando finalmente se trataron las cuestiones doctrinales, el Sínodo no trató los puntos en el orden que cabría esperar. Es cierto que el acrónimo TULIP se inventó más tarde como un mnemotécnico para las cinco áreas en disputa en Dort.[29] Sin embargo, el pétalo central, la "L" de la llamada "expiación limitada, fue en realidad el segundo punto doctrinal tratado por el Sínodo, reflejando el lugar que ocupaba en la *Remonstrancia* arminiana.[30]

Como nos advierte Alan Sell, la naturaleza de "los cinco puntos" a modo de respuestas debería "prevenirnos contra la idea de que representan la suma del calvinismo",[31] o incluso su médula. La teología reformada estaba comprometida asimismo con doctrinas de la Reforma como la salvación *sola fide* y *sola gratia* para distinguirla del catolicismo romano, por ejemplo, así como con una sacramentología que la distinguía del luteranismo y un trinitarismo que la distinguía del socinianismo, todo lo cual, según algunos, es de mayor importancia que la expiación limitada. Sin embargo, esto no quiere decir que estos cinco puntos no sean importantes, ya que fueron cuestiones que marcaron a la Iglesia en un momento crucial.

La suficiencia de la cruz

A continuación, examinaré los debates del Sínodo sobre la suficiencia y eficacia de la expiación, así como la diversidad de respuestas reformadas al uso arminiano de esta fórmula. Sin embargo, el primer punto planteado por los

---

de los escritos arminianos, según Goudriaan, "The Synod of Dort on Arminian Anthropology", en *Revisiting the Synod of Dort*, 84-86.

28 Véase el final de "Præfatio ad Ecclesias", *Acta*, 1.

29 William Aglionby, *The Present State of the United Provinces* (Londres, 1669), 283, habla de una época en la que "la afición por los tulipanes reinaba en todos los Países Bajos". Así que no es una flor del todo inapropiada para ser asociada con un Sínodo holandés.

30 La expiación definitiva no recibía el nombre de "expiación limitada" en los siglos XVI, XVII o XVIII, aunque a veces se utilizaba la palabra "limitada", como en William Troughton, *Scripture Redemption, Restrayned and Limited* (Londres, 1652).

31 Alan Sell, *The Great Debate: Calvinism, Arminianism, and Salvation* (Eugene, OR: Wipf & Stock, 1998), 14; Richard A. Muller, "How Many Points?", *CTJ* 28 (1993): 425-33.

Cánones sobre el segundo artículo doctrinal se refiere a la necesidad real de la expiación. La justicia suprema de Dios, dicen, requiere que nuestros pecados merezcan castigos temporales y eternos (*temporalibus [et] æternis pœnis*).

No podemos hacer nada al respecto por nosotros mismos, y sin embargo "Dios, en su infinita misericordia, nos ha dado como garantía a su Hijo unigénito, quien, para satisfacer por nosotros, fue hecho pecado y se convirtió en maldición en la cruz, por nosotros y en nuestro lugar" (*pro nobis seu vice nostra*).[32] Esta es una descripción clásica de la necesidad y el logro de la expiación penal sustitutiva.[33]

La posición arminiana en Dort siguió siendo que:

> El precio de la redención que Cristo ofreció a Dios su Padre no sólo es en sí mismo y por sí mismo suficiente para redimir a todo el género humano (*toti generi humano*), sino que también se pagó por todos los hombres, por cada individuo (*pro omnibus et singulis hominibus*),[34] según el decreto, la voluntad y la gracia de Dios Padre.[35]

Esto toma la primera parte de la fórmula lombardiana ("suficiente para todos, eficaz para los elegidos"), pero la lleva más allá. La cruz no sólo fue suficiente, sino que fue realmente eficaz para pagar por todos y cada uno, y de hecho fue concebida por Dios para ello. Como habían dicho en la Conferencia de La Haya, Cristo no murió sólo por los elegidos o por los que finalmente se salvarán, sino que obtuvo la reconciliación para todos, y esto por el consejo y el decreto de Dios.[36] Así, la posición arminiana sobre la expiación hizo una afirmación explícita no sólo sobre su alcance, sino también sobre su propósito e intención en la voluntad de Dios.

---

[32] Artículos II.1-II.2. Las traducciones son del latín en *Acta*, 1.241-71. Mi traducción de todos los artículos y del *Rejectio Errorum* (rechazo de los errores) sobre este punto puede encontrarse en Lee Gatiss, *For Us and for Our Salvation: "Limited Atonement" in the Bible, Doctrine, History, and Ministry* (Londres: Latimer Trust, 2012).

[33] Cf. Catecismo de Heidelberg, P. 10-13.

[34] Aquí leo la *et* como epexegética.

[35] *Acta*, 1.116. El Catecismo de Heidelberg, P. 37, habla de que Cristo cargó con "la ira de Dios contra el pecado de toda la raza humana" (*peccatum universi generis humani*), aunque Gisbertus Voetius argumentó que esto no era una referencia al alcance de la expiación. Véase Roger R. Nicole, "Moyse Amyraut (1596-1664) and the Controversy on Universal Grace, First Phase (1634-1637)" (tesis doctoral, Harvard University, 1966), 142; Pronk, *Expository Sermons*, 126.

[36] *Collatio Scripto Habita Hagae Comitis*, 139.

En respuesta a esto, los delegados de Dort separaron las dos cuestiones de la suficiencia y la intencionalidad. Como dijeron los representantes de Groningen y Omlands en su presentación, la cuestión no se refería en absoluto a la suficiencia de la muerte de Cristo, pues no dudaban de que su sacrificio tenía tal poder y valor como para ser abundantemente suficiente para expiar los pecados de todos. No había ningún defecto o insuficiencia en la cruz al que se pudiera achacar el extravío de los réprobos.

Más bien, decían, la cuestión era la *intención* (singular) de Dios Padre y Dios Hijo, y si juntos concibieron la muerte de Cristo para obtener realmente el perdón y la reconciliación no sólo para los elegidos.[37] Otros, del Palatinado, Hesse, Bélgica y Utrecht, por ejemplo, también relacionaron la suficiencia de Cristo con sus dos naturalezas y su perfecta obediencia.[38]

Sin embargo, la delegación ginebrina no utilizó el concepto de suficiencia. Se limitaron a escribir sobre el valor infinito de la muerte de Cristo, al que se añade una intención eficaz para los elegidos.[39] En esto seguían a Teodoro de Beza, quien consideraba que la distinción lombardiana era potencialmente ambigua y confusa.[40] Los de Holanda Septentrional se mostraron algo ambivalentes respecto a la suficiencia,[41] y los ministros de Emden abordaron la cuestión utilizando el término *adæquate* en lugar de *sufficienter*.[42] La declaración final autorizada, no obstante, señaló los siguientes puntos:

> Esta muerte del Hijo de Dios es el único y perfectísimo sacrificio y satisfacción por los pecados, y es de infinito valor y valía, abundantemente suficiente para expiar los pecados de todo el mundo.
> Esta muerte, por lo tanto, es de tan gran valor y valía porque la persona que se sometió a ella no sólo era verdaderamente hombre y perfectamente santo, sino también el Hijo unigénito de Dios, del mismo ser eterno e infinito con el Padre y el Espíritu Santo, como era necesario que nuestro Salvador fuera.[43]

---

[37] *Acta*, 3.139.

[38] *Acta*, 2.86, 89; 3.88, 117; Catecismo de Heidelberg, P. 14-18.

[39] *Acta*, 2.101.

[40] W. Robert Godfrey, "Reformed Thought on the Extent of the Atonement to 1618", *WTJ* 37.2 (1975): 142.

[41] *Acta*, 3.107-108.

[42] Ibid., 2.120. Cf. *adæquate* en *Acta*, 2.100.

[43] Artículo II.3-4.

Los escolásticos medievales debatían si el mérito de Cristo en su vida y muerte era infinito, debido a su naturaleza divina, o finito, puesto que se merecía a través de su naturaleza humana.[44] Los Cánones de Dort fundamentan el mérito infinito de Cristo tanto en su naturaleza divina como en su perfecta obediencia humana.[45]

A diferencia de los pensadores medievales, los teólogos reformados del siglo XVII consideraban que Cristo había actuado como mediador en sus dos naturalezas, en lugar de sólo en su naturaleza humana,[46] y puede que esto esté detrás de las conexiones que establecen aquí. Naturalmente, empero, las iglesias primitivas, medievales y reformadas estaban de acuerdo en que Cristo no podía ser mediador a menos que fuera tanto Dios como hombre,[47] razón por la cual el artículo IV añade "... como era necesario que nuestro Salvador fuera".

La delegación británica no utilizó la distinción suficiente-eficiente porque no pudieron ponerse de acuerdo entre ellos.[48] Sin embargo, vincularon el "rescate de Cristo por los pecados de todo el mundo" a la proclamación sincera y universal del Evangelio.[49] Otros estaban más contentos de basar la predicación indiscriminada en lo que Michael Thomas llama "incapacidad ministerial para distinguir a los elegidos de los réprobos".[50] Thomas también interpreta que dos de las delegaciones presagiaban el "hipercalvinismo", alejándose de la idea de que existe una obligación estricta de evangelizar a todo el mundo. Sin embargo, el artículo V finalmente acordado afirma con bastante contundencia que:

> Además, la promesa del evangelio es que todo el que crea en Cristo crucificado no perecerá, sino que tendrá vida eterna. Esta promesa debe ser declarada y anunciada de forma prolífica e indistinta, a todas las naciones y pueblos a los que Dios, según su beneplácito, envía el evangelio, junto con el mandato de arrepentirse y creer.

---

44 Véase Richard A. Muller, *Dictionary of Latin and Greek Theological Terms* (Grand Rapids, MI: Baker, 1985), 190-91.

45 Los británicos hablaban del *thesaurus meritorum* de Cristo, "tesoro de méritos" (*Acta*, 2.79), algo que suena positivamente medieval, pero es una forma alternativa de hablar de la suficiencia.

46 Lombardo, *Sentencias*, 3.19.6-7; Aquino, *Summa Theologiae*, 3.26.2; Confesión de Westminster, 8.7; John Owen, *Χριστολογία* (Londres, 1679), 312-13.

47 Cf. Agustín, *Enchiridion*, 108; Lombardo, *Sentencias*, 3.2.3.2.

48 Véase Milton, *British Delegation*, 215; Hales, *Golden Remains*, ii.130-31.

49 *Acta*, 2.78-79. Esta última se basaba en (*fundatur*) los méritos de la primera.

50 Thomas, *Extent of Atonement*, 149.

La palabra de conexión al comienzo de este artículo no es *ergo* ("por lo tanto") o *proinde* ("en consecuencia"), que habrían supuesto la misma conexión que en el caso de los británicos. El latín es *cæterum*, que significa simplemente "además, más allá, adicionalmente".[51]

Es decir, los Cánones sitúan la abundante suficiencia del sacrificio de Cristo al lado de la necesidad de la evangelización indiscriminada, pero sin hacer explícitamente una conexión lógica entre ellos. Esto permitía a los británicos (y a aquellos semejantes) unir los puntos por sí mismos si así lo deseaban, pero no lo explicaba de forma explícita en beneficio de aquellos que fundamentaban la proclamación universal de otra manera (por ejemplo, la mera obediencia a Mateo 28:18-20).

Todo esto da crédito a la afirmación de Godfrey, y a mi tesis aquí, de que "la historia del Sínodo, vista en detalle, revela que el calvinismo de Dort no era ni irrelevante, ni monolítico, ni inflexible".[52] Sin embargo, una cosa estaba clara: si alguien no creía y, por tanto, no heredaba la promesa de la vida eterna por medio de Cristo, no se podía señalar con el dedo acusador a Jesús en la cruz. Su pérdida, advierte el artículo II.6, "no se debe a ningún defecto en el sacrificio ofrecido por Cristo en la cruz, ni a ninguna insuficiencia en el mismo" (como habían dicho los de Groningen), "sino que es su propia culpa particular" (*propria ipsorum culpa*).[53]

La eficacia intencional de la cruz

Con esta nota aleccionadora, los Cánones pasan a discutir el otro aspecto de la distinción clásica: la eficacia de la cruz para los elegidos. La eficacia de la obra de Cristo para salvar realmente a los que le fueron dados por el Padre (Jn. 10:25-30) se vincula íntimamente en los Cánones a la voluntad divina. Lo que la obra de Cristo efectuó es lo que Dios concibió, se propuso y pretendió que se hiciera. Los remonstrantes habían afirmado no sólo la suficiencia universal, sino también que el precio de la redención fue "pagado por todas las personas, por

[51] Cf. Artículos I.15, III.11.
[52] Godfrey, "Tensions", 268.
[53] Cf. Artículos I.5, III/IV.9.

cada individuo, *según el decreto, la voluntad y la gracia de Dios Padre*" (énfasis añadido).

Esto significaba que nadie estaba excluido de la participación en la muerte de Cristo por un decreto previo de Dios, sino sólo por su propio rechazo incrédulo de los dones de Dios.[54] Los reformados, sin embargo, se negaron a permitir que la voluntad eterna de Dios de salvar a quien quiera se viera frustrada por la supuesta libertad humana. Él decretó elegir a ciertas personas por su gracia incondicional, y consecuentemente envió a Cristo para salvar a esas personas, dándoles incluso la fe que necesitaban para apropiarse de esta salvación.[55] Como Richard Muller lo resume claramente:

> Mientras que la doctrina reformada de la voluntad de Dios tiende a resolver todas las distinciones en una única, simple y eterna voluntad de Dios de realizar ciertas posibilidades y no otras, la doctrina arminiana tiende a enfatizar las distinciones en aras de argumentar la interacción entre Dios y los eventos genuinamente libres o contingentes.[56]

Así pues, los arminianos subrayaban la contingencia y las condiciones donde los reformados veían la soberanía y la certeza. Estos últimos reconocían la oferta gratuita del Evangelio a todos; como dice el artículo II.7, "todos los que creen de verdad... son liberados y salvados del pecado y de la destrucción por la muerte de Cristo", no sólo potencialmente, sino realmente. Para ellos la expiación logró algo, en lugar de simplemente posibilitar algo.

Sin embargo, junto a esta proclamación temporal a nivel humano, los reformados discernían (en las Escrituras) la revelación de un propósito divino eterno. Muchos son los llamados, pero pocos los escogidos. La historia de la salvación, decían, ha sido ordenada divinamente desde el principio para lograr el objetivo final de Dios, que no podría ser incierto o dudoso sin socavar la soberanía de Dios.

El artículo VIII, el más largo de los artículos positivos sobre este tema, expone el designio particular de Dios:

---

[54] *Acta*, 1.113-14, 116.

[55] *Rejectio Errorum* 2.3.

[56] Richard A. Muller, *God, Creation, and Providence in the Thought of Jacob Arminius* (Grand Rapids, MI: Baker, 1991), 189.

> Porque éste fue el propósito libérrimo y la voluntad e intención graciosísima de Dios Padre, que la eficacia vivificante y salvadora de la preciosísima muerte de su Hijo se extendiera a todos los elegidos, para otorgarles sólo a ellos la fe justificadora, y así llevarlos indefectiblemente a la salvación.
> Es decir, Dios quiso que Cristo, por medio de la sangre de la cruz (con la que confirmó el nuevo pacto), redimiera eficazmente, de entre todos los pueblos, tribus, naciones y lenguas, a todos aquellos, y sólo a aquellos, que desde la eternidad fueron elegidos para la salvación y le fueron entregados por el Padre; que les otorgara la fe (que, junto con todos los demás dones salvíficos del Espíritu Santo, obtuvo para ellos por su muerte); que los purificara con su sangre de todos los pecados, tanto originales como actuales, ya fueran cometidos después o antes de creer; y que, habiéndolos protegido fielmente hasta el final, los estableciera finalmente gloriosos ante Él, libres de toda mancha y defecto.

Por tanto, a efectos de Dort, la distinción suficiente-eficiente de Lombardo debía aclararse a la luz del error arminiano. Incluso los arminianos podían afirmar que la cruz era, en última instancia, sólo "eficiente para algunos",[57] pero al hacerlo hacían de la voluntad humana de cada individuo, y no la voluntad de Dios, el factor decisivo.

Así que el Sínodo afirmó, con más cuidado, que la cruz era de alguna manera suficiente para todos, pero que sólo pretendía ser eficaz para los elegidos. Al centrarse en el propósito y el designio divinos detrás de la venida de Cristo (no vino para hacernos redimibles, sino para redimir), los reformados situaron las decisiones humanas en lo que consideraban la perspectiva bíblica adecuada. Por lo tanto, rechazaron el punto de vista de aquellos:

> Que enseñan: Que Dios Padre ha ordenado a su Hijo a la muerte de cruz sin un propósito cierto y definido de salvar a nadie en particular, de manera que la necesidad, la utilidad y el valor de lo que Cristo obtuvo por su muerte pudieran permanecer en buen estado, perfectos en todas sus partes, completos e intactos, incluso si la redención obtenida nunca se hubiera aplicado de hecho a ningún

---

[57] Raymond A. Blacketer, "Definite Atonement in Historical Perspective", en *The Glory of the Atonement: Biblical, Historical, and Practical Perspectives: Essays in Honor of Roger Nicole*, ed. Charles E. Hill y Frank A. James (Downers Grove, IL: InterVarsity Press, 2004), 311.

individuo. Porque esta afirmación es un insulto a la sabiduría de Dios Padre y a los méritos de Jesucristo, y es contraria a las Escrituras.[58]

Hubo un acuerdo casi unánime entre las delegaciones en cuanto a que la voluntad de Dios está detrás de la eficacia de la cruz para los elegidos. También hubo un acuerdo generalizado sobre el vínculo coextensivo entre la compra de la redención por parte de Cristo y su aplicación, que los remonstrantes negaron al hacer que la compra fuera más amplia que la aplicación.[59]

Los de Nassau-Wetteravia, por ejemplo, hablaban de que Cristo fue entregado "por voluntad e intención del Padre" tanto para adquirir como para aplicar la salvación a aquellos que le fueron entregados, y a quienes se les daría el Espíritu de regeneración simultáneamente junto con el perdón.[60] Así que en esta visión trinitaria, el Padre entrega los elegidos al Hijo, que muere por ellos, y luego les da el Espíritu y la fe.

Variaciones reformadas

Dos delegaciones se dividieron entre sí a propósito de estas cuestiones. Las de Gran Bretaña y Bremen presentaron informes minoritarios al Sínodo, y despertaron algunas pasiones muy fuertes. La delegación británica tuvo que escribir a su país para pedir ayuda a fin de conciliar sus divisiones internas, pero John Davenant afirmó que prefería que le cortaran la mano derecha antes de cambiar de opinión, por lo que era inevitable llegar a algún tipo de compromiso.[61]

Cuando Matthias Martinius, de Bremen, expresó de forma indelicada algunas de sus opiniones más arminianas sobre este tema, ¡Franciscus Gomarus se enfureció tanto que lanzó el guante y le retó a un duelo! El presidente del Sínodo trató de calmar las cosas, pero después de las oraciones Gomarus renovó

---

[58] *Rejectio Errorum* 2.1.

[59] Véase *Rejectio Errorum* 2.6 sobre el uso arminiano de esta distinción como introducción del "veneno pernicioso del pelagianismo". Contra White, *Predestination*, 192, el Sínodo no condenó la distinción en sí como pelagiana, sólo su usurpación.

[60] *Acta*, 2.96-97. Otros también vincularon el sacrificio y la intercesión de Cristo, excluyendo a los réprobos de ambos, amparándose en Juan 17:9.

[61] Hales, *Golden Remains*, ii.101, 182.

su solicitud de combate.[62] Los dos volverían a pelearse (verbalmente) en el Sínodo, de una manera indigna que no impresionó a los demás delegados extranjeros, y aunque otros de la delegación de Bremen no estaban de acuerdo con Martinius, estuvieron a punto de marcharse a causa de esta falta de civismo.[63]

¿Por qué el revuelo? Martinius se inclinaba por los puntos de vista de los Remonstrantes, especialmente en lo que respecta a la expiación,[64] y no temía decirlo o criticar fuertemente a ambas partes. Davenant, sin embargo, estaba obstinadamente dedicado a la causa de la moderación, y a encontrar un camino intermedio en lo relativo a esta doctrina. Tenía la misión de no alterar las relaciones con las iglesias luteranas (especialmente ofendidas por las opiniones Contrarremonstrantes en este caso), de no ser demasiado preciso y de tener en cuenta las formas anglicanas,[65] así que él y Samuel Ward consiguieron utilizar sus puestos en la delegación británica para ventilar su opinión minoritaria. Ésta acabó imponiéndose sobre los demás delegados británicos.

Davenant sostenía una forma sofisticada de lo que ahora se conoce como Universalismo Hipotético,[66] y esto tuvo un impacto en la delegación británica. Para empezar, afirmaba claramente que "Cristo murió por los elegidos por un amor y una intención especiales tanto de Dios Padre como de Cristo, para obtener verdaderamente y conferirles infaliblemente el perdón de los pecados y la salvación eterna". Para que esto sea efectivo, Dios también da fe y

---

[62] La petición nunca fue concedida. Hales, al predicar en La Haya sobre los duelos, arremetió contra "un exceso de presteza en muchos jóvenes, que desean ser contados como hombres de valor y resolución, en cualquier ocasión para suscitar una disputa, y no admiten ningún otro medio para componerla y terminarla, sino mediante la espada y el combate individual" (ibid., i.71).

[63] Ibid., ii.109. Véase también G. Brandt, *History of the Reformation in the Low-Countries* (Londres, 1722), 3.7-8, sobre el primer enfrentamiento de Gomarus con los bretones.

[64] Hales, *Golden Remains*, ii.131; *Acta*, 2.103-108. El delegado británico Samuel Ward afirmó que la cruz convertía a todas las personas en "redimibles", cambiando así la naturaleza de la expiación de definitiva a indefinida, siguiendo el ejemplo de Martinius. Véase Milton, *British Delegation*, 201-203.

[65] Milton, 216-22.

[66] Véase su *Dissertationes Duæ: Prima de Morte Christi* (Cambridge, 1650), y Jonathan D. Moore, *English Hypothetical Universalism: John Preston and the Softening of Reformed Theology* (Cambridge: Eerdmans, 2007), 187-213.

perseverancia a esos elegidos; se salvan no "si quieren" (*si velint*) sino "porque Dios lo quiere" (*quia Deus vult*).[67] Hasta aquí, todo antiarminiano.[68]

Sin embargo, por encima de esto, el escrito británico postuló una segunda intención en la cruz: Cristo también:

> Murió por todos, para que todos y cada uno, por medio de la fe, obtuvieran la remisión de los pecados y la vida eterna en virtud de ese rescate.[69] Pero Cristo murió así por los elegidos, para que por el mérito de su muerte de manera especial... obtuvieran infaliblemente tanto la fe como la vida eterna.[70]

Así que, además de morir eficazmente por los elegidos, Cristo también tuvo la intención de morir condicionalmente por todos. Como Davenant explicó más tarde, "la voluntad o intención divina a veces denota meramente la designación de medios para un fin, aunque no haya una voluntad determinada en Dios de producir ese fin por esos medios".[71]

Esto parece conciliar la insistencia reformada en una voluntad única y simple de Dios con las distinciones arminianas relativas a la contingencia, y es, en líneas generales, la misma construcción de la vía de los medios sugerida por el obispo anglicano John Overall en un influyente documento, en el que también hablaba de una segunda "intención condicional" de Dios que está detrás de la gracia general de la promesa evangélica.[72]

Además, como explicaba una carta de los teólogos británicos al arzobispo de Canterbury, hay "algunos frutos de la muerte de Cristo que no están incluidos en el decreto de la elección, sino que se conceden de forma más general, pero que se limitan a la Iglesia visible (como las gracias verdaderas y espirituales que acompañan al Evangelio y que se confieren a algunos no elegidos)".[73] Es decir,

---

[67] *Acta*, 2.78.

[68] La primera de las tres "tesis heterodoxas" rechazadas por los británicos también refuta la idea de que la única intención de Dios al enviar a Cristo estaba "suspendida en el acto contingente de la fe del hombre".

[69] *The Collegiat Suffrage of the Divines of Great Britaine* (Londres, 1629), 47, añade "pagado una vez por toda la humanidad".

[70] *Acta*, 2.79.

[71] Milton, *British Delegation*, 399.

[72] Cambridge University Library, MS Gg/1/29, fo. 6v. Oldenbarnevelt había recomendado a Overall, conocido por favorecer a los Remonstrantes, para ser delegado en el Sínodo (Milton, *British Delegation*, xxviii-xxxi).

[73] Hales, *Golden Remains*, ii.185.

hay beneficios espirituales que no requieren la conversión (como los que se mencionan en Hebreos 6:4-5) y que son merecidos por la cruz y se dispensan a los no elegidos.[74]

> **Hebreos 6:4–6** Porque en el caso de los que fueron una vez iluminados, que probaron del don celestial y fueron hechos partícipes del Espíritu Santo, que gustaron la buena palabra de Dios y los poderes del siglo venidero, pero *después* cayeron, es imposible renovarlos otra vez para arrepentimiento, puesto que de nuevo crucifican para sí mismos al Hijo de Dios y lo exponen a la ignominia pública.

Sin embargo, hay que señalar que estos beneficios sólo están disponibles "en la Iglesia" (la iglesia visible), según los británicos.[75] La Palabra y el Espíritu están inseparablemente unidos en el ministerio de la Palabra, según ellos, por lo que cuando se proclama el Evangelio, el Espíritu está actuando, incluso entre los no elegidos. La Palabra "se cuela en los armarios más secretos del alma" para despertar a los creyentes o, eventualmente, endurecer a los obstinados.[76]

Muchos han considerado que los británicos desempeñaron un papel importante a la hora de suavizar los Cánones de Dort en este aspecto, especialmente en lo que respecta a la suficiencia y el llamamiento evangélico.[77] Evidentemente, sus puntos de vista eran muy respetados,[78] y jugaron un rol útil a la hora de mediar personalmente en muchas disputas.

Sin embargo, las declaraciones finales del Sínodo, al menos sobre la suficiencia, pueden explicarse adecuadamente como un reflejo de la opinión mayoritaria del Sínodo, sin suponer que fuera necesario un contrapeso británico para equilibrar la aversión ginebrina al concepto. En cualquier caso, los británicos no utilizaron la distinción estándar entre suficiente y eficiente en su presentación. Es posible que el *Rejectio Errorum* hubiese incluído un rechazo a

---

[74] Ibid., ii.187.

[75] *Acta*, 2.79.

[76] *Collegiat Suffrage*, 52. Este punto de vista parece reflejarse en el artículo III/IV.9 de Dort, donde se dice que "diversos dones" son conferidos por Dios a quienes son llamados por el ministerio de la Palabra pero no vienen a Cristo.

[77] White, *Predestination*, 191; Godfrey, "Tensions", 263–64; Moore, *English Hypothetical Universalism*, 213.

[78] El punto de vista británico siempre se coloca en primer lugar en los documentos de posición extranjera en las Actas, lo que indica una cierta primacía de honor.

la "suficiencia ordenada" o a la "intencionalidad condicional" si Davenant no hubiera abrazado esta última idea, pero esto es una mera conjetura.

Los británicos estaban divididos entre ellos sobre si el lenguaje universal de versículos como 1 Juan 2:2 (del que se hace eco en parte su *Libro de Oración*) debía restringirse sólo a los elegidos.[79] Quizás esto también se dejó sin definir en los Artículos como resultado de las inquietudes de los británicos, pero también esto es una especulación.[80]

Es probable que las preocupaciones británicas motivaran la declaración de la promesa evangélica en el artículo II.5. Sin embargo, este artículo no amplía la gracia más allá de los elegidos *per se*, como hubiera deseado Davenant, ni propone un nuevo pacto incondicional para los elegidos junto con un pacto evangélico condicional para todos,[81] ni siquiera conecta la suficiencia teórica con la proclamación universal.

Sin embargo, lo que Davenant quería preservar mediante su teoría de la doble intención era la idea de que, si las personas no se salvan, "se debe a ellas mismas y a la dureza de su corazón, que rechaza los medios de salvación".[82] Los Cánones, al igual que varias delegaciones, señalaron exactamente este punto en el artículo II.6, sin necesidad de plantear la contingencia o la condicionalidad en la voluntad eterna de Dios. El artículo II.8 afirmaba que Dios "quiso que Cristo... redimiera *eficazmente* (*efficaciter*)... a todos aquellos, y sólo a aquellos, que fueron elegidos desde la eternidad", pero esto dejó la puerta trasera abierta para Davenant y otros al no negar técnicamente una redención universal finalmente *ineficaz* además de esto.[83]

Otras declaraciones reformadas sobre el tema estaban redactadas de tal manera que excluían este punto de vista, pero Dort se abstuvo de hacerlo.[84] Sin

---

[79] Hales, *Golden Remains*, ii.101, 130-31; Milton, *British Delegation*, 215.

[80] Tyacke, *Anti-Calvinists*, 98. Estamos a la espera de un estudio concluyente por parte de Sinnema y Milton de los documentos dispersos relativos a la formación de los Cánones, que arrojará luz sobre estas cuestiones.

[81] El esquema del pacto de Davenant, según se ve en Milton, *British Delegation*, 398-99.

[82] Ibid., 397, 401.

[83] Jonathan D. Moore, "The Extent of the Atonement", en *Drawn into Controversie: Reformed Theological Diversity and Debates within Seventeenth-Century British Puritanism*, ed. Michael A. G. Haykin y Mark Jones, (Göttingen, Alemania: Vandenhoeck & Ruprecht, 2011), 145-46.

[84] *Synopsis Purioris Theologiae* (Leiden, 1625), XXIX.xxix, dice: "el fin, el objeto y el 'por quién' (ᾧ o cui) de la satisfacción son sólo los elegidos y los verdaderos creyentes".

que los británicos presionaran al Sínodo sobre estos puntos, los Cánones quizá no se hubieran expresado con tanto cuidado.

El delegado ginebrino Giovanni Diodati se quejaba de que los ingleses eran "tan escrupulosos y especulativos" en estas cuestiones y tenían tantas dificultades que les costaba mucho tiempo y problemas encontrar "el punto central".[85] Sin embargo, no veía su universalismo hipotético como una grave amenaza para la unidad reformada.[86] Balcanquhall informó al embajador británico, al final de todas las disputas, de que en lo que respecta a la expiación:

> No había un consentimiento tan uniforme en cuanto a las frases y formas de expresión, y en cuanto a algunas proposiciones, como en el primer artículo: sin embargo, ciertamente se produjo un gran [acuerdo], mayor del que se podía esperar viniendo de un número tan grande de hombres eruditos respecto a un artículo tan difícil y controvertido.[87]

III. Después del Sínodo

Inmediatamente después del Sínodo, unos doscientos remonstrantes fueron privados de su permiso para predicar por las autoridades. Una quinta parte de ellos se conformó posteriormente y fue restituida, mientras que aproximadamente setenta aceptaron no predicar ni enseñar, y vivir tranquilamente como ciudadanos de a pie.

El resto, al negarse a seguir cualquiera de estos caminos, fue desterrado de las Provincias Unidas, que no podían permitirse conflictos internos ni una posible guerra civil, ya que la Tregua de los Doce Años con España llegaba a su fin y Europa se alistaba para lo que se convertiría en la Guerra de los Treinta Años.[88] Para completar su consolidación del poder en las fragmentadas Provincias, el Príncipe de Orange se aseguró de que su rival (y mecenas de los arminianos) van Oldenbarnevelt fuera ejecutado antes de que el sangriento conflicto religioso pudiera comenzar. Hugo Grocio fue encarcelado, pero pronto

---

85 MS Lullin 53, fols. 55r-55v.

86 Nicolas Fornerod, "A Reappraisal of the Genevan Delegation", en *Revisiting the Synod of Dort*, 211.

87 Hales, *Golden Remains*, ii.132.

88 Israel, *Dutch Republic*, 462-63; Spaans, "Religious Policies", 78; Archibald Harrison, *Beginnings of Arminianism to the Synod of Dort* (Londres: University of London Press, 1926), 287-88.

protagonizó una célebre huida a la Francia católica romana, adonde también huyeron los líderes arminianos Uytenbogaert y Episcopio.[89]

Las delegaciones extranjeras exhortaron a la mansedumbre y a la paz a los neerlandeses cuando se marcharon y, de hecho, la Hermandad Remonstrante fue tolerada abiertamente en pocos años, aunque ya no estaba dentro del ámbito de la iglesia nacional oficial.

La Iglesia reformada francesa, cuyos delegados se habían mantenido alejados del Sínodo, adoptó los Cánones para sí misma como vinculantes para las iglesias y las universidades.[90] También hubo intentos en Inglaterra, cuando el arminianismo comenzó a surgir allí, de devolver la paz a la Iglesia adoptando oficialmente los Cánones junto con los Treinta y Nueve Artículos, pero finalmente no se tuvo éxito en ello.[91]

Sin embargo, en 1646, la Asamblea de Westminster debatió la cuestión de la extensión de la expiación, y las divisiones dortianas proyectaron su sombra sobre los procedimientos, reconociéndose de nuevo una gama de opiniones reformadas.[92] Los Cánones de Dort han sido aceptados desde entonces como parte de la composición confesional de muchas denominaciones e instituciones de todo el mundo y, dado su origen en una asamblea tan honorable, son a menudo considerados como una referencia de la ortodoxia reformada.

Las Anotaciones holandesas

El Sínodo pasó una semana en noviembre de 1618 discutiendo un plan para una nueva traducción holandesa de la Biblia.[93] Los británicos explicaron cómo se había organizado el trabajo en la versión King James (1611), y se observó que ésta, deliberadamente, carecía de anotaciones marginales, a diferencia de la Biblia de Ginebra (1560).

---

[89] Varios cientos de patricios remonstrantes se habían convertido al catolicismo romano en 1625, según R. Po-Chia Hsia, *The World of Catholic Renewal, 1540-1770* (Cambridge: Cambridge University Press, 1998), 85.

[90] *Articles Agreed On in the Nationall Synode of the Reformed Churches of France, Held at Charenton* (Oxford, 1624).

[91] Milton, *British Delegation*, 383. Tyacke, *Anti-Calvinists*, 152, 170, 176-77.

[92] Lee Gatiss, "'Shades of Opinion within a Generic Calvinism': The Particular Redemption Debate at the Westminster Assembly", *RTR* 69.2 (2010): 101-18; y "A Deceptive Clarity? Particular Redemption in the Westminster Standards", *RTR* 69.3 (2010): 180-96.

[93] *Acta*, 1.21-27.

El Sínodo, sin embargo, decidió que su versión autorizada tendría notas para aclarar los pasajes difíciles, aunque supuestamente no tendrían un carácter demasiado doctrinal.[94] Este laborioso trabajo fue finalmente completado por los miembros del Sínodo y otros en 1637. A instancias del arzobispo Ussher y de la Asamblea de Westminster, también se publicó en inglés con el nombre de *The Dutch Annotations*.[95]

Por la misma época, también se publicaron en inglés las *Anotaciones piadosas* (Pious Annotations) del delegado de Ginebra en Dort, el italiano Giovanni Diodati,[96] así como las llamadas *Anotaciones inglesas* (English Annotations) encargadas por el Parlamento y asociadas a varios miembros de la Asamblea de Westminster.[97] Estas pueden compararse provechosamente con las obras contemporáneas del bando arminiano de Hugo Grocio y Henry Hammond.[98]

Puede resultar sorprendente para algunos descubrir que los Cánones de Dort, teológicamente sofisticados, fueron elaborados por un organismo que no estaba meramente interesado en la polémica o la "sistemática", sino que se preocupaba profundamente por la Biblia y su correcta exégesis.[99] Las anotaciones autorizadas por el Sínodo nos dan una idea de cómo los eruditos bíblicos de Dort entendían ciertos versículos que eran importantes en el debate sobre la expiación. Junto con otras anotaciones reformadas, también ilustran la variedad de respuestas a la exégesis arminiana dentro de la familia reconocidamente reformada. Para ilustrar esto, analizaré brevemente cuatro textos clave, señalando que las *Anotaciones Holandesas*, aunque no son poco teológicas, a menudo se ciñen más al texto que otras.

---

[94] Ibid., 1.23; Milton, *British Delegation*, 135.

[95] Theodore Haak, *The Dutch Annotations upon the Whole Bible... Ordered and Appointed by the Synod of Dort* (Londres, 1657).

[96] Giovanni Diodati, *Pious Annotations upon the Holy Bible* (Londres, 1643).

[97] Annotations upon *All the Books of the Old and New Testament* (Londres, 1645). Véase Richard A. Muller y Rowland S. Ward, *Scripture and Worship: Biblical Interpretation and the Directory for Public Worship* (Phillipsburg, NJ: P&R, 2007), 4-5.

[98] Los comentarios de Grocio se publicaron por primera vez en Ámsterdam y París (1641-1650); Hammond, *A Paraphrase and Annotations upon all the Books of the New Testament* (Londres, 1659).

[99] Véase también W. Robert Godfrey, "Popular and Catholic: The Modus Docendi of the Canons of Dordt", en *Revisiting the Synod of Dort*, 243-60, sobre la presentación pastoral de los Cánones.

Cuatro textos clave

Observamos la variedad en los comentarios reformados sobre Isaías 53:10-12.

> **Isaías 53:10–12** Pero quiso el ***Señor*** quebrantarlo, sometiéndo*lo* a padecimiento. Cuando Él se entregue a sí mismo *como* ofrenda de expiación, verá a *Su* descendencia, Prolongará *Sus* días, y la voluntad del Señor en su mano prosperará. Debido a la angustia de su alma, Él *lo* verá *y* quedará satisfecho. Por Su conocimiento, el Justo, mi Siervo, justificará a muchos, y cargará las iniquidades de ellos. Por tanto, yo le daré parte con los grandes y con los fuertes repartirá despojos, porque derramó Su alma hasta la muerte y con los transgresores fue contado; llevó el pecado de muchos, e intercedió por los transgresores.

Diodati destacó que el propósito de la obra del Siervo sufriente era ejecutar "el decreto eterno de Dios respecto a la salvación de los elegidos". Las *Anotaciones inglesas* hablaban más de la salvación de "nosotros", "la iglesia", que de los elegidos en este capítulo. Las *Anotaciones Holandesas* fueron en general más sutiles teológicamente. Haciéndose eco del Catecismo de Heidelberg, decían que Cristo sufrió "cuando la pesada ira de Dios por los pecados de la humanidad cayó sobre Él", y que "sufrió mucho por la humanidad".[100]

Sin embargo, en el versículo 10 comentan que Cristo "compró y procuró para ellos el perdón de los pecados" para "liberar a sus elegidos". Una lectura confesional fue así matizada a la luz del juicio de Dort contra la distinción arminiana entre compra y procuración.

Juan 3:16 fue citado por los remonstrantes como apoyo a su visión de la expiación. El comentario arminiano de Hammond parafraseó a Cristo en Juan 3:17 diciendo: "Para esto se concibió mi misión de parte de Dios mi Padre... a fin de que todos los hombres pudieran ser rescatados del castigo".[101] Aquí parecen haberse introducido un designio y un propósito ilimitados. Del mismo modo, Grocio escribió sobre este versículo que Dios tenía un pacto no sólo con

---

[100] Es decir, la humanidad como raza, no la raza de los ángeles, la de los animales o la de los elfos.

[101] Hammond, *Paraphrase*, 274. Véanse sus comentarios similares sobre Juan 3:16 acerca del "designio", y sobre Juan 1:29 y 1 Juan 2:2 acerca de la "obtención" condicional de la salvación.

los judíos, sino que había cubierto los pecados de todos los miembros de la raza humana,[102] aunque el propio versículo no dice nada de pacto o cobertura.

Las *Anotaciones Holandesas*, sin embargo, interpretaron que el amor de Dios por el mundo era "no sólo para los judíos, sino también los gentiles, esparcidos por todo el mundo", retomando temas del propio Evangelio. Esto se aproxima a las *Anotaciones inglesas*, que interpretan que el versículo 16 se refiere a la "humanidad", pero especialmente a los creyentes. Diodati dijo que el amor de Dios es para "la humanidad en su generalidad, aunque haciendo una distinción de sus elegidos". Así pues, entre los reformados, las *Anotaciones Holandesas* se adhirieron un poco más al texto, aunque no fueron tan expansivas o específicas doctrinalmente como podrían haber sido.

Los Remonstrantes también utilizaron 1 Juan 2:2 en su caso para la expiación indefinida. Grocio se refería aquí de forma general a la propiciación ofrecida por Cristo como un beneficio proporcionado a todos los que eligieran seguir a Cristo,[103] asumiendo una expiación universal procurada para todos a la espera de que se la apropiara quien así lo quisiera. Las *Anotaciones Holandesas* argumentaron, sin embargo, que Cristo era la propiciación por nuestros pecados y no sólo por los nuestros, "es decir, los de los Apóstoles y otros creyentes que ahora viven", sino también por los pecados "de todos los hombres del mundo entero, de todas las Naciones, que aún creerán en Él".

En apoyo de esta lectura citaron Juan 11:52 y Apocalipsis 5:9, los cuales se pensaba que eran del mismo apóstol Juan que escribió la epístola, con la implicación de que Cristo no murió por cada persona, sino sólo por algunos "de" (ἐκ) todas las naciones. Continuaron explicando, además, que la lectura arminiana alternativa no podía ser correcta, "porque el hecho de que no reconcilie a todos y cada uno de los hombres del mundo entero con Dios, se desprende tanto de la experiencia, como del hecho de que no oró al Padre por todos y cada uno (Jn. 17:9), sino sólo por los que creen en Él (Jn. 17:20)".

Diodati opinaba algo parecido, mientras que las *Anotaciones inglesas* añadían también aquí un posible contraste judío-gentil, aunque sobre Juan 17:9 se limitaban a comentar que Cristo "no oró por los réprobos". De nuevo, las

[102] Hugo Grocio, *Annotationes in Novum Testamentum*, 9 vols. (Groningen, 1826-1834), 4:44.

[103] Ibid., 8:156.

Anotaciones holandesas examinaron más de cerca el versículo en su contexto inmediato y joanino, para llegar a su conclusión.

Finalmente, 1 Timoteo 2 se refiere al deseo de Dios de que todos se salven y a que Cristo se entregó como "rescate por todos". Sobre este texto, Grocio dijo que el deseo de Dios de salvar a todos es su voluntad precedente (*voluntas præcedens*), que es anterior a cualquier limitación de la salvación a los elegidos.[104] Concibió a Dios como enviando a Jesús con el plan y propósito de salvar a todos. El rescate de la cruz trajo beneficios generales a toda la raza humana (*ad totius humani generis*).[105]

Las *Anotaciones holandesas*, por otra parte, se esforzaron en subrayar que "todos" significa "toda clase" de personas, como ocurre en los versículos 1-2, ya que, si Dios quisiera que todas las personas se salvaran, se salvarían, "porque Dios hace lo que quiere". Se esforzaron por refutar el sinergismo, añadiendo: "Si alguien dice que Dios quiere esto si los hombres también lo quieren, eso supondría hacer descansar la salvación en parte en la voluntad de Dios y en parte en la de los hombres, lo cual es contrario a lo que enseña el Apóstol".

Las *Anotaciones inglesas* elaboraron el mismo punto sobre "todos" refiriéndose a toda clase de individuos (*pro generibus singulorum*), "sin excluir a ninguno por su nombre ni por su nación o condición". Añadieron que Cristo "ha comprado su Iglesia con su sangre", y luego calificaron el rescate por todos como para todos los que creen, citando una serie de pasajes que vinculan la expiación a la fe. Esto seguía de cerca el enfoque de Diodati,[106] pero las *Anotaciones ginebrinas* dejaban claro que, aunque Pablo estaba discutiendo aquí la voluntad revelada de Dios, "su voluntad secreta hace una distinción de sus elegidos" (citando Hechos 13:48 entre otros pasajes)

Parece ser, pues, que detrás de las formulaciones doctrinales del Sínodo se encontraba un cuidadoso trabajo exegético. Sus anotaciones resumían esta antigua tradición interpretativa y otorgaban carácter bíblico a la concepción de Dort de la expiación definida e intencional, al tiempo que intentaban demostrar la endeble base exegética de las interpretaciones arminianas.

Las anotaciones eran claras, sensibles al contexto, e interpretaban la Escritura con la Escritura, al tiempo que no ponían en primer plano las

---

[104] Ibid., 7:221.

[105] Ibid., 222.

[106] Hubo acusaciones de que las Anotaciones inglesas habían plagiado amplias secciones de Diodati (Muller y Ward, *Scripture and Worship*, 17-19, 66-69).

cuestiones doctrinales y polémicas, algo de lo que tal vez se podría acusar a Diodati o a Grocio.[107] Por lo tanto, no es posible suponer que los teólogos de Dort nunca intentaron lidiar con la totalidad de la Escritura, que sólo estaban interesados en la teorización abstracta o en la coherencia lógica a expensas de la propia Biblia, o que impusieron más que otros una cuadrícula sistemática sobre la Palabra de Dios.

Sin embargo, las diferencias entre las anotaciones inglesas, holandesas y ginebrinas demuestran que hubo una variedad de respuestas a las interpretaciones arminianas, dentro de una familia reconocible de estudios bíblicos reformados.

De puntillas a través del TULIP

El hecho de que los Cánones de Dort dejaran cuidadosamente sin decidir ciertas cuestiones y se enmarcaran para permitir la suscripción de Davenant y Ward es significativo. Se ha sugerido que Davenant sostenía una visión amyraldiana del orden de los decretos de Dios, antes que Amyraut. No hay ninguna prueba real de ello,[108] pero está claro que Davenant defendía una variante del universalismo hipotético reformado. No es cierto que la posición de Overall-Davenant (compartida en gran medida por otros tales como el arzobispo Ussher) fuera la palabra definitiva de la Iglesia de Inglaterra sobre el tema, como afirma Peter White.[109]

Los otros delegados británicos no pensaban así, y tampoco el arzobispo de Canterbury.[110] Todavía habrían de llegar muchas disputas respecto a cuál era el punto de vista anglicano oficial.[111] Sin embargo, por razones tácticas, políticas

---

107 Marten H. Woudstra, "The Synod and Bible Translation", en *Crisis in the Reformed Churches*, 141, es demasiado positivo, sin embargo, al afirmar que no hubo ningún sesgo en los pasajes "universalistas". Puede que sea así en cuanto a la traducción, pero no lo es respecto a las anotaciones.

108 Moore, *English Hypothetical Universalism*, 188 n. 74, contra Thomas, *Extent of Atonement*, 151, 165.

109 White, *Predestination*, 191.

110 Milton, *British Delegation*, 215. George Carleton era consciente de que algunos obispos sostenían una visión más arminiana sobre la expiación, pero confesó: "Nunca pensé sus opiniones como la doctrina de la Iglesia de Inglaterra" (Hales, *Golden Remains*, ii.180).

111 Véase Henry Hickman, *Historia Quinq-Articularis Exarticulata* (Londres, 1673). Del siglo siguiente, Augustus Toplady, *Historic Proof of the Doctrinal Calvinism of the Church of England* (Londres, 1774) es una defensa clásica de las credenciales reformadas anglicanas en este y otros puntos.

o de otra índole, se permitió que el universalismo hipotético reformado prevaleciera entre la delegación británica, y que ejerciera cierta influencia en el Sínodo.

Aquellos que desde entonces han sostenido las variedades reformadas del universalismo hipotético se han referido a sí mismos como "calvinistas de cuatro puntos o cuatro puntos y medio". Esto, sin embargo, puede ser técnicamente inexacto para algunos. A pesar de los desacuerdos con otras delegaciones, Davenant y Ward se suscribieron alegremente a la declaración prístina original del "calvinismo de cinco puntos".

Tal vez, pues, otros que adoptan un punto de vista menos "estricto", no ginebrino, sobre esta cuestión, también pueden reclamar para sí, históricamente hablando, los cinco pétalos del TULIP (aunque no de la manera excesivamente simplificada en que esto se define a veces). Richard Baxter se consideraba ciertamente de acuerdo con Dort, a pesar de su famoso desacuerdo con John Owen sobre la cuestión.[112]

De hecho, declaró que "los meros *Decretos Doctrinales* del Sínodo de *Dort* son tan moderados y reconfortantes, que allí donde se ha renunciado a la violencia y se ha hecho uso de la razón, muchos han sido apaciguados por ellos".[113] La cuestión, sin embargo, debe ser si él o los universalistas hipotéticos de hoy son tan cuidadosos para evitar la pendiente resbaladiza del arminianismo como lo fueron los británicos en Dort, y si los reformados están tan dispuestos ahora como lo estaban en Dort a tolerar una cierta cantidad de diversidad dentro de sus sólidos debates internos.[114]

---

[112] En la *Confession of Faith* de Richard Baxter (Londres, 1655), 25, Baxter escribe: "en el artículo de la extensión de la redención, en el que soy más sospechoso y acusado... suscribo el Sínodo de Dort, sin ninguna excepción, limitación o exposición de cualquier palabra como dudosa y oscura". Véase Hans Boersma, *A Hot Pepper Corn: Richard Baxter's Doctrine of Justification in Its Seventeenth-Century Context of Controversy* (Vancouver: Regent College Publishing, 1993), 209-19.

[113] Richard Baxter, *The True History of Councils* (Londres, 1682), 184. Cf. las opiniones de Baxter sobre Dort en *Catholick Theologie* (Londres, 1675), I.i.124-26; ii.51-54; iii.67-69; II.57-59, 61, y *Universal Redemption of Mankind* (Londres, 1694).

[114] Deseo agradecer especialmente a Raymond Blacketer, Martin Foord, Jonathan Moore y Anthony Milton sus comentarios sobre los borradores de este capítulo.

§7. LA CONTROVERSIA SOBRE LA GRACIA UNIVERSAL: UN ESTUDIO HISTÓRICO DEL *BREVE TRATADO DE LA PREDESTINACIÓN* DE MOÏSE AMYRAUT

Amar Djaballah

Introducción

En 1634, Moïse Amyraut publicó un libro titulado *Breve tratado de la predestinación y de sus principales dependencias* (Brief Traitté de la Predestination et de ses principales dependances).[1] Dieciocho meses más tarde, en 1636, defendió su tesis principal en *Seis sermones* (Six Sermons) y *Muestra*

[1] Moïse Amyraut, *Brief Traitté de la Predestination et de ses principales dependances* (Saumur, Francia: Jean Lesnier & Isaac Debordes, 1634; 2ª ed., revisada y corregida; Saumur, Francia: Isaac Debordes, 1658). En adelante, se hará referencia a la obra como *BTP*.

de la doctrina de Calvino sobre la predestinación (Eschantillon de la Doctrine de Calvin Touchant la Predestination), siendo este último un argumento de su fidelidad a Juan Calvino.[2]

Las obras de Amyraut suscitaron una gran controversia y se convirtieron en el tema central de varios sínodos nacionales de las iglesias reformadas de Francia. Aunque en un principio evitó la acusación de herejía, las enseñanzas de Amyraut fueron finalmente rechazadas por las Iglesias reformadas suizas en la *Formula Consensus Helvetica* (1675), pero siguieron ejerciendo influencia en Europa y en otros lugares.[3]

Los debates en torno a la exposición de Amyraut sobre la predestinación y su relación con la expiación de Cristo —conocida ahora como "amyraldianismo"— han continuado hasta nuestros días.[4] De hecho, no sería

---

[2] Moïse Amyraut, *Six Sermons: De la natvre, estendve, necessité, dispensation, et efficace de l'Euangile* (Saumur, Francia: Claude Girard & Daniel de Lerpiniere, 1636); publicado con *Eschantillon de la Doctrine de Calvin Touchant la Predestination*. Los *Six Sermons* de Amyraut fueron reeditados en un volumen que contenía varios sermones suyos en 1653: *Sermons svr divers textes de la Sainte Ecritvre prononcés en diuers lieux* (Saumur, Francia: Isaac Desbordes, 1653). El *Eschantillon* fue reeditado, con muy pocos cambios, junto con la segunda edición de *BTP* en 1658. N.B.: Al citar a Amyraut y otros textos antiguos, he conservado las peculiaridades ortográficas y gramaticales tal y como se encuentran en las fuentes, sin pretender uniformarlas ni ajustarlas al uso contemporáneo. Aunque se harán referencias a literatura secundaria sobre el tema, este artículo se concentra en los documentos primarios pertinentes.

[3] La contribución teológica de Amyraut, especialmente en relación con las doctrinas de la predestinación y la expiación, fue estudiada con bastante regularidad, al parecer, en los siglos XVIII y XIX, como lo demuestra el número de tesis en las instituciones educativas protestantes y no pocos libros. Véase Charles Edmond Saigey, "Moïse Amyraut. Sa vie et ses écrits" (Facultad de teología protestante de Estrasburgo, 1849); Ernest Brette, "Du système de Moïse Amyraut, désigné sous le nom d'universalisme hypothétique" (Facultad de teología protestante de Montauban, 1855); André Sabatier, "Etude historique sur l'universalisme hypothétique de Moïse Amyraut" (Facultad de teología protestante de Montauban, 1867); Théodore-Ernest Roehrich, "La doctrine de la prédestination et l'école de Saumur" (Facultad de teología protestante de Estrasburgo, 1867); y Marc Fraissinet, "Essai sur la morale d'Amyraut" (Facultad de teología protestante de Montauban, 1889).

[4] En el siglo XX se ha investigado bastante a fondo en algunas contribuciones importantes: Jürgen Moltmann, "Gnadenbund und Gnadenwahl: Die Prädestinationslehre des Moyse Amyraut, dargestellt im Zusammenhang der heilsgeschichtlich-foederal theologischen Tradition der Akademie von Saumur" (tesis doctoral, University of Göttingen, 1951); ídem, "Prädestination und Heilsgeschichte bei Moyse Amyraut", *Zeitschrift für Kirchengeschichte* 65 (1953-1954): 270-303; Lawrence Proctor, "The Theology of Moïse Amyraut Considered as a Reaction against Seventeenth-Century Calvinism" (tesis doctoral, University of Leeds, 1952); François Laplanche, *Orthodoxie et prédication: L'œuvre d'Amyraut et la querelle de la grâce universelle* (París: PUF, 1965; versión revisada de una tesis doctoral, Université d'Angers, 1954); Roger R. Nicole, "Moyse Amyraut (1596-1664) and the Controversy on Universal Grace. First Phase (1634-1637)" (tesis doctoral, Harvard

erróneo decir que los evangélicos en general se han visto afectados por el debate: consciente o inconscientemente, una forma de amyraldianismo (universalismo hipotético o condicional) es a veces la posición por defecto sobre la expiación para la mayoría de los evangélicos con inclinaciones reformadas.[5]

Sin embargo, incluso entre los que mantienen posiciones "amyraldianas" sobre la predestinación y la expiación, muchos no están familiarizados con las tesis de Amyraut sobre dichas doctrinas. Esto se debe principalmente al hecho de que su tesis principal, el *Breve Tratado*, y sus obras concomitantes fueron escritas en francés del siglo XVII y no han sido traducidas al inglés.

El propósito de este capítulo no es ofrecer una crítica exhaustiva de las enseñanzas de Amyraut sobre la predestinación y la expiación, sino más bien presentar un estudio histórico de Amyraut y de sus escritos y de la controversia que surgió a raíz de su publicación. Hasta la fecha, no existe una presentación

---

University, 1966; en adelante citada como "Moyse Amyraut"); la obra contiene una bibliografía muy completa que fue actualizada en *Moyse Amyraut: A Bibliography: With Special Reference to the Controversy on Universal Grace*, Garland Reference Library of the Humanities, vol. 258 (Nueva York y Londres: Garland, 1981); Brian G. Armstrong, *Calvinism and the Amyraut Heresy: Protestant Scholasticism and Humanism in Seventeenth-Century France* (Madison: University of Wisconsin Press, 1969), en adelante citado como *CAH*; la obra contiene también una importante bibliografía, y apéndices donde el autor interactúa con las obras más importantes publicadas en la época; Frans P. van Stam, *The Controversy over the Theology of Saumur, 1635-1650: Disrupting Debates among the Huguenots in Complicated Circumstances* (Amsterdam y Maarsen: APA-Holland University, 1988). Entre las presentaciones más recientes figuran G. Michael Thomas, *The Extent of the Atonement* (Carlisle, Reino Unido: Paternoster, 1997); Alan C. Clifford, *Atonement and Justification: English Evangelical Theology, 1640-1970. An Evaluation* (Oxford: Clarendon, 1990); ídem, *Amyraut Affirmed* (Norwich, Reino Unido: Charenton Reformed, 2004). Richard A. Muller, reconocido especialista de la teología reformada de la posreforma, ha contribuido con varios escritos en este campo; se mencionarán más adelante.

[5] Aunque comparten varias similitudes con el universalismo hipotético británico, la diferencia entre ambas posturas se centra principalmente en el orden de los decretos. Como se mostrará, Amyraut creía que, lógicamente, el decreto de elección es posterior al decreto de redención. Los universalistas hipotéticos de molde británico afirmaban la expiación universal de Cristo para todos con la condición de la fe, pero no situaban necesariamente la elección después de la redención en el orden de los decretos. Sobre el universalismo hipotético británico, véase Jonathan D. Moore, *English Hypothetical Universalism: John Preston and the Softening of Reformed Theology* (Grand Rapids, MI: Eerdmans, 2007); ídem, "The Extent of the Atonement: English Hypothetical Universalism versus Particular Redemption", en *Drawn into Controversie: Reformed Theological Diversity and Debates within Seventeenth-Century British Puritanism*, ed. Michael A. G. Haykin y Mark Jones (Göttingen, Alemania: Vandenhoeck & Ruprecht, 2011), 124-61.

detallada y publicada de las principales tesis de Amyraut en lengua inglesa, por lo que este capítulo aspira a proporcionar precisamente eso.[6]

Aquellos que deseen abordar a Amyraut y el amyraldianismo desde perspectivas históricas, bíblicas, teológicas o pastorales tendrán que buscar en otra parte.[7] Este capítulo pretende ser un recurso útil para abordar la posición de Amyraut evitando la hagiografía por un lado y la caricatura y la tergiversación por otro.

Método

Me propongo presentar la doctrina del "universalismo hipotético" tal y como la expone Amyraut en su *Breve Tratado*. Se ha dicho que la doctrina propuesta por Amyraut fue la discusión más seria que agitó a las iglesias protestantes de Francia en la primera mitad del siglo XVII.[8] Dado que las obras de Amyraut han provocado varios debates acalorados, tanto entonces como más recientemente, parece prudente adoptar la siguiente perspectiva metodológica: (I) comprender al propio Amyraut: sus antecedentes y su crianza, su educación y su formación teológica; (II-III) presentar los principales postulados de la tesis de Amyraut sobre la predestinación, tal como figuran en el *Breve Tratado*; (IV) rastrear la posterior controversia histórica sobre la gracia en Francia y fuera de ella; y, por último, (V) ofrecer algunos breves ejemplos del amyraldianismo en la teología evangélica del siglo pasado.

A este respecto, debemos recordar que Amyraut escribió como profesor de teología en una academia reformada confesional y que fue absuelto de las

---

[6] Nicole, "Moyse Amyraut", 37-66, contiene un resumen muy útil de la obra de Amyraut, pero no ha sido publicado. *CAH*, de Armstrong, no llega a ofrecer un resumen de los postulados de las principales tesis de Amyraut: "Por esta razón no daré un análisis sistemático del *Brief Traitté*, sino que utilizaré su contenido relacionándolo con la presentación más completa de su pensamiento que se encuentra en las diversas respuestas que Amyraut dio a los críticos de su *Brief Traitté*" (171). Otras dos obras han tratado de resumir el *Brief Traitté*, pero han sido escritas en alemán y francés (Alexander Schweizer, *Die Protestantischen Centraldogmen in ihrer Entwicklung innerhalb der reformierten Kirche*, 2 vols. [Zúrich, 1854-1856], 2:279-97; y Laplanche, *Orthodoxie et prédication*, 87-108).

[7] Para una breve crítica general, véase Roger R. Nicole, "Brief Survey of the Controversy on Universal Grace (1634-1661)", *Standing Forth: Collected Writings of Roger Nicole* (Ross-shire, Reino Unido: Mentor, 2002), 313-30 (322-25). Véase también, Donald Macleod, "Definite Atonement and the Divine Decree", capítulo 15 de este volumen.

[8] Las cuestiones debatidas han sido contextualizadas, con desigual éxito, en las diversas publicaciones citadas en la nota 4.

acusaciones de herejía por un sínodo nacional y se le permitió enseñar teología hasta su muerte. Por lo tanto, a pesar de la *Wirkungsgeschichte* (historia de la recepción) de sus tesis en la historia del pensamiento reformado, debe ser estudiado como un miembro de la comunidad teológica reformada con quien se puede discrepar, y no como un adversario al que hay que silenciar.[9] Esta premisa sirve de base para la siguiente presentación.

I. Biografía de Moïse Amyraut (1596-1664)

Moïse Amyraut,[10] como se le conoce en francés[11] (Moisés Amiraldo, en español), nació en 1596 en Bourgueil, en Touraine, en el mismo año y la misma región que René Descartes, una interesante coincidencia a la luz de la acusación de racionalismo formulada contra Amyraut.[12] Inicialmente emprendió estudios de derecho y logró obtener su licenciatura en un año (1616), estudiando catorce horas al día. Después, bajo la influencia de un ministro reformado compatriota de Saumur, Samuel Bouchereau, que quedó impresionado por sus grandes dotes intelectuales, Amyraut se planteó una vocación eclesiástica y, por tanto, emprendió estudios teológicos.

La lectura de la *Institución de la religión cristiana* (Institution de la religion chrétienne) de Calvino le convenció de tomar ese camino. Al principio, experimentó la oposición de su padre, quien le preparaba para suceder a su tío en los cargos de senescal, pero que más tarde accedió a la petición de su hijo de abandonar el derecho por el estudio de la teología. Amyraut se trasladó a la Academia Reformada de Saumur, fundada por un sínodo nacional de las iglesias

---

9 Véase Richard A. Muller, "Diversity in the Reformed Tradition: A Historiographical Introduction", en *Drawn into Controversie*, 11-30; y Carl R. Trueman, *John Owen: Reformed Catholic, Renaissance Man* (Aldershot, Reino Unido: Ashgate, 2007), 29-31.

10 Véase Pierre Bayle, "Amyraut (Moïse)", en *Dictionnaire historique et critique de Pierre Bayle*, nueva edición aumentada. (París: Désoer, Libraire, 1820[1679]), 507-19, fuente de gran parte de lo que se contiene en este párrafo. Véase también la entrada biográfica que se le dedica en John Quick, "Amyraut", en *Icones sacrae Gallicanae*, 2 vols. (transcripción MS, Dr. Williams's Library, Londres, 1700), 1:958-1028. Este texto fue escrito hacia 1695; una copia manuscrita se realizó en 1863, según Nicole, *Moyse Amyraut, A Bibliography*, 178. Tanto el manuscrito original como la copia manuscrita están disponibles en la Biblioteca del Dr. Williams, Gordon Square, Londres.

11 Se encuentran varias grafías del nombre: Amyraut, Amiraut, Amyrault, Amyraud, Amyrauld. He preferido la utilizada por el propio Amyraut, que siempre firmaba sus escritos "Amyraut".

12 Armstrong, *CAH*, 177-82, y apéndice 1: "A Note on Amyraut's Rationalism", 273-75.

reformadas francesas en 1598 (aunque la escuela no empezó a funcionar hasta 1604), bajo la influencia de Philippe Duplessis-Mornay (1549-1623), líder protestante y gobernador de Saumur.

En Saumur, Amyraut estudió con el influyente John Cameron (1579-1625) de Escocia, teólogo insigne de la época, de quien se convirtió en discípulo.[13] Amyraut declaró que, después de las Sagradas Escrituras, aprendió de Cameron todo lo que valía la pena en materia de teología.[14] John Cameron pensaba que la propia teología reformada necesitaba ser reformada (un deseo claramente en línea con el principio *semper reformanda*) y no dudó en denunciar lo que percibía en ella como estrechez, intolerancia y despotismo.

Aunque él mismo escribía muy poco,[15] tenía la intención de formar a jóvenes mentes brillantes que llevaran a cabo la deseada reforma en el futuro.

---

[13] Sobre John Cameron, véase el artículo estándar de Eugène Haag y Emile Haag, *La France protestante* (París y Ginebra: Cherbuliez, 1852), 3:174-78. Las principales obras sobre Amyraut en general dedican una sección a Cameron: así Laplanche, *Orthodoxie et prédication*, 50-57; Nicole, "Moyse Amyraut", 29-32; Armstrong, *CAH*, 42-70; Thomas, *Extent of Atonement*, 162-86; véase también la reciente contribución al debate de Richard A. Muller, "Divine Covenants, Absolute and Conditional: John Cameron and the Early Orthodox Development of Reformed Covenant Theology", *Mid-American Journal of Theology* 17 (2006): 11-56; en él se encuentra una amplia bibliografía. Nacido y educado en Glasgow, Cameron se fue a Francia en 1600, donde enseñó latín y griego en el Colegio Protestante de Bergerac. Después de enseñar filosofía en la Academia de Sedán, servir en un pastorado en Burdeos, y emprender otros estudios en París, Ginebra y Heidelberg entre 1608 y 1618, Cameron fue llamado a ocupar la cátedra de teología en la Academia de Saumur durante tres años (1618-1621) antes de verse obligado a abandonar Francia. Al regresar a su Escocia natal, fue nombrado director de divinidad del Colegio de Glasgow, donde permaneció dos años antes de volver a Francia en 1623, lo que le permitió reanudar brevemente su enseñanza en Saumur, y terminar su carrera teológica como profesor de teología en la Academia de Montauban.

[14] "... tout ce peu que ie puis en l'explication de la saincte Theologie, ie le dois apres la lecture de l'Escriture, aux ouuertures que ce grand homme m'y a données" (Amyraut, "Réplique à Monsieur de L. M.", en *BTP*, 2ª ed., 302). Casi todos los estudios sobre Cameron (Moltmann, Laplanche, Nicole, Armstrong, Thomas) subrayan su influencia sobre Amyraut y lo consideran "el autor de la mayoría de los elementos distintivos de la teología de Amyraut" (Thomas, *Extent of Atonement*, 163), aunque obviamente es Amyraut quien les dio el impulso y el desarrollo que se debatirá en la historia de la teología. Para Moltmann, "Gnadenbund", 285, la teología del pacto de Amyraut es una "absolut treue Kopie" de la de Cameron.

[15] Un gran número de obras de Cameron han sido convenientemente reunidas en *Ioannis Cameronis Scoto-Britanni Theologi eximij [], siue Opera partim ab auctore ipso edita, partim post eius obitum vulgata, partim musquam hactenus publicata, vel è Gallico idiomate nunc primum in Latinam linguam translata. In unum collecta, & variis indicibus instructa, ed. Friedrich Spanheim* (Ginebra: Chouet, 1642, y de nuevo en 1659).

De su amplia influencia sobre Amyraut, hay que mencionar su novedosa doctrina de los tres pactos, que impactaría profundamente a su alumno.[16]

Sobre la cuestión de la redención particular, Cameron dejó cuatro cartas en las que respondía a las objeciones planteadas desde una perspectiva arminiana, y que esclarecen un poco su posición.[17] Rechaza claramente el arminianismo; presenta, en relación con la muerte de Cristo, la distinción "suficiente para todos, eficaz para los elegidos"; y, sobre la base de su *foedus hypotheticum*, sostiene la proposición de que Cristo murió por todos los hombres, pero no por igual.[18] Ilustra su punto de vista con una comparación con el sol: aunque brilla sobre todos, no todos se benefician de su luz (algunos pueden estar dormidos, mientras que otros cierran los ojos, etc.).

> Ahora bien, esto no se debe a ninguna deficiencia del sol, sino que es culpa de quien no aprovecha este beneficio. En consecuencia, Cristo murió por todos, pero su muerte sólo hace bienaventurados a los que se aferran a Él por la fe.[19]

Nicole opina que Cameron:

> Debe haber desarrollado sus puntos de vista muy considerablemente en la dirección de un énfasis en la voluntad salvífica universal de Dios. De lo contrario, sería difícil entender cómo varios de sus alumnos, que reconocieron estar en deuda con él al respecto, coincidieran precisamente en esta cuestión.[20]

---

[16] Véase Armstrong, *CAH*, 47-59, y la literatura allí citada: "... es necesario subrayar que en esta explicación de los pactos encontramos muchos de los rasgos distintivos de la teología salmuriana" (47-48). Las doctrinas de las diferentes expresiones del amor de Dios (por la humanidad en su conjunto y por los elegidos) y el *foedus hypotheticum* (pacto hipotético) se encuentran en los escritos de Cameron.

[17] Las cartas a las que se hace referencia, escritas entre 1610 y 1612, pueden encontrarse en la edición de las obras de Cameron ya citadas en la nota 15.

[18] Resumen conveniente en Armstrong, *CAH*, 47-59.

[19] Carta escrita en diciembre de 1611, traducida en ibid., 59.

[20] Nicole, "Moyse Amyraut", 32. Entre los alumnos de Cameron, Nicole se refiere a Amyraut, Daillé, La Milletière, La Place y Testard. Testard escribió un tratado muy similar al *BTP* de Amyraut, aunque no ejerció una influencia histórica análoga. En su respuesta a las opiniones de Cameron, André Rivet no encontró en ellas formulaciones claras de una intención universal de la muerte de Cristo (contra Testard y Amyraut). Con razón, Nicole sostiene que en este punto los antiguos alumnos de Cameron (que estaban bastante cerca de él) debían estar mejor informados de la teología de su maestro que Rivet ("Moyse Amyraut", 104).

Sin embargo, para Muller, la obra teológica de Cameron "no se opuso a las tendencias de la temprana ortodoxia reformada, sino que es, de hecho, bastante representativa de ese desarrollo".[21] La afirmación de Muller aquí es coherente con su tesis de la existencia de una diversidad y fluidez de la teología reformada en los siglos XVI y XVII.

Tras pasar unos años en el pastorado, primero en Saint-Aignan y, a partir de 1626, en Saumur, donde sucedió a Juan Daillé, Amyraut fue llamado a ocupar la cátedra de teología de la Academia de Saumur en 1633, al mismo tiempo que dos amigos suyos cercanos y capaces: Louis Cappel (1585-1658) y Josué de la Place (1596-1655). Su tesis inaugural para su investidura como profesor de teología, articulada en sus *Theses theologicae de sacerdotio Christi*,[22] fue muy apreciada por sus examinadores y por quienes la escucharon.[23]

A pesar de las dificultades que encontró en los años siguientes, debidas sobre todo a sus puntos de vista sobre la predestinación y la expiación, Amyraut siguió siendo profesor en Saumur hasta su muerte en 1664, desempeñando el cargo de director de la Academia a partir de 1641. Ejerció una profunda influencia en generaciones de estudiantes de teología de allí y de otros lugares.

Vale la pena narrar algunos episodios de la vida de Amyraut, antes de centrarnos en nuestro tema en concreto. Durante su pastorado en Saumur, Amyraut recibió el encargo del Sínodo Nacional de Charenton en 1631 de presentar al rey de Francia una lista de quejas y agravios por la violación del Edicto de Nantes. Propuso presentarse ante el rey sin arrodillarse, como se obligaba a los protestantes en aquella época. Aunque en un primer momento el rey rechazó su petición, la paciencia de Amyraut (tardó quince días) y sus argumentos le granjearon la simpatía del muy poderoso cardenal Richelieu, que convenció al rey para que concediera al teólogo reformado una audiencia según el procedimiento eclesiástico normal, y no de rodillas.

También puede ser interesante recordar que Amyraut fue el primer predicador que citó a Calvino en el púlpito y a quien, además, se le reprochó esta práctica.[24] Aunque a veces haya sido en beneficio propio, por un lado

---

[21] Muller, "Divine Covenants, Absolute and Conditional", 13.

[22] Amyraut, *Theses theologicae de sacerdotio Christi* (Saumur, Francia: Jean Lesnier & Isaac Desbordes, 1633).

[23] Bayle, "Amyraut", 508.

[24] Lo que Pierre Du Moulin encontró exasperante quizás no fue tanto la simple referencia desde el púlpito a Calvino per se como la magnitud y el objetivo interesado de la práctica. Véase Pierre Du Moulin, *Esclaircissement Des Controuerses Salmvriennes: Ou*

muestra que, a pesar de su gran dependencia de Cameron y de su conocida aversión a Beza, Amyraut quería ser percibido como fiel a Calvino; por otro lado, muestra que para los "ortodoxos" (bien representados en la época por Pierre Du Moulin, que criticaba la práctica), lo decisivo era la Sagrada Escritura, muy por encima del propio Calvino.

Algunos comentaristas han destacado el "irenismo" y el "ecumenismo" de Amyraut. Señalan su tolerancia y apoyo a las opiniones teológicas divergentes de las suyas, ejemplificadas por un episodio narrado en los artículos de Bayle y Aymon sobre Amyraut. En el Sínodo Nacional Reformado de Charenton de 1644-1645, las opiniones de La Place sobre el pecado original —negó la doctrina de la imputación directa del pecado de Adán[25]— fueron objeto de merecidas críticas; y aunque Amyraut afirmó no compartir las opiniones de su colega, defendió su derecho a mantenerlas.[26]

La segunda característica, el ecumenismo (Richard Stauffer se refirió a Amyraut como un "precursor del ecumenismo"[27]), se ha documentado en el deseo expreso de Amyraut y en sus esfuerzos por un acercamiento y unidad de la Iglesia Reformada y la Comunión de Augsburgo, ya que no veía ninguna diferencia irreconciliable entre ellas. Tal y como dijo, aunque había algunas diferencias importantes entre las dos iglesias, que intentó delimitar, los

---

Defense de la Doctrine des Eglises Reformees svr l'immutabilité des Decrets de Dieu, l'efficace de la Mort de Christ, la grace universelle, l'impuissance à se convertir: et sur d'autres matières (Ginebra: Imprimerie de Pierre Aubert, 1649), 197, donde se queja de que Amyraut cita pasajes de Calvino en sus sermones "iusqu'à en reciter cinq pages d'vne halaine" ("recitando hasta cinco páginas de un tirón"). Du Moulin se queja no sólo de que Amyraut cita a Calvino muy copiosamente (muchas páginas a la vez) sino también de que habla de él en términos demasiado aduladores (198). Amyraut se refiere a Calvino como "incomparable, excelente, grande"; se dice que su nombre es una "bendición"; sus palabras son dignas de "inmortalidad" (véase Amyraut, *Sermons svr divers textes de la Sainte Ecritvre prononcés en diuers lieux*, ya en el prefacio, x, y luego 15, 19, 20, 24, 49, 60, 69, 74, 76, 79, 90, 94, 101, 153, 207, 242).

25 La Place promovió la idea de que el pecado de Adán no fue imputado a sus descendientes; sin embargo, a causa de su pecado, nacen corruptos, e incurren en el desagrado y la condena de Dios a causa de su corrupción.

26 Bayle, "Amyraut", 509; Jean Aymon, *Actes ecclésiastiques et civils de tous les synodes nationaux des Eglises réformées de France*, 2 vols (La Haya: Charles Delo, 1710), 2:663.

27 Richard Stauffer, *Moïse Amyraut: un précurseur français de l'œcuménisme* (París: Librairie protestante, 1962); cf. también su "Amyraut, Advocate of Reconciliation between Reformed and Lutherans", en Richard Stauffer, *The Quest for Church Unity: From John Calvin to Isaac d'Huisseau* (Allison Park, PA: Pickwick, 1986), 25-51.

"calvinistas" y los luteranos estaban de acuerdo en "los puntos fundamentales de la verdadera religión".[28]

Por otro lado, consideraba que las diferencias con la Iglesia católica romana eran tales que no se podía plantear una reconciliación: el ecumenismo tiene sus límites, determinados por las prácticas doctrinales y eclesiásticas. Sin embargo, Amyraut estaba más que abierto a conversar con católicos romanos a título individual sobre cuestiones teológicas: como veremos, el *Breve Tratado* es una especie de *apología*, escrita como resultado de una conversación con un feligrés católico romano.

Las circunstancias que motivaron la publicación del *Breve Tratado* son relatadas por Amyraut en el "Prefacio al lector" de la *Muestra de la doctrina de Calvino sobre la predestinación* (Eschantillon de la Doctrine de Calvin Touchant la Predestination), publicada poco después del *Breve Tratado*. Durante un encuentro con un noble católico romano ("*homme de qualité*"[29]) en casa del obispo católico romano de Chartres, la doctrina de Calvino sobre la predestinación fue atacada como dura, estrecha e impropia de Dios.

Para Amyraut, este malentendido estaba muy extendido y podía obstaculizar el deseo de la gente de abrazar la fe reformada. Tras una larga y cordial discusión con el obispo de Chartres y una reunión con el caballero católico romano al día siguiente, en la que Amyraut expresó su entendimiento de la doctrina de la predestinación, con el fin de aliviar los escollos percibidos, el teólogo salmuriano se comprometió a redactar un tratado sobre el tema.[30]

Sintiendo que ese sentimiento era sin duda compartido por otros potenciales conversos a la fe reformada, católicos romanos o arminianos, Amyraut se comprometió a escribir un tratado que lo persuadiera a él y a otros de la aceptabilidad de una doctrina que era tanto de Calvino como de la Biblia.[31] En

---

[28] Amyraut, *Eirenikon sine de rationepace in religionis negation inter Evangelicos constutuendae consilium* (Saumur, Francia: Isaac Desbordes, 1662), 1:32-33, 40; 2:341; citado en Stauffer, *Quest for Church Unity*, 29.

[29] Bayle, *Dictionnaire critique*, 512.

[30] *BTP*, 1ª ed., "Au Lecteur", 1: "Mon intention a seulement esté de rendre ceste doctrine qu'on estime communément si difficile & espineuse, capable d'estre comprise de tous..." ("Mi intención sólo ha sido hacer que esta doctrina, que comúnmente se considera tan difícil y espinosa, pueda ser comprendida por todos ..."). Esto explica, muy probablemente, la elección de Amyraut de escribir en francés, y no en latín, y de tratar el tema con un lenguaje poco técnico.

[31] Nicole, "Brief Survey", 313-14, menciona el deseo de Amyraut de contrarrestar la acusación de que la fe reformada presentaba a "Dios como arbitrario, injusto y poco sincero; creando a los réprobos para pecar y luego castigándolos por pecar; ofreciendo en el

sus escritos de esta época, Amyraut da la fuerte impresión de que considera que las doctrinas que expresa no sólo están en consonancia con las Escrituras, sino que también son fieles a Calvino y a la primera generación de reformadores, y, de hecho, son compatibles con los Cánones de Dort.

Sin embargo, la influencia de su antiguo maestro y mentor, Cameron, es evidente en el tratado; de hecho, Pierre Bayle comenta que, en él, Amyraut "explicó el misterio de la predestinación y de la gracia según las hipótesis de Cameron".[32]

II. Principales tesis del *Breve Tratado* de Amyraut (1634; 2da ed., 1658)

A continuación, presentaré las principales tesis contenidas en el *Breve Tratado* de Amyraut en el orden en que aparecen en su libro.

Capítulo 1: ¿Qué es la predestinación en cuestión? .[33]

Antes de definir la "predestinación", Amyraut expone el marco teológico en el que hacerlo: Dios no produce sus acciones sin orden y propósito; y como el hombre es su criatura más elevada, tuvo especial cuidado en crearlo con un propósito. En este contexto, la palabra "predestinación", definida de forma general, se refiere a la providencia de Dios, "el cuidado que Dios, el Creador del universo, muestra en su sabiduría para la conservación y la conducta de todas las cosas que son y las que se hacen en el mundo" (Sal. 115:3; Ef. 1:11; Hch. 4:28).[34]

---

evangelio una salvación que no tenía intención de transmitir", eliminando así una causa que podría haber impulsado a los reformados a convertirse al catolicismo romano. El tratado también puede haber sido escrito para proporcionar una base aceptable para la unión que deseaba con los luteranos.

[32] Bayle, *Dictionnaire critique*, 508.

[33] *BTP*, 1-9/1-8 (números de página de la primera y segunda edición, respectivamente): *"Que c'est que la Predestination dont il s'agist"*. N.B.: Existen algunas variaciones ortográficas entre las dos ediciones del Brief Traitté; he tomado las citas de la edición de 1634 y he mantenido la ortografía tal como se encuentra en esta fuente.

[34] Ibid., 7/6: "[L]e soin que Dieu Createur de l'Vniuers prend en sa sapience de la conseruation & de la conduite de toutes les choses qui sont & qui se font au monde". Referencia de las Escrituras en ese orden; y en adelante.

> **Salmo 115:3** Nuestro Dios está en los cielos; Él hace lo que le place.
> **Efesios 1:11** También en Él hemos obtenido herencia, habiendo sido predestinados según el propósito de Aquel que obra todas las cosas conforme al consejo de Su voluntad.
> **Hechos de los Apóstoles 4:28** para hacer cuanto Tu mano y Tu propósito habían predestinado que sucediera.

Más precisamente, como Pablo deja claro, la palabra se refiere a la ordenación por parte de Dios de su creación y de las criaturas al propósito específico que estableció para ellas (Ro. 8:29-30; Ef. 1:11, 5).[35] El capítulo termina con una nota discordante: entre el acto de la creación y el propósito de Dios de hacer a los creyentes conformes a la imagen de Cristo, el pecado entró en el mundo y alteró radicalmente la situación, con consecuencias dramáticas; el pecado de Adán "parece haber cambiado no sólo toda la faz del universo, sino incluso todo el propósito de su primera creación y, si se puede decir así, indujo a Dios a hacer nuevos consejos".[36]

Capítulo 2: ¿Por qué creó Dios el mundo? [37]

Para responder a la pregunta del título, Amyraut subraya tanto la sabiduría (*sapience*) y la bondad (*bonté*) de Dios, por un lado, como el orden perfecto de su creación, por otro.[38] Si ésta actuara con la inteligencia que Dios le dio, la creación respondería al Creador glorificándolo.[39] Pues Dios creó el mundo para exhibir su gloria y manifestar en él su bondad y su poder infinito. Dentro de la creación, el hombre se ha distinguido por estar dotado de un alma razonable, de un destello de la inteligencia de Dios y de una integridad que le permitió, desde el principio, contemplar al Creador en su creación.

---

[35] Ibid., 8/7: La palabra predestinación "a esté appliqué a denoter non pas seulement ceste prouidence..., mais celle particulierement selon laquelle Dieu les a ordonnés à leur but".

[36] Ibid., 9/8: El pecado de Adán "semble auoir changé non seulement toute la face de l'vniuers, mais mesmes tout le dessein de sa premiere creation, & s'il faut ainsi parler, induit Dieu à prendre de nouueaux conseils".

[37] Ibid., 10-22/9-19: "*Pourquoy Dieu a creé le monde*".

[38] Ibid., 10-12/9-10.

[39] Ibid., 11-12/10.

Este es el principio de la virtud en el hombre, que debe permitirle vivir según la santidad y la bondad de Dios. Al crear al hombre, Dios quiso que la práctica de estas virtudes asegurara su felicidad (*félicité*). Esto conecta con la idea de Amyraut sobre el modo en que Dios manifiesta su gloria: no es tanto la exhibición directa de su gloria el primer objetivo de la creación, "como el ejercicio de sus virtudes, de las que... resulta su gloria".[40] La principal de las virtudes de Dios es su bondad, como declararía toda la creación de Dios, inteligente y de otro tipo (Sal. 145:9).[41]

La bondad de Dios, por su naturaleza, se muestra en el dar a otro que no sea Dios, sin otra razón que ella misma. De hecho, desde la perspectiva de Dios, su gloria no debería considerarse como el fin principal de la creación; Dios muestra libremente su bondad a sus criaturas, sin esperar, por así decirlo, retribuciones para sí mismo.[42] Como se puede ver, siguen existiendo ambigüedades en la presentación de Amyraut: si la gloria de Dios se presenta como el fin principal de la creación, se mantiene un fuerte énfasis en su bondad, un atributo preeminente situado por encima de su poder y sabiduría.[43]

Capítulo 3: ¿Por qué creó Dios al hombre en particular? [44]

El hombre fue creado de forma muy singular; se le concedieron privilegios que ninguna de las otras criaturas recibió: un cuerpo y sentimientos, una voluntad y, sobre todo, una razón o entendimiento (*intelligence* y *entendement*) que le hicieron apto para conocer y glorificar a su Creador de forma única. Dios pretendía ser glorificado por una criatura a la que dotó de santidad y razón, y que así entendería que su felicidad residía en ver la estampa de Dios en toda la creación.

---

[40] Ibid., 17/15: "...la principale fin à laquelle Dieu aura visé en la creation du monde, à la considerer ainsi precisément, n'aura pas tant esté sa propre gloire, comme l'exercice de ses vertus, desquelles comme nous auons dit cy dessus, resulte necessairement la gloire".

[41] Ibid., 17-18/15-16.

[42] Ibid., 21-22/18: "La fin donc à laquelle Dieu a principalement visé en la creation de l'Vniuers, est qu'il a voulu estre bon & en sa nature & en ses effects, en faisant que les choses qui n'estoyent point fussent, & fussent en vn estat extremement conuenable & heureux, autant comme chacune d'elles pouuoit desirer de bon-heur selon sa nature".

[43] Ibid., 22/19: "...est la gloire de celuy qui en leur creation a desployé vne puissance infinie, vne sapience incomprehensible, & vne bonté qui semble encore ie ne sçay comment les surpasser & l'vne & l'autre".

[44] Ibid., 22-30/19-26: *"Pourquoy particulierement Dieu à creé l'homme"*.

Amyraut, una vez más, subraya la bondad de Dios vista particularmente en la prerrogativa única que concedió a la humanidad al crearla a su propia imagen.[45] La imagen de Dios en el hombre se ve especialmente en el entendimiento que le dio, como un rayo de la propia inteligencia de Dios.[46] En Dios hay dos cualidades (*choses*) distintas y conjuntas: su extrema bondad y santidad, por un lado; su felicidad y bienaventuranza, por otro. Al crear al hombre a su imagen, le concedió lo necesario para ambas cualidades: la santidad y la virtud, y las condiciones adecuadas para la felicidad (Sal. 8; 45:6-7). Para que el hombre sea su imagen, ambos aspectos fueron demandados por la bondad y la sabiduría de Dios.

Así como la santidad y la felicidad están unidas y son inseparables en Dios, también deben estarlo en el hombre. Así, el hombre no podría experimentar la felicidad de Dios sin ser santo: ni la justicia de Dios ni su sabiduría permitirían tal estado de cosas. La rebelión del hombre contra su Creador provocó su caída y su miseria, proporcional a la gravedad de una falta cometida contra la gloria y la majestad infinitas de Dios.[47]

Capítulo 4: ¿Por qué permitió Dios que el primer hombre pecara? [48]

La pregunta que encabeza el capítulo 4 se desprende lógicamente del capítulo anterior. Si la Escritura y nuestra experiencia muestran claramente que el hombre ha caído de su estado de bienaventuranza creado, se plantea una pregunta difícil: ¿Por qué Dios, que mostró una bondad tan excelsa al crear al hombre, permitió que Satanás lo tentara con éxito y provocara una situación en la que el hombre se apartó de Dios en pecado y rebeldía, y cayó en el miserable estado en que se encuentra actualmente? Si Dios hubiera podido impedirlo, ¿por qué no tomó esa medida? Si no pudo, ¿cómo puede decirse que es

---

45 Ibid., 24–26/21–22.

46 Ibid., 25–26/22: "...mais luy auoit donné en ceste excellente faculté par laquelle il est homme, vn rayon de son intelligence, & par ce moyen le principe des vertus qui le representent".

47 Ibid., 29–30/24–26.

48 Ibid., 31–47/26–39: "*Pourquoy Dieu a permis que le premier homme pechast*".

Todopoderoso?[49] O bien, ¿cómo es posible que el Creador Todopoderoso permitiera que la humanidad creada y Satanás, también un ser creado, se resistieran y vencieran su voluntad?

Amyraut rechaza una primera respuesta simplista: explicar el pecado del hombre por su libertad. Apelando al consejo de Dios, Amyraut señala justamente que las decisiones libres del hombre no estaban excluidas de la presciencia de Dios.[50] Además, Dios podría haber creado al hombre de tal manera que, sin violar su voluntad, el hombre hubiera cumplido perfectamente la voluntad de Dios.[51] Una vez rechazado este motivo, Amyraut considera el papel desempeñado por el entendimiento del hombre (*entendement*): debe haber presentado a la voluntad, que está sometida a él, razones para sugerir que los actos malvados propuestos fueran útiles y ventajosos (por ejemplo, el fruto era bueno para comer, era deseable para la vista y le concedería una ciencia que le haría igual a Dios; Gn. 3:6).

El pecado se debe, por tanto, a un debilitamiento vicioso del entendimiento del hombre que le llevó a ser engañado por Satanás (cf. 2 Co. 11:3). La voluntad del hombre no es la culpable, pues siguió el camino de una razón defectuosa. Pero al final, eso también fue permitido por Dios. Se evocan otras posibilidades: Dios podría haber iluminado el entendimiento del hombre sin violar su libertad; Adán habría descubierto el engaño de Satanás, manteniendo así el conocimiento de la verdad, la función fundamental y más excelente de su mente. O bien, ¿no habría sido mejor que Dios no le diera al hombre tal libertad (o que se la quitara después de habérsela dado), que permitirle utilizarla para su perdición? Se puede ver que la libertad del hombre era defectuosa en algún sentido, ya que provocaba decisiones malas contra la voluntad de Dios y era perjudicial para la felicidad del hombre.[52]

No hay que ir más allá de estos intentos de explicación: debido a deficiencias debilitantes de su entendimiento y a perversiones de su voluntad, el hombre ha pecado; y Dios lo ha permitido. La Escritura no nos permite indagar

---

49 Ibid., 32/27. En la formulación de la cuestión por parte de Amyraut se puede reconocer la futura formulación de Leibniz del problema del mal (véase Gottfried W. Leibniz, *Theodicy: Essays on the Goodness of God, the Freedom of Man, and the Origin of Evil, 1710*).

50 *BTP*, 33/28.

51 Ibid., 33/28: "...il ait sçeu trouuer le moyen de leur donner des facultez qu'il peust regir & gouuerner, pour executer au monde tout ce qu'il luy plaist sans leur faire aucune contrainte & sans les despoüiller des conditions & des inclinations qu'il leur a dónnees..."

52 Ibid., 35/29–30.

en este misterio más allá de la constatación de su realidad; una adecuada humildad humana debería inclinarnos a comprender que nuestras mentes finitas no podrán comprender este misterio.[53]

Los tratos providenciales de Dios narrados en la Escritura muestran que Dios no sólo permite que se produzca el mal, sino que lo utiliza para su gloria: La venta de José por parte de sus hermanos, el ascenso al poder del malvado Faraón de Egipto, los pecados reprobables de los hijos de Elí, la traición de Judas a su Señor; nada de esto desvirtúa el gobierno soberano de Dios, que muestra su dominio también en el endurecimiento del corazón de los pecadores.[54] No hay explicación más allá de esto; el Espíritu nos da a entender así que hay un misterio abismal que no podemos resolver.

Sin embargo, ante la fuerte afirmación bíblica del amor y la bondad de Dios, Amyraut se siente obligado a volver a su pregunta fundamental: ¿Por qué Dios no mantuvo a Adán, creado a su imagen, en una condición de bendición? Propone una explicación plausible (y quizá racionalista): La perfección creada de Adán era *natural* y su bienaventuranza era, por tanto, también *natural*. Dios había decretado crear al hombre en una condición *tan perfecta como su naturaleza lo permitiera*, un paso necesario *en route* hacia un estado sobrenatural que Dios había destinado para él. Crearlo directamente con capacidades sobrenaturales habría sido contrario a su sabiduría.[55]

Capítulo 5: ¿Cuáles son las consecuencias del pecado en el primer hombre? [56]

Este capítulo trata de las dobles consecuencias de la caída del hombre: su incapacidad para recuperar por sí mismo su estado original (debido al

---

[53] Ibid., 37–38/32: "Comme si expressement le S. Esprit auoit voulu tirer le rideau dessus, & nous apprendre qu'il y a là dedans des abysmes qu'il est impossible que l'on sonde".

[54] Ibid., 36–37/31–32.

[55] Ibid., 43–44/37: "[La nature a] touiours cela de defectueux qu'elle est muable.... Si donc Dieu eust creé l'hóme tel qu'il eust esté impossible qu'il pechast, il ne l'eust pas mis en l'estat de la nature, mais en vne condition surnaturelle. [... Faire passer Adam] du non estre, dont il auoit esté tiré, a vn estat surnaturel, sans esprouuer le milieu de la condition de la nature, n'eust pas esté chose conuenable a ceste intelligence qui conduit tout auec vne si merueilleuse sapience". Esta distinción es importante para Amyraut, pues la reitera en capítulos posteriores: ibid., 62/53, y 68–69/58.

[56] *BTP*, 47–61/ 40–51: "*Quelles sont les suites du peché du premier homme*".

oscurecimiento de su entendimiento y a un amor propio que desarrolló en su estado de pecado), y la transmisión de la corrupción y la miseria a todos sus descendientes, una transmisión tan inevitable como la de la vida misma, que afecta al cuerpo y al alma.[57]

La condición pecaminosa del hombre es tan corrupta que la Escritura lo califica de "esclavo" del pecado (Rom. 6:16-17). Claramente, Amyraut enseña una depravación universal del hombre, y este reconocimiento muestra, por su parte, "una decidida escisión de la línea de pensamiento arminiana".[58] Sin embargo, su comprensión del pecado transmitido por Adán principalmente en términos de corrupción heredada puede haber preparado el camino para las opiniones de Josué de la Place sobre la imputación mediata que serían condenadas en el Sínodo de Charenton en 1644-1645.

El Sínodo explícitamente "condenó dicha doctrina en cuanto que restringía la naturaleza del pecado original sólo a la corrupción hereditaria de la posteridad de Adán, sin imputarle el primer pecado por el que Adán cayó".[59]

Capítulo 6: ¿Cuál fue el propósito de Dios al enviar a Su Hijo al mundo? [60]

---

[57] Ibid., 47/40: "L'vne que de soy-mesme il ne s'en pourroit releuer: L'autre, qu'en ceste condamnation il enuelopperoit toute sa race". Sobre el estado de pecado, Amyraut escribe lo siguiente: "...le premier effect du peché est de laisser de si espaisses tenebres en l'entendement, que desormais il ne puisse estre esclairci que par vne lumiere surnaturelle" (48/41). Hacia el final de este capítulo, reitera la gravedad de la corrupción y la condición pecaminosa del hombre (58-59/49-50). En 1647, desarrolla plenamente su comprensión en *De libero Hominis Arbitrio Disputatio* (Saumur, Francia: Lesnier, 1647). El énfasis de Amyraut en la preeminencia del entendimiento sobre la voluntad y las emociones, y su explicación de la caída principalmente en términos de que el entendimiento del hombre se oscureció por completo (BTP, 48/40-41), se han interpretado como evidencia de racionalismo en su pensamiento, quizás como contrapartida al fideísmo católico romano. Véase David W. Sabean, "The Theological Rationalism of Moïse Amyraut", *Archiv für Reformationsgeschichte* 55 (1964): 204-16, y especialmente Armstrong, *CAH*, 101-102, 179-80, 273-75. Nicole, "Moyse Amyraut", 44, consideraba este enfoque "muy afín a la filosofía cartesiana que ejercería una influencia considerable en Saumur", una situación irónica en vista de la acusación de racionalismo que Armstrong lanza con frecuencia a los adversarios de Amyraut.

[58] Nicole, "Moyse Amyraut", 44.

[59] Aymon, *Tous les Synodes*, 2:680 (capítulo 14, artículo 1). Laplanche, *Orthodoxie et prédication*, 108, llega a decir: "...sobre el problema de la transmisión del pecado original, Amyraut adopta la doctrina de su colega y amigo Josué de la Place".

[60] *BTP*, 61–77/52–65: "*Quel a esté le dessein de Dieu en l'enuoy de son Fils au monde*".

El *locus* de este capítulo, expresado en su título, es fundamental para nuestro tema. La condición pecaminosa de la humanidad, por muy radicalmente mala que sea, no escapó al control soberano de Dios. Desde toda la eternidad, previó que Adán no resistiría la tentación de Satanás; previó y, permisivamente, dispuso que la humanidad se rebelara contra Él, cayera en el pecado y se expusiera a su juicio.[61]

Sin embargo, cuando la justicia de Dios exigía que la humanidad y el mundo perecieran, su compasión buscó su salvación.[62] De hecho, Dios resolvió poner al hombre en una condición mejor, sobrenatural, superior a la primera, en la que no pudiera fallar a su Creador. Pero la ofensa del hombre se cometió contra un Dios infinito: sólo un precio infinito podía pagarla, y el hombre mismo era y es totalmente incapaz de satisfacer tal exigencia. Decidido a devolver al hombre su naturaleza íntegra y a restaurar su bienaventuranza librándolo del justo juicio que su pecado merecía, Dios dispuso que su Hijo tomara nuestra naturaleza humana: de ahí la encarnación del Hijo de Dios.

El Señor tenía dos propósitos en mente: el primero era sufrir la muerte por nuestros pecados y desobediencia, para satisfacer la justicia infinita de Dios como nuestro Garante y Fiador.[63] El Hijo, siendo el Dios eternamente bendito, pudo, por el "valor infinito" de sus sufrimientos, satisfacer la justicia infinita de Dios.[64] La satisfacción se predica sobre la base de la sustitución, y la sustitución misma fue posible al cumplirse tres condiciones: el Hijo había tomado nuestra naturaleza humana, el Padre ordenó explícitamente la acción redentora contemplada, y Cristo se sometió voluntariamente a la voluntad de su Padre. ¿Por quién satisfizo la muerte de Cristo la justicia de Dios?

En este capítulo, Amyraut no es muy explícito: si la encarnación permitió al Hijo "procurar la salvación de *la humanidad* [*du genre humain*]", sus sufrimientos son por "*nuestras* ofensas [*pour nos offenses*]".[65] El segundo objetivo de la encarnación y los sufrimientos de Cristo fue proporcionarle "el derecho y el honor de realizar Él mismo la obra de la salvación de ellos y de ser

---

61 Ibid., 64/54

62 Ibid., 65/55

63 Ibid., 72/61: "en se constituant nostre pleige".

64 Ibid., 73/61–62: "Et en ce qu'il estoit Dieu benit eternellement, il estoit capable de faire que ceste sienne souffrance en qualité de peine pour nos offences, equipollast à leur demerite, & par ce moyen satisfist par sa valeur infinie à la iustice diuine".

65 Ibid., 73/61, énfasis añadido. Amyraut ya se había referido, anteriormente en el párrafo, a que Cristo realizaba la "redención de otros" ("la redemption des autres").

su modelo" en una vida santa, en relación con el Padre, en la vida en el Espíritu, en unión con Él, en esta vida y en la vida futura.[66]

La promesa de la Escritura es que los creyentes se unirán a Cristo y serán conformados a su "cuerpo glorioso [*corps glorieux*]".[67] Nuestra salvación se llevará a cabo con nuestra resurrección de entre los muertos, como prometió el Señor (Jn. 6:39-40; 1:12) y confirmaron los apóstoles de diferentes maneras (2 P. 1:4; 1 Jn. 3:9; 4:7; Ro. 8:16-17).[68]

Amyraut engloba todas estas gracias bajo los epígrafes de "adopción", pues es una gracia de redención sin contribución de la naturaleza humana; y "adopción en Cristo", pues las tenemos por sus méritos y mediación.[69] En este capítulo, Amyraut mantiene firmemente una expiación penal y sustitutiva: al aceptar voluntariamente el plan de Dios de sufrir vicariamente por los pecadores, Jesús tomó su lugar; tomó sobre su persona crímenes que Él mismo no cometió; los pecados de ellos han sido transferidos sobre Él.[70] Además, ricas bendiciones se derivan para ellos a partir de su obra redentora. Sin embargo, la pregunta sigue siendo: ¿Cuál es el propósito y el alcance de la obra redentora de Cristo?

Capítulo 7: ¿Cuál es la naturaleza del decreto por el que Dios ha ordenado realizar este propósito, ya sea por su extensión o por la condición de la que depende? [71]

Este capítulo es un punto central del tratado de Amyraut. Al exponer su punto de vista sobre la intención y el alcance de la expiación procurada por Cristo, procura responder a su pregunta básica: ¿cómo se puede conciliar en Dios una

---

66 Ibid., 73/62: "il eust le droit & l'honneur d'accomplir luy mesme l'oeuure de leur salut & d'en estre le modele".

67 Ibid., 74/62

68 Textos bíblicos citados en ese orden (ibid., 75-76/64).

69 Ibid., 76-77/64-65

70 El punto es enfatizado por Armstrong, *CAH*, 174: "Amyraut enseñó que los sufrimientos y la muerte de Jesús fueron vicarios en el sentido de que Jesús tomó el lugar de los pecadores, que su culpa y castigo fueron transferidos a Él".

71 *BTP*, 77-90/65-76: "*Quelle est la nature du decret [conseil ou de la volonté] par lequel Dieu a ordonné d'accomplir ce dessein, soit pour son estenduë, soit pour la condition dont il depend [qui y est annexée: que es anexado a ello]*". En esta sección, indico entre paréntesis los cambios introducidos en la edición de 1658 de la Traitté. Hay que tener en cuenta estos cambios, ya sea por la necesidad de satisfacer las exigencias de las autoridades de la época (especialmente el Sínodo de Alençon), para eliminar el lenguaje ofensivo para los estrictos "calvinistas" de la época, o/y (uno se pregunta) si representan las convicciones de Amyraut.

intención universal de salvación y el decreto de predestinación tal como se expresa en la teología reformada? Siendo vital la cuestión de la formulación, citaré extensamente el texto de Amyraut:

> Siendo la miseria de los hombres igual y universal [igual omitido], y el deseo que Dios tuvo de librarlos de ella por medio de un Redentor tan grande, procedente de la compasión que tuvo por ellos, por ser sus criaturas caídas en tan gran miseria, y puesto que son igualmente [indiferentemente] sus criaturas, la gracia de la redención que les ofreció y obtuvo debe haber sido igual y universal [igual omitido], con la condición de que se encuentren igualmente [todos] dispuestos a recibirla. Y hasta aquí [Y en esto y hasta aquí], no hay diferencia entre ellos.
>
> El Redentor ha surgido de su raza y ha sido hecho partícipe de la misma carne y sangre que todos ellos, es decir, de la misma naturaleza humana unida en Él a la divina en una unidad como persona. El sacrificio que ofreció para la propiciación de sus ofensas, ha sido igualmente para todos [igualmente omitido]; y la salvación que recibió de su Padre para comunicarla a los hombres a través de la santificación del Espíritu, y la glorificación del cuerpo, está destinada igualmente a todos [igualmente omitido], siempre y cuando, digo, que la disposición necesaria para recibirla es también igual [en todos].[72]

Amyraut afirma claramente la universalidad de la salvación a condición de la fe. Establece esta convicción sobre la base de tres proposiciones:

---

[72] Ibid., 77–78/65–66: "La misere des hommes estant egale & vniuerselle [egale omitido], & le desir que Dieu a eu de les en deliurer par le moyen d'vn si grand Redempteur, procedant de la compassion qu'il a euë d'eux, comme de ses creatures tombées en vne si grande ruine, puis qu'ils sont ses creatures egalement [egalement sustituido por indifferemment], la grace de la redemption qu'il leur a offerte & procurée a deu estre egale & vniuerselle [egale omitido], pourueu qu'aussi ils se trouuassent egalement [cambiado por tous] disposés à la receuoir. Et iusques là il n'y a nulle [Et en cela, ny iusques là, il n'y a point de] difference entr'eux. Le Redempteur a esté pris de leur race, & fait participant de mesme chair & de mesme sang auec eux tous, c'est à dire, d'vne mesme nature humaine coniointe en luy auec la diuine en vnité de personne. Le sacrifice qu'il a offert pour la propitiation de leurs offenses, a esté egalement [omitido] pour tous; & le salut qu'il a receu de son Pere pour le communiquer aux hommes en la sanctification de l'Esprit & en la glorification du corps, est destiné egalement [omitido] à tous, pourueu, di-je, que la disposition necessaire pour le receuoir soit egale [egale sustituido por en tous] de mesmes". En la cita anterior de la segunda edición, se han eliminado cinco casos de las palabras "igual" o "igualmente", y dos se han cambiado pero no se han eliminado (y muchos más en otras partes del *Brief Traite*). En cada caso, no alteran sustancialmente las opiniones de Amyraut.

(1) Los hombres, que son iguales en la creación, participaron por igual de la miseria del pecado (Amyraut ha mostrado anteriormente la realidad universal del pecado, la corrupción y el sufrimiento).

(2) La compasión de Dios para liberar a la humanidad de las ataduras del pecado debe ser la misma: universal.

(3) En la encarnación, el Hijo de Dios asumió la naturaleza humana como tal; por lo tanto, el sacrificio que ofreció debe ser igualmente para todos. La conclusión es que la salvación que el Hijo recibió de su Padre para comunicarla a los pecadores está destinada a todos, siempre que la reciban por la fe. (No se cita ningún pasaje de la Escritura en este largo párrafo).

A continuación, Amyraut introduce una breve narración de la historia de la salvación para mostrar que las promesas de Dios de triunfar sobre el mal se han cumplido a través de sus promesas y pactos con Abraham e Israel: las limitaciones de la manifestación de la gracia salvadora de Dios en el Antiguo Testamento eran a la vez temporales (la economía del Nuevo Testamento puso fin a ello) y el medio por el que Cristo se convierte en el Salvador del mundo (a través de la posteridad de Abraham, la salvación se extiende de los judíos a los gentiles).[73]

Es posible que en este punto se planteara una objeción importante en la mente del propio Amyraut por su afirmado universalismo. De hecho, Nicole conjetura que Amyraut debió estar:

> Singularmente impresionado por la fuerza de la objeción que se planteó a su visión de la intención salvadora universal: "Si Dios deseaba salvar a todos los hombres, ¿por qué no se ocupó de que todos los hombres fueran confrontados con el llamado del Evangelio?". Las limitaciones evidentes del llamamiento externo exigen una voluntad salvadora particular y no universal.[74]

En efecto, el hecho evidente es que hay pueblos y naciones que nunca han oído el Evangelio. ¿Cómo es posible entonces sostener la universalidad de la intención salvadora de Dios? La respuesta de Amyraut a esta objeción es su visión de dos modos de predicación, con dos tipos de fe que pueden responder a ellos. En principio, hay dos modos posibles de salvación: la predicación del

---

[73] Ibid., 79–80/67–68, con citas de Romanos 1:14 y Hechos 10:34–35; 13:46–47.

[74] Nicole, "Moyse Amyraut", 51

Evangelio, que da lugar a la fe en el contexto del conocimiento salvador de Cristo; y la revelación natural, que es suficiente para llevar a la gente a Cristo con la condición de que estén dispuestos a aceptar los testimonios que Dios da de su misericordia.[75]

En principio, no se excluye a nadie, ni siquiera a las naciones e individuos que nunca oyeron hablar de Cristo ni tuvieron acceso a ningún conocimiento revelado de Dios; su paciencia y sus bendiciones temporales constituyen una "predicación suficiente, si hicieran caso de ella";[76] entonces entenderían que hay salvación por el arrepentimiento y la fe.[77] Amyraut llega a afirmar que incluso si tal "persona no conociera claramente el nombre de Cristo, y no supiera nada de la manera en que nos obtuvo la redención, sería, no obstante, partícipe de la remisión de sus pecados, de la santificación de su espíritu y de la gloriosa inmortalidad".[78] Amyraut cita aquí 1 Juan 2:2, 1 Timoteo 2:4-5 (citado erróneamente como 4:4-5), y Tito 2:11.[79]

> **1 Juan 2:2** Él mismo es la propiciación por nuestros pecados, y no solo por los nuestros, sino también por *los* del mundo entero.
> **1 Timoteo 2:4–5** el cual quiere que todos los hombres sean salvos y vengan al pleno conocimiento de la verdad. Porque hay un solo Dios, *y* también un solo Mediador entre Dios y los hombres, Cristo Jesús hombre.
> **Tito 2:11** Porque la gracia de Dios se ha manifestado, trayendo salvación a todos los hombres.

En este contexto, Amyraut escribe una larga digresión sobre Juan 3:16.[80] Aunque, a primera vista, este texto parece limitar la salvación de Dios a los que

---

[75] *BTP*, 80–81/68: "Et bien qu'il y ait plusieurs nations vers lesquelles peut-estre la claire predication de l'Euangile n'est point encore paruenuë par la bouche des Apostres, ni de leurs descendans, & qui n'ont aucune distincte cognoissance du Sauueur du monde, il ne faut pas penser pourtant qu'il y ait ni aucun peuple, ni mesmes aucun homme exclus par la volonté de Dieu, du salut qu'il a acquis au genre humain, pourueu qu'il face son profit des tesmoignages de misericorde que Dieu luy donne".

[76] Ibid., 81/68: "vne predicatión suffisante, s'ils y estoyent attentifs".

[77] Ibid., 80–82/68–69. Véanse las observaciones abajo en Amyraut, *Six Sermons* (sermón 2).

[78] *BTP*, 82/69: "...qu'il ne cognust pas distinctement le nom de Christ, & qu'il n'eust rien appris de la maniere en laquelle il nous a obtenu la redemption, il ne laisseroit pas pourtant d'en estre participant en la remission de ses pechez, en la sanctification de son esprit, & en l'immortalité glorieuse".

[79] Ibid., 82–83/70.

[80] Ibid., 83/70.

creen, en realidad es coherente, según Amyraut, con las propuestas que acaba de hacer. Desarrolla una teoría de dos fes diferentes, que responden a dos tipos de predicación diferentes. La predicación apostólica de la Palabra desemboca en una fe basada en el conocimiento; la otra depende únicamente de la providencia de Dios y de su paciencia; pero, si no fuera por la ceguera de los hombres, esta predicación providencial, aunque desprovista del conocimiento distinto del Redentor predicado en el Evangelio, sería sin embargo suficiente para permitir a los hombres gozar de la salvación de la que Él es el autor.[81]

La preocupación apologética de Amyraut resulta aquí primordial, pues quiere evitar una concepción en la que Dios pueda ser visto como injusto; de ahí su deseo de mostrar que no puede haber ni naciones ni individuos que puedan considerarse *a priori* excluidos de la salvación por Dios. Dios no sólo no excluye a nadie de la salvación, sino que invita a todo el mundo y desea ("*il serait bien aise*"; literalmente, "estaría encantado") que el mundo se dirija a Él para salvarse.[82]

La propiciación es para todos, la salvación se presenta a todos, si éstos creen. Por tanto, a primera vista, depende de la decisión del hombre el aceptar la salvación ofrecida: "Todo depende de esta condición, de que no se muestren indignos de ella".[83] Dios quiere la salvación de todos, siempre que no la rechacen, sino que crean. Esta es una pieza clave de la postura de Amyraut sobre la expiación.

Para Amyraut, la misericordia de Dios y la esperanza de salvación son posibles porque la justicia de Dios ha sido satisfecha en la cruz: el pecado ha sido solucionado, con la condición de que los hombres no se muestren indignos

---

[81] Ibid., 84–85/71: Esta predicación es "par l'entremise de la prouidence de Dieu seulement, qui conserue le monde nonobstant son iniquité, & l'inuite à repentance par sa longue patience, laquelle, si les hommes n'estoyent point naturellement aueugles & obstinez en leur aueuglement, seroit capable d'engendrer en eux vne foy en [persuasion de] la misericorde de Dieu, destituee à la verité de la distincte cognoissance de ce Redempteur que l'Euangile nous presche, neantmoins suffisante pour rendre les hommes iouyssans du salut duquel il est autheur".

[82] Ibid., 83/70: "[I]l seroit bien aise que tout le monde s'en approchast, voire il y conuie tout le monde, comme estant vne grace laquelle il a destinee à tout le genre humain, s'il ne s'en monstre point indigne [si no se muestran indignos de ella]". (Referencia a Tito 2,11: "por lo que San Pablo la llama *gracia salvadora para todos los hombres* [*grace salutaire à tous hommes*]"; énfasis original).

[83] Ibid., 85/72: "Mais tout cela depend de ceste condition, qu'ils ne s'en monstrent pas indignes".

de ella.[84] Antes de que el Redentor pudiese efectuar la salvación en nosotros, era necesario que los hombres lo recibieran y vinieran a Él (Jn. 3:14-16; 1 Jn. 5:9-10). La gracia de Dios al proporcionar la salvación enviando a su Hijo al mundo —y a todo lo que sufrió— es universal y se presenta a todos.[85] Pero la condición de creer en su Hijo significa que, por muy grande que sea el amor de Dios hacia la humanidad, sigue ofreciendo la salvación a los hombres con la condición de que no la rechacen: "... estas palabras, *Dios quiere la salvación de todos los hombres*, necesariamente reciben esta limitación, *siempre que crean*. Si no creen, Él no la quiere".[86]

En suma, la afirmación de una doble voluntad de Dios obliga al teólogo salmuriano a concluir que la maravillosa caridad (*merveilleuse charité*) de Dios por sí misma es incapaz de traer la salvación; está efectivamente limitada por la decisión y acción del hombre de creer o negarse a hacerlo:

> Esta voluntad de hacer universal y común a todos los seres humanos la gracia de la salvación está tan condicionada que sin el cumplimiento de la condición es totalmente ineficaz.[87]

Esto lleva a Amyraut a la siguiente consideración.

Capítulo 8: ¿Cuál es, después del pecado, la incapacidad del hombre para el cumplimiento de esta condición? [88]

Este capítulo está dedicado a la exposición de la depravación radical del hombre, doctrina que es abordada en una concepción reformada clásica, y que además juega un papel importante en el esquema particular de Amyraut. La depravación total del hombre no le permite recibir el don gratuito de la redención ofrecido

[84] Ibid., 85/72: "s'ils ne s'en móstrent point indignes".

[85] Ibid., 89/75-76.

[86] Ibid., 89-90/76: "...ces paroles, Dieu veut le salut de tous les hommes, reçoiuent necessairement ceste limitation, pourueu qu'ils croyent. S'ils ne croyent point, il ne le veut pas".

[87] Ibid., 90/76: "Ceste volonté de rendre la grace du salut vniuerselle & cómune à tous les humains estant tellement conditionnelle, que sans l'accomplissement de la condition, elle est entierement inefficacieuse".

[88] Ibid., 90-102/77-86: *"Quelle est depuis le peché l'impuissance de l'homme pour l'accomplissement de ceste condition"*.

por Dios: su mente oscurecida provoca una ceguera espiritual que rechaza la gracia de Dios.

Tanto la experiencia como las Escrituras muestran que el corazón del hombre está corrompido (Ro. 6:20; 8:7; Ez. 36:26; Ef. 2:2); es un esclavo voluntario del pecado, se niega a ver la luz del testimonio de Dios, está muerto en sus pecados, incapaz de recibir la salvación de Dios obrada por Cristo. Este rechazo es en sí mismo un pecado que agrava la culpa del hombre ante Dios.[89]

La redención universal de Dios realizada por Cristo en la cruz no puede hacerse efectiva porque el hombre no cumple la condición de la salvación: creer. Esta incredulidad es "ordinaria" y universal. Porque si algunos creen, su fe se debe a la gracia eficaz de Dios en ellos: sólo Él puede atraerlos hacia sí (p. ej., Jn. 6:44).[90]

La incapacidad del hombre para creer está arraigada profundamente en él, no en una coacción exterior; por tanto, es culpable de su incapacidad de dirigirse a Dios con fe. La culpabilidad del hombre se agrava al darse cuenta de que no se debe ni a una dificultad en el mensaje ni a la ausencia en él de facultades adecuadas para recibir el mensaje: se debe únicamente a su pecado.[91] En este punto, Amyraut coincide con la enseñanza de las Escrituras, Calvino y los Cánones de Dort.

Capítulo 9: ¿Cuál es la elección y predestinación de Dios por la que ordenó cumplir esta condición en algunos y dejar a los demás de lado, y cuál es su causa? [92]

Amyraut comienza el capítulo 9 de la siguiente manera:

> La naturaleza de la humanidad era tal que si Dios, al enviar a su Hijo al mundo, sólo hubiera determinado ofrecerlo como Redentor por igual [omitido] y

---

[89] Ibid., 93–98/80–83.

[90] Ibid., 95–96/81–82.

[91] Ibid., 100-101/85-86. El carácter universal del pacto de gracia, que desempeña un papel primordial en otras partes de los escritos de Amyraut, no se menciona aquí.

[92] Ibid., 102–119/87–100: *"Quelle est l'Eslection & predestination de Dieu par laquelle il a ordonné d'accomplir en quelques-uns ceste condition, & laisser les autres à eux mesmes, & quelle en est la cause".*

universalmente a todos... los sufrimientos de su Hijo [habrían sido] totalmente vanos.[93]

Amyraut expone entonces la solución a la situación del hombre: movido por su misericordia, Dios determinó otorgar su Espíritu a algunos entre la humanidad caída; por su misericordia, Dios elige a algunos para que crean. En ellos, Él vence toda resistencia a la manifestación de su verdad, conquista la corrupción de su voluntad y los lleva a la fe voluntariamente, abandonando a otros a su corrupción y a su consiguiente perdición.[94] Al hacer esto, Dios sigue siendo justo: si crea en algunos la condición necesaria para la salvación (la fe), no causa la incredulidad en el resto: la causa es su propia ceguera y su corazón pervertido.[95]

Sin embargo, subsiste una pregunta: los hombres son igualmente miserables en su perdición y culpables en su corrupción; no hay ninguna diferencia en ellos, nada en su naturaleza o comportamiento que pueda favorecer a unos y no a otros. Entonces, ¿en qué se basó Dios para elegir a algunos para la fe y la salvación, dejando al resto para la perdición eterna? La Escritura no responde, excepto para decir que "depende absolutamente de que Dios use su misericordia con una completa libertad, a la que no podemos atribuir ninguna otra causa que su voluntad".[96] El decreto de Dios y la acción resultante se deben únicamente a su voluntad y a su agrado.[97]

Sin embargo, los tratos de Dios no son arbitrarios: aquí, como en todas partes, Dios actúa según su sabiduría. Este capítulo termina con una hermosa doxología: los creyentes deben reconocer que deben su salvación enteramente a la misericordia de Dios; los incrédulos deben responsabilizarse de la dureza de su propio corazón. Más que indagar sobre la causa de la fe de unos y de la

---

[93] Ibid., 102–103/87: "La nature de l'homme estant telle, si Dieu n'eust pris autre conseil en ordonnant d'enuoyer son Fils au monde, que de le proposer pour Redempteur egalement [omitido] & vniuersellement à tous ... les souffrances de son Fils [eussent été] entierement frustratoires".

[94] Ibid., 103–104/88.

[95] Ibid., 109/93.

[96] Ibid., 111–12/94–95, para la pregunta formulada y su respuesta: "la chose depend absolument de ce que Dieu vse de sa mercy auec vne liberté toute entiere, & dont nous ne pouuons fonder autre cause que sa volonté" (117/99).

[97] Ibid., 118/100.

incredulidad de otros, adoremos a Dios, que es soberano y libre en la dispensación de sus gracias.[98]

Capítulo 10: Que según esta doctrina no se puede acusar a Dios de hacer acepción de personas, ni de ser el autor del pecado, ni la causa de la perdición de los hombres. [99]

La tesis de este capítulo está muy bien expresada en su título. Amyraut retoma la razón fundamental por la que escribió el tratado: contrarrestar las acusaciones de que la doctrina reformada de la predestinación implica que Dios muestra favoritismo, es el autor del pecado y se glorifica cruelmente en el sufrimiento eterno de los hombres. De hecho, Dios no hace acepción de personas en cuanto a cuestiones de riqueza, poder o belleza y cosas similares. Siempre actúa en total conformidad con su justicia y con lo que es justo.

En su trato con la humanidad, Dios no es injusto con nadie. Ha creado a todos los hombres; todos han caído por igual en el pecado y la corrupción; y son igualmente culpables ante Él, como juez justo.[100] Pero Dios encontró "en su sabiduría el medio de manifestar su clemencia sin perjudicar su justicia. Por lo tanto, ofrece la gracia por igual a todos estos criminales; sólo exige de ellos que no la rechacen, y que no se muestren indignos de ella".[101] Este es el decreto general de Dios. Sin embargo, "todos la rechazan con igual obstinación y la pisotean despectivamente".[102] La fe de un grupo no disminuye la incredulidad y la culpabilidad del otro. El hecho de que Dios conceda la fe a unos no pone a los otros en condiciones de quejarse de su decisión.[103]

---

[98] Ibid., 118–19/100.

[99] Ibid., 119–31/101–11: "*Que selon ceste doctrine Dieu ne peut estre accusé d'acception de personnes, ni d'estre autheur de peché, ni cause de la perdition des hommes*".

[100] Ibid., 121–22/102–103.

[101] Ibid., 123/104: "Mais Dieu ... a trouué en sa sapience le moyen de faire voye à sa clemence sans endommager la iustice. Il offre donc la grace à tous ces criminels egalement; requiert seulement d'eux qu'il [sic.] ne la refusent pas & ne s'en monstrent pas indignes".

[102] Ibid., 123/104: "Ils la refusent tous auec vne egale obstination, & la foulent aux pieds auec outrage". Sin referirse a ello explícitamente, Amyraut puede estar aludiendo aquí a Hebreos 10:29. Si es así, interpreta mal el pasaje al aplicarlo al rechazo universal de la gracia universal de Dios.

[103] Ibid., 123–24/105. En otro lugar: "Car s'il ne leur donne pas d'y croire, ce n'est pas à dire pour cela qu'il leur donne de n'y croire pas. Si, di-je, il n'engendre pas la foy en eux, il ne s'ensuit pas qu'il y engendre le cótraire" (126/107).

En la predestinación, como en su control providencial de la creación y de la humanidad, Dios muestra su bondad y nunca contribuye, directamente o no, al pecado y a la corrupción del hombre: no es el autor del pecado. Los humanos son responsables de su incredulidad y de su perdición. El doble propósito apologético de Amyraut requiere este desarrollo para persuadir a sus lectores de la justicia de un Dios que predestina a algunos a la fe y a la salvación, pero también para seguir estableciendo el marco de su tesis de un doble decreto y de lo que se convierte en un hipotético don universal de gracia.

Capítulo 11: De los medios por los que Dios cumple esta condición de fe en sus elegidos, y hace cierta e infalible su predestinación de un acontecimiento, y del conocimiento que podemos tener de ello.[104]

Al exponer los medios de conversión de Dios, Amyraut introduce su teoría de dos decretos (*conseils absolus*) en Dios. El primero es condicional y depende para su ejecución o la falta de ella de la condición establecida por Dios: el deber de Adán de mantener una integridad perfecta antes de su caída, la obediencia de Israel a la ley para poder disfrutar de las bendiciones de Dios en Canaán, y la salvación concedida a todos en la muerte de Cristo a condición de la fe.[105]

El otro decreto, incondicional o absoluto, se refiere a lo que Dios determinó por su pura voluntad y por su beneplácito: "... Dios, movido por su pura voluntad, resolvió hacer algo sin consideración de ninguna condición, por lo que el acontecimiento sucederá indudablemente".[106] Habiendo establecido esta dualidad a su conveniencia, Amyraut se esfuerza por explicar los medios de Dios para llevar a los que predestinó absolutamente a la fe salvadora. Aunque ignoramos los mecanismos precisos (el cómo), podemos estar seguros de la eficacia de la acción: Los elegidos de Dios llegan a la fe y a la salvación.[107]

---

[104] Ibid., 131–47/111–24: *"Du moyen par lequel Dieu accomplit ceste condition de la Foy en ses Esleus, & rend sa predestination d'un euenement certain & infallible, & de la cognoissance qu'on en peut auoir"*.

[105] La condicionalidad del acontecimiento no altera su conocimiento cierto por parte de Dios, que conoce infaliblemente el cumplimiento o no de las condiciones que Él mismo estableció (ibid., 135-36/115). Véase el resumen en Nicole, "Moyse Amyraut", 57.

[106] *BTP*, 134/114: "... Dieu meu de sa pure volonté a resolu de faire quelque chose sans auoir égard à condition quelconque, l'euenement en est absolument indubitable".

[107] Ibid., 137–38/116–17.

Sin embargo, Amyraut piensa que puede señalar un doble proceso:[108] uno externo, relacionado con la predicación del Evangelio y la verdad absoluta para la salvación y la vida que aporta a los que lo escuchan; y otro interno, relacionado con la obra del Espíritu Santo, que ilumina la mente (*entendement*) del hombre, que a su vez afecta a su voluntad y otras disposiciones para llevarle a la fe salvadora.[109]

Este doble proceso lleva infaliblemente a la fe y, por tanto, a la salvación a aquellos a los que se aplica; y, sin embargo, éstos creen voluntariamente y no a regañadientes (Jn. 6:45; 1 Co. 2:4; Ef. 1:17-19; 3:18-19), pues la voluntad y los afectos siguen necesariamente a la mente iluminada.[110]

Capítulo 12: Que, al actuar así, Dios no anula la naturaleza de la voluntad del hombre. [111]

La cuestión que Amyraut aborda en este capítulo se desprende inmediatamente de la tesis expresada en el anterior: ¿cómo puede Dios llevar infaliblemente a la salvación a quienes predestinó? Respuesta: mediante la predicación del Evangelio. Cuando las personas lo escuchan, Dios ilumina su entendimiento, lo que hace que reciban la verdad del evangelio.

La actividad salvadora de Dios es irresistible: nadie puede entender la verdad de Dios sin recibirla con fe. ¿Cómo encaja esto con la libertad de elección del hombre? Si la acción de Dios es irresistible, ¿cómo puede el hombre ser libre? Si Dios respeta la libertad del hombre, ¿cómo puede ser inmutable la elección? Amyraut percibe el problema, lo articula, pero se niega a intentar resolver lo que considera un misterio. Afirma la obra soberana de Dios en sus elegidos sin que ello suponga una violación de su libre albedrío, e ilustra la verdad de su afirmación con los ejemplos de los ángeles en el cielo y de los

---

108 Para este doble movimiento en el proceso de adquisición de la fe salvadora es vital la definición de Amyraut de la fe como una persuasión de la verdad: "Car croire, comme chacun le peut entendre, n'est rien sinon estre persuadé de la verité de quelque chose. Et pour estre digne de l'excellence de la nature de l'homme, ceste persuasion doit estre accompagnée voire proceder de la cognoissance de la nature de la chose que l'on croit" (ibid., 139/118). Esta concepción intelectualista de la fe desempeña un papel central en su doctrina del universalismo hipotético.

109 Ibid., 142–44/120–22.

110 Ibid., 144–47/122–24.

111 Ibid., 147–62/125–37: "*Que par ceste maniere d'agir Dieu ne ruine point la nature de la volonté de l'homme*".

salvados en la eternidad: ninguno de ellos comete ningún mal, aunque siguen siendo libres.

Con todo, subraya la importancia práctica de poder recibir la salvación incluso en ausencia de una libertad de elección. Porque, ¿qué beneficio tendría para nosotros una libertad que pudiera hacernos rechazar a Cristo y su salvación? Es mucho mejor que el creyente experimente la gracia eficaz de Dios en él.[112]

En cuanto a la fe misma, Amyraut plantea la tesis de que Dios no nos coacciona, sino que actúa por persuasión:

> La creencia es una persuasión. Nadie es persuadido por la fuerza. Los hombres son inducidos a recibir una determinada verdad por razones, no por coacción o violencia... De ahí que recibamos la verdad del Evangelio en la medida en que la percibimos, y es natural para el hombre que la mente [*entendement*] que percibe con claridad y certeza una verdad la acepte.[113]

Del mismo modo, no se puede amar a alguien o algo en contra de la propia voluntad.

> El amor es un movimiento de la voluntad. Amar es, pues, o bien querer el bien para aquello que amamos, o bien querer el bien para nosotros mismos mediante su disfrute.[114]

La operación del Espíritu Santo en el creyente "encaja maravillosamente" (*merveilleusement convenable*) con nuestra naturaleza y, en consecuencia, con

---

[112] Ibid., 148–49/125–26: "Or n'estime ie pas qu'il fust beaucoup necessaire aux Chrestiens de s'enquerir quelle est la nature de la volonté de l'homme & de sa liberté, pourueu qu'ils sentissent par experience vne telle efficace de la grace de Dieu en eux, que non seulement ils creussent en Christ, mais mesmes qu'il leur fust impossible de ne pas croire. Car quel interest auons nous à la conseruation de ceste liberté, si son office est de nous maintenir en tel estat que nous soyons autant portés a rejetter Iesus Christ comme a le receuoir, à nous priuer nous mesmes de l'esperance du salut, comme a l'embrasser quand l'Euangile le nous presente?".

[113] Ibid., 156–57/132–33: "La croyance est vne persuasion. Et on ne persuade personne par la force. Ce sont les raisons qui induisent les hommes à receuoir quelque verité, non la contrainte & la violence.... Ce donc que nous receuons la verité de l'Euangile est que nous l'apperceuons, & qu'il est naturel à l'homme que l'entendement qui apperçoit clairement & certainement vne verité y acquiesce".

[114] Ibid., 156–57/132–33: "Et l'amour est vn mouuement de la volonté. Aimer donc est ou vouloir du bien à ce que nous aimons, ou nous vouloir à nous mesmes du bien par sa iouissance".

la propia sabiduría divina.[115] Conviene subrayar aquí el énfasis de Amyraut en la preeminencia de la mente, que ya se ha mencionado: a medida que su mente es iluminada por el Espíritu, el hombre comprende la gracia de Dios que se le muestra; en presencia de tal revelación, su voluntad y sus afectos le siguen, en un proceso que es a la vez necesario y libre.[116]

Capítulo 13 Que esta doctrina no induce a una [falsa] seguridad, y no extingue la preocupación por vivir bien, sino todo lo contrario. [117]

Este capítulo pretende responder a una objeción más general dirigida a la doctrina de la predestinación; se puede expresar con las palabras de Laplanche: "Si el destino del hombre está fijado *ab aeterno*, ¿por qué habría que atormentarse por vivir bien?".[118] Aquí Amyraut subraya la distinción entre los dos tipos de predestinación por los que es conocido. En sus palabras, "debemos

---

[115] Ibid., 157/133: "conuenablement à leur nature/condition".

[116] Véase ibid., 157/133, 159/135; y 161/136: "naturellement & necessairement les hommes desirent leur souuerain bien" ("natural y necesariamente los hombres desean su bien soberano") y el evangelio ofrece a los creyentes en Cristo "vn souuerain bien qui excelle infiniment par dessus tout ce que les Philosophes en ont iamais peu penser" ("un bien soberano que supera infinitamente todo lo que los Filósofos podrían haber concebido"). El resumen de Laplanche merece ser citado aquí: "L'action irrésistible de la grâce divine dans la conversion des élus ne fait donc pas violence à la nature humaine, mais au contraire comble ses vœux au-delà de tout ce qu'elle pouvait espérer" ("Así, la acción irresistible de la gracia divina en la conversión de los elegidos no hace violencia a la naturaleza humana, sino que, por el contrario, cumple sus deseos más allá de todo lo que ésta podía esperar") (*Orthodoxie et prédication*, 102). Nicole, "Moyse Amyraut", 59, sugiere aquí una influencia de Cameron, que podría haber puesto a Amyraut más en línea con el énfasis arminiano en la *suasio moralis* (persuasión moral), que con el énfasis en la eficacia de la gracia de Dios actuando a través del Espíritu Santo. Esa tendencia fue condenada en los Cánones de Dort (3-4, error 7). Armstrong, *CAH*, 256, disiente de esta valoración, señalando una mayor profundidad en la definición de fe de Amyraut: "La acción [de la fe que abraza el evangelio] es tan dinámica que es ciertamente menos que justo llamarla una simple suasión moral, y es ciertamente mucho más que una persuasión racional". Aunque Armstrong hace especial hincapié en el papel interno del Espíritu Santo en la concepción de Amyraut para exonerarlo de la acusación de Nicole, no estoy convencido de que tenga éxito en ello.

[117] *BTP*, 163–82/138–54: "*Que ceste doctrine n'induit point à Securité & n'esteint point le soin de bien vivre, au contraire*".

[118] Laplanche, *Orthodoxie et prédication*, 102

distinguir cuidadosamente entre la predestinación a la salvación y la predestinación a la fe".[119]

La primera es condicional, la segunda absoluta. Aunque Amyraut es consciente de que su lenguaje no está en armonía con la Escritura (Ro. 8:28, por ejemplo) ni con el lenguaje comúnmente utilizado en la teología reformada, se esfuerza mucho, especialmente en la segunda edición del *Traitté*, para justificar su peculiar uso:[120]

> Siendo la predestinación a la salvación condicional, y teniendo en cuenta a todo el género humano por igual, y estando el género humano universalmente corrompido por el pecado e incapaz de cumplir esta condición de la que depende la salvación, sucede necesariamente, no por ninguna falta en la predestinación misma, sino por la dureza del corazón y la obstinación de la mente humana, que esta predestinación resulta vana para aquellos que no tienen parte en la segunda.[121]

Como señala Laplanche, aquí Amyraut

> reconoce la fragilidad de la distinción entre predestinación absoluta y predestinación condicional, fundamento de toda su teoría. Confiesa... que el universalismo de la predestinación condicional es completamente ilusorio: no existe ninguna predestinación real sino la particular, ya que la fe es dada, en efecto, sólo a los elegidos.[122]

---

[119] *BTP*, 163/138: "[I]l faut soigneusement distinguer la predestination au salut d'auec [l'eslection ou] la predestination à la foy".

[120] Ibid., 163-66/138-41 (164/138-39).

[121] Ibid., 164-65/138-40. En la edición de 1658 encontramos variaciones significativas: "[L]a raison de cela [of his peculiar usage] est que la prédestination au salut [la volonté de Dieu qui concerne le salut] estant conditionnelle & regardant tout le genre humain egalement [omitido], & le genre humain estant vniuersellement corrompu de peché & incapable d'accomplir ceste condition dont le salut depend, il arriue necessairement, non par aucun vice de la predestination en elle mesme [de cette volonté de Dieu, à la cósiderer en elle mesme], mais par la dureté du cœur & l'obstination de l'esprit humain, que ceste premiere predestination [volonté de Dieu, que quelques uns, comme i'ay dit, appellent predestination, contre le stile de l'Escriture] est frustratoire [2nd ed., infructueuse; el significado básico no es afectado] pour ceux qui n'ont point de part en la seconde [l'autre]".

[122] Laplanche, *Orthodoxie et prédication*, 103

Amyraut en realidad está diciendo que la Sagrada Escritura ignora la distinción que él pretende promulgar. La elección es un decreto absoluto, y se aplica tanto a la concesión de la fe como a la salvación, sin distinción. El resto del capítulo se dedica a responder a la cuestión planteada en el título: si la elección no priva de nada a los que permanecen en su estado de perdición (consecuencia de su rechazo voluntario del Evangelio), a los creyentes no sólo se les da la fe para la salvación, sino que también se les llama a una vida de amor (1 Jn. 2:10-11) y de santidad, pues "la predestinación a la salvación es principalmente la predestinación a la santidad", que Dios realiza en nosotros mediante la iluminación de nuestras mentes y la reforma de nuestras voluntades.[123]

Capítulo 14: Que esta doctrina llena de alegría y consuelo las consciencias de los fieles.[124]

El último capítulo del libro subraya el consuelo que produce la doctrina reformada de la predestinación: no la especulación, sino la acción del Espíritu Santo en el creyente, le asegura que Dios le ha elegido. La iluminación de su mente, la paz de la conciencia dada por la seguridad de los pecados perdonados, el amor a Dios y al prójimo que se forja en su voluntad y afectos, la esperanza de la vida venidera: estas son las marcas de la vida de Cristo en él.[125]

Aún aquí, el intelectualismo de Amyraut resulta evidente en algunas de sus afirmaciones.[126] Esta seguridad conlleva tres elementos vitales: la certeza de que Dios ha producido una conversión radical en el alma del creyente, la seguridad de la vida eterna y la seguridad de que el don de la salvación recibida es inmutable: Dios, que ha concedido su don gratuitamente, por amor y compasión

---

123 *BTP*, 176/149: "Car puis que la predestination au salut est principalement la predestination à la saincteté, comment voulons-nous que Dieu nous amene au but auquel il nous a destinez qu'en nous sanctifiant?" (Se reformula en la 2nd ed.: "Car puis que le conseil de Dieu qui concerne le salut, regarde principalement à la saincteté, comment voulons nous que Dieu execute son conseil en nous sinon en nous sanctifiant?")

124 Ibid., 182–96/155–66: "*Que ceste doctrine remplist la conscience des Fideles de ioye & de consolation*".

125 Ibid., 184/156.

126 Ibid., 184/156–57: "... trouuant, dis-je, en soy toutes ces marques de la vie de Christ, il [el creyente] raisonnera, que puis qu'il ne la peut auoir d'ailleurs que de la grace de Dieu, comme l'Escriture l'enseigne, ... il faut necessairement qu'il y ait part, & que Dieu l'ait aimé des auparauant la fondation du monde. Or, n'y a il personne qui ne iuge aisement combien grande consolation ceste consideration est capable de donner a vne bonne ame".

a los pecadores inmerecidos, sin tener en cuenta sus propias disposiciones, no les dará la espalda.[127]

Las últimas páginas del *Tratado* constituyen una celebración de la salvación misericordiosa y segura de Dios, concedida gratuitamente a los pecadores indignos.[128]

III. Síntesis de las tesis fundamentales de Amyraut sobre la predestinación

El *Breve Tratado* de Amyraut revela su alejamiento de una serie de enseñanzas ortodoxas de las iglesias reformadas de la época. Du Moulin las resume sucintamente en su carta sobre Amyraut y Testard al Sínodo de Alençon. Les acusa de enseñar:

> Que no es absolutamente necesario para la salvación tener un conocimiento claro de *Jesucristo*... que Jesucristo murió igualmente e indiferentemente por todas las personas... que los réprobos podrían salvarse si quisieran, o que *Dios* tiene consejos y decretos que nunca producirán su efecto... que *Dios* ha eliminado la incapacidad natural de las personas para creer y volverse a Él... que hace que la eficacia del Espíritu regenerador dependa de un consejo que podría cambiar.[129]

La bifurcación de la voluntad de Dios (revelada y secreta) es la clave para entender la doctrina de Amyraut sobre la predestinación y la expiación. Para Amyraut, la voluntad revelada de Dios concernía a un deseo universal de salvar a todos los hombres con la condición de que creyeran. Dios quiso que su Hijo hiciera la expiación por todos con la condición de que creyeran.

El alcance de esta salvación fue universal porque el Redentor fue tomado de entre la raza de los hombres, siendo de la misma carne y sangre. Todos los hombres están igualmente caídos; la compasión de Dios para liberar a la humanidad de las ataduras del pecado debe ser igual para todos; el Hijo tomó la naturaleza humana; por tanto, el alcance de la obra de Cristo debe ser universal.

---

[127] Ibid., 188–89/159–60.

[128] Ibid., 193–94/163–64.

[129] Pierre du Moulin, *Lettre de Monsieur du Moulin, in Aymon, Tous les Synodes*, 2:618

Sin embargo, si no se cumple la condición de la fe, la voluntad salvífica universal de Dios resulta ineficaz.

En otras palabras, la adquisición de Cristo queda en suspenso hasta que se cumpla la condición. Como comenta Armstrong, en el esquema de Amyraut:

> No hay una relación necesaria de causa y efecto entre la salvación procurada por Cristo y su aplicación... Estrictamente hablando, aunque sostiene repetidamente que ninguna salvación habría sido posible sin la muerte y resurrección de Cristo, en esta comprensión económica de la obra de satisfacción de Cristo nadie puede ser salvado simplemente por su obra.[130]

Este es, pues, el "universalismo hipotético" de Amyraut: cumpliendo la voluntad de Dios de una salvación universal, Cristo procuró la expiación para todos. Pero es hipotético, ya que la salvación sólo es efectiva *cuando y si* se cumple la condición de la fe.[131]

Sin embargo, para evitar que Dios se vea totalmente frustrado por un decreto que no se realiza, en su consejo eterno ordenó otro decreto (su voluntad secreta), por el cual, por su misericordia, predestinaría a un grupo de pecadores para que recibieran su Espíritu y así pudieran creer en la obra expiatoria de Cristo. En este decreto no hay ninguna condición por parte del hombre, ya que Dios elige a las personas a la fe y así se asegura de que se cumpla la condición. Si la obra del Hijo es el cumplimiento de una expiación universal por igual para todos, entonces la obra del Espíritu es el cumplimiento de la aplicación de esa expiación para algunos.

La distinción clave a tener en cuenta aquí en la teología de Amyraut es *el orden de los decretos*: el decreto de la elección es posterior al de la redención, y sólo interviene para rescatar al primero del fracaso.

IV. La controversia sobre la gracia universal generada por los escritos de Amyraut

Siguiendo los estudios de François Laplanche y Roger Nicole, podemos distinguir tres fases principales en la controversia generada por los escritos de

130 Armstrong, *CAH*, 210
131 Ibid., 212

Amyraut sobre la predestinación y la gracia universal: 1634-1637, 1641-1649 y 1655-1661.[132]

La primera fase de la controversia (1634-1637)

La primera fase (1634-1637) se inicia, con toda seguridad, con la publicación por Amyraut del *Breve Tratado* (1634)[133] y llega a una primera resolución en el Sínodo Nacional de Alençon (1637). Aunque el *Tratado* de Amyraut recibió algunos ecos favorables de algunos de sus colegas, otros objetaron inmediatamente sus tesis principales (especialmente en dos libros anónimos que Amyraut y sus amigos consideraron malintencionados).[134]

En parte para responder a estas acusaciones, en parte para hacer frente a las objeciones y tergiversaciones de los católicos romanos, Amyraut predicó la doctrina expuesta en el *Tratado* en seis sermones que publicó después bajo el título *Seis sermones: De la naturaleza, extensión, necesidad, dispensación y eficacia del Evangelio* (Six Sermons: De la nature, estendue, necessité, dispensation, et efficace de l'Euangile).

Los *Seis Sermones* fueron precedidos por una extensa (setenta y cinco páginas) *Muestra de la doctrina de Calvino respecto a la predestinación* (Eschantillon de la Doctrine de Calvin touchant la Predestination).[135] Aunque la *Muestra* se imprimió primero, los sermones parecen haber sido predicados y escritos antes, sirviendo la *Muestra* como un prefacio teológico e histórico a los *Seis Sermones* publicados.[136]

---

132 Laplanche, *Orthodoxie et prédication*, ad loc.; y Nicole, "Brief Survey", en *Standing Forth*, 313-20; idem, *Moïse Amyraut: A Bibliography*, 9-21.

133 La publicación de Amyraut había sido precedida por otra sobre el mismo tema de la pluma de su colega Paul Testard, un año antes: *Eirenikon seu Synopsis doctrinae de natura et gratia*. A propósito de esta obra, Pierre Courthial, "The Golden Age of Calvinism in France: 1533-1633", en *John Calvin: His Influence on the Western World*, ed., W. Stanford Reid (Grand Rapids, MI: Zondervan, 1982), 75, escribió: "Esta fue la primera obra de un teólogo de las iglesias reformadas en Francia que socavó, de forma encubierta, la fe de estas iglesias tal y como se declaró en su Confesión de 1559 y en los Cánones de Dordrecht aceptados y ratificados por su Sínodo Nacional en Alès en 1620". Sobre la obra de Amyraut, Courthial opina que "se inclina aún más hacia el arminianismo".

134 John Quick, *Synodicon in Gallia Reformata, or, the Acts, Decisions, Decrees, and Canons of those famous National Councils of the Reformed Churches in France*, 2 vols. (Londres: T. Parkhurst & J. Robinson, 1692), 2:362; sobre el Sínodo de Alençon, XVI, 11.

135 Véase n. 2.

136 El espacio impide tratarlos, pero véanse los resúmenes en Laplanche, *Orthodoxie et prédication*, 111-17, y especialmente Nicole, "Moyse Amyraut", 67-84. Los textos de los

Los puntos de vista publicados por Amyraut fueron defendidos por algunos de sus colegas de Saumur y por los pastores de la influyente Iglesia Reformada de Charenton, pero inmediatamente se opusieron a ellos varios teólogos reformados que los consideraron fundamentalmente deficientes e insatisfactorios. Aunque la expresión de Pierre Bayle —"una guerra civil entre los reformados"— es una exageración evidente, los adversarios de Amyraut respondieron a lo que detectaron como numerosos defectos: afirmaron que algunas de sus tesis contravenían las declaraciones del Sínodo de Dort y que, de hecho, constituían un retorno a las posiciones arminianas.

Su enfoque de Calvino se consideró insuficiente y erróneo. Sus tres principales oponentes fueron Pierre Du Moulin (1568-1658), un profesor de teología muy influyente y respetado entonces en la relativamente rival Academia Reformada de Sedán; André Rivet (1572-1651), también un destacado teólogo de la época, a la sazón en los Países Bajos, que había sido profesor de Amyraut; y Friedrich Spanheim (1600-1649), profesor en Ginebra y más tarde en Leiden.[137] Estos tres teólogos, de diferentes maneras, pretendían demostrar que Amyraut malinterpretaba o tergiversaba a Calvino y, lo que es más grave, no era fiel a la enseñanza bíblica sobre este tema.[138]

El Sínodo Nacional de Alençon (1637) puso un primer y momentáneo freno al debate: el asunto fue tomado muy en serio por la Asamblea, que encargó a una comisión especial que examinara e informara sobre la cuestión. Los escritos

---

sermones eran Ezequiel 18:23; Romanos 1:19-20; 1 Corintios 1:21; 2 Corintios 3:6; Romanos 11:33; y Juan 6:45.

137 Du Moulin fue el más franco de los tres teólogos. Su respuesta fue primero pirateada y publicada sin su aprobación o conocimiento, pero más tarde dio su consentimiento para que fuera publicada. El título resume bien el contenido: *Esclaircissement Des Controuerses Salmvriennes: Ou Defense de la Doctrine des Eglises Reformees svr l'immutabilité des Decrets de Dieu, l'efficace de la Mort de Christ, la grace universelle, l'impuissance à se convertir et sur d'autres matières* ("Aclaración de las controversias salmvrianas: O Defensa de la Doctrina de las Iglesias Reformadas sobre la inmutabilidad de los Decretos de Dios, la eficacia de la Muerte de Cristo, la gracia universal, la imposibilidad de convertirse y sobre otros asuntos") (véase n. 24). El propio Rivet había publicado un libro sobre la expiación en 1631, señalando algunas ganancias universales de la muerte de Cristo en la cruz; Amyraut había esperado encontrar un aliado en él. Sobre esta relación, véase Nicole, "Moyse Amyraut", 96-99. Sobre la contribución de Spanheim al debate, véase Roger R. Nicole, "Friedrich Spanheim (1600-1649)", en *Through Christ's Word. A Festschrift for Philip E. Hughes*, ed. W. Robert Godfrey y Jesse L. Boyd III (Phillipsburg, NJ: P&R, 1985), 166-79.

138 Para referencias completas, véase Roger R. Nicole, "John Calvin's View of the Extent of the Atonement", *WTJ* 47.2 (1985): 197-225 (reimpreso, con adiciones, en *Standing Forth*, 283-312); Armstrong, *CAH*, 298-317.

de Amyraut y su colega Testard (cuyas opiniones eran similares a las de Amyraut) y los de sus críticos (los más importantes fueron los escritos de Du Moulin y Rivet, pero hubo otras acusaciones más estridentes), junto con las cartas de las facultades de teología reformadas, fueron examinados cuidadosamente.

Los profesores de Saumur tuvieron tiempo y ocasión de responder a sus críticas. Tanto las respuestas de Testard como las de Amyraut muestran que mantuvieron su postura básica sobre la gracia universal (que refleja la de Cameron):

> ... explicando sus opiniones sobre el objetivo universal de la muerte de Cristo, declararon que Jesucristo murió por todos los hombres de manera suficiente, pero que murió eficazmente sólo por los elegidos: y que, en consecuencia, su intención era morir por todos los hombres en lo que respecta a la suficiencia de su satisfacción, pero sólo por los elegidos en lo que respecta a su virtud y eficacia reanimadora y salvadora; es decir, que la voluntad de Jesucristo era que el sacrificio de la cruz fuera de un valor y precio infinitos, y abundantemente suficiente para expiar los pecados de todo el mundo; y que, sin embargo, la eficacia de su muerte sólo debía corresponder a los elegidos.[139]

La Asamblea quedó satisfecha, y los profesores fueron "honorablemente despedidos para el ejercicio de sus respectivos cargos", con una leve condena.[140]

---

139 Quick, *Synodicon in Gallia Reformata*, 2:353; Aymon, *Tous les Synodes*, 2:572-732: "... touchant le But Universel de la Mort de Jésus-Christ, ils [Amyraut y Testard] declarerent, que Jesus-Christ étoit Mort pour tous les Hommes sufisamment; mais qu'il étoit Mort Eficacement pour les Elûs seulement: & que par consequent son Intention étoit de mourir pour tous les Hommes, quant à la Sufisance de sa Satisfaction, mais pour les Elûs seulement quant à sa Vertu & Eficace Vivifiante & Sanctifiante; c'est-à-dire, que la Volonté de Jesus-Christ étoit, que el Sacrificio de la Croix fût d'un Prix & d'une Valeur Infinie, & très abondamment sufisant pour expier les Pêchés de tout le Monde; que cependant l'Eficace de sa Mort apartient seulement aux Elûs".

140 Quick, *Synodicon in Gallia Reformata*, 2:357; el registro de los procedimientos se encuentra en 2:352-57; 397-411; véase también, Aymon, *Tous les Synodes*, 2:576. El Sínodo exigió a Amyraut y Testard que se abstuvieran de hablar de la muerte de Cristo "por igual" para todos, que abandonaran expresiones como "decreto condicional, frustrativo o revocable", que evitaran los antropomorfismos y que evitaran llamar fe al conocimiento derivado de la revelación general. Los acuerdos y decisiones del sínodo son tratados por Nicole, "Moyse Amyraut", 106-18; ídem, "Brief Survey", 314-16; Armstrong, *CAH*, 93-96. El acuerdo de Amyraut con los puntos de vista de Cameron puede haber impulsado al Sínodo a ser muy indulgente con los dos profesores salmurianos: puede haber parecido injusto condenarlos por los puntos de vista que él había abrazado, y empañar la memoria de alguien

Además, el Sínodo prohibió cualquier otra publicación o discusión sobre el tema, lo que puede haber sido el camino prudente a tomar desde una perspectiva pragmática, pero que difícilmente ayudó a la causa de la verdad a largo plazo. "Implicaba erróneamente", señala juiciosamente Nicole, "que la discusión sobre estos temas era errónea, más que la falsedad de ciertas opiniones relativas a estas cuestiones".[141]

Sin embargo, cabe hacer algunas observaciones: hay que señalar que, aunque el Sínodo eximió a Amyraut y Testard de cualquier cargo de arminianismo o pelagianismo, censuró las expresiones incriminadas (explicadas por Amyraut y Testard como antropomorfismos o como acomodaciones al lenguaje de los adversarios de la fe reformada). Al hacerlo, se puede considerar que han condenado las doctrinas expresadas por ese tipo de lenguaje. Por otra parte, es preciso observar que Du Moulin y Rivet no fueron criticados ni culpados.

Las explicaciones de Amyraut y de Testard deben tomarse con pinzas. A pesar de sus protestas, las publicaciones posteriores (por ejemplo, el *Specimen Animadversionum* de Amyraut) muestran que "su lenguaje era, sin duda, un índice de su pensamiento".[142] Y aunque sus intenciones sólo las conoce Dios, la publicación futura y el desarrollo del movimiento muestran que, o bien no fueron del todo francos en su presentación, o bien, de forma más caritativa pero condescendiente, no comprendieron del todo las implicaciones de sus opiniones expresadas, o simplemente cambiaron de opinión.[143]

---

que había prestado un valioso servicio a la causa reformada. Nótese la extraña conclusión de Armstrong, derivada del orden de examen de las tesis de Amyraut por el Sínodo. Aunque señala que siguió la discusión de Du Moulin en su *Examen*, concluye que "este orden sugiere que el Sínodo acordó que Cristo fue enviado para todos" (91). Evidentemente, nada de eso se muestra.

141 Nicole, "Moyse Amyraut", 114.

142 Ibid., 115-16; Armstrong, *CAH*, 95-96, explica el resultado, sorprendentemente a favor de los profesores salmurianos, por razones de prudencia (el deseo de evitar un posible cisma o consecuencias perjudiciales para la Academia de Saumur) y lo que él llama el "motivo francés": las iglesias de Francia se unieron para defender a un teólogo francés contra los ataques procedentes en su mayoría de fuera del reino francés. Resulta bastante extraño que el estudio de Armstrong se cite a menudo sin mucha valoración crítica. A pesar de la seriedad de su investigación (sobre todo en una época en la que las obras estudiadas eran de muy difícil acceso), su presentación del debate está muy sesgada. Para una crítica perspicaz, véase la reseña de John M. Frame sobre el libro de Armstrong en *WJT* 34.2 (1972): 186-92, reeditado en la obra del autor *The Doctrine of God: A Theology of Lordship* (Phillipsburg, NJ: P&R, 2002), 801-806.

143 Nicole, "Moyse Amyraut", 117.

En cualquier caso, leyendo los propios escritos de Amyraut, es difícil sostener seriamente su conformidad con los Cánones de Dort a los que se suscribió, o el hecho de que más tarde se ajustara a las regulaciones de Alençon.[144]

La segunda fase de la controversia (1641-1649)

La segunda fase de la controversia (1641-1649) fue provocada por la publicación en 1641 de la obra de Amyraut *Doctrinae J. Calvini de Absoluto Reprobationis Decreto Defensio* (con una traducción francesa ampliada por el autor publicada en 1644),[145] una obra en defensa del punto de vista de Calvino sobre la reprobación.

Si la obra es fundamentalmente una respuesta a los ataques y a las tergiversaciones de los puntos de vista de Calvino desde una perspectiva arminiana (por parte de un autor anónimo), Amyraut aprovechó la ocasión para replantear sus puntos de vista sobre la predestinación. Spanheim, Rivet y otros produjeron una serie de respuestas a Amyraut, a veces muy extensas y a veces tan detalladas que oscurecían los argumentos principales.[146] El calor y la pasión de la controversia aumentaron considerablemente.[147]

En el Sínodo Nacional de Charenton (1644-1645), Amyraut fue acusado de herejía de nuevo, pero más tarde fue absuelto. La intervención de un príncipe protestante, Henri-Charles de la Trémouille, puso fin a este segundo enfrentamiento: en 1649, reunió a los principales protagonistas de la disputa (Amyraut, Guillaume Rivet y otros)[148] en una reunión privada en sus dominios

---

[144] Es casi divertido notar que Armstrong, que defiende a Amyraut tan vigorosamente, tiene que conceder aquí que los escritos incriminados (*Defensio* y *Dissertationes*) "probablemente violaron estas regulaciones [del Sínodo]" (Armstrong, *CAH*, 104). Laplanche, *Orthodoxie et prédication*, 163, atribuye el éxito de Amyraut y Testard a "la habilidad de sus explicaciones [y] el apoyo de los ministros parisinos".

[145] Moïse Amyraut, *Defense de la Doctrine de Calvin svr le Sviet de l'Election et de la Reprobation* (Saumur, Francia: Isaac Desbordes, 1644).

[146] Nicole, "Brief Survey", 316-19. Un relato detallado de esta segunda etapa de la controversia puede encontrarse en Laplanche, *Orthodoxie et prédication*, 211-34.

[147] Ibid., 211-29; Armstrong, *CAH*, 113-15, sobre la posibilidad de un cisma en la Iglesia de Francia que la controversia sobre la gracia universal podría haber provocado; de ahí la intervención del príncipe.

[148] André Rivet se sumó al acuerdo más tarde; Spanheim había fallecido ese año.

y les pidió que desistieran de cualquier polémica pública sobre este asunto y se abstuvieran de escribir sobre ello.

El 16 de octubre de 1649 se firmó un acuerdo, conocido como "*Acte de Thouars*". Si bien esta medida política logró enfriar las expresiones públicas de la polémica (en 1655, hubo una reconciliación personal incluso entre Amyraut y Du Moulin), no resolvió el debate teológico.

La tercera fase de la controversia (1655-1661)

La tercera fase de la controversia (1655-1661)[149] no implicó directamente al propio Amyraut; la protagonizaron, por un lado, David Blondel (1590-1665) y Jean Daillé (1594-1670) defendiendo las tesis de Amyraut, y por otro, Samuel Demarest (1599-1673) defendiendo la confesión ortodoxa; hubo varias contribuciones escritas de una generación más joven de pastores y teólogos (los hijos de Pierre Du Moulin y Friedrich Spanheim participaron en el debate). Oficialmente, esta fase terminó con el Sínodo Nacional de Loudun en 1659, donde Daillé fue elegido moderador, y se reconoció la ortodoxia de Amyraut y Daillé. Como concluye Nicole, "era evidente que el espíritu de Saumur estaba ganando terreno".[150]

La cuarta fase de la controversia (1661-1675)

Y en adelante (1661–1675 y después). Si la doctrina de Amyraut al principio sólo fue tolerada en las iglesias reformadas francesas, en la última parte del siglo XVII adquirió una influencia constante: un número creciente de graduados de Saumur, un aparente desinterés en el debate por parte de los ortodoxos, el miedo a provocar un cisma y el "factor francés" pueden haber contribuido a esta influencia. Sea como fuere, las ideas de Amyraut "socavaron poco a poco el respeto a las normas confesionales y perturbaron la unidad y la cohesión internas".[151]

---

149 Resumen en Nicole, "Brief Survey", 319-20.

150 Nicole, *Moyse Amyraut: A Bibliography*, 16; "Brief Survey", 320. Armstrong, *CAH*, 115-19, se muestra muy comprensivo con estos acontecimientos.

151 Nicole, "Brief Survey", 326: "La doctrina del universalismo hipotético actuó como un factor corrosivo en la Iglesia reformada francesa... Las ventajas [de la doctrina] que Amyraut había previsto no se materializaron, y los peligros contra los que sus oponentes

Quizás el mejor ejemplo de ello sea la enseñanza de Claude Pajon, sucesor de Amyraut en Saumur, que enseñaba que no se requería ni la obra del Espíritu Santo ni una gracia especial en el proceso de conversión: la simple persuasión intelectual era suficiente para iluminar la mente en materia de fe como en otros asuntos.

La iglesia de Suiza fue quizás la más vigilante a la hora de resistir el movimiento, tanto con advertencias, animando a los de Francia a mantenerse en las convicciones ortodoxas, como asegurándose de que los ministros influenciados por el amiraldianismo no fueran aceptados en el ministerio en Suiza.

En 1675, varios teólogos de Zúrich y Ginebra, entre ellos Johan Heinrich Heidegger y François Turretini, redactaron una declaración de fe que pretendía frenar las opiniones salmurianas: la *Formula Consensus Ecclesiarum Helveticarum* (la mayor parte de sus artículos se dirigen contra la doctrina de la gracia universal de Amyraut y algunas de las doctrinas de La Place). A pesar de la Fórmula, las nuevas ideas fueron ganando terreno, y la Fórmula fue posteriormente abrogada como prueba de fe, bajo la influencia, entre otros, de J. A. Turretini, el hijo de François Turretini, ¡uno de sus principales artífices!

Los Países Bajos, donde se elaboraron los Cánones de Dort, fueron en un principio capaces de resistir las influencias amiraldianas. Algunos de los principales críticos de las nuevas ideas —Du Moulin, André Rivet y Spanheim— residían y ejercían su ministerio allí. Sin embargo, tras la revocación del Edicto de Nantes (1685), una afluencia de refugiados franceses introdujo sus opiniones salmurianas. Además, la libertad de prensa dio a los partidarios de la gracia universal la oportunidad de publicar y difundir sus opiniones.

Más difícil es rastrear la influencia de Amyraut en Alemania, ya que algunos puntos de vista con considerable similitud ya eran sostenidos por algunos en Bremen (Crocius, Martinius), Hesse y Nassau.[152]

En las Islas Británicas, la enseñanza de Amyraut no ejerció una influencia directa, ya que sus obras nunca se tradujeron al inglés. Los puntos de vista de prominentes universalistas hipotéticos, como John Davenant en Inglaterra y

habían advertido se produjeron de hecho". Laplanche, *Orthodoxie et prédication*, 308, ve en Amyraut un "precursor de la teología liberal".

152 Nicole, "Brief Survey", 328.

James Ussher en Irlanda, aunque muestran algunas similitudes conceptuales con la posición de Amyraut, no deben equipararse de forma simplista con ella, entre otras cosas porque estos hombres escribieron antes que Amyraut.[153]

Además, había enfoques variados del universalismo hipotético en las Islas Británicas y en Europa. La principal diferencia entre los enfoques del Universalismo Hipotético de Davenant y Ussher (y Du Moulin en Francia), por un lado, y Amyraut, por el otro, radicaba en el orden de los decretos: mientras que Amyraut situaba el decreto de la elección después del decreto de la redención, Davenant y Du Moulin, por ejemplo, defendían sus esquemas del Universalismo Hipotético manteniendo una posición infralapsaria sobre el orden de los decretos.[154] Estos hombres también diferían de Amyraut en su presentación de la gracia universal.

V. ¿Amyraut *Redivivus*? El amyraldianismo hoy

En los círculos evangélicos de hoy en día, no se observa con frecuencia un amyraldianismo autoafirmado. La única excepción es en Gran Bretaña, donde está representado por Alan Clifford y la Asociación Amyraldiana que él fundó. Clifford defiende la teología de Amyraut como una expresión fiel de la teología calvinista y genuinamente reformada, bíblicamente sólida, pastoralmente útil, que responde a los extremos del arminianismo, por un lado, y a la rígida ortodoxia calvinista, por otro.[155] Clifford ha participado en debates con algunos "calvinistas clásicos" (J. I. Packer, Iain Murray, Paul Helm) que defienden la expiación definitiva como la enseñanza propia de las Escrituras.

Sin embargo, entre los evangélicos con inclinaciones reformadas, una forma de amyraldianismo puede resultar la posición por defecto sobre la expiación,

---

153 Por ejemplo, Richard Baxter relacionó los puntos de vista de John Davenant con los de James Ussher, arzobispo de Armagh, los cuales proporcionaron antecedentes a su propia posición sobre el alcance de la satisfacción de Cristo. En la evaluación de Baxter, los puntos de vista de Davenant y Ussher eran distintos de los de Amyraut. Véase Richard Baxter, *Certain Disputations of Right to the Sacraments, and the True Nature of Visible Christianity* (Londres: William Du Gard, 1657), fol. b2 verso.

154 Véase, por ejemplo, John Davenant, *Animadversions written by the Right Reverend Father in God John, Lord Bishop of Salisbury, upon a Treatise in titled Gods love to Mankind* (Cambridge: Roger Daniel, 1641). Para un útil resumen de las opiniones de Davenant sobre el orden de los decretos y el alcance de la expiación, véase Moore, *English Hypothetical Universalism*, 187-214.

155 Véase n. 4.

aunque el teólogo francés no sea a menudo reconocido explícitamente o directamente responsable de la influencia.[156] La obra *La cruz y la salvación* (The Cross and Salvation) de Bruce Demarest puede servir de ejemplo. Aunque el autor pretende presentar una tesis que es una mejora del arminianismo y del calvinismo, defiende de hecho una tesis que es indistinguible del amyraldianismo clásico:[157]

> Optamos por plantear la siguiente pregunta: *¿Para quién pretendía Cristo proporcionar expiación mediante su sufrimiento y muerte?* En consecuencia, dividiremos la pregunta en dos partes. En primer lugar, indagamos en la *provisión* que hizo Cristo mediante su muerte en la cruz. Y exploramos, en segundo lugar, la *aplicación* de los beneficios obtenidos por el Calvario a los pecadores.[158]

Una vez establecida la cuestión, Demarest aporta esta solución:

> En resumen, con respecto a la pregunta: ¿Por quién murió Cristo? Encontramos justificación bíblica para dividir la cuestión en el propósito de Dios respecto a la *provisión* de la Expiación y su propósito respecto a la *aplicación* de la misma: ... Cristo murió para proporcionar la salvación para todos.
> El lado de la *provisión* de la expiación es parte de la voluntad general de Dios que debe ser predicada a todos... El lado de la *aplicación* de la expiación es parte de la voluntad especial de Dios compartida con aquellos que vienen a la fe. Esta conclusión —que Cristo murió para hacer expiación por todos con el fin de que sus beneficios se aplicaran a los elegidos— coincide con la perspectiva del calvinismo sublapsariano.[159]

---

[156] Véase, por ejemplo, D. Broughton Knox, "Some Aspects of the Atonement", en *The Doctrine of God*, vol. 1 de *D. Broughton Knox, Selected Works* (3 vols.), ed., Tony Payne (Kingsford, NSW: Matthias Media, 2000), 265: "el decreto de la elección es lógicamente posterior al decreto de la expiación, donde también, de hecho, pertenece en el desarrollo de la aplicación de la salvación". (Knox era más bien un universalista hipotético sobre la naturaleza de la expiación, pero en este punto estaba de acuerdo con Amyraut). Lewis Sperry Chafer, *Systematic Theology, Volume III* (Dallas: Dallas Seminary Press, 1948), 187: "La carretera de la elección divina está muy separada de la carretera de la redención". A. H. Strong, *Systematic Theology* (Londres: Pickering & Inglis, Limited, 1907), 771: "Por lo tanto, no es la expiación la que es limitada, sino su aplicación a través de la obra del Espíritu Santo".

[157] Bruce Demarest, *The Cross and Salvation: The Doctrine of Salvation, Foundations of Evangelical Theology* (Wheaton, IL: Crossway, 1997), 189-95.

[158] Ibid., 189 (énfasis original).

[159] Ibid., 193.

Demarest no presenta aquí nada nuevo o particularmente innovador, entre otras cosas porque al llamarlo "calvinismo sublapsario" está situando el decreto de la elección después del decreto de la redención, exactamente lo que hizo Amyraut. *Mutatis mutandis*, una tesis similar es defendida por Stephen Lewis (quien distingue entre provisión y aplicación)[160] y P. L. Rouwendall (quien la ofrece como una solución a la irritante cuestión de qué creía Calvino al respecto).[161]

Conclusión

En este capítulo se han expuesto los puntos de vista de Amyraut sobre la predestinación y la expiación, tal y como se recogen en su *Breve Tratado*, y se ha informado sobre la controversia histórica que siguió a su paso. Mi objetivo ha sido más informar que argumentar, ya que las opiniones de Amyraut rara vez se entienden a partir de las fuentes primarias.

Las investigaciones futuras sobre Amyraut se beneficiarían si se comparan estrechamente la *Muestra* y los *Seis Sermones* con el *Breve Tratado*, y luego se evalúa su continuidad o discontinuidad en relación con Calvino.[162] Se espera que este capítulo proporcione un fundamento firme y una base clara para futuros trabajos críticos sobre Amyraut. Dejo las implicaciones bíblicas, teológicas y pastorales de su pensamiento para esos trabajos y para los demás capítulos del presente volumen.

---

160 Stephen Lewis, "Moise Amyraut 1596-1664: Predestination and the Atonement Debate", *Chafer Theological Seminary Journal* 1.3 (1995): 5-11.

161 P. L. Rouwendall, "Calvin's Forgotten Classical Position on the Extent of the Atonement: About Sufficiency, Efficiency, and Anachronism", *WTJ* 70 (2008): 317-35.

162 A este respecto, Richard A. Muller ya ha hecho un excelente comienzo en su meticuloso análisis comparativo de las concepciones de Calvino y Amyraut sobre la voluntad divina ("A Tale of Two Wills? Calvin and Amyraut on Ezekiel 18:23", CTJ 44.2 [2009]: 211-25). El artículo de Muller es un modelo de estudio del texto.

§8. LA EXPIACIÓN Y EL PACTO DE REDENCIÓN: JOHN OWEN SOBRE LA NATURALEZA DE LA SATISFACCIÓN DE CRISTO

Carl R. Trueman

Introducción

Si bien es evidente que cualquier interpretación de la expiación que pretenda ser cristiana debe, en última instancia, prevalecer o no por su conformidad o desacuerdo con las enseñanzas de las Escrituras, los estudios teológicos históricos también juegan su papel en este debate. La historia sirve a numerosos propósitos pedagógicos en la Iglesia, sobre todo para permitir a los que vivimos hoy entender cómo la Iglesia ha pasado del texto de las Escrituras a las síntesis doctrinales y confesionales a lo largo de los años y, por tanto, por qué la Iglesia piensa y se expresa de la forma en que lo hace en el presente.

Esto a su vez nos lleva a otro punto que a menudo se olvida: los estudios teológicos históricos también nos permiten explorar la complejidad de la formulación doctrinal y la interconexión de un punto doctrinal con otro. Un ejemplo obvio sería la conexión de nuestra comprensión de la encarnación con la de la Trinidad. No se puede entender en última instancia la fórmula calcedoniana del 451 sin conocer el Credo Niceno-Constantinopolitano del 381, junto con sus debates y discusiones asociadas.[1]

Lo mismo ocurre con la cuestión de la "expiación limitada". De hecho, el propio término es problemático porque supone la abstracción de un aspecto de la obra de Cristo como Mediador (su muerte) de su obra general como Salvador. Los defensores competentes de esta desafortunadamente llamada "expiación limitada" no suelen argumentar a favor de la posición sobre la base de unos pocos pasajes aislados o textos de prueba en la Biblia. Más bien se basan en las implicaciones de una serie de hilos de la enseñanza bíblica, desde los fundamentos de la redención en la relación intratrinitaria del Padre, el Hijo y el Espíritu Santo hasta la enseñanza bíblica sobre la eficacia de la muerte de Cristo y la naturaleza de la jefatura representativa.[2]

Así pues, el término "expiación limitada" es inadecuado, y no sólo por su énfasis desviado en la muerte de Cristo. También sitúa el lenguaje de la restricción y la limitación en el centro del debate, en lugar de la eficacia y la suficiencia soteriológicas. Como tal, es de esperar que pueda ser sustituido a su debido tiempo en el lenguaje teológico reformado común por un término más apropiado como expiación definitiva, redención particular, o quizás redención efectiva.[3]

Es con esto en mente que me acerco a la obra de John Owen sobre la expiación. Históricamente, su tratado de 1647, *La muerte de la muerte en la muerte de Cristo* (The Death of Death in the Death of Christ), es considerado a menudo por amigos y enemigos como la declaración definitiva de la llamada "expiación limitada".[4] Ciertamente, representa una exposición muy completa de la naturaleza de la obra redentora de Cristo, producto de siete años de arduo

---

[1] Véase Carl R. Trueman, *The Creedal Imperative* (Wheaton, IL: Crossway, 2012), especialmente el capítulo 3.

[2] Las obras recientes de Lee Gatiss y Jarvis J. Williams son buenos ejemplos de este enfoque: Lee Gatiss, *For Us and for Our Salvation: "Limited Atonement" in the Bible, Doctrine, History, and Ministry* (Londres: Latimer Trust, 2012); Jarvis J. Williams, *For Whom Did Christ Die? The Extent of the Atonement in Paul's Theology* (Milton Keynes, Reino Unido: Paternoster, 2012).

[3] A los efectos de este volumen, utilizaré generalmente "expiación definitive".

[4] Así, J. I. Packer lo considera el tratado por el que la doctrina de la expiación definitiva se sostiene o cae: véase su "Introductory Essay" a John Owen, *The Death of Death in the Death of Christ* (Londres: Banner of Truth, 1959).

estudio, como afirma el propio Owen en su nota al lector.[5] Sin embargo, abordar el libro a través de la lente de la "expiación limitada" es problemático por las razones señaladas anteriormente y porque, en consecuencia, se presta a refutaciones que simplemente están demasiado enfocadas para hacer justicia a los argumentos que contiene.

En este sentido, aunque J. I. Packer calificó notoriamente el tratado de Owen como un análisis definitivo, sus críticos no han quedado convencidos. Con todo, las respuestas críticas han vuelto con demasiada facilidad a refutaciones basadas en líneas de razonamiento únicas centradas en el aspecto de la intención y eficacia salvífica limitada.

Por ejemplo, Alan Clifford refuta a Owen sobre la base de su supuesto uso de la teleología aristotélica, que él considera que distorsiona la comprensión de Owen del material bíblico y, por lo tanto, le impide apreciar la enseñanza bíblica referente a los límites más amplios de la misericordia de Dios.[6] En esto, Clifford ha sido seguido por Hans Boersma en su importante estudio de la doctrina de la justificación de Richard Baxter.[7] Más recientemente, Tim Cooper, una autoridad en materia de teología del siglo XVII en su contexto social y político, argumentó que la posición de Owen era errónea porque no era fiel a las Escrituras en momentos clave y también deformaba la lectura de ciertos textos universalistas para adaptarlos a las convicciones sistemáticas de Owen.[8]

En este capítulo, no pretendo volver a examinar estas críticas específicas a Owen con gran extensión. En su lugar, quiero desentrañar el modo en que el tratado de Owen indica las interconexiones que existen entre varios puntos soteriológicos. Para ello, quiero utilizar como punto de partida una cuestión que tal vez parezca algo abstrusa hoy en día, pero que resultó ser muy polémica en la propia época de Owen y proporcionó el pretexto para el desafío más

---

[5] John Owen, *Salus Electorum, Sanguis Jesu: Or The Death of Death in the Death of Christ*, en *The Works of John Owen*, ed. W. H. Goold, 24 vols. (Edimburgo: Johnstone & Hunter, 1850-1855; reimpr. Edimburgo: Banner of Truth, 1967), 10:149. La edición reimpresa de Banner of Truth omite el volumen 17. Por lo tanto, las referencias en este ensayo a los volúmenes 17 y 19 serán a la edición del siglo XIX de la misma serie.

[6] Alan C. Clifford, *Atonement and Justification: English Evangelical Theology, 1640-1790: An Evaluation* (Oxford: Clarendon, 1990). No estoy de acuerdo con la tesis de Clifford y trato sus argumentos en profundidad en Carl R. Trueman, *The Claims of Truth: John Owen's Trinitarian Theology* (Carlisle, Reino Unido: Paternoster, 1998).

[7] Hans Boersma, *A Hot Peppercorn: Richard Baxter's Doctrine of Justification in Its Seventeenth-Century Context of Controversy* (Zoetermeer: Boekencentrum, 1993).

[8] Tim Cooper, *John Owen, Richard Baxter, and the Formation of Nonconformity* (Aldershot, UK: Ashgate, 2011), 67, 72.

importante a su comprensión de la redención, desafío planteado por su contemporáneo y rival de toda la vida, Richard Baxter.

La cuestión a la que se enfrentaba Owen era la siguiente: si Cristo en la cruz sufre el mismo castigo debido a nuestros pecados, y si ese castigo proporciona una satisfacción plena y eficaz precisamente por los pecados de los elegidos, entonces ¿por qué los elegidos no son justificados en ese momento, o incluso en la eternidad?[9] Además, ¿tiene algún significado real el momento en que el individuo llega a la fe en Cristo, o es simplemente un momento de iluminación espiritual, por el que la persona llega a darse cuenta de que siempre ha sido justificada? Estos fueron los puntos planteados contra la obra de Owen por Richard Baxter, quien, en un apéndice a su obra de 1649, *Aforismos de la justificación* (Aphorismes of Justification), arremetió contra la postura de Owen sobre la redención por considerarla un claro antinomianismo y, por tanto, por sentar las bases de una teología potencialmente muy peligrosa, tanto social como políticamente.

Esta cuestión específica podría parecer remota y de poco más que interés de anticuario hoy en día, pero el desafío de Baxter a Owen le obligó a reflexionar y elaborar los fundamentos conceptuales de su visión de la redención de una manera que sigue siendo instructiva al menos por la visión que da de la elegante naturaleza de la construcción doctrinal cristiana.

El contexto histórico

Para entender la razón de la respuesta crítica de Baxter a la obra de Owen, es necesario conocer algo del trasfondo inmediato, histórico y teológico, de la discusión. La década de 1640 fue una época de notable agitación social y política en Inglaterra. La guerra entre la Corona y el Parlamento había causado estragos en el campo. El ascenso del Nuevo Ejército Modelo bajo el mando de Thomas Fairfax y Oliver Cromwell había puesto de manifiesto el poder de las sectas religiosas.

---

[9] Owen define el concepto de satisfacción como "un término tomado de la ley, aplicado propiamente a las cosas, de ahí traducido y acomodado a las personas; y es *una compensación completa del acreedor por parte del deudor*" (*Death of Death*, en *Works*, 10:265; énfasis original). Luego procede a distinguirla en dos clases: el pago de la cosa misma en la obligación; y el pago de un equivalente en otra clase.

Los eclesiásticos reformistas más conservadores temían que el ascenso del independentismo como fuerza política condujera a la anarquía social. De hecho, el presbiteriano Thomas Edwards, en su obra *Gangrena* (Gangraena, Londres, 1646), esbozó las extravagantes prácticas de varias sectas, tanto reales como muy probablemente inventadas.[10] El miedo al antinomianismo también acechaba las pesadillas de varios protestantes e incluso influyó en los debates de la Asamblea de Westminster.[11]

Richard Baxter tuvo experiencia de primera mano de ese sectarismo durante su época de capellán militar, y su ministerio a partir de mediados de la década de 1640 se vio marcado por un miedo siempre presente a todo lo que se insinuara como antinomia. De hecho, esta preocupación le llevaría a una reformulación de la doctrina de la justificación que ha seguido siendo una fuente de controversia hasta el día de hoy en cuanto a su ortodoxia y su relación con la Reforma precedente.[12] De hecho, fue en el contexto de la discusión de la justificación que Baxter lanzó su salva contra John Owen en relación con la expiación.

El punto central de Baxter se basaba en una distinción bastante arcana, entre el pago equivalente (*solutio tantidem*) y el pago idéntico (*solutio eiusdem*), que se originó en el derecho romano pero que en el siglo XVII fue aplicada a la obra de Cristo en la cruz. Discutiremos esta distinción en el contexto de Baxter y Owen más adelante; en primer lugar, es importante entender los orígenes y el significado de esta distinción en la naturaleza del pago y, por lo tanto, comprender algo del trasfondo teológico europeo contra el que operaban Baxter y Owen.

---

[10] Sobre Edwards y la función política de su obra, véase Ann Hughes, *Gangraena and the Struggle for the English Revolution* (Nueva York: Oxford University Press, 2004).

[11] Sobre el antinomianismo en la Inglaterra de principios del siglo XVII, véase Theodore Dwight Bozeman, *The Precisianist Strain: Disciplinary Religion and Antinomian Backlash in Puritanism to 1638* (Chapel Hill: University of North Carolina Press, 2004); David R. Como, *Blown by the Spirit: Puritanism and the Emergence of an Antinomian Underground in Pre-Civil-War England* (Stanford, CA: Stanford University Press, 2004). Sobre el antinomianismo y la Asamblea de Westminster, especialmente en lo que respecta al debate sobre la justificación, véase Robert Letham, *The Westminster Assembly: Reading Its Theology in Historical Context* (Phillipsburg, NJ: P&R, 2009), 251-76.

[12] Sobre la teología de Baxter, véase J. I. Packer, *The Redemption and Restoration of Man in the Thought of Richard Baxter* (Vancouver: Regent College Publishing, 2003); Clifford, *Atonement and Justification*; Boersma, *A Hot Peppercorn*. Sobre Baxter y el antinomianismo, véase Tim Cooper, *Fear and Polemic in Seventeenth-Century England: Richard Baxter and Antinomianism* (Aldershot, Reino Unido: Ashgate, 2001).

A finales del siglo XVI, los desafíos teológicos más importantes a la ortodoxia reformada no provenían ni de los católicos ni de los luteranos, sino de un grupo reformado radical conocido como los socinianos. Los socinianos eran los seguidores de una pareja de teólogos italianos, Laelius y Fausto Socino quienes, en calidad de tío y sobrino, se convirtieron en la familia herética más notoria de Europa. De los dos hombres, Fausto fue sin duda el más brillante e influyente. En su obra *De Jesucristo Salvador* (De Jesu Christo Servatore) lanzó lo que sigue siendo el ataque más significativo a la doctrina de lo que hoy se conoce como la visión penal sustitutiva de la expiación.[13]

En el centro de la crítica de Fausto Socino había un punto engañosamente simple: las nociones de perdón y satisfacción penal son fundamentalmente antitéticas entre sí. Si Dios perdona el pecado, entonces no hay necesidad de que lo castigue. De hecho, que castigue el pecado haría que toda la noción de perdón fuera totalmente equívoca. Después de todo, si un padre terrenal perdona a su hijo por portarse mal, pero le pega por la misma transgresión, cabría preguntarse si el "perdón" significa realmente algo en ese contexto.[14]

El desafío sociniano a la ortodoxia era poderoso y fue tomado muy en serio por los principales teólogos protestantes. De hecho, el socinianismo, tal y como se plasmó en su principal documento confesional, el Catecismo Racoviano, representó una reconstrucción radical de toda la teología cristiana, abogando por el rechazo de la doctrina de la Trinidad, la reconstrucción de la cristología según las líneas adopcionistas y la transformación de la salvación en algo esencialmente pedagógico.[15]

---

[13] Socino escribió la obra en Basilea en 1578, pero no se publicó hasta 1594 en Polonia. Sobre el socinianismo, véase Alan W. Gomes, "De Jesu Christo Servatore: Faustus Socinus on the Satisfaction of Christ", *WTJ* 55 (1993): 209-31. Sobre el socinianismo en el contexto inglés, el trabajo de H. J. McLachlan está desactualizado pero sigue siendo útil: *Socinianism in Seventeenth-Century England* (Oxford: Oxford University Press, 1951). Un estudio más reciente que examina la función de los escritos socinianos en la configuración de los debates teológicos del siglo XVII es el de Sarah Mortimer, *Reason and Religion in the English Revolution: The Challenge of Socinianism* (Cambridge: Cambridge University Press, 2010).

[14] Para una exposición completa, véase Gomes, "De Jesu Christo Servatore".

[15] El Catecismo Racoviano fue publicado en Cracovia, Polonia, en 1594, donde el protestantismo reformado siempre había tenido un toque radical y, por tanto, resultó un terreno fértil para las desviaciones de la ortodoxia reformada. Esta obra fue traducida al inglés en el siglo XVII por el sociniano inglés John Biddle, contra el que John Owen fue encargado de escribir por un comité parlamentario en la década de 1650. Véase John Owen, *Vindiciae Evangelicae: Or, the Mystery of the Gospel Vindicated*, en *Works*, 12:1-590. Esta obra es una refutación tanto de los propios escritos catequéticos de Biddle como del Catecismo Racoviano.

Quizá la respuesta más significativa a la crítica sociniana de la expiación vino del teólogo remonstrante y teórico del derecho holandés Hugo Grocio (1583-1645). En su obra de 1617, *Una defensa de la fe católica* (A Defence of the Catholic Faith), Grocio adoptó la distinción *solutio tantidem/solutio eiusdem* del derecho romano y la aplicó a la expiación. En respuesta a la afirmación sociniana de que el hecho de que Cristo pagara la pena por el pecado haría incoherente cualquier noción de perdón, Grocio argumentó que Cristo pagó la pena equivalente, no idéntica, por nuestros pecados. Sobre esta base, pudo argumentar que era necesaria otra acción de Dios, la de aceptar graciosamente el equivalente como pago. Para él, esto daba cabida a un perdón gratuito y respondía así a la objeción sociniana.[16]

Una analogía podría aclarar este punto. La persona A debe a la persona B 500 dólares en efectivo. Si A le da a B 500 dólares literalmente (un pago idéntico: *solutio eiusdem*), entonces la deuda se paga inmediatamente como un acto de justicia, puro y simple. De hecho, B no puede rechazar el pago porque es exactamente lo que se debe, en forma y valor, y por tanto B no muestra piedad al aceptar el dinero y saldar la deuda. Está legalmente obligado a hacerlo.

Sin embargo, si A ofrece a B un coche que vale 500 dólares en lugar del dinero (un pago equivalente: *solutio tantidem*), entonces B aún tiene que aceptar el coche como pago equivalente. Una vez que lo ha hecho, la deuda queda saldada; pero lo más importante es que B tiene que aceptar el trato. Que lo haga es un acto de misericordia hacia A. Así, tanto la misericordia como la justicia se mantienen unidas. Para hacer la analogía aún más cercana a la de Grocio, si la persona A ha hecho algo para subvertir el gobierno de un gobernante, puede asumir el castigo él mismo o el gobernante puede acordar aceptar otra cosa como su equivalente. De nuevo, lo fundamental es que se requiere un acto separado, un acto de la voluntad del rey, para aceptar como un equivalente a la pena correspondiente aquello que no es en sí mismo idéntico a ella.[17]

Si la distinción ayudó a Grocio a responder al desafío sociniano sobre la relación entre justicia y misericordia, en manos de Baxter se convirtió en un medio para evitar cualquier indicio de antinomianismo o justificación eterna.

---

[16] Hugo Grocio, *Opera omnia theologica* (Amsterdam, 1679), 3:319.

[17] Para una mayor discusión sobre Grocio y la expiación, véase Garry J. Williams, "Punishment God Cannot Twice Inflict: The Double Payment Argument Redivivus", capítulo 18 de este volumen. Cabe destacar su análisis de la visión de Owen de la satisfacción como algo que contiene elementos comerciales y judiciales.

Después de todo, si a Cristo se le imputan realmente los pecados de A en la cruz, y si los pecados de A son castigados allí, A está entonces inmediatamente justificado desde ese momento, sea cual sea su comportamiento. El primer momento en el que A ejerce la fe es, por tanto, el primer momento en el que se da cuenta conscientemente de lo que realmente ha sido todo el tiempo: justificado.

Este punto puede parecer algo abstruso, si no irrelevante, para las discusiones modernas sobre el alcance de la expiación, pero una exploración de los argumentos de Owen sobre este punto y su respuesta a la crítica de Baxter realmente ayuda a comprender tanto la naturaleza de las opiniones ortodoxas reformadas sobre la expiación en el siglo XVII, como los problemas perennes asociados con el aislamiento de un aspecto de la obra de Cristo como Mediador de los otros aspectos de su obra. De hecho, el problemático término "expiación limitada", en sí mismo, se presta a tales cuestiones, aislando como lo hace la muerte de Cristo de su vida, resurrección e intercesión.

Además, aunque el lenguaje grociano pueda parecer ahora arcaico, está claro, por la propia enseñanza de Pablo, que en el Nuevo Testamento existe una estrecha relación entre la sangre de Cristo y el acto divino de justificación de los impíos (por ejemplo, Ro. 3:21-26). Este es un punto que, por lo tanto, debe reflejarse en la estructura sistemática de la teología al conectar la expiación con la justificación.[18]

John Owen y las dos clases de *Solutio*

Owen aborda la distinción entre los dos tipos de *solutio* en el libro 3, capítulo 7 de su obra *La muerte de la muerte*.[19] Citando a Grocio como el principal artífice de la distinción, también señala que la negación de Grocio de la *solutio eiusdem* se basa en dos objeciones. En primer lugar, que dicha *solutio* conlleva una "libertad real de la obligación", donde utiliza el término "real" para significar "real e inmediata".

En otras palabras, Grocio considera que la *solutio eiusdem* pone inmediatamente en estado de gracia a aquellos cuyo pecado ha sido de esa forma pagado. En segundo lugar, que dicha *solutio* elimina cualquier necesidad de

[18] Por ejemplo, véase Williams, *For Whom Did Christ Die,* 202-205.
[19] Owen, *Death of Death,* en *Works,* 10:265–73.

perdón o indulto.[20] Podríamos resumir las dos objeciones diciendo que Grocio considera que la *solutio eiusdem* otorga al pecador elegido un derecho legal instantáneo a un estado de gracia inmediato que Dios tiene la obligación legal de conceder.

La respuesta de Owen es doble. A la primera objeción, establece una analogía entre la situación de un pecador cuyo pecado ha sido pagado por Cristo en la cruz y la de un hombre que languidece en una prisión en un país extranjero. Un amigo podría pagar el rescate por ese hombre, pero hasta que el mensajero llegue a la prisión con los documentos legales pertinentes, el prisionero no tiene conocimiento de su perdón ni de su libertad real.[21]

En cuanto a la segunda, la de una *solutio eiusdem* que elimina la necesidad o incluso la posibilidad de cualquier noción de gracia o misericordia o perdón en el acto de salvación de Dios, Owen responde situando la muerte de Cristo en el contexto del plan de redención en su conjunto. En primer lugar, señala que el acto de imputación de los pecados a Cristo es una decisión libre y llena de gracia que Dios mismo tomó sin ninguna coacción o necesidad de hacerlo. En segundo lugar, señala que la imputación de la justicia de Cristo al creyente es también un acto de gracia y misericordia. En resumen, la gracia y la misericordia de Dios no se oponen a los méritos de Cristo; se oponen a los méritos de los seres humanos caídos.[22]

La preocupación de Owen en este particular se basa en otros dos puntos, uno exegético y otro sistemático. En cuanto al punto exegético, Owen ve la *solutio eiusdem* como una consecuencia buena y necesaria de la enseñanza de la Biblia sobre la eficacia objetiva de la muerte de Cristo. Tanto inmediatamente antes como después de la discusión de las dos formas de *solutio*, Owen afirma que la muerte de Cristo tiene una eficacia objetiva y apoya esta afirmación con un arsenal de textos bíblicos.[23] Si la muerte de Cristo *en sí misma* tuvo eficacia, como enseñan estos textos, entonces el planteamiento de un acto o decisión

---

[20] Ibid., 10:268.

[21] Ibid.

[22] Ibid., 10:268-69.

[23] 1 Pedro 2:24; Isaías 53:5, 10, 11, 12; Efesios 5:2; Hebreos 9:13, 14; Levítico 5:1; 7:2; 1 Juan 2:2; Job 19:25; 2 Corintios 5:21; Romanos 3:25, 26; 8:3 (Owen, *Death of Death*, en *Works*, 10:266-67, 269).

adicional por parte de Dios es innecesario y, de hecho, teológicamente especulativo.[24]

En segundo lugar, la respuesta de Owen a Grocio depende también de otro punto que ocupa un lugar central en su comprensión del oficio de Cristo como mediador: los actos individuales de la mediación de Cristo deben entenderse en última instancia como partes de una unidad. Esta unidad se basa en el concepto del pacto de redención, al que volveremos después de exponer la crítica de Richard Baxter.

Richard Baxter sobre Owen, la expiación y el antinomianismo

Aunque era un año mayor que Owen, Baxter fue sin duda alguna su hijo en términos de estatura eclesiástica y teológica a finales de la década de 1640. Baxter era también una especie de enigma teológico. Inusual para un escolástico del siglo XVII, Baxter no tenía educación universitaria y, por lo tanto, su teología tenía toda la brillantez mercurial que uno podría esperar de un intelecto agudo con un apetito voraz por los libros, combinado con las idiosincrasias del autodidacta.

Como se ha señalado anteriormente, Baxter se vio impulsado por un conjunto particular de preocupaciones. Le preocupaba el sectarismo que proliferaba en la década de 1640 y, sobre todo, le preocupaba el antinomianismo que parecía ser el distintivo de gran parte de dicho sectarismo. Estos dos temores le hicieron tener una ambición ecuménica, en el sentido de que siempre intentaba encontrar un puente o una posición intermedia entre dos extremos, y un compromiso serio de formular su comprensión de la salvación de una manera que acentuara los imperativos morales de la vida cristiana.

Cuando Baxter leyó *La muerte de la muerte*, de Owen, se convenció de que los argumentos del autor sobre la expiación jugaban directamente a favor de los antinomianos. De hecho, al abogar por la *solutio eiusdem*, la teología de Owen

---

[24] La eficacia objetiva de la expiación de Cristo es el centro perenne de los argumentos para inferir la limitación de la intención detrás de su muerte; véase J. I. Packer, "What Did the Cross Achieve? The Logic of Penal Substitution", en *Celebrating the Saving Work of God: The Collected Shorter Writings of J. I. Packer, Volume 1* (Carlisle, UK: Paternoster, 1998), 85-123.

le parecía que empujaba hacia una doctrina de la justificación eterna o, si no era eso, al menos de la justificación que tenía lugar en la cruz y cuya objetividad y eficacia era, por tanto, independiente de cualquier necesidad de arrepentimiento individual, fe y una vida cristiana disciplinada.

Por esta razón, Baxter abordó a Owen en el apéndice de sus *Aforismos de la justificación* (1649). La preocupación inicial de Baxter con Owen es que, al afirmar la *solutio eiusdem*, propone una situación en la que el sacrificio no puede ser rechazado por Dios Padre y que, por lo tanto, es vulnerable a la crítica sociniana de que la misericordia y la justicia se oponen entre sí. Baxter objeta este punto por varios motivos, pero una de sus principales preocupaciones es el hecho de que empuja hacia una doctrina de la justificación eterna. Dado que la eficacia objetiva de la muerte de Cristo es un elemento básico de los argumentos a favor de la expiación definitiva, el desafío que plantea Baxter adquiere una importancia contemporánea.[25]

Dos aspectos de la respuesta de Baxter son de especial interés. En primer lugar, insiste en que una *solutio eiusdem* debe ser, por definición, un pago no rechazable y, por tanto, es vulnerable a la crítica sociniana. Además, es vulnerable a la acusación de que no se le pueden imponer más condiciones. Esto tiene implicaciones obvias para concebir la salvación de forma antinomiana: si la deuda del pecador se paga por completo, Dios no puede exigir nada más de dicho pecador.[26]

En segundo lugar, Baxter se centra en particular en la analogía de Owen del prisionero que es perdonado por el pago de un rescate, pero que permanece en prisión hasta el momento en que el mensajero llega a la cárcel para proporcionar el certificado que le permite ser liberado. El autor plantea una serie de objeciones contra esta analogía. En primer lugar, argumenta que la distinción entre la entrega y la liberación efectiva de la cárcel es engañosa. Si uno no es realmente puesto en libertad en el momento de la liberación, ¿qué significa exactamente la liberación? En segundo lugar, señala que llegar a conocer el propio estado es algo comparativamente pequeño. Tercero, y, en consecuencia, la fe se reduce a un mero punto epistemológico, no al momento de transición de la ira a la gracia. En cuarto lugar, parece extraño que Dios nos niegue durante tanto tiempo en la

---

[25] Sobre la justificación eterna, véase Trueman, *Claims of Truth*, 207-209.
[26] Richard Baxter, *Aphorismes of Justification* (Londres, 1649), 149-51.

actualidad aquello a lo que tenemos derecho desde el momento de la muerte de Cristo.[27]

A pesar de que Baxter era relativamente desconocido en ese momento, su obra irritó claramente a Owen, que respondió con un tratado escrito durante su estancia en Irlanda como capellán de Cromwell: *De la muerte de Cristo* (Of the Death of Christ, 1650).[28] Aunque *La muerte de la muerte* es el tratado más famoso de Owen sobre la redención, esta segunda obra es en sí misma muy instructiva desde una perspectiva teológica sistemática. Deja muy claro que el problema que Baxter percibe con la distinción entre los dos tipos de *solutio* está en gran parte en función del aislamiento de la muerte de Cristo de su sacerdocio y oficio mediador en su conjunto. Esto es algo que el desafortunado término "expiación limitada" ha canonizado, abstrayendo como lo hace los eventos de la cruz del conjunto de la vida de Cristo, y generando una serie de preguntas y problemas lógicos como consecuencia.

Persona y pena

Una de las distinciones que Owen hizo en *La muerte de la muerte* y de la que Baxter se apoderó posteriormente en sus *Aforismos* fue su afirmación de que, en la expiación de Cristo, la pena se atenuó en términos de la persona que sufría, pero no en términos de la pena sufrida.[29] Una de las objeciones de Baxter a la afirmación de Owen de la *solutio eiusdem* era que era incoherente debido a que Cristo no sufrió eternamente, sino sólo durante un período finito. En el esquema grociano, Baxter podía argumentar que la muerte de Cristo era tomada como un equivalente; Owen, argumentaba, no se permitía tal lujo.[30]

En *La muerte de la muerte*, Owen comentaba que Dios suavizaba la ley permitiendo que otro se interpusiera en lugar de quienes eran los verdaderos deudores.[31] Por lo tanto, esto no tenía nada que ver con una rebaja de la norma

---

[27] Ibid., 155–57.

[28] John Owen, *Of the Death of Christ, the Price He Paid, and the Purchase He Made*, en *Works*, 10:430-79. (No debe confundirse con su otra obra titulada *Of the Death of Christ, and of Justification*; véase más adelante).

[29] Owen, *Of the Death of Christ*, en *Works*, 10:442.

[30] Baxter, *Aphorismes*, 144–46.

[31] Owen, *Death of Death*, en *Works*, 10:270.

exigida por Dios. Luego, al responder a Baxter en *De la muerte de Cristo*, Owen señala que la pena exigida por el pecado era la muerte.[32]

Este es un punto importante: existe el peligro de que, al pensar en la expiación de Cristo en términos de satisfacción de la deuda, uno pueda ser llevado a pensar en términos crudamente cuantitativos: el pecado ha acumulado x cantidad de deuda; por lo que la pena debe ser pagada en términos de x, donde x es análoga al dinero o a la propiedad. Ese no es el modelo utilizado por Owen: la pena no es cuantitativa, sino más bien cualitativa. No se trata de que Cristo tenga que acumular un montón de sufrimiento para igualar la ofensa que los seres humanos han causado a Dios; se trata de que tiene que morir. La muerte es el castigo.

Así, Owen puede mantener la *solutio eiusdem*: Jesucristo muere y paga así precisamente la misma pena que se exige al pecador. Hay aquí implicaciones ricas y evidentes para la conexión entre la expiación y la encarnación.

La analogía del prisionero reconsiderada

Owen también responde a la crítica de Baxter sobre su uso de la analogía del prisionero. Es importante situar aquí su uso original en *La muerte de la muerte* en su contexto. Inmediatamente antes de su introducción, escribe:

> Por la muerte nos libró de la muerte, y eso verdaderamente, hasta el punto de que se dice que los elegidos mueren y resucitan con Él. En realidad, o *ipso facto*, nos libró de la maldición, al ser hecho maldición por nosotros; y la letra que estaba contra nosotros, la obligación entera, fue quitada y clavada en su cruz. Es cierto que todos aquellos por los que hizo esto no lo comprenden ni lo perciben instantáneamente, cosa que resulta imposible; pero eso no impide que tengan todos los frutos de su muerte en derecho real, aunque no en posesión real, lo cual no pueden tener hasta que al menos se les haya dado a conocer.[33]

Es el uso de Owen del término *ipso facto* el que Baxter objeta aquí, aparentemente porque lo ve como una exigencia del perdón temporal inmediato

---

[32] Owen, *Of the Death of Christ*, en *Works*, 10:443

[33] Owen, *Death of Death*, en *Works*, 10:268.

del pecador cuya deuda es pagada.[34] Owen acepta en su respuesta a Baxter en *De la muerte de Cristo* que podría haberse expresado más claramente sobre este punto.[35] Sin embargo, ofrece una serie de aclaraciones que ayudan a entender el contexto de la analogía. En primer lugar, niega creer en la justificación previa a la fe.[36] En segundo lugar, explica que utilizó el término *ipso facto* específicamente para repudiar el argumento de Grocio de que la expiación de Cristo sólo beneficia a los individuos sobre la base del cumplimiento de una condición adicional.

En otras palabras, la expiación no sólo paga el precio del pecado, sino que también procura las condiciones necesarias para la aplicación de la muerte de Cristo al creyente en el tiempo. Como lo expresa Owen:

> Que el Señor Jesús, por la satisfacción y el mérito de su muerte y oblación, hecha para todos sus elegidos y sólo para ellos, ha comprado y procurado real y absolutamente para ellos todas sus bendiciones espirituales de gracia y gloria; para ser realizadas y otorgadas a ellos, en las formas y el tiempo de Dios, sin depender de ninguna condición a ser realizada por ellos que no sea absolutamente procurada para ellos; por lo que llegan a tener derecho a las cosas buenas por Él compradas, para ser poseídas a su debido tiempo, de acuerdo con la forma, método y designación de Dios.[37]

Utilizando el lenguaje de la causalidad, la muerte de Cristo es la causa meritoria de la salvación del individuo; por tanto, su uso del término *ipso facto* debe considerarse como referido a la causalidad, no a la cronología. Lo que cambia en el Calvario no es el *estado* de los elegidos incrédulos, sino su *derecho*: como elegidos, no son inmediatamente justificados;[38] pero sí tienen inmediatamente el pleno derecho a disfrutar de todos los beneficios de la muerte de Cristo cuando se unen a Él en el momento que Él ha designado.[39] Esto, a su vez, apunta al fundamento causal de la economía de la redención en el establecimiento intratrinitario de Cristo como Mediador por medio del pacto de redención.

---

[34] Por ejemplo, Baxter, *Aphorismes*, 140, 150.
[35] Owen, *Of the Death of Christ*, en *Works*, 10:450.
[36] Ibid., 10:449.
[37] Ibid., 10:450.
[38] Ibid., 10:456–57.
[39] Ibid., 10:465–67.

El fundamento de la redención: El pacto de redención

El peso de la respuesta de Owen a Baxter reside en su afirmación del pacto de redención (*pactum salutis*). El pacto de redención surgió como un concepto terminológico independiente hacia 1645, aunque sus raíces se encuentran en las discusiones de la Reforma y de la post-Reforma sobre la afirmación protestante (y la negación católica romana) de que Jesucristo es Mediador según ambas naturalezas.[40] Se pueden encontrar indicios de la noción en la colección de disputas holandesas conocida como *Synopsis Purioris Theologiae* y también en la obra de Jacobo Arminio.[41]

Sin embargo, aunque sus orígenes se encuentran en debates teológicos específicos sobre la unión hipostática y la naturaleza de la subordinación del Hijo encarnado al Padre, en las décadas de 1630 y 1640 la cuestión del nombramiento del Hijo como mediador había adquirido importancia en la discusión del mérito o la eficacia de su obra.

La primera vez que aparece el lenguaje del pacto en el contexto de la discusión de las relaciones voluntarias intratrinitarias relativas a la salvación se produce en la Asamblea General de la Iglesia de Escocia en 1638 en el discurso de David Dickson referente a los males del arminianismo.[42] Lo que resulta históricamente interesante es que el lenguaje del pacto en este contexto no parece captar la imaginación teológica general hasta aproximadamente 1645, cuando de repente empieza a proliferar en las obras de teología tanto en las Islas Británicas como en el continente.[43]

---

[40] Carl R. Trueman, *John Owen: Reformed Catholic, Renaissance Man* (Aldershot, UK: Ashgate, 2007), 80-81; también ídem, "The Harvest of Reformation Mythology? Patrick Gillespie and the Covenant of Redemption", en *Scholasticism Reformed: Essays in Honour of Willem J. van Asselt*, ed. Maarten Wisse, Marcel Sarot y Willemien Otten (Leiden, Países Bajos: Brill, 2010), 196-214. Véase también, Carol A. William, "The Decree of Redemption Is in Effect a Covenant" (tesis doctoral, Calvin Theological Seminary, 2005).

[41] Herman Bavinck, ed., *Synopsis Purioris Theologiae* (Leiden, Países Bajos: Donner, 1881), XXVI.xvi; Jacobo Arminio, *Private Disputation 33*, en *Disputationes Publicae et Privatae* (Leiden, 1614), 76-78.

[42] Alexander Peterkin, ed., *Records of the Kirk of Scotland, Containing the Acts and Proceedings of the General Assemblies, From the Year 1638 Downwards* (Edimburgo: Peter Brown, 1843), 159.

[43] Véase, por ejemplo, Edward Fisher, *The Marrow of Modern Divinity* (Londres, 1645); Peter Bulkeley, *The Gospel-Covenant; or The Covenant of Grace Opened* (Londres, 1646). Willem J. Van Asselt ofrece un análisis del desarrollo del concepto y la terminología en el

El propio Owen da testimonio en sus propios escritos de las innovaciones terminológicas de la década de 1640: en su primera obra, *Una exposición del arminianismo* (A Display of Arminianism), no utiliza un lenguaje pactual para describir la relación entre el Padre y el Hijo en la redención, pero en 1647 se muestra bastante conforme con hacerlo. La teología de las dos obras es consistente; lo que hace el nuevo lenguaje es aportar una claridad conceptual al conjunto que antes no existía.[44]

La finalidad del pacto de redención

El propósito teológico del lenguaje del pacto de redención es fundamentar la economía histórica de la obra de Cristo en la vida interna de la Trinidad. He argumentado en otro lugar que la teología de Owen en su conjunto representa una amplia reflexión sobre cómo integrar una comprensión trinitaria de Dios con una cristología ortodoxa y una soteriología antipelagiana.[45] En este sentido, el pacto de redención es fundamental.

Lo que es importante entender en este punto es que es el pacto de redención y no cualquier otra consideración teológica la que determina la naturaleza y el significado de cualquier acto que Cristo realice como Mediador. Por ejemplo, esto es directamente relevante para cualquier discusión sobre el valor de la expiación de Cristo. Tomando un tratamiento clásico anterior de la expiación, el de Anselmo en *Cur Deus Homo*, el valor o la potencia de la muerte de Cristo depende de su existencia como Dios-hombre. Dios es infinito y, por tanto, como Cristo es Dios, su muerte tiene un valor infinito.

Los Cánones de Dort hacen una afirmación similar:

> Esta muerte es de tal infinito valor y dignidad porque la persona que se sometió a ella era el unigénito Hijo de Dios, de la misma esencia eterna e infinita con el Padre y el Espíritu Santo, atributos eran necesarios para constituirlo un Salvador por nosotros; y, además, porque esta muerte estuvo

continente; véase su *The Federal Theology of Johannes Cocceius* (Leiden, Países Bajos: Brill, 2001), 227-47.

44 Por ejemplo, Owen, *Death of Death*, en *Works*, 10:168.

45 Véase Trueman, *Claims of Truth*, *passim*.

> acompañada de un sentido de la ira y maldición de Dios por causa de nuestro pecado (Art. II.4).[46]

Sin embargo, las discusiones sobre el valor de la expiación de Cristo aisladas de toda su obra como Mediador son problemáticas y un tanto especulativas, y para la época en que Owen escribía en la década de 1640, las dificultades con esa terminología eran obvias: ¿cómo se conecta el lenguaje de la suficiencia universal con las nociones de la intención divina en la constitución de Cristo como Mediador? ¿Qué significa que la muerte sea suficiente para todos, si su significado está arraigado en la intención divina de establecer a Cristo como Mediador en relación con toda la economía de la salvación?[47] Para Owen, los argumentos a favor de la suficiencia universal basados en la ontología del Hijo tienen un valor muy limitado y es probable que provoquen una respuesta obvia de sentido común: "¿Y entonces?".

Ciertamente admite que no hay nada en la muerte de Cristo, considerada aisladamente, que impida que sea suficiente para todos; la cuestión es si esa suficiencia tiene algún significado real en la economía real de la salvación. Esto queda claro en sus reflexiones sobre la noción lombarda de suficiencia universal/eficacia particular:

> "Que la sangre de Cristo fue suficiente para haber sido hecha un precio por todos"... es muy cierto, como se declaró antes: porque su ser un precio por todos o por algunos no surge de su propia suficiencia, valor o dignidad, sino de la intención de Dios y de Cristo de usarla para ese propósito, como se ha dicho. Así pues, se niega que la sangre de Cristo fuera un precio suficiente y un rescate por todos y cada uno, no porque no fuera suficiente, sino porque no era su rescate.[48]

---

[46] En Philip Schaff, *The Creeds of Christendom. Volume III: The Evangelical Protestant Creeds* (Nueva York: Harper & Brothers, 1877), 586.

[47] Para una interesante discusión sobre la creciente complejidad de los debates sobre la expiación y el particularismo a principios del siglo XVII, véase Jonathan D. Moore, *English Hypothetical Universalism: John Preston and the Softening of Reformed Theology* (Grand Rapids, MI: Eerdmans, 2007).

[48] Owen, *Death of Death*, en *Works*, 10:296. Cf. Francis Turretin, *Institutes of Elenctic Theology*, ed. James T. Dennison, Jr. y trad. George Musgrave Giger, 3 vols. (Phillipsburg, NJ: P&R, 1993), 2:458-59: "No se pregunta con respecto al valor y la suficiencia de la muerte de Cristo: si fue en sí misma suficiente para la salvación de todos los hombres. Porque todos confiesan que, puesto que su valor es infinito, habría sido enteramente suficiente para la redención de todos y cada uno, si Dios hubiera tenido a bien extenderla a todo el mundo...

Este punto es extremadamente importante: para Owen, las discusiones abstractas sobre la suficiencia universal son sólo eso: abstractas e irrelevantes. No se trata de si la muerte del Hijo de Dios pudo ser suficiente para todos; se trata de lo que se pretendía conseguir con esa muerte. Esa intención fue determinada por Dios en el establecimiento del pacto de redención.[49]

El pacto de redención y la naturaleza del mérito

En la posición de Owen subyace la noción de que el mérito está determinado por el pacto. Conectar a las criaturas finitas con un Dios infinito ha sido una preocupación perenne de la teología cristiana, y las discusiones sobre el mérito se remontan a la época medieval. En la Edad Media, por ejemplo, los teólogos sostenían que Adán en el jardín había disfrutado de un "*donum superadditum*" de gracia que le había permitido realizar obras verdaderamente meritorias.[50]

Aunque los protestantes posteriores repudiaron la noción católica de gracia, tuvieron que luchar precisamente con la cuestión de cómo lo infinito y lo finito pueden conectarse y, de hecho, de cómo lo finito puede llegar a merecer recompensas eternas. La teología reformada de finales del siglo XVI en adelante suele articular esto en términos de Adán pre-caída mediante el uso del concepto de pacto de obras: después de la creación, Dios entró en un pacto con Adán (como representante de su posteridad) por el que recompensaría la obediencia de Adán dándole la vida eterna y castigaría su desobediencia con la muerte.

El punto clave es que el valor de la obediencia de Adán, en cuanto a merecer la vida eterna, no era intrínseco, sino que era el resultado de la determinación

---

En cambio, la pregunta se refiere propiamente al propósito del Padre al entregar a su propio Hijo y a la intención de Cristo al morir".

[49] Owen tiene muy claro que la constitución de Cristo y el sufrimiento que padeció serían suficientes para la redención de todos: "Ahora bien, tal como fue el sacrificio y la ofrenda de Cristo en sí mismos, tal fue la intención de su Padre que fuera. Fue, pues, el propósito y la intención de Dios que su Hijo ofreciera un sacrificio de infinito valor y dignidad, suficiente en sí mismo para la redención de todos y cada uno de los hombres, si al Señor le hubiera parecido bien emplearlo para ese fin; sí, y también de otros mundos, si el Señor los hiciera libremente y los redimiera. Decimos, pues, que fue suficiente el sacrificio de Cristo para la redención de todo el mundo, y para la expiación de todos los pecados de todos los hombres del mundo. Esta suficiencia de su sacrificio tiene un doble origen: Primero, la dignidad de la persona que ofreció y fue ofrecida. En segundo lugar, la grandeza del dolor que soportó, con el que pudo soportar, y sufrió, toda la maldición de la ley y la ira de Dios debida al pecado" (*Death of Death*, en *Works*, 10:295-96).

[50] Por ejemplo, Tomás de Aquino, *Summa Theologiae*, 1a.95.1.

extrínseca de Dios.[51] Así, en su enorme obra en latín, *Theologoumena Pantodapa*, Owen señaló que sólo el pacto de obras libremente constituido proporcionaba el marco por el que Adán, una mera criatura, podía haber alcanzado un fin sobrenatural. Dios condescendió a establecer un pacto con Adán; y entonces Adán podía alegar una deuda por parte de Dios, pero sólo en virtud del pacto divinamente iniciado y determinado.[52]

El concepto de pacto de obras no ha estado exento de críticas posteriores dentro de la tradición reformada, sobre todo de John Murray, en parte porque el lenguaje del pacto está ausente en el relato del Génesis.[53] Desde una perspectiva histórica, esta crítica pasa por alto un punto importante: el pacto de obras no se desarrolló simplemente haciendo una exégesis de Génesis 1 y 2; surgió más de la reflexión sobre las epístolas paulinas que sobre el relato de la creación, y menos aún sobre el lingüísticamente ambiguo pasaje de Oseas 6:7.[54]

Esto es importante porque señala la estrecha conexión en la dogmática reformada entre el pacto con Adán y la obra de Cristo. La jefatura representativa está basada y determinada por el pacto, y la discusión de dicha jefatura debe,

---

[51] Sobre los orígenes y el desarrollo del pacto de obras en la teología reformada, véase Lyle D. Bierma, *German Calvinism in the Confessional Age* (Grand Rapids, MI: Baker, 1996); R. Scott Clark, *Caspar Olevian and the Substance of the Covenant* (Edimburgo: Rutherford, 2005); Robert Letham, "The Foedus Operum: Some Factors Accounting for Its Development", *Sixteenth Century Journal* 14 (1983): 457-67; Richard A. Muller, "The Covenant of Works and the Stability of Divine Law in Seventeenth-Century Reformed Orthodoxy: A Study in the Theology of Herman Witsius and Wilhelmus A Brakel", en ídem, *After Calvin: Studies in the Development of a Theological Tradition* (Nueva York: Oxford University Press, 2003); Willem Van Asselt, *The Federal Theology of Johannes Cocceius (1603-1669), Monographs of the Peshitta Institute Leiden* (Leiden, Países Bajos: Brill, 2001), 254-87.

[52] John Owen, *Theologoumena Pantodapa*, en *Works*, 17:40. Turretin, *Institutes*, 1:578, hace una buena distinción entre los tipos de deuda con referencia a Adán y al primer pacto: "Por lo tanto, no había ninguna deuda (propiamente dicha) de la que el hombre pudiera derivar un derecho, sino sólo una deuda de fidelidad, derivada de la promesa por la que Dios demostró su infalible e inmutable constancia y verdad".

[53] Por ejemplo, John Murray, "The Theology of the Westminster Confession of Faith", en *Collected Writings of John Murray. Volume 4: Studies in Theology* (Carlisle, PA: Banner of Truth, 1982), 261-62.

[54] Cf. el comentario de Richard Muller: "Lo interesante aquí es que todos estos escritores [divinos anteriores a la Asamblea de Westminster] entendieron el fundamento primario del pacto de obras, aparte de Génesis 2:17, como paulino y presente en Romanos y Gálatas. Ninguno de estos escritores se fijó en Oseas 6:7, aunque seguramente conocían su larga tradición de interpretación del pacto" (Richard A. Muller y Rowland S. Ward, *Scripture and Worship: Biblical Interpretation and the Directory for Worship* [Phillipsburg, NJ: P&R, 2007], 71-72).

por tanto, estar arraigada en la discusión de la naturaleza y los términos del pacto.

En este punto, se podría hacer un experimento de pensamiento esclarecedor: para Owen, habría sido posible que el Logos se encarnara, viviera una vida sin pecado, muriera en la cruz, resucitara de entre los muertos y ascendiera a la derecha del Padre, y que todo el proceso no tuviera ningún valor salvífico. La mera constitución ontológica de Cristo como hombre-Dios no habría tenido un significado más amplio si no hubiera sido designado como representante federal de su pueblo en virtud de un pacto. La eficacia, el valor, la naturaleza misma de la mediación de Cristo está totalmente determinada por los términos de la estructura pactual de la salvación.

El pacto de redención y la unidad del oficio de Mediador

La importancia del pacto de redención en la determinación del mérito de la muerte de Cristo es un punto significativo porque pone de manifiesto un aspecto de gran divergencia entre Baxter y Owen: en su deseo de defender una voluntad salvífica universal en Dios, Baxter necesita separar la discusión sobre la muerte o satisfacción de Cristo de cualquier discusión sobre la particularidad previa en la voluntad de Dios de salvar. En este punto, se mantiene en la línea del pensamiento universalista hipotético/amyraldiano.

Para Owen, sin embargo, esta particularidad previa es crucial, no por una lógica simplista según la cual Dios elige sólo a algunos y, por tanto, sólo se puede decir que Cristo murió por algunos; el caso de Owen es más elaborado que eso. Más bien, la base causal misma de que Cristo se encarnara y asumiera el papel de Mediador debe entenderse desde el principio como impulsada por el deseo de Dios de salvar, y ello particularmente. Esto significa que Owen debe insistir en que las acciones de Cristo como Mediador no han de entenderse aisladamente unas de otras. Son actos separados, pero derivan su significado de su único oficio como Mediador, un oficio que está definido por el pacto de redención. Este pacto no sólo le designa para morir, sino que determina el valor o el significado de esa muerte y fundamenta la totalidad de su función de Mediador, desde la concepción hasta la intercesión a la diestra del Padre.

Así, en *La muerte de la muerte*, Owen responde a la idea grociana de que la *solutio eiusdem* excluye cualquier noción de la libertad de Dios en el perdón con una apelación implícita a los términos del pacto de redención:

> *En primer lugar*, la voluntad de Dios de designar libremente esta satisfacción de Cristo (Jn. 3:16; Ro. 5:8; 1 Jn. 4:9). *En segundo lugar*, en una graciosa aceptación de esa satisfacción decretada en nuestro lugar; para tantos, y no más. *En tercer lugar*, en una libre aplicación de la muerte de Cristo a nosotros.[55]

En resumen, Owen respondería a la objeción sociniana de que la muerte penal de Cristo excluye cualquier noción de la misericordia del perdón señalando la decisión previa de Dios como Trinidad de establecer la economía de la salvación, y el hecho de que tal decisión fue libre y sin coacción. No es que la gracia se introduzca en el momento en que el Padre acepta el sacrificio del Hijo como expiación por su pueblo; la gracia se encuentra en el acto divino en la eternidad por el que el Padre nombra al Hijo como Mediador y el Hijo acepta voluntariamente el papel.

Dios no necesitaba establecer a Cristo como Mediador, como tampoco estaba obligado a establecer un pacto de obras con Adán en el jardín; y así como la recompensa de Adán habría sido tanto merecida como el resultado de la condescendencia divina, la salvación en Cristo es tanto merecida por Cristo como establecida por un acto de la misericordia de Dios.

Owen retoma este tema en repetidas ocasiones en *De la muerte de Cristo*. Como se señaló anteriormente, una de las principales preocupaciones de Baxter era el hecho de que una *solutio eiusdem* es un pago no rechazable y, por lo tanto, excluye la misericordia. En otras palabras, Dios el Padre no puede rechazar la ofrenda del Hijo y, por lo tanto, según Baxter, la objeción sociniana sobre el conflicto entre la justicia y la misericordia prevalece.

Tal objeción es problemática en varios sentidos. Para empezar, parece plantear una relación casi adversa entre el Padre y el Hijo, y con toda seguridad no tiene en cuenta que el Padre y el Hijo son uno en sus intenciones salvíficas. Al fin y al cabo, decir que la ofrenda es rechazable no implica simplemente algo sobre la naturaleza de la ofrenda; lógicamente implica también algo sobre el Padre, que hipotéticamente podría querer rechazar la ofrenda que su Hijo está

---

[55] Owen, *Death of Death*, en *Works*, 10:269.

haciendo. En otras palabras, el Hijo podría ofrecer una expiación al Padre que éste podría rechazar, poniéndose así en conflicto con su Hijo. Eso es sin duda problemático desde la perspectiva de la teología trinitaria ortodoxa, con su adhesión a la *homoousia*. Si el Padre y el Hijo son de la misma sustancia, ambos igualmente Dios y un solo Dios, entonces tal conflicto potencial entre ellos es imposible incluso en el plano hipotético.[56]

Además de los problemas ontológicos que crearía la negación, está la cuestión conexa de los términos del pacto o convenio:

> Nada puede tender a la consecución y compendio de cualquier fin, a modo de pago, con el Señor, sino lo que se construye sobre algún pacto, promesa u obligación libre de su parte. Pero ahora considérenlo como un asunto que fluye de la constitución divina que lo convierte en un pago, y por lo tanto no es rechazable en cuanto a la consecución del fin designado.[57]

El pago no puede ser rechazado porque Dios ya ha estipulado en la eternidad que es un pago que será aceptado. Aunque Owen no señala los fundamentos trinitarios de esto, también debe quedar claro que el concepto del pacto de redención en sí mismo refleja el carácter común de la voluntad que existe entre las personas consustanciales y es un intento de conceptualizar el plan de salvación de Dios de manera que se respete la naturaleza de Dios como Trinidad.

Uno podría volver el argumento contra Baxter en este punto: si el pago es refutable, entonces es necesario o bien que Dios Padre sea capaz de romper un pacto previo que ha hecho; o bien hay que conceder que el Padre y el Hijo pueden oponerse el uno al otro en relación con la salvación. Ninguna de las dos opciones parece coherente con una doctrina bíblica trinitaria de Dios.

En otra parte del tratado, Owen vuelve a insistir en el pacto de redención distinguiendo entre el sufrimiento de Cristo concebido en abstracto y el concebido en relación con el pacto. En abstracto, el sufrimiento de Cristo no puede considerarse un pago rechazable por la sencilla razón de que no es en realidad un pago en absoluto, rechazable o no. Sólo puede considerarse un pago

---

[56] Se podría responder diciendo que el Padre aceptará la ofrenda aunque pueda hacer lo contrario; pero si el conflicto es siquiera posible dentro de la Divinidad, las implicaciones para la doctrina de la Trinidad son indudablemente catastróficas.

[57] Owen, *Of the Death of Christ*, en *Works*, 10:441.

si se presupone la existencia del pacto que lo establece como tal.[58] No obstante, con referencia a este pacto, el sufrimiento de Cristo se constituye como un pago que no es rechazable debido a que "la sabiduría, la verdad, la justicia y el propósito idóneo de Dios se comprometen a lo contrario".[59] El pacto como acto del Dios trino no puede crear relaciones adversas entre los miembros de la Divinidad.

Además, dado que el pacto determina el valor y el significado de la muerte de Cristo, también es el factor determinante de cómo, cuándo y en qué condiciones se aplicarán los beneficios de la muerte al individuo.[60] Es difícil no ver aquí el fruto de un tipo de debate que tuvo lugar desde la Edad Media en adelante sobre la dialéctica del poder absoluto y ordenado de Dios, que esencialmente velaba por la libertad de Dios al mismo tiempo que garantizaba la estabilidad del mundo real que decidió establecer.[61]

A la objeción de Baxter de que la adhesión a la *solutio eiusdem* requiere que los pecadores elegidos sean justificados antes de creer (y, por tanto, como apertura del camino al antinomianismo), Owen responde haciendo distinciones entre diferentes tipos de causas y señalando una vez más la necesidad de ver el acto de redención de Cristo como un todo.

---

[58] Ibid., 10:458.

[59] Ibid.

[60] "De ahí que la liberación del deudor no siga inmediatamente al pago de la deuda por parte de Cristo; no porque ese pago sea rechazable, sino porque en ese mismo pacto y convenio del que procede que la muerte de Cristo sea un pago, Dios se reserva este derecho y libertad de liberar al deudor cuando y como quiera" (ibid.).

[61] La dialéctica del poder absoluto de Dios y su poder ordenado fue una distinción que se planteó en la Edad Media. En resumen, se argumentaba que Dios, siendo omnipotente, podía hacer cualquier cosa según su poder absoluto, sujeto únicamente a la ley de no contradicción (por ejemplo, no podía querer que A existiera y no existiera en un mismo tiempo). Sin embargo, de acuerdo con su poder ordenado, Dios había decidido realizar un mundo que contenía sólo un subconjunto de las posibilidades de que disponía en términos de su poder absoluto. Pero, una vez realizado este subconjunto, se comprometió a mantenerlo de la manera que había querido. El orden creado era, pues, finito y contingente, pero no por ello menos estable y fiable. Se trataba esencialmente de una distinción epistemológica que entró en juego cada vez más a finales de la Edad Media como medio de circunscribir la competencia de la lógica humana para predecir cómo debía actuar Dios. En este contexto, parece que Owen está señalando que los problemas lógicos que parecen surgir al sostener la *solutio eiusdem* no se sostienen porque no tienen en cuenta que Dios puede trascender los límites que la lógica humana podría querer ponerle. Sobre esta distinción, véase Heiko A. Oberman, *The Harvest of Medieval Theology: Gabriel Biel and Late Medieval Nominalism* (Durham, NC: Labyrinth, 1983), 42-47.

Según Owen, la muerte de Cristo es la causa meritoria de la salvación. Como causa meritoria, no requiere la existencia cronológica inmediata del efecto al que está determinada. Así, no es como el suelo que sostiene la silla en la que estoy sentado: la existencia del suelo aquí y ahora es la causa inmediata de que no me esté precipitando en este momento hacia el centro de la tierra. La muerte de Cristo es de otro tipo de causalidad: es la razón por la que los individuos son perdonados en ese momento y bajo las condiciones que Dios ha decidido establecer a través del pacto.

Los efectos de una causa moral están mediados por el marco legal o pactual que establece su causalidad; y como causa moral, los efectos de la muerte de Cristo están determinados por el pacto de redención.[62] Esto lleva a su vez al segundo punto de Owen: la muerte de Cristo no sólo paga el precio del pecado, sino que también proporciona la base causal para todas las condiciones adjuntas a la salvación de los elegidos. En efecto, aunque la fe es la condición para recibir los beneficios de la muerte de Cristo, ella misma es procurada por la muerte de Cristo.[63]

Otro aspecto de la articulación de Owen de la redención efectiva es la unidad crucial que ve entre el sacrificio y la intercesión de Cristo. Esto también tiene una importancia vital porque, una vez más, pone de manifiesto los problemas teológicos sistemáticos que se generan al intentar deslindar la muerte de Cristo y tratarla de forma aislada. Si hubiera que buscar un único tema que preocupara a Owen a lo largo de su carrera, probablemente no se podría hacerlo mejor que señalando el oficio sacerdotal de Cristo.[64] Domina su comentario a Hebreos y, de hecho, presumiblemente influyó en su elección de dicho libro, al que dedicó gran parte de su energía académica en los últimos años de su vida. Sin embargo,

---

[62] Owen, *Of the Death of Christ*, en *Works*, 10:459-60.

[63] Ibid., 10:464. En otra obra que responde a Baxter, *Of the Death of Christ, and of Justification*, publicada como apéndice a su obra de 1655 contra los socinianos, *Vindiciae Evangelicae*, Owen agudiza su comprensión del momento de la justificación conectándolo con la unión con Cristo por la fe, y también subrayando el hecho de que esta fe que forja la unión es en sí misma un efecto de la muerte e intercesión de Cristo. En esta obra queda claro que Owen considera que el tipo de problemas lógicos que Baxter presentó contra su posición son en sí mismos el resultado de un aislamiento especulativo de un aspecto del oficio sacerdotal de Cristo con respecto a todos los demás (en *Works*, 12:606-608).

[64] Esto hace que el virtual silencio de Clifford sobre este asunto en su *Atonement and Justification* sea muy sorprendente, dado que el foco de su estudio de Owen es la expiación, una doctrina que no puede ser evaluada apropiadamente sin situarla en el contexto del sacerdocio de Cristo.

también fue fundamental para el argumento de su primera obra, *Una exposición del arminianismo*.

Aquí, por ejemplo, hay un comentario sobre cómo interpretar la relación entre la muerte y la intercesión de Jesucristo:

> Su intercesión en el cielo no es más que una oblación constante de sí mismo. De modo que todo lo que Cristo impetró, mereció u obtuvo por su muerte y pasión, debe ser infaliblemente aplicado y otorgado a aquellos por quienes pretendía obtenerlo; de lo contrario, su intercesión es vana, y no es escuchado en las oraciones correspondientes a su mediación.[65]

Hay que tener en cuenta que, en 1642, Owen aún no disponía de la terminología conceptualmente precisa del pacto de redención. Aun así, sus palabras aquí indican claramente su creencia de que el oficio sacerdotal de Cristo debe ser visto como una unidad, basada en la voluntad particular de salvar que lo estableció como Mediador.

Es imposible, argumenta Owen, afirmar que Cristo intercede por personas por las que murió pero que finalmente no se salvarán. Siendo explícitos, eso crearía una relación adversa entre el Padre y el Hijo, y, de hecho, se prestaría directamente a la clase de caricaturas de la sustitución penal que imaginan a un Hijo misericordioso engatusando a un Padre, por lo demás enfadado y reacio, para que sea misericordioso con los pecadores. De nuevo, las implicaciones de esto para el trinitarismo ortodoxo serían catastróficas.[66]

Esencialmente, la misma posición se articula con mayor amplitud hacia el final de la vida de Owen en su comentario sobre Hebreos. En la disertación preliminar sobre el sacerdocio de Cristo, Owen subraya la inseparabilidad de la muerte de Cristo en la cruz y su entrada en el Lugar Santísimo ante Dios para defender la causa de su pueblo.[67] A continuación, al abordar el texto clave de Hebreos 7:25, remite toda la acción al pacto de redención tanto como su

---

[65] Owen, *Death of Death*, en *Works*, 10:90.

[66] Owen también señala la implicación obvia de la naturaleza no efectiva de la expiación universal para las nociones de sustitución: "[A]unque los arminianos pretenden, de forma muy especifica, que Cristo murió por todos los hombres, sin embargo, en efecto, logran hacer ver como si no muriese por ningún hombre" (ibid., 10:93).

[67] John Owen, *An Exposition of the Epistle to the Hebrews*, en *Works*, 19:194-97.

fundamento causal como lo que define y circunscribe estrictamente el alcance del sacerdocio de Cristo en su conjunto.[68]

Esto excluye el tipo de distinción entre la universalidad de la intención detrás de la muerte de Cristo y la particularidad de la aplicación en la intercesión. Tanto la muerte como la intercesión son las dos caras de una misma moneda, una moneda cuya finalidad y valor están determinados por el pacto de redención.

A la luz de esto, hay que conceder que la analogía original de Owen del prisionero que es rescatado, pero no liberado inmediatamente tiene sus defectos dramáticos, como Baxter no dudó en señalar. Sin embargo, ese es, con toda seguridad, un problema que presentan todas las analogías. Es una obviedad que cualquier analogía debe, por definición, carecer de igualdad con aquello que pretende dilucidar y, por tanto, poseer sólo similitud con ello. La similitud supone una diferencia, que puede ser mayor o menor según el caso.

Sin embargo, la verdad de la doctrina no depende de la idoneidad de la analogía. Es evidente que la analogía del prisionero no ayuda a dilucidar la conexión crucial entre la muerte de Cristo y su intercesión celestial; tampoco ofrece ninguna idea sobre la fundamentación del conjunto en un pacto anterior. De hecho, resulta insuficiente porque Cristo no está, estrictamente hablando, ofreciendo un rescate a un poder extranjero hostil, sino que está llevando a cabo la voluntad de su Padre, a quien debe hacerse el ofrecimiento.

Sin embargo, cuando se pone en contexto, Owen nunca pretendió que la analogía fuera más que una ilustración de su punto anterior sobre la causalidad meritoria, un punto que es en sí mismo bastante coherente.

Pensamientos finales

El enfrentamiento entre Owen y Baxter sobre la cuestión de la expiación resulta instructivo por varias razones. En primer lugar, pone de manifiesto que la limitación de la expiación no es la única cuestión que ha resultado controvertida en este asunto a lo largo de los años. La conexión entre la expiación y la justificación, que afecta a cuestiones como la naturaleza de la imputación, el sufrimiento de Cristo y la disposición de Dios Padre, es también una parte clave del debate. En este sentido, refleja a nivel sistemático las conexiones que el

---

[68] Ibid., 19:524.

apóstol Pablo establece entre la sangre de Cristo y la justificación en el Nuevo Testamento.

En segundo lugar, el debate pone de relieve el modo en que las cuestiones sobre la muerte de Cristo no pueden separarse de cuestiones más amplias sobre su papel como Mediador y, por tanto, de las cuestiones sobre la economía trinitaria de la salvación. Una formulación de la expiación debe respetar la enseñanza católica sobre la naturaleza de Dios como Trinidad, en particular la consubstancialidad del Padre y del Hijo. Cualquier formulación de la expiación que coloque al Padre y al Hijo en papeles adversos (o incluso que lo contemple hipotéticamente) transgrede límites doctrinales que van mucho más allá del Calvario y del propio ser de Dios.

En tercer lugar, el debate ofrece algunos buenos ejemplos de cómo el aislamiento de la muerte de Cristo de su contexto en la economía más amplia de la salvación puede generar preguntas y problemas lógicos por sí mismos y que sólo pueden resolverse rechazando tal aislamiento e insistiendo en que la obra mediadora de Cristo se sitúe en sus contextos más amplios: el contexto bíblico del sacrificio y la intercesión enraizados en el Antiguo Testamento; y el contexto teológico de la economía trinitaria de la salvación. La pregunta directa: "¿Por quién murió Cristo?" es perfectamente legítima, pero la respuesta surge de una serie de temas bíblicos y teológicos interconectados.

Por último, debemos señalar que para Owen esto dista mucho de ser una discusión abstracta. En *La muerte de la muerte* señala seis consecuencias naturales que se derivan de su compromiso con la *solutio eiusdem*, todas las cuales tienen importantes implicaciones prácticas y existenciales para el creyente: la deuda completa del pecador ha sido pagada; Dios cancela todas las demandas y medidas contra el pecador; el pago no fue por tal o cual pecado, sino por todos los pecados de aquellos por los que murió Cristo; Dios no puede exigir ningún otro pago; Dios se ha comprometido a conceder el perdón a aquellos cuyas deudas ha pagado Él mismo; la ley queda silenciada, porque en Cristo se ha cumplido de forma plena y definitiva.[69] Estas son buenas noticias, y buenas noticias que vale la pena proclamar.

---

[69] Owen, *Death of Death*, en *Works*, 10:273.

PARTE II: LA EXPIACIÓN DEFINITIVA EN LA BIBLIA – TEOLOGÍA BÍBLICA

§9. "PORQUE ÉL AMÓ A TUS ANTEPASADOS": ELECCIÓN, EXPIACIÓN E INTERCESIÓN EN EL PENTATEUCO

Paul R. Williamson

Introducción

Hay que admitir que el Pentateuco puede parecer un terreno poco fértil para la doctrina de la expiación definitiva. Después de todo, la expiación no parece desempeñar un papel importante en el Génesis, y apenas hay una conexión explícita entre el sacrificio y la expiación hasta la legislación ritual del comienzo del Levítico.[1]

[1] En el Génesis, el verbo clave (Piel כפר) se utiliza sólo en relación con la intención de Jacob de "apaciguar" a Esaú con sus regalos de ganado (32:20); en el Éxodo, el verbo se utiliza en relación con la "expiación" asociada a la ordenación y consagración de los sacerdotes (29:33, 36-37), la expiación anual del altar del incienso (30:10), la expiación asociada al impuesto del censo (30:15-16), y la oferta de Moisés de expiar de alguna manera la apostasía de Israel durante el incidente del becerro de oro (32:30). El espacio no permite una investigación detallada del significado de este importante término. Mientras que Qal transmite la idea de "cubrir" (cf. Gn. 6:14), Piel parece connotar "rescatar" (cf. Ex. 30:11-16; Nm. 35:29-34) o "limpiar" (es decir, "purgar"; cf. Jer.18:23, donde se usa en paralelo con

Además, el Día de la Expiación (Lv. 16) abarca a toda la comunidad, al igual que otras disposiciones similares como el incensario de Aarón (Nm.16), el agua de la purificación (Nm. 19) y la serpiente de bronce (Nm. 21). De hecho, incluso el sacrificio de la Pascua (Ex. 12) y la intercesión de Moisés (Ex. 32-34) parecen tener un enfoque más general que particular, en el sentido de que benefician a la comunidad israelita en su conjunto y no a algún subgrupo dentro de ella (como un remanente elegido).

Dicho esto, sin embargo, un examen más detallado de este corpus bíblico, incluidos los textos específicos mencionados anteriormente, demostrará que, aunque la expiación definitiva no se menciona explícitamente en ninguna parte, hay ciertamente indicios del concepto incrustados en este cuerpo de literatura. En lugar de sugerir algún tipo de expiación general, todos los textos relevantes apuntan a un enfoque más definido, ya sea en términos de Israel como pueblo elegido por Dios, o en términos de individuos cuyas acciones los separan de la comunidad en su conjunto.

Antes de examinar más detenidamente los textos particulares relativos a la expiación y la intercesión sacerdotal, es importante situar todos ellos en su contexto bíblico-teológico. Al fin y al cabo, no fue cualquier nación la que disfrutó de los privilegios y bendiciones especiales que aquí se describen, sino el pueblo de Israel, la encarnación nacional de la promesa de Dios a Abraham. Por lo tanto, cualquier consideración de las experiencias de Israel debe tener en cuenta el estatus único de Israel como pueblo elegido por Dios.

Los tratos especiales de Dios con Israel, de los que da fe el Pentateuco en repetidas ocasiones, se basan firmemente en la idea de la elección divina de Israel. Es dentro de esta construcción teológica más amplia donde debe entenderse cualquier teología veterotestamentaria de la expiación.

La condición de Israel como elegido de Dios

El estatus único de Israel como nación elegida personalmente por Dios se subraya explícitamente en varias ocasiones en el Pentateuco, sobre todo en el Deuteronomio (4:37; 7:6-7; 10:15; 14:2).

"borrar"). Para un análisis detallado, véase Richard E. Averbeck, "כפר", en el *New International Dictionary of Old Testament Theology and Exegesis*, ed. Willem A. Willem A. VanGemeren, 5 vols. (Grand Rapids, MI: Zondervan, 1997), 2:689-710.

Deuteronomio 7:6–7 »Porque tú eres pueblo santo para el Señor tu Dios; el Señor tu Dios te ha escogido para ser pueblo Suyo de entre todos los pueblos que están sobre la superficie de la tierra. »El Señor no puso Su amor en ustedes ni los escogió por ser ustedes más numerosos que otro pueblo, pues eran el más pequeño de todos los pueblos.

Como destaca el primero de estos textos, la redención de Israel de Egipto y las bendiciones subsiguientes surgieron del amor que Yahweh tenía por los antepasados de Israel: "Porque Él amó a tus padres, por eso escogió a su descendencia después de ellos; y personalmente te sacó de Egipto con Su gran poder" (Dt. 4:37). Ahora bien, hay que admitir —como se desprende de la comparación de varias traducciones bíblicas— que no hay consenso sobre dónde termina la prótasis y dónde empieza la apódosis. En consecuencia, algunas traducciones comienzan esta última después de la primera cláusula: "Porque Él amó a tus padres, por eso escogió a su descendencia después de ellos; y personalmente te sacó de Egipto con Su gran poder" (NBLH).

En vista de la cadena de construcciones de infinitivo en el versículo 38, la versión inglesa comienza la cláusula de apódosis con el cambio al *weqatal* al comienzo del versículo 39.[2]

ותחת כי אהב ... ויבחר ... ויוצאך ... Prótasis extendida

וידעת ... ... Apódosis

Sea cual sea la interpretación correcta, el versículo 37 supone una secuencia lógica de acontecimientos: es decir, la experiencia de liberación de Israel se deriva en última instancia del hecho de que Yahvé había amado a sus antepasados. De hecho, el amor de Yahvé era también una expresión de la elección divina (Gn. 18:19; cf. Neh. 9:7). Sobre esta base, y sólo sobre ella,

---

2 El TM del versículo 37 tiene una serie de cláusulas *wayyiqtol* después de la cláusula inicial e inespecífica *X-qatal* ותחת כי אהב ("por lo que él [Yahweh] amó"). Aunque cualquiera de estos *wayyiqtols* podría constituir la cláusula de apódosis, parece más probable que cada uno de ellos amplíe la cláusula inicial *X-qatal* para formar una prótasis prolongada, con la apódosis introducida por la cláusula weqatal y el sujeto renominalizado (Yahweh) del verso 39. Esta lectura también encajaría mejor con la retórica teológica de la perícopa (vv. 35-39), que enfatiza la singularidad del Dios de Israel.

Israel es el destinatario de la misericordia de Dios y el beneficiario de los actos salvíficos de Dios (cf. Dt. 7:7-8; 9:4-6).

Aunque los beneficios pueden ciertamente abarcar a otros —como claramente lo hacen a veces (cf. Ex. 12:38; Nm. 11:4)— las acciones salvíficas de Dios en el Pentateuco se centran principalmente en su pueblo elegido, la nación que ha escogido entre todas las demás para ser su "posesión preciada" (Ex. 19:5; Dt. 7:6).

Así entendida, cualquier expiación que abarque a toda la comunidad de Israel no puede interpretarse realmente en un sentido general o universal, sino que debe considerarse que tiene un enfoque definido o particular. La comunidad que abarca es una comunidad especial: el objeto del amor y el favor especial de Dios, un pueblo que evidentemente se distingue de todos los demás (cf. Dt. 4:32-35; 32:8-9).[3] Por lo tanto, sería inadecuado inferir algún tipo de expiación general a partir de la experiencia corporativa de expiación *de Israel*. Cualquier expiación de este tipo se lleva a cabo y se aplica sobre la base de la elección divina de Israel —esta última siendo el manantial del que fluye la primera—; la expiación se realiza en favor de Israel como pueblo elegido por Dios.[4]

Esto no implica, sin embargo, que cada israelita individual fuera igualmente expiado y, por tanto, "eternamente perdonado". Evidentemente, no fue así, como se desprende de los juicios experimentados tanto por individuos rebeldes como por generaciones apóstatas.[5]

La expiación nacional proporcionaba la purificación y la supervivencia de la nación *como nación*; aparentemente no aseguraba la purificación permanente y la supervivencia de cada individuo o generación que encarnaba. Más bien, las transgresiones personales todavía tenían que ser expiadas a fin de no evocar el juicio de Dios ni sobre el individuo ni sobre la comunidad en su conjunto. Está

---

[3] Aunque estos textos presentan importantes desafíos exegéticos, no cabe duda de que sirven para ilustrar y enfatizar el hecho de la singularidad de Israel frente a las naciones.

[4] Además, en contra de lo que algunos han sugerido, la elección circunscribe aquí claramente la expiación, y no a la inversa. Hay que admitir que quienes han sugerido lo contrario han tenido en cuenta, por lo general, el orden lógico de los decretos eternos de Dios, más que su ejecución en la historia; no obstante, es sin duda significativo que dentro de la experiencia de Israel (y, por tanto, dentro de la línea argumental redentora-histórica de la Biblia), la elección precede a la expiación y es su requisito teológico previo. Como demostrarán los ensayos posteriores de este volumen, lo mismo ocurre con todos aquellos que fueron elegidos en Cristo "antes de la fundación del mundo" (Ef. 1:4).

[5] Por supuesto, este juicio "temporal" no implica necesariamente un juicio eterno. Sin embargo, es difícil imaginar lo contrario en los casos en que los israelitas son "cortados" (por cualquier medio) como consecuencia de un pecado arbitrario.

claro, por tanto, que cualquier expiación que Israel experimentara y de la que se apropiara a nivel nacional o corporativo debía distinguirse cuidadosamente de la experimentada y apropiada a nivel más personal o individual.

En otras palabras, al hablar de la expiación en el Antiguo Testamento, hay que tener en cuenta la distinción pacto-elección. Si bien todos los israelitas podían disfrutar externamente de los beneficios asegurados para la comunidad del pacto mediante la expiación nacional, en última instancia tales beneficios pertenecían exclusivamente al remanente: aquellos israelitas cuya circuncisión era más que un ritual externo y cuya condición pactual era algo más que meramente física.[6]

Sacrificio y expiación en el Génesis

Aunque el concepto de sacrificio sustitutivo se ha deducido a veces de Génesis 3:21,[7] esto supone, probablemente, una lectura del texto que no está justificada desde el punto de vista exegético. Como observa John H. Walton, "la institución del sacrificio es un hecho demasiado significativo como para dejarlo enteramente en manos de la inferencia".[8] Más aún, el punto principal aquí parece relacionarse con lo inadecuado de las vestimentas que Adán y Eva produjeron, más que con la necesidad de una muerte violenta (que también debe inferirse) para la provisión de coberturas adecuadas. Por tanto, independientemente de su potencial como ilustración de la expiación definitiva, el vínculo entre este texto y el sacrificio sustitutivo parece tenue en el mejor de los casos.

En la siguiente narración, las ofrendas individuales proporcionan el escenario para el asesinato de Abel por parte de Caín; sin embargo, una vez más no se dice nada en términos de cualquier significado sustitutivo o expiatorio (Gn. 4). En el relato posterior sobre el diluvio, los sacrificios postdiluvianos de Noé tienen ciertamente un significado expiatorio, ya que el "olor agradable" desencadena la respuesta misericordiosa de Dios a la pecaminosidad humana innata (Gn. 8:20-21).

---

[6] Por ejemplo, todo Israel fue redimido de Egipto, pero Coré, Datán y Abiram murieron bajo la ira de Dios (Nm. 16; cf. 2 Ti. 2:19).

[7] Así Bruce K. Waltke, *Genesis: A Commentary* (Grand Rapids, MI: Zondervan, 2001), 95.

[8] John H. Walton, *Genesis, New International Version Application Commentary* (Grand Rapids, MI: Zondervan, 2001), 229.

> **Génesis 8:20–21** Entonces Noé edificó un altar al Señor, y tomó de todo animal limpio y de toda ave limpia, y ofreció holocaustos en el altar. El Señor percibió el aroma agradable, y dijo el Señor para sí: «Nunca más volveré a maldecir la tierra por causa del hombre, porque la intención del corazón del hombre es mala desde su juventud. Nunca más volveré a destruir todo ser viviente como lo he hecho.

Es razonable inferir algún tipo de asociación teológica intencional a partir del uso de ese lenguaje con respecto a las ofrendas levíticas (cf. Lv. 1:9; 2:2; 3:5; 4:31).[9] Además, se podría argumentar que estos sacrificios expiatorios en el Génesis tenían un enfoque muy definido: sustituir a los que acababan de escapar del diluvio y que constituían el núcleo de la nueva humanidad.

El concepto de sustitución se introduce explícitamente por primera vez en el relato del casi asesinato de Isaac, en el que el carnero en la espesura desempeña un importante papel de sustitución (Gn. 22:13). Aunque aquí no hay una sugerencia explícita de una expiación por el pecado, Gordon Wenham sin duda tiene razón al concluir que "Génesis 22, al igual que muchos relatos del Génesis, es también paradigmático y dilucida la comprensión del sacrificio en el Antiguo Testamento en general".[10] En cualquier caso, se puede extrapolar de este incidente que al menos algunos sacrificios del Antiguo Testamento incluían un elemento de sustitución y tenían un objetivo muy específico (en este caso, Isaac es el principal beneficiario, aunque Abraham y Sara también se beneficiaron en cierta medida).

Aparte de estos pocos ejemplos, Génesis contiene poco que explique la teología del sacrificio o la expiación. Además, lo que contiene requiere un análisis significativo a la luz de las enseñanzas posteriores del Pentateuco y de otros textos. El libro del Éxodo, sin embargo, parece mucho más prometedor, con su enfoque en el ritual de la Pascua.

---

[9] Así, Gordon J. Wenham, "The Theology of Old Testament Sacrifice", en *Sacrifice in the Bible*, ed. Roger T. Beckwith y Martin J. Selman (Carlisle, Reino Unido: Paternoster, 1995), 80-81; también Christopher J. H. Wright, "Atonement in the Old Testament", en *The Atonement Debate*, ed. Derek Tidball et al. (Grand Rapids, MI: Zondervan, 2008), 76.

[10] Wenham, "Theology of Old Testament Sacrifice", 80.

El ritual de la Pascua (Éxodo 12-13)

El ritual de la Pascua, el primer ejemplo de sacrificio comunitario en el Pentateuco, no se asocia expresamente ni con el pecado ni con la expiación.[11] Sin embargo, el hecho de que la Pascua se describa aquí como un "sacrificio", que evite el juicio de Dios a las familias israelitas[12] y que esté explícitamente vinculada a la muerte de Jesús en el Nuevo Testamento (p. ej., Jn. 19:36; 1 Co. 5:7; 1 P. 1:19),[13] ciertamente la hace pertinente. Dada su clara significación tipológica, sus características peculiares exigen un examen y una reflexión minuciosos.

Destacan inmediatamente los siguientes aspectos. La cantidad de animal de rebaño que se consumía debía ser directamente proporcional al número de personas que había en cada hogar (Ex. 12:4), lo que sugiere que cada animal sacrificado abastecía sólo a un número limitado de individuos.[14] Sus efectos apotropaicos se restringían, pues, a un grupo cuidadosamente cualificado de personas dentro de cada hogar. Cada cordero servía a un grupo específico de personas y redimía a un hogar determinado.

---

[11] Si este fuera el punto principal del autor, la conexión entre la sangre del animal de la Pascua y el pecado de Israel se habría explicado en el libro del Éxodo. Sin embargo, el libro no presenta principalmente a los israelitas en Egipto como transgresores que necesitan reconciliación, sino más bien como esclavos que necesitan emancipación. Por lo tanto, aunque lo primero es indudablemente cierto y no debe negarse (véase más adelante), no parece ser el enfoque principal en el libro del Éxodo antes de la experiencia de Israel en el Sinaí.

[12] Aunque el juicio sólo se menciona explícitamente en relación con "todos los dioses de Egipto" (Ex. 12:12), está claro que la muerte de los primogénitos egipcios constituyó principalmente un juicio sobre el faraón y la población egipcia, no sólo por su insensata confianza en esas deidades incapaces de proteger, sino también por su negativa a cumplir con las exigencias de Yahweh (4:23; 11:1; cf. 5:3) y su abuso de los descendientes de Abraham (cf. Gn. 12:3; 15:14). Este mismo juicio caería sobre cualquier hogar israelita que no estuviera cubierto por la sangre.

[13] Véanse también las alusiones en los relatos de la Última Cena.

[14] Para la traducción de שֶׂה como "animal de rebaño" en lugar del tradicional "Cordero", véase John I. Durham, *Exodus*, *WBC* (Waco, TX: Word, 1987), 151. Como observa Douglas K. Stuart, *Exodus*, *New American Commentary* (Nashville: B&H, 2006), 273 n. 15, la convención de traducir la palabra "Cordero" reflejada en la mayoría de las traducciones inglesas modernas se debe simplemente al hecho de que una interpretación más precisa como "cordero o cabrito" sería literariamente incómoda a la hora de emplearla de forma habitual.

Además, sólo los que realmente participaban en la comida pascual podían refugiarse detrás de los marcos de las puertas untados con sangre (12:7-13, 21-23).[15]

> **Éxodo 12:21–23** Entonces Moisés convocó a todos los ancianos de Israel, y les dijo: «Saquen *del rebaño* corderos para ustedes según sus familias, y sacrifiquen la Pascua. »Tomarán un manojo de hisopo, y lo mojarán en la sangre que está en la vasija, y untarán con la sangre que está en la vasija el dintel y los dos postes de la puerta. Ninguno de ustedes saldrá de la puerta de su casa hasta la mañana. »Pues el Señor pasará para herir a los egipcios. Cuando vea la sangre en el dintel y en los dos postes de la puerta, el Señor pasará de largo aquella puerta, y no permitirá que el *ángel* destructor entre en sus casas para herir*los*.

Por lo tanto, no existe aquí la idea de un sacrificio global, sino de uno que servía a un objetivo específico para un grupo concreto. Aunque el texto menciona explícitamente sólo a los egipcios, es de suponer que el mismo juicio recayó sobre todos los hogares de Egipto que no estaban protegidos por la sangre de la Pascua (12:13). Al parecer, el mismo desastre habría caído también sobre los hogares israelitas, si no hubieran seguido las instrucciones de Yahweh con respecto al ritual de la Pascua (12:21-28).[16]

Por lo tanto, la Pascua no puede concebirse como una especie de sacrificio general que proveyera a todo el mundo; más bien, se describe claramente como algo que tiene un objetivo definido y un enfoque particular. Como se ha señalado anteriormente, ese enfoque particular se deriva de la elección de Israel por parte de Dios. En el Éxodo, la razón por la que Dios liberará a su pueblo es el pacto que hizo con sus antepasados, a quienes había elegido (2:24; 3:10; 6:1-8).

Así lo subrayan también las diversas regulaciones para su conmemoración subsiguiente. Los "extranjeros" estaban excluidos. Sólo aquellos que habían llegado a formar parte de la comunidad israelita (es decir, mediante la circuncisión) podían comer la Pascua (12:43-45, 48-49). Además, sólo los

---

[15] Una lectura atenta del texto sugiere que una vez que la sangre del animal había sido untada en el marco de la puerta, todos debían permanecer dentro de la casa hasta que la plaga destructiva hubiera pasado.

[16] Con T. Desmond Alexander, "The Passover Sacrifice", en *Sacrifice in the Bible*, ed. Roger T. Beckwith y Martin J. Selman (Carlisle, Reino Unido: Paternoster, 1995), 17, se puede inferir razonablemente de esto que los primogénitos israelitas no eran diferentes de los de sus señores egipcios, y por lo tanto eran expiados por la sangre del sacrificio de la Pascua.

primogénitos de cada vientre entre los israelitas pertenecían a Yahweh (13:2) y, como tales, debían ser entregados a Yahweh a menos que fueran redimidos (13:12-13).

Es significativo que cuando Yahewh sustituyó más tarde a los levitas en lugar de los primogénitos de Israel (cf. Nm. 3:40-51; 8:5-19), se realizaron cálculos bastante precisos, exigiéndose un precio de redención por cada uno de los 273 primogénitos israelitas sobrantes (Nm. 3:46-50). Así pues, los principales beneficiarios de la Pascua eran, al parecer, la comunidad israelita en general, y los primogénitos israelitas en particular.[17]

Consecuentemente, son los israelitas los que se describen como el pueblo redimido de Yahweh (cf. Ex. 15:13), y, no es de extrañar, es esta misma comunidad la que es objeto de la intercesión de Moisés después de haber puesto en peligro su futuro en el episodio del becerro de oro.

Intercesión sacerdotal por Israel (Éxodo 32)

Es imposible exagerar la gravedad de la apostasía de Israel en Éxodo 32. Yahweh estaba lo suficientemente airado como para aniquilar a Israel y empezar de nuevo con Moisés (v. 10). Aunque se evitó tal desastre inmediato sólo porque esto sería malinterpretado por otros (v. 12) y socavaría las promesas del pacto del propio Yahweh (v. 13), las sombrías consecuencias del "gran pecado" de Israel se subrayan vívidamente: habían roto el pacto de Yahweh (v. 19), y ni siquiera las ejecuciones sumarias llevadas a cabo por los levitas (vv. 25-29) habían aplacado la ira de Dios (vv. 30-35).

Su única esperanza estaba en la misericordia de Dios, y fue por ello que Moisés suplicó a Yahweh en su nombre.[18] Después de que sus esfuerzos iniciales para asegurar el perdón fracasaran, Moisés continuó implorando el favor de

---

[17] Mientras que lo primero (todo Israel) prefigura la redención corporativa de los elegidos de Dios, lo segundo (los primogénitos de Israel) prefigura su redención individual.

[18] Aunque a veces se ha sugerido que Moisés estaba ofreciendo su propia vida a cambio de la de Israel (v. 30), esta interpretación parece bastante improbable. En el contexto inmediato, Yahweh amenaza con aniquilar a Israel y cumplir la promesa ancestral a través de Moisés (v. 10). En ese contexto, las palabras de Moisés se entienden mejor como un rechazo explícito de esa opción: si Yahweh no está dispuesto a perdonar a Israel, entonces Moisés está dispuesto a compartir el destino de Israel. Un sentimiento similar parece expresarse en Números 11:15.

Yahweh hasta que, finalmente, sus peticiones fueron respondidas y el pacto de Yahweh con Israel fue restaurado.

Aunque esta sección del Éxodo encierra una serie de desafíos exegéticos,[19] una cosa está clara: a lo largo de este intercambio divino-humano, el foco principal de la preocupación de Moisés era Israel; Moisés suplicaba que esta nación, como pueblo elegido por Dios, aunque indigno, siguiera siendo objeto de su gracia y misericordia. Fue el pueblo de Dios por el que intercedió, y fue como pueblo de Dios que Israel experimentó la misericordia de Yahweh y fue devuelto a la relación de pacto con él. La intercesión sacerdotal de Moisés se centró en Israel como elegido de Dios. No es de extrañar que el ritual anual de purificación de la nación en el Día de la Expiación refleje un enfoque similar.

El Día de la Expiación (Levítico 16)

Por muy poco claros que resulten algunos de los detalles,[20] los elementos clave de este ritual están bastante claros. En este día tan significativo en el calendario religioso de Israel, el sumo sacerdote "hacía expiación por sí mismo y por su casa y por toda la asamblea de Israel" (v. 17). Esto se explica en términos de purificar el Lugar Santísimo, la tienda de reunión y el altar (v. 20) de los efectos contaminantes del pecado de Israel (v. 16), así como de limpiar a toda la comunidad israelita de todos sus pecados (v. 30; cf. vv. 33-34).

> **Levítico 16:30, 33-34** »Porque en este día se hará expiación por ustedes para que sean limpios; serán limpios de todos sus pecados delante del Señor... y hará expiación por el santo santuario; hará expiación también por la tienda de reunión y por el altar. Además hará expiación por los sacerdotes y por todo el

---

[19] Los comentarios habituales se ocupan de ello. Ninguno de ellos es especialmente relevante para la presente discusión.

[20] Por ejemplo, el sentido y el significado precisos de עֲזָאזֵל no están claros. Las versiones antiguas lo interpretan como "chivo expiatorio", un compuesto de עז ("cabra") y אזל ("irse"), de ahí "el chivo que se va". Otros lo toman para referirse al destino del chivo, identificando esto como un lugar físico (por ejemplo, "un precipicio rocoso" o "terreno áspero"), o algún tipo de entidad espiritual (un demonio o el mismo Diablo). Los paralelismos entre לעזאזל ("para/por ʿazāʾzēl") y ליהוה ("para/por Yahweh") en Levítico 16:8-10 pueden apoyar esta última interpretación. Así entendido, el ritual significaba la eliminación de los pecados de Israel a su origen, pero ciertamente no el pago de un rescate a un "demonio de chivo" (cf. Lv. 17:7) o cualquier otro ser espiritual malévolo. Nunca se dice que el segundo macho cabrío sea sacrificado.

pueblo de la asamblea. »Ustedes tendrán esto por estatuto perpetuo para hacer expiación por los israelitas, por todos sus pecados, una vez cada año». Tal como el Señor lo ordenó a Moisés, *así* lo hizo.

Lo último se representa simbólicamente mediante la transferencia de "todas las iniquidades del pueblo de Israel, y todas sus transgresiones, todos sus pecados" sobre el macho cabrío vivo, que luego los lleva al lugar remoto donde es liberado (vv. 21-22).[21] Así pues, mediante este ritual especial, se proclamaba elocuentemente la purificación de todos los efectos contaminantes del pecado.

Un enfoque particular (i.e., israelita) del Día de la Expiación es en un sentido incuestionable.[22] Sin embargo, se ha extrapolado un concepto más general de la expiación a partir del hecho de que este ritual particular abarcaba a todos los israelitas, tanto elegidos como no elegidos.[23] Se hacen necesarias dos respuestas.

En primer lugar, es un *non sequitur* argumentar desde una expiación en favor de un Israel "mixto" a una expiación general y universal para todos, porque incluso la expiación en el Antiguo Testamento estaba vinculada al pacto y a la elección. El estatus de Israel como nación elegida por Dios no debe pasarse por alto aquí. Era exclusivamente para Israel, la nación elegida por Dios, que el sumo sacerdote aseguraba esta purificación ritual anual. Las naciones circundantes (no israelitas) no recibían esa purificación ni el perdón de los pecados.

El Día de la Expiación sólo beneficiaba a los que pertenecían físicamente a la comunidad israelita, la nación con la que Dios había establecido una relación de pacto única. Era esta comunidad del pacto —"el pueblo de Israel" (vv. 16, 17, 19, 21, 24, 33, 34)— la que constituía el centro del ritual de expiación y de

---

21 Como se argumentará más adelante, el hecho de que el sumo sacerdote coloque ambas manos sobre el macho cabrío (v. 21) refleja el hecho de que tanto sus propios pecados como los de la comunidad se transfieren a este macho cabrío condenado.

22 En algunos aspectos, este día era inclusivo (es decir, todos en el campamento israelita, ya fueran nativos o extranjeros residentes en su entorno, debían participar de alguna manera; v. 29); sin embargo, en el aspecto más significativo era estrictamente exclusivo (solamente se dice que se expían los pecados de los israelitas; v. 34). Además, dada la forma en que los extranjeros que residen en Israel están incluidos en las normas de culto de Israel en otros lugares (por ejemplo, 22:18), lo más probable es que aquí se les conciba como aquellos que se han incorporado plenamente a Israel. Así parece confirmarlo la pena impuesta en Levítico 23:29.

23 Por ejemplo, véase Mark Driscoll y Gerry Breshears, *Death by Love: Letters from the Cross* (Wheaton, IL: Crossway, 2008), 179.

la intercesión sacerdotal que se llevaba a cabo anualmente.[24] Así, la expiación y la intercesión tenían un enfoque particular y un efecto definido para el Israel nacional. El pacto y la elección circunscribían la expiación. Así que una expiación particular puede seguir manteniéndose dentro de una comunidad pactual "mixta".

En segundo lugar, esto deja sin explicar cómo opera la expiación del Antiguo Testamento en relación con la comunidad israelita, compuesta por individuos elegidos y no elegidos. Dado que sólo los primeros fueron redimidos en última instancia, en cierto sentido hay que diferenciar la medida de purificación obtenida y el perdón experimentado por los individuos de esta comunidad del pacto.

Además, hay que explicar cómo se relaciona una expiación para el Israel "mixto" con la expiación de Cristo en el Nuevo Testamento. Esto nos lleva al ámbito de la tipología. La cuestión es compleja, pero, a riesgo de simplificar demasiado, se pueden distinguir dos enfoques principales por parte de quienes defienden la expiación definitiva.

El Día de la Expiación y los esquemas pactuales

Enfoque de la Teología del Nuevo Pacto

Con respecto a la tipología del sacrificio del Antiguo Testamento, Barnes ha argumentado que:

> Los sacrificios expiatorios y los actos redentores de Yahvé en el Antiguo Testamento son sólo tipológicos... cuando se trata del perdón de los pecados y la salvación eterna, siempre fue sólo el remanente, un grupo más pequeño dentro de Israel, el que estaba en vista.[25]

---

[24] Significativamente, la intercesión del sumo sacerdote era coextensiva con la expiación asegurada para todo Israel. Al igual que su antitipo en el Nuevo Testamento (la intercesión sumosacerdotal de Cristo en favor de sus elegidos), aquí no se piensa en que la intercesión (o la expiación) se extienda más allá del pueblo de Dios.

[25] Tom Barnes, *Atonement Matters: A Call to Declare the Biblical View of the Atonement* (Darlington, Reino Unido: Evangelical Press, 2008), 78.

Aunque esto descarta el ámbito más amplio de la purificación ritual y el perdón temporal que sí parece haber experimentado toda la comunidad (véase más arriba), Barnes diferencia entre el propósito de Dios para Israel como nación y su propósito para el remanente creyente (parte del verdadero Israel del que habla Pablo) dentro de esa nación.

Para Barnes, mientras que la expiación para toda la comunidad israelita *tipificaba* lo que Cristo lograría en última instancia a través de la cruz y la resurrección (es decir, la purificación de todo el *verdadero* Israel), sólo el remanente dentro del Israel del Antiguo Testamento *experimentó* realmente los beneficios de la salvación (es decir, la limpieza y el perdón) de la obra de Cristo, prefigurada en los rituales de sacrificio y expiación del Antiguo Testamento. Así, como él concluye:

> Cuando leemos sobre los actos de elección o de expiación y redención particulares y efectivas de Dios en favor de todo Israel (más allá del remanente) debemos recordar que fueron tipológicos con el fin de establecer un telón de fondo de cómo se lograría la salvación a través de Jesucristo. La amplitud de esta obra tipológica con toda la nación nunca pretendió definir el alcance de la expiación por medio de Jesucristo. Como Pablo aclara en Romanos 4 y 9, el propósito de Dios cuando se trata de su soberana salvación por gracia de los individuos fue siempre más particular que el propósito tipológico realizado en todo [*sic*] Israel.[26]

En resumen, aunque toda la comunidad experimentaba la purificación *ritual* en el Día de la Expiación, esto dista mucho de la realidad última que dicha purificación y perdón anuales simplemente prefiguraban: la limpieza espiritual y el perdón eterno.[27] Esta realidad última no podía asegurarse "mediante la sangre de machos cabríos y terneros" (ya fuera en el Día de la Expiación o en cualquier otro momento), sino sólo mediante "la sangre de Cristo" (cf. Heb. 9:11-28).

Por lo tanto, aquellos que han interpretado un enfoque general en el ritual del Día de la Expiación han confundido inadvertidamente el simbolismo con la realidad espiritual.

---

[26] Ibid., 82.

[27] Lo mismo puede decirse de la circuncisión, una señal externa aplicada a todo Israel, pero la realidad interna sólo la experimenta el verdadero Israel, el remanente elegido.

Enfoque pactual reformado

Aunque están de acuerdo en parte con la teología del nuevo pacto, los teólogos pertenecientes a la corriente pactual reformada pueden encontrar problemático parte del planteamiento de Barnes. Existe acuerdo respecto a que la expiación en el Antiguo Testamento ofrecida a través de sacrificios de animales no puede expiar adecuadamente el pecado. Aquel a quien apuntaban estos sacrificios es el único fundamento suficiente para el perdón de los creyentes del Antiguo Testamento (Ro. 3:25-26).

> **Romanos 3:25–26** A quien Dios exhibió públicamente como propiciación por Su sangre a través de la fe, como demostración de Su justicia, porque en Su tolerancia, Dios pasó por alto los pecados cometidos anteriormente, para demostrar en este tiempo Su justicia, a fin de que Él sea justo y *sea* el que justifica al que tiene fe en Jesús.

Sin embargo, las diferencias surgen a nivel de la tipología. Para Barnes:

> Dios obraba en dos niveles en el Antiguo Testamento. En un nivel, trabajaba con todos los israelitas, con toda la nación... para dar una lección concreta y visual de cómo se produce la salvación... En el segundo nivel, salvaba realmente a individuos: los que confiaban en Él para salvación, el remanente (Gn. 15:6; Sal. 32:1-2; Ro. 9:6-13).[28]

En esta interpretación, la expiación para el Israel *nacional* es *sólo* tipológica.[29] Esto da la impresión de que no hubo beneficios para Israel como nación en el Antiguo Testamento o que los israelitas no elegidos no se beneficiaron de alguna manera de la expiación nacional, ya sea físicamente como nación (en el éxodo), o incluso en el sentido del perdón temporal, ya sea nacional o individual (Día de la Expiación o sacrificios personales).

La redención de Egipto aseguró una verdadera libertad de la esclavitud para Israel como nación, como señala el propio Barnes,[30] pero también culminó en

---

[28] Barnes, *Atonement Matters*, 66.

[29] Ibid., 78: "los sacrificios expiatorios y los actos redentores de Yahweh en el Antiguo Testamento son sólo tipológicos".

[30] Ibid., 65–66.

una relación pactual con Yahweh, que incluía el perdón temporal de los pecados de forma anual a través del Día de la Expiación, como señalan los teólogos pactuales reformados. Barnes parece descartar esto último: la purificación ritual y el perdón temporal se aplicaban a *todo* Israel, tanto a los elegidos como a los no elegidos, a través de la expiación anual por los pecados de Israel y también a través de los sacrificios ofrecidos por los individuos por sus propios pecados (tanto elegidos como no elegidos).

Los teólogos pactuales reformados coincidirían con Barnes en que el sacrificio nacional —ya sea en la Pascua o en el Día de la Expiación— es un tipo del sacrificio de Cristo por sus elegidos: Cristo es nuestro Cordero de la Pascua (1 Co. 5:7), cuyas piernas no fueron rotas (Jn. 19:36; cf. Ex. 12:46), al sangrar por aquellos que el Padre le había dado (Jn. 17); Cristo es el sacrificio final y perfecto del Yom Kippur, ofrecido de una vez por todas por los pecados de todo su pueblo (Heb. 2:17; 9:11-14, 23-28; 10:1-14).

Sin embargo, la teología del pacto tradicional asume que la tipología de la expiación en el Antiguo Testamento es más compleja de lo que admite Barnes, discerniendo una distinción pacto-elección que se desarrolla en relación con la expiación en el Antiguo y Nuevo Testamentos. Observar la distinción Israel-dentro-de-Israel significa que los beneficios de la expiación para el Israel nacional (expiación hecha para Israel *en su conjunto*) pueden llegar a los israelitas no elegidos en virtud de su asociación con el pacto. Pero esto no significa que todos los individuos participaran plenamente *de* la expiación y, por tanto, fueran *verdaderos* miembros del pacto.[31]

Lo que era externo y ritual para todos era interno y espiritual sólo para algunos, como sucedía con la circuncisión. Los primeros se benefician de la expiación nacional temporalmente y muestran todos los signos de participar en ella, pero con el tiempo se apartan de la fe y se convierten en apóstatas (por ejemplo, Coré, Datán y Abiram en Nm. 16); no son verdaderos miembros del pacto en los que la realidad se hace interna. La expiación y la provisión en el Antiguo Testamento eran, por tanto, para el verdadero Israel, pero los israelitas no elegidos disfrutaban de algunos beneficios, aunque fueran temporales.

---

[31] Los teólogos pactuales reformados defienden una distinción entre miembros en el pacto y miembros del pacto. Véase, por ejemplo, Louis Berkhof, *Systematic Theology* (Edimburgo: Banner of Truth, 1958), 284-90. Independientemente de lo que se piense de tal distinción, el punto principal —que algunos beneficios de la redención/atención se extendieron a los israelitas no elegidos— no depende de ella.

Según el modelo pactual reformado, lo mismo ocurre en el Nuevo Testamento: la expiación de Cristo es para su iglesia (Ef. 5:25), los elegidos, pero, como en el caso de Israel, hay que distinguir entre la iglesia visible (mixta) y la invisible (verdadera). Según este punto de vista, la iglesia visible es sinónimo de la comunidad del nuevo pacto, mientras que la iglesia invisible (verdadera) constituye los elegidos, por cuyos pecados la muerte de Cristo hizo plena expiación.

Sin embargo, incluso los primeros pueden experimentar ciertos beneficios de la muerte de Cristo durante un tiempo. En consecuencia, hay lugares en el Nuevo Testamento donde se dice que Cristo murió por los miembros no elegidos de la comunidad del pacto. Se dice que estos miembros visibles de la iglesia forman parte de "la iglesia" que Cristo "obtuvo con su propia sangre" (Hch. 20:28-30),[32] pero "niegan al Señor que los compró" (2 P. 2:1). Se les describe como aquellos que "han gustado del don celestial" (Heb. 6:4), que han "pisoteado al Hijo de Dios" y "profanado la sangre del pacto" (Heb. 10:29); son aquellos que han "escapado de las contaminaciones del mundo mediante el conocimiento de nuestro Señor y Salvador Jesucristo" (2 P. 2:20).

En resumen, según los teólogos pactuales reformados, aunque estos miembros no elegidos de la comunidad del pacto experimentan los beneficios de la expiación,[33] con el tiempo se demuestra que no son beneficiarios duraderos ni forman parte de la iglesia en el sentido más pleno.

Resumen

La cuestión de una comunidad "mixta" Israel/iglesia/nuevo pacto y sus relaciones con la expiación incide en cuestiones más amplias que están fuera del alcance de este capítulo, a saber, las diferencias entre la teología del nuevo pacto y la teología pactual reformada, y los lectores tendrán que formarse sus propios

---

[32] Nótese cómo Pablo dice que algunos de los falsos maestros surgirán de dentro de la propia iglesia.

[33] Véanse los comentarios de John Murray en su ensayo "The Atonement and the Free Offer of the Gospel", en *Collected Writings of John Murray. Volume 1: The Claims of Truth* (Edimburgo: Banner of Truth, 1976), 62-65.

juicios sobre qué enfoque se adapta mejor al material bíblico de ambos Testamentos.[34]

Baste decir que lo que se aprecia en cualquier lectura es que deducir una expiación general y universal en el Nuevo Testamento a partir de una expiación para un Israel "mixto" en el Antiguo Testamento es un *non sequitur*. La expiación en el Antiguo Testamento está circunscrita por el pacto y la elección, y por tanto es necesariamente particular.

Otros ejemplos de purificación o expiación corporativa en el Pentateuco

Además de los ya considerados, hay al menos otros cinco casos en el Pentateuco en los que se contempla la purificación o expiación corporativa.

Expiación por pecados involuntarios (Nm. 15:22-31; cf. Lv. 4:13-21)

Una vez más, la "expiación" asegurada aquí parece implicar a la comunidad israelita en su conjunto.[35] El pecado involuntario —el incumplimiento de alguno de los mandamientos de Yahweh— es un descuido colectivo,[36] por el que "toda la congregación del pueblo de Israel" incurre en culpa y necesita expiación y perdón (v. 25).[37] Además, la expiación y el perdón obtenidos por la ofrenda sacerdotal por el pecado abarcan a "toda la congregación del pueblo de Israel... y al extranjero que peregrina entre ellos" (v. 26).

Es cierto que en este caso la distinción entre "toda la congregación del pueblo de Israel" y "el extranjero que peregrina entre ellos" es más difícil de

---

[34] El espacio también impide una evaluación completa de la tipología de la expiación en el Antiguo Testamento y la relación entre el tipo y el antitipo en el Nuevo Testamento.

[35] Tanto si la "congregación" abarca aquí a toda la nación (como sugiere el v. 26; cf. Nm. 20:1-2) como si se refiere sólo a los varones adultos (así Wenham, *Numbers*, *TOTC* [Downers Grove, IL: InterVarsity Press, 1981], 102 n. 2), es este cuerpo el que tiene que rendir cuentas y, por tanto, debe ser expiado y perdonado.

[36] "Si ustedes [en plural] pecan sin querer y no observan todos estos mandamientos que el Señor ha dicho..." (v. 22).

[37] Los ancianos son representantes de toda la comunidad, por lo que son los únicos que deben identificarse con la víctima del sacrificio colocando las manos sobre su cabeza (cf. Lv. 4:15).

conciliar con la idea de un Israel corporativo que incluye a toda la comunidad, ya sea nativa o extranjera. Esto podría ser menos problemático si "congregación" (עדה) se interpretara aquí de forma más restringida, en términos de los representantes legales de la comunidad israelita, ya sean concebidos como ancianos de la tribu o como varones sanos mayores de veinte años (cf. 14:29).

Sin embargo, lo que el pasaje parece subrayar es la aplicación de la misma ley a todos y cada uno; no hay una norma para el israelita nativo y otra diferente para el extranjero residente en su entorno (cf. 15:29). Así, el énfasis no está en el extranjero como no israelita (es decir, excluido de Israel como pueblo de Dios), sino en su condición de israelita no nativo. Ya sea nativo o inmigrante extranjero, el pecado involuntario debe ser expiado para que la comunidad no sufra.

En este caso es especialmente interesante la distinción entre el pecado involuntario (y la subsiguiente expiación) de la comunidad y el del individuo (vv. 27-31). Cada uno es considerado culpable, ya sea como comunidad o como individuo. La expiación de uno no parece ser suficiente para el otro; cada caso debe ser tratado según sus circunstancias particulares. La expiación corporativa no funcionaba para el individuo, y se requería algo más que la expiación individual para la comunidad en su conjunto.

Quizá sea aún más significativo el hecho de que la expiación por el pecado no intencionado no aseguraba el perdón de ningún pecado intencional. Por el contrario, el pecador rebelde—sea extranjero o nativo— pagaba el precio máximo (vv. 30-31). Así, por muy eficaz que fuera la expiación de los pecados involuntarios, tanto para un individuo como para la comunidad, había ciertos pecados (y, por tanto, ciertos pecadores) que expresamente no eran expiados por los sacrificios y ofrendas del culto del Antiguo Testamento.[38]

Esto plantea al menos la cuestión de si lo mismo es cierto en el antitipo del Nuevo Testamento: ¿había ciertos pecados y/o ciertos pecadores para los que el sacrificio de Jesús tampoco fuera eficaz, en el sentido de que no estuviera destinado a cubrirlos?[39]

---

[38] Los hijos de Elí ofrecen un ejemplo veterotestamentario de ello (1 Sm. 2:22-34); sus transgresiones cultuales y morales no fueron expiadas por el culto veterotestamentario, sobre el que ellos mismos oficiaban.

[39] Esto no implica que el sacrificio de Jesús fuera incapaz de expiarlos (es decir, que fuera de algún modo deficiente o ineficaz), sino que nunca tuvo ese diseño o propósito.

El incensario de Aarón (Nm. 16:41-50)

El contexto de este incidente, como el posterior de Números 25, es un estallido de la ira de Dios en forma de plaga devastadora. Este juicio divino fue el resultado de la inquietud de la comunidad por la muerte de los 250 hombres que habían intentado usurpar el papel de Aarón ofreciendo incienso a Dios (vv. 35-40). Irónicamente, es a través de la ofrenda de incienso autorizada a Dios que Aarón puede hacer expiación por el pueblo y así detener la propagación de la plaga asesina (vv. 46-50).

Está claro que, en este episodio, como en el del capítulo 25, el alcance de la expiación estaba restringido hasta cierto punto: hay una clara distinción entre los que fueron víctimas de la ira de Dios (es decir, las 14.700 personas que murieron a causa de la plaga) y los que se libraron del castigo gracias a la quema de incienso de Aarón en medio del campamento. Sólo estos últimos fueron estrictamente expiados, ya que los demás pagaron las fatídicas consecuencias de su propio comportamiento pecaminoso.

El agua de la purificación (Nm. 19)

Por el peculiar ritual que implica la fabricación de esta agua especial, lo más probable es que se infiera alguna forma de sacrificio sustitutivo.[40] En cualquier caso, son las cenizas de esta ofrenda de purificación quemada las que dan al brebaje resultante sus propiedades de limpieza ritual (v. 17). Si bien esta "purificación embotellada" puede parecer inicialmente un remedio algo general, las prescripciones siguientes sugieren lo contrario.

A menos que sean de naturaleza meramente ejemplar, parece que esta disposición de "emergencia" tenía una aplicación muy limitada: se prescribía para la purificación de aquellos que habían quedado impuros por contacto directo con la muerte (vv. 11-22). Significativamente, sus propiedades limpiadoras eran eficaces sólo en el caso de aquellos que realmente se lo aplicaban de la manera prescrita; una vez más, el no hacerlo acarreaba la pena de muerte (vv. 13, 20).

---

[40] Sea cual sea el significado de la madera de cedro, el hisopo y la lana escarlata, el sacrificio de la novilla roja y la aspersión de su sangre encajan con las imágenes de otros sacrificios de este tipo que tuvieron un efecto expiatorio.

Por lo tanto, si bien era una provisión de gracia para cualquiera que necesitara tal purificación, este medio de limpieza nunca estuvo destinado a aquellos que despreciaban voluntariamente las leyes de Yahweh y mancillaban su santuario.

La Serpiente de bronce (Nm. 21:4-9)

> **Números 21:4–9** Partieron del monte Hor, por el camino del Mar Rojo, para rodear la tierra de Edom, y el pueblo se impacientó por causa del viaje. Y el pueblo habló contra Dios y Moisés: «¿Por qué nos han sacado de Egipto para morir en el desierto? Pues no hay comida ni agua, y detestamos este alimento tan miserable». Y el Señor envió serpientes abrasadoras entre el pueblo, y mordieron al pueblo, y mucha gente de Israel murió. Entonces el pueblo vino a Moisés y dijo: «Hemos pecado, porque hemos hablado contra el Señor y contra ti; intercede con el Señor para que quite las serpientes de entre nosotros». Y Moisés intercedió por el pueblo. El Señor dijo a Moisés: «Hazte una *serpiente* abrasadora y ponla sobre un asta; y acontecerá que cuando todo el que sea mordido la mire, vivirá». Y Moisés hizo una serpiente de bronce y la puso sobre el asta; y sucedía que cuando una serpiente mordía a alguien, y este miraba a la serpiente de bronce, vivía.

Una vez más, la disposición hecha por Moisés aquí parece abarcar a toda la comunidad israelita: tanto a los pecadores rebeldes como a cualquier remanente justo. Sin embargo, dado que la rebelión del pueblo había precipitado este brote de serpientes venenosas, la provisión de un remedio debe ir precedida del arrepentimiento de la comunidad (v. 7), de esto se deduce que la serpiente de bronce tenía un enfoque particular y no general; estaba pensada para el beneficio de los israelitas arrepentidos, no de los rebeldes impenitentes.

Además, los beneficiarios reales eran sólo aquellos que realmente miraban a la serpiente de bronce y, por tanto, ejercían la fe en la promesa de curación de Yahweh (vv. 8-9). Ahora bien, aunque se podría argumentar que se trata de una provisión general calificada sólo por la fe personal (es decir, que la serpiente de bronce era suficiente para todos, pero eficaz para algunos, los que creían), es mejor —en vista de la forma en que este incidente es captado y aplicado por Jesús en el Nuevo Testamento— llegar a la conclusión de que la provisión se hizo específicamente y se destinó exclusivamente a los que *creyeran*. Jesús restringe los beneficiarios del "levantamiento" del "Hijo del Hombre" a "todo aquel que crea" (Jn. 3:14-15), y esto también está implícito en el hecho de que los "todos" mencionados en Juan 12:32 son de hecho atraídos por Jesús.

Efectivamente, la construcción prótasis-apódosis de Juan 12:32 deja claro que la muerte de Jesús es la causa de su atracción efectiva de todas las personas hacia Él: "Y yo, cuando sea levantado de la tierra, atraeré a todos hacia mí". Así pues, Números 21 no debe utilizarse de forma aislada para fundamentar la idea de una expiación general, sino que debe leerse en conjunción con los textos del Nuevo Testamento que aluden a él y dilucidan su significado tipológico.

La acción de Finees en Baal Peor (Nm. 25)

Este incidente es especialmente significativo, ya que se ha empleado para desacreditar la noción de sustitución penal de la que tanto depende la expiación definitiva.[41] El escenario de la acción de Finees fue la seducción física y espiritual de Israel por parte de los moabitas.[42] Esto evocó la ira de Dios contra la nación —manifestada por otra plaga devastadora en el campamento (vv. 8b-9, 18; cf. Sal. 106:29)— que sólo se aplacaría con la ejecución sumaria de los líderes de la nación (Nm. 25:3-4).[43]

Es difícil determinar si la ejecución de los infractores reales ordenada posteriormente por Moisés (v. 5) estaba en consonancia con el carácter de la instrucción de Yahweh (cf. el vínculo explícito entre los infractores y los líderes en los vv. 14-15) o fue una especie de "solución de compromiso" (como otros han argumentado).[44] En cualquier caso, la única ejecución registrada

---

[41] John McLeod Campbell, *The Nature of the Atonement and Its Relation to Remission of Sins and Eternal Life*, 1ª ed. (Cambridge: Macmillan, 1856), 118-20. Aunque la preocupación inmediata de Campbell es la sustitución penal, la expiación definitiva es algo que encuentra igualmente ofensivo.

[42] Balaam fue el principal artífice de esta seducción, como se revela posteriormente (cf. Nm. 31:16).

[43] No está del todo claro por qué sólo se señala a los "jefes": o bien eran culpables en cierto sentido, por no haber frenado o reprendido a los verdaderos infractores, o bien, como líderes, tenían algún tipo de función representativa. Los intentos antiguos y modernos de identificar a los "jefes" del versículo 4 con los infractores reales del versículo 5 están probablemente fuera de lugar.

[44] Por ejemplo, Gordon J. Wenham, *Numbers: An Introduction and Commentary, TOTC* (Downers Grove, IL: InterVarsity Press, 1981), 186; Roland K. Harrison, *Numbers: An Exegetical Commentary* (Grand Rapids, MI: Baker, 1992), 337; y Timothy R. Ashley, *The Book of Numbers, NICOT* (Grand Rapids, MI: Eerdmans, 1993), 519.

explícitamente es la llevada a cabo por Finees, que resultó eficaz para aplacar la ira de Dios y detener la plaga (v. 7-9).[45]

Presumiblemente fue esta plaga la que había evocado el lamento de la comunidad al que se alude en el versículo 6 ("toda la congregación del pueblo de Israel... llorando a la entrada de la tienda de reunión"). Dadas estas circunstancias, el comportamiento descarado de Zimri y Cozbi fue aún más escandaloso,[46] provocando que Finees actuara como lo hizo (vv. 7-8) y así "hiciera expiación" y "apartara la ira de Dios" del pueblo de Israel (vv. 11, 13).

A pesar de la sugerencia contraria de Campbell, no fue simplemente el celo de Finees lo que explica esta expiación, sino el castigo (con la muerte) de estos dos individuos. De hecho, podría decirse que Campbell ha malinterpretado el significado de la plaga en sí: se trataba de la pena por el pecado que debía soportar la comunidad en tanto los responsables permanecieran impunes; sólo la muerte de los responsables de esta situación intolerable, representada por Zimri y Cozbi, apartaría la ira de Dios de la comunidad en su conjunto.

Por lo tanto, la muerte de Zimri y Cozbi expresaba el juicio de Dios sobre los culpables, a la vez que apartaba la ira de Dios de una comunidad israelita penitente. Además, aunque los israelitas fueron expiados mediante esta acción de Finees, no todos fueron tan afortunados (por ejemplo, Zimri). Una inferencia similar podría extraerse de las instrucciones para hacer expiación en los versículos 4 y 5, donde la muerte de algunos también se consideró necesaria para asegurar la expiación de la comunidad en su conjunto.

Hasta ahora nos hemos centrado principalmente en los pasajes que se refieren a la comunidad israelita en su conjunto. Sin embargo, además de tratar de la purificación de la comunidad en su conjunto, el Pentateuco también trata de la purificación de los individuos. Esto último es particularmente significativo para nuestra comprensión de la expiación en el Pentateuco, como se demostrará brevemente en el siguiente análisis.

---

[45] Algunos sostienen que la plaga comenzó sólo después de las acciones registradas en el versículo 5, pero esto parece poco probable, dada su estrecha asociación con la ira de Dios tanto aquí como en otras partes. En cualquier caso, la plaga persistió hasta la acción decisiva de Finees (v. 7).

[46] Aunque la naturaleza precisa de su comportamiento ofensivo es discutible, obviamente se describe como un "pecado prepotente" justamente castigado con la muerte.

La expiación individual en el Pentateuco

Varios textos indican que la expiación era necesaria, no sólo para la comunidad israelita en su conjunto, sino también para los individuos de la comunidad (cf. Nm. 5:7-8). Mientras que esto está implícito para cualquiera de las ofensas personales no capitales mencionadas en los códigos de la ley de Israel,[47] se hace explícito en las regulaciones que rigen la realización de sacrificios *personales*. Una de las características más notables de estas últimas es el requisito de la identificación personal con la víctima del sacrificio.

Al igual que en el caso de la consagración de los sacerdotes (Ex. 29:10, 15, 19), el culto regular que implicaba el sacrificio de animales (Levítico 1:4; 3:2, 8, 13; 4:4, 24, 29, 33) exigía la identificación del adorador con la víctima: todo aquel que fuera expiado debía identificarse con la víctima colocando una mano sobre su cabeza antes de que el animal fuera sacrificado. Como se ha señalado anteriormente, un requisito similar (la colocación de las manos sobre la cabeza de la víctima del sacrificio) también estaba implicado en el ritual del Día de la Expiación (Lv. 16:21), donde esta acción estaba expresamente asociada a la confesión de los pecados corporativos de Israel. Es cierto que dicha confesión de pecados no se señala explícitamente en estos otros casos.

Sin embargo, parece razonable inferir que se pretendía una transferencia simbólica similar de la culpa al colocar el adorador individual una mano sobre la víctima prevista.[48] Entendido así, la culpa del adorador se transfería figurativamente al animal del sacrificio mediante la imposición de manos. Tal acto simbólico implica una estrecha identificación del adorador con la víctima, y por lo tanto un sacrificio expiatorio que tenía un enfoque bastante definido (es

---

[47] Son relativamente pocas las ofensas de este tipo de las que se habla; la mayoría son transgresiones por las que el ofensor debe ser "cortado" de la comunidad.

[48] Contra Notker Füglister, "Sühne durch Blut-Zur Bedeutung von Leviticus 17.11", en *Studien zum Pentateuch*, ed. Georg Braulik (Viena: Herder, 1977), 146. La interpretación de Füglister —que la imposición por un lado simplemente marcaba la propiedad personal de la ofrenda— puede rechazarse sobre la base de que, como Emil Nicole, "Atonement in the Pentateuch", en *The Glory of the Atonement: Biblical, Historical and Practical Perspectives*, ed. Charles E. Hill y Frank A. James III (Downers Grove, IL: InterVarsity Press, 2004), 44, insiste en que esa propiedad habría estado fuera de toda duda incluso sin ese ritual de imposición de manos. Con cierta cautela, Nicole concluye que "mediante este gesto el animal se presentaba como sustituto del ser humano que lo ofrecía". Igualmente, Wenham, "Theology of Old Testament Sacrifice", 79. Pero incluso si esto fuera todo, el ritual de "identificación" sigue apuntando a una expiación definida: el sacrificio era para un individuo específico.

decir, los pecados de ese adorador en particular y ningún otro). La víctima sacrificada expiaba y aseguraba así el perdón para una persona en particular.[49]

Esto queda ilustrado por el hecho de que cuando se incorporaba más de una persona a dicho acto simbólico, se hacía necesario imponer más de una mano sobre la víctima. Así, en el caso de un pecado involuntario por parte de la comunidad, los ancianos, en representación de la comunidad, imponían colectivamente las manos sobre la víctima del sacrificio (Lv. 4:15).

Asimismo, en el Día de la Expiación, en el que los pecados tanto del sacerdote como del pueblo eran expiados simbólicamente por el segundo macho cabrío, el sumo sacerdote imponía ambas manos (una representando a sí mismo, la otra representando a la comunidad) sobre el animal condenado (Lv. 16:21). Así, la necesidad de una identificación tan estrecha entre el adorador o adoradores y la víctima del sacrificio se correlaciona bien con el concepto de una expiación definitiva (es decir, una expiación destinada a un individuo concreto o, como en estos otros casos, a una comunidad o grupo concreto).

Esto también puede deducirse de la distinción que se hace en el Pentateuco entre la expiación comunitaria y la individual (cf. Lv. 4:3-35). Es evidente que la expiación de toda la comunidad no bastaba para los pecados de un individuo, ni la expiación del individuo bastaba para los de la comunidad. Cada uno de ellos sirve como un tipo distintivo. La primera es un tipo de la purificación de Cristo para todo el pueblo de Dios (los elegidos) entendida orgánicamente, mientras que la segunda es un tipo de dicha purificación para el creyente individual. Como se ha señalado anteriormente, sería un error hundir uno de estos tipos en el otro, o exagerar uno a expensas del otro.

Conclusión

En el debate anterior se ha argumentado que la idea de la expiación definitiva, aunque no está plenamente desarrollada, está presente en el Pentateuco de varias maneras. Lo más significativo es que la elección es el prerrequisito teológico crucial para la expiación. La experiencia de expiación de Israel se basaba en la elección que hizo Yahweh de ellos y de sus antepasados como su pueblo elegido.

---

[49] A la vista de Hebreos 10:1-4 es más exacto decir que esa expiación y ese perdón no estaban realmente asegurados por "la sangre de toros y de machos cabríos", sino por la muerte de Jesús, que la primera simplemente anticipaba y presagiaba.

La expiación y la intercesión se hacían sólo para el pueblo de Israel, representante de los elegidos de Dios. Numerosos ejemplos de sacrificio y expiación en el Pentateuco tienen un enfoque más específico que general. La víctima de la Pascua sólo proveía para un cierto número de individuos dentro de cada hogar. Algunos pecados (y, por lo tanto, algunos pecadores) no eran expiados en absoluto en el sistema de sacrificios del Antiguo Testamento.

La provisión para la limpieza, la restitución o el perdón no se convirtió necesariamente en una realidad interna para todos en Israel, sino más bien para una subsección de la comunidad, el remanente creyente. La identificación personal con la víctima del sacrificio a través de la imposición de manos implica una expiación particular y no general. El hecho de que la expiación corporativa e individual tuviera que ser asegurada sugiere que una era en cierto sentido insuficiente para la otra, y que ambas sirven como tipos distintivos de la obra sacrificial de Jesucristo: la expiación corporativa simbolizaba la propiciación de Cristo para los elegidos como un todo orgánico, mientras que la expiación individual simbolizaba su propiciación para el creyente individual.

La discusión anterior también ha señalado que la expiación en el Antiguo Testamento está ligada al pacto y a la elección, y por lo tanto, aunque cubría un grupo "mixto" de elegidos y no elegidos dentro del pacto, es un movimiento hermenéutico falso deducir una expiación general y universal de esto.

Lo máximo que se puede argumentar es que la expiación en el Antiguo Testamento y la muerte de Cristo en el Nuevo Testamento a veces pueden abarcar a los no elegidos que, sin embargo, son miembros visibles y declarados de la iglesia y/o de la comunidad del pacto. Los que desean afirmar una mayor discontinuidad entre el antiguo y el nuevo pacto prefieren hablar de esos textos como lenguaje fenomenológico,[50] mientras que los que destacan la continuidad del pacto distinguen claramente entre la comunidad del pacto y los elegidos. Pero en ninguno de los dos casos se puede deducir una expiación general y universal.

Aunque estos argumentos para encontrar una expiación definitiva en el primer gran corpus bíblico pueden resultar persuasivos sólo para quienes ya están convencidos de ello, la discusión anterior debería ciertamente incitar a los lectores a reflexionar detenidamente sobre los textos bíblicos pertinentes, no

[50] Barnes, *Atonement Matters*, 221.

sólo los del Pentateuco, sino también los que los capítulos posteriores de este volumen abordarán y explorarán a fondo.

§10. "HERIDO POR LA TRANSGRESIÓN DE MI PUEBLO": LA OBRA EXPIATORIA DEL SIERVO SUFRIENTE DE ISAÍAS

J. Alec Motyer

Presuposiciones

El sabio dicho de Aslan es que nunca se nos dice lo que habría pasado, pero, con todo el respeto al Gran León, a veces no podemos evitar preguntárnoslo. Supongamos que, en el siglo XIX, a los padres fundadores de lo que es considerado un estudio moderno y científico del Antiguo Testamento les hubiera picado el gusanillo de la armonización bíblica —y de una visión holística— en lugar de la pasión por la fragmentación, la autoría múltiple y los retoques editoriales... ¡Supongamos...! En el caso de Isaías, Bernhard Duhm habría ejercido su enorme talento para mostrar cómo los "Cantos del Siervo" pertenecen exactamente al lugar donde están, y veríamos la literatura de Isaías como un libro ordenado y bien planificado, ¡y qué dichosos seríamos todos!

Lamentablemente, las cosas son muy diferentes, pero si pudiéramos persuadirnos de que es un buen método ver a Isaías como un autor que escribió un libro —y no como un imán que atrae fragmentos dispares—, entonces comenzaría a surgir el verdadero sentido de, por ejemplo, Isaías 40-55.

Lo correcto es declarar las propias presuposiciones, y estas pocas frases aclaran de dónde viene este capítulo y hacia dónde tiende. Lo que sigue es una exploración inductiva de Isaías 53 en su contexto literario,[1] con vistas a los recursos que proporciona para la doctrina de la expiación definitiva.

Contexto de Isaías 53

Para entender bien Isaías 53 tenemos que situarlo en su contexto, captando toda la extensión del pensamiento de Isaías, al menos desde 40:1.

La inclusión de los gentiles en la salvación mundial de Yahweh

¿Fue la funesta previsión de que el pueblo de Dios sería absorbido por la superpotencia gentil dominante (39:6) lo que hizo que Isaías, preocupándose por el futuro de Israel, se ocupase igualmente del futuro del mundo gentil? Tal vez. En cualquier caso, encontramos que cuanto más exalta Isaías la grandeza de Yahweh como único Dios, más afirma la seguridad de Israel en un Dios tan poderoso, y más se enfrenta a la pregunta de si este Creador tiene algún plan para la mayor parte de su creación. La tensión entre estos dos temas domina a Isaías 40-41, y culmina con el reconocimiento por parte del profeta de una enorme necesidad gentil que espera ser satisfecha (41:21-29).

El mundo gentil y la obra del Siervo [2]

La unión de Isaías 41:29 y 42:1 mediante la repetición de “He aquí” (הֵן) pone de relieve la relación entre la obra del Siervo y las naciones gentiles. Desde el punto de vista espiritual, el mundo gentil carece de importancia: están engañados (אָוֶן), son incapaces de lograr algo, sus esfuerzos (מַעֲשֵׂיהֶם) no consiguen nada (אֶפֶס), y sus recursos espirituales son vacuos (29: 41; רוּחַ). A este

[1] Estrictamente hablando, Isaías 52:13-53:12. Las citas de la Escritura en este capítulo son la traducción del autor.

[2] Lo que aquí sólo puede esbozarse se desarrolla en detalle en J. Alec Motyer, *The Prophecy of Isaiah* (Leicester, Reino Unido: Inter-Varsity Press, 1993), 25-30.

escenario entra "mi Siervo" (42:1; עַבְדִּי), equipado para la tarea de establecer מִשְׁפָּט en la tierra en toda su verdad (42:4) y de llevar מִשְׁפָּט a las naciones (42:12). Nuestra comprensión de la tarea del Siervo depende, pues, del significado que demos a מִשְׁפָּט.

Su significado más común, "justicia", concuerda con el entusiasmo actual por la "libertad", la igualdad social y la equidad, pero no coincide con lo que Isaías considera que el mundo necesita. Necesita participar en la verdad revelada de Dios que hasta ahora sólo se ha dado a Israel. Este es, por supuesto, el significado fundamental en el Antiguo Testamento de מִשְׁפָּט. Arraigado en la noción de una figura de autoridad que toma una decisión autorizada (√שׁפט),[3] que resuelve las cuestiones "dando un juicio", מִשְׁפָּט es el "juicio" resultante, una directriz autorizada para el pensamiento y la conducta (cf. Dt. 5:1). Esto es lo que el mundo necesita, y lo que el Siervo viene a proporcionar.

¿Qué siervo?

Al leer Isaías 40 y siguientes, se plantea la cuestión de quién es ese Siervo que va a llevar a cabo los propósitos cósmicos de Dios. En 41:8, se nombra a Israel como "mi Siervo", y debemos llevar esto a 42:1, pues el destino corporativo del pueblo del Señor es ser la luz del mundo. Pero a medida que Isaías desarrolla su argumento, 42:18-25 nos despoja rápidamente de cualquier idea de que, considerado a nivel nacional, Israel, tal como lo conocía Isaías, sea apto o capaz para la tarea.

Esta línea de pensamiento continúa hasta llegar al clímax en las condenas casi estridentes de 48:1-22. Un pueblo de tan flagrante apostasía, que ha rechazado el camino de paz del Señor, ya no puede, con credibilidad, reclamar siquiera el nombre de "Israel" (48:1). Hay, pues, alegría y tristeza en la previsión del regreso a casa desde Babilonia. La "voz de fuerte aclamación" (קוֹל רִנָּה) por esta verdadera redención se acalla de repente al comprender que un cambio de dirección no es un cambio de corazón, y que "no hay paz... para los impíos" (48:20-22).

Isaías 48:20–22 Salgan de Babilonia, huyan de los caldeos; Con voz de júbilo anuncien, proclamen esto, Publíquenlo hasta los confines de la tierra; Digan:

[3] √ se refiere a la raíz del verbo.

> «El Señor ha redimido a Su siervo Jacob». No padecieron sed cuando Él los condujo por los desiertos. Hizo que brotara agua de la roca para ellos, Partió la peña, y las aguas corrieron. «No hay paz para los malvados», dice el Señor.

Una nueva descripción de la obra

Es en este escenario reordenado donde el Siervo entra ahora con una nueva descripción de su obra. La tarea mundial de 42:1-4 es, por sí sola, insuficiente; también es el restaurador del Israel caído, pues la nación ha perdido el derecho al nombre honrado (48:1), y ahora es sólo el Siervo quien es "Israel" (49:3). ¿Significa esto que el Siervo debe entenderse como una entidad "corporativa"?

¿Entidad corporativa o individuo?

El testimonio del tercer Canto del Siervo es decisivo (49:1-50:11). En todo momento, la descripción del Siervo se hace en términos de un individuo. El lenguaje del nacimiento y la imagen de la flecha de 49:1-2 son fuertemente individualistas, pero, a la espera de más luz, deben mantenerse en tensión con el hecho de que el Siervo lleva el nombre de "Israel" (49:3). Sin embargo, el profeta consigue que no veamos al Siervo ni como Israel en su conjunto nacional ni como Israel considerado en su verdadera identidad de remanente creyente y temeroso de Dios. En primer lugar, en contraste con el abatimiento (49:14) y la falta de respuesta (50:1-3) de Sión —que simboliza al Israel actual en su ruina prevista—, está la obediencia del Siervo y su fe boyante en medio de un sufrimiento impresionante (50:4-9).

> **Isaías 50:4–9** El Señor Dios me ha dado lengua de discípulo, para que yo sepa sostener con una palabra al fatigado. Mañana tras mañana *me* despierta, despierta mi oído para escuchar como los discípulos. El Señor Dios me ha abierto el oído; y no fui desobediente, ni me volví atrás. Ofrecí mi espalda a los que *me* herían, y mis mejillas a los que *me* arrancaban la barba; no escondí mi rostro de injurias y salivazos. El Señor Dios me ayuda, por eso no soy humillado, por eso he puesto mi rostro como pedernal, y sé que no seré avergonzado. Cercano está el que me justifica; ¿quién discutirá conmigo? Comparezcamos juntos; ¿quién es el enemigo de mi causa? Que se acerque a

mí. Si el Señor Dios me ayuda; ¿quién es el que me condena? Todos ellos como un vestido se gastarán, la polilla se los comerá.

Por lo tanto, no es el Israel nacional, sino que se destaca frente a la masa de la nación (cf. 42:18-25). En segundo lugar, el comentario final del tercer Canto (50:10-11) presenta al Siervo como el ejemplo a seguir (cf. 50:4-9), distanciándolo del remanente como cuerpo corporativo. Las suyas han de ser las señas de identidad del remanente creyente dentro del Israel profeso. El Siervo es "para" el remanente de esta manera fundamental.

El Siervo y el salvador "brazo de Yahweh"

Esta distinción y relación "Siervo/remanente" predomina en el pensamiento del profeta a medida que avanza hacia su pretendido clímax en 52:13-55:13. En 51:1-52:12, tres "llamadas" de "Escúchenme" (שִׁמְעוּ אֵלַי; 51:1, 4, 7) se equilibran con las tres "llamadas" de "Despierta... despierta... despierta... despierta... Sal... sal" (הִתְעוֹרְרִי הִתְעוֹרְרִי ... עוּרִי עוּרִי ... סוּרוּ סוּרוּ; 51:17; 52:1, 11), mientras que el terreno central está ocupado principalmente por una llamada al "brazo de Yahweh" (זְרוֹעַ יְהוָה) para que actúe redentoramente como en el éxodo (51:9-11).

La invitación inicial se dirige a aquellos "que siguen la justicia, que buscan a Yahweh" (51:1; רֹדְפֵי צֶדֶק מְבַקְשֵׁי יְהוָה); en resumen, al remanente creyente. Son ellos los que son la simiente de Abraham (51:2), los que disfrutarán de la Sión consolada (51:3). Es esta Jerusalén/Sión la que es llamada a disfrutar de la paz con Dios (51:17, 22), de la santidad (52:1) y de la separación (52:11), la verdadera Sión tal y como debía ser, la ciudad del remanente cuyos miembros son los que persiguen la justicia y buscan al Señor (51: 1), "mi pueblo... mi nación" (51:4; עַמִּי וּלְאוּמִּי), y los que tienen la ley de Dios en sus corazones (51:7). Son ellos los que son llamados a "¡Contemplar!". (52:13; הִנֵּה), pues la salvación que viene es para ellos.

Todavía no se nos dice cómo se llevará a cabo esta salvación, salvo que se prevé como un acto del "brazo de Yahweh" (זְרוֹעַ יְהוָה) que opera como en el éxodo (51:9-11). El "brazo" (זְרוֹעַ) como tal se utiliza en el Antiguo Testamento como símbolo de fuerza personal. Unido a la "mano" (יָד), que simboliza la intervención personal, es una imagen omnipresente en el Éxodo (Ex. 6:6; 15:6), y en particular la "mano fuerte y el brazo extendido" (וּבְיָד חֲזָקָה וּבִזְרוֹעַ נְטוּיָה) del Deuteronomio (ej., 4:34).

En Isaías, el "brazo de Yahweh" (40:10-11) es la forma en que el propio Señor actúa con poder (cf. 51:5), pero en 51:9-10 Isaías transforma la metáfora en personificación, y el "brazo" se convierte en el propio Yahweh, que viene en persona a efectuar la liberación y redención de su pueblo como en el éxodo. Continúa en este modo en 52:10: con la vivacidad típica de Isaías, los mensajeros llegan a Sión, y los vigilantes les dan la bienvenida y se unen para proclamar que el Señor ha realizado su obra real, redentora y restauradora, no a través de ninguna agencia[4] sino en su propia persona: "Yahweh ha desnudado su santo brazo" (חָשַׂף יְהוָה אֶת־זְרוֹעַ); o, como podríamos decir, "se ha remangado", el acto de alguien que emprende directa y personalmente una tarea. El "brazo de Yahweh", pues, no es una mera metáfora o floritura literaria; es el alter ego de Yahweh.

En el contexto de estas frecuentes apariciones del "brazo de Yahweh", el Siervo vuelve a entrar en escena: "¡He aquí! ¡Mi Siervo tendrá éxito!" (הִנֵּה יַשְׂכִּיל 52:13; עַבְדִּי). Es el Siervo quien logra la salvación universal de 51:1-8 y las realidades individuales y corporativas de 51:17-52:12. Aquí está el Siervo del Señor como realmente es: para el ojo externo, un hombre entre los hombres (53:2-3), impresionante sólo en el rechazo y la tristeza, pero para el ojo sobrenaturalmente abierto, el "brazo de Yahweh", el Señor de 51:9-10 y 53:10, el propio Yahweh divino venido a salvar.

El éxito del Siervo

El Siervo es verdaderamente humano y verdaderamente divino, y como tal, en lo que emprende "tendrá éxito" (יַשְׂכִּיל).[5] En definitiva, el "¡He aquí! ¡Mi Siervo tendrá éxito!" coincide con el gran grito "Consumado es" (τετέλεσται) en el Calvario (Jn. 19:30) y nos obliga, al comienzo de nuestro estudio de Isaías 53, a

---

4 Como a través de Moisés en Egipto (cf. 63:12).

5 √שׂכל en Qal, "comportarse con prudencia" (cf. 1 Sam. 18:30), pero, contextualmente, "tener éxito en la batalla"; el Hiphil mezcla el actuar con prudencia con el actuar con eficacia/éxito (por ejemplo, Jos. 1:7-8). √שׂכל en 52:13 se equilibra con "por su conocimiento" en 53:11. El Siervo sabe exactamente lo que tiene que hacer, lo hace y tiene éxito en lo que emprende.

preguntarnos qué significa "consumado" en Juan y qué significa "tener éxito" en Isaías.

En cualquier visión "abierta" de la expiación —es decir, que la obra de Cristo sólo hizo posible la salvación en lugar de asegurar realmente la salvación— "consumado" sólo significa "comenzado" y "tener éxito" sólo significa "tal vez, en alguna fecha futura, y contingente a la contribución de otros". "Consumado" ya no es "consumado" y "éxito" ya no es un resultado garantizado. Esto dista mucho tanto de la impresión como de los términos reales del vaticinio de Isaías, como veremos.

El gran logro del Siervo: Las dimensiones de la salvación

(1) El objetivo: Salvación mundial y triunfante

En su comienzo (52:13-15) el Canto recoge y da expresión poética a la salvación universal anunciada en la sección promisoria anterior (51:4-5).

> **Isaías 51:4–5** «Préstame atención, pueblo mío, y óyeme, nación mía. Porque de mí saldrá una ley, y estableceré mi justicia para luz de los pueblos. »Cerca está mi justicia, ha salido mi salvación, y mis brazos juzgarán a los pueblos. por mí esperan las costas, y en mi brazo ponen su esperanza.

Este tema es, de hecho, la inclusio de todo el Canto, siendo reiterado y desarrollado al final (53:12). "Muchas naciones" (52:15; גּוֹיִם רַבִּים) se equipara, y se define más estrechamente, con "los muchos" (53:12; הָרַבִּים); los "reyes" (52:15; מְלָכִים) son redefinidos como "los fuertes" (12: 53; עֲצוּמִים), y su servil "silencio" (52:15; יִקְפְּצוּ מְלָכִים פִּיהֶם) se convierte en la metáfora más enfática de la derrota y el expolio (53:12; יְחַלֵּק שָׁלָל).

(2) El medio: La muerte del Siervo

Un aspecto central de la representación de Isaías es que esta sumisión se produce por el sufrimiento del Siervo, y esto también forma una *inclusio*. La estrofa inicial (52:14) señala lo extremo del sufrimiento del Siervo: una mutilación de su forma física que excede la infligida a cualquier otra, y, luego, un tormento mental, psicológico y espiritual tal que los que vieron el resultado se vieron forzados a preguntarse: "¿Es esto tan siquiera humano?". Sin embargo, tal y como desarrolla el tema 53:12, la mutilación y la deshumanización no fueron causadas por el desgaste de una vida estresante, sino exclusivamente por la naturaleza de su muerte, el derrame autoimpuesto de su alma.

En resumen, el Canto comienza como se propone continuar, y termina confirmando las mismas verdades que subrayó a lo largo de todo el libro:

(1) Se va a cumplir con éxito una tarea universal (52:13).
(2) Se logrará mediante el sufrimiento, y el sufrimiento y su resultado coincidirán exactamente. Así lo muestra la estructura de Isaías 52:14:

"Como muchos se espantaron por ti (כַּאֲשֶׁר שָׁמְמוּ עָלֶיךָ רַבִּים) —hasta tal punto fue mutilada su apariencia más que cualquier individuo (כֵּן-מִשְׁחַת מֵאִישׁ מַרְאֵהוּ),
y su forma corporal más allá de cualquier cosa humana (וְתֹאֲרוֹ מִבְּנֵי אָדָם)
—exactamente así rociará a muchas naciones (כֵּן יַזֶּה גּוֹיִם רַבִּים)".[6]

El verso equipara a los que se horrorizan por el sufrimiento del Siervo con los que se convierten en beneficiarios de su sangre derramada, y así el texto nos introduce en el concepto de la expiación sustitutiva del Siervo.

(a) Una expiación sustitutiva perfecta

Isaías decide hacer del principio de la sustitución la pieza central de su retrato de la obra del Siervo, y en Isaías 53 encontramos los cuatro elementos esenciales del sustituto perfecto.

i. *Identificado con nosotros en nuestra condena.* Los traductores se sienten extrañamente satisfechos al decirnos que el Siervo de Yahweh fue "herido 'por' [מִן] nuestra transgresión... magullado

[6] ¿Debe leerse "rociar" (√הזי) o "alarmar" (del cognado árabe)? Dado su uso en el Antiguo Testamento con el significado de "rociar" (veintidós veces), aunque con una sintaxis diferente, la balanza de la probabilidad se inclina abrumadoramente del lado de "rociar". Véase Motyer, *Prophecy of Isaiah*, 425-26.

'por' [מִן] nuestras iniquidades" (53:5).[7] La preposición hebrea מִן es básicamente la preposición de causa y efecto. Así, "fue herido *a causa de* nuestras transgresiones, aplastado *a causa de* nuestras iniquidades".

Hubo una causa y hubo un efecto: por un lado, nuestros pecados; por otro, su muerte, pues aquí, como en todo Isaías 53, los sufrimientos que padeció se refieren no de manera general a las penas de la vida, sino a la provocación de la muerte, de modo que podemos hablar con propiedad y decir que nuestro pecado *causó* su muerte. Una interpretación posible —incluso preferible— de 53:8 establece el mismo punto de una manera muy precisa: "¡fue cortado de la tierra de los vivos *a causa de* [מִן] la rebelión de mi pueblo, al que correspondía recibir el golpe!".

ii. *Sin mancha de nuestro pecado*. Comenzando con Éxodo 12:5, a lo largo del sistema levítico discurre la exigencia según la cual "tu cordero debe ser perfecto". Aunque no parece que se declare directamente, la razón de este requisito no es difícil de encontrar: sólo lo perfecto puede aceptar y satisfacer las obligaciones espirituales/religiosas de otro; una imperfección incurre en una obligación personal y descalifica al imperfecto para la misericordiosa tarea de la sustitución.

Isaías tiene su propia manera, breve pero penetrante, de situar al Siervo del Señor dentro de esta categoría de perfectos. Nos dice que "no hizo violencia, ni hubo engaño en su boca" (53:9). Este versículo utiliza el modismo hebreo de "totalidad expresada mediante contraste". Así, la acción ("hizo"; עָשָׂה) contrasta con el habla ("boca"; פֶּה); lo externo ("violencia"; חָמָס) con lo interno ("engaño"; מִרְמָה); la acción hacia los demás ("violencia"; חָמָס)[8] con el dominio de sí mismo ("boca"; פֶּה).

Pero la escueta afirmación de 53:9 no se sostiene por sí sola; se nos conduce a ella paso a paso. La perfección del Siervo estaba lejos de

[7] BDB, 577-83, dedica doce columnas y media a una discusión exhaustiva del ambiente de מִן pero no incluye el vago significado "para". Para el uso causativo, véase BDB, 580, 2f (por ejemplo, Is. 6:4; 28:7).

[8] חָמָס significa específicamente comportamiento socialmente perturbador; daño hecho a la otra persona (p. ej., Gn. 6:11; Is. 59:6; Obad. 10).

ser una "virtud fugitiva y enclaustrada". Más bien fue probada y puesta a prueba desde muchas direcciones: fue sometido a la persecución, pero contuvo su lengua, incluso cuando la persecución iba a terminar inminentemente en el suplicio (53:7); soportó la ilegitimidad y la perversión del debido proceso legal (מֵעֹצֶר וּמִמִּשְׁפָּט לֻקָּח),[9] y murió desprovisto de la comprensión contemporánea (53:8; cf. 1 P. 2:21-25). Sus virtudes fueron probadas hasta la destrucción y, sin embargo, permaneció sin pecado (cf. Heb. 4:15).

iii. *Perfectamente aceptable para el Dios ofendido.* Este tercer requisito de una sustitución perfecta nos lleva al corazón del asunto. No puede haber salvación a menos que Dios esté satisfecho. Dentro de la experiencia humana, el pecado es un hecho lamentable, incómodo y dañino. Ensucia nuestros ideales, disminuye nuestros logros morales, corrompe nuestras prácticas, amenaza y a menudo destruye nuestras relaciones, y frustra nuestras esperanzas.

En otras palabras, ¡es una pena! Pero lo que hace del pecado un verdadero problema —una crisis eterna— es la naturaleza de Dios. Si Dios fuera moralmente indiferente, seguiríamos lamentando el pecado, pero, en última instancia, no importaría. Dios, sin embargo, es santo; la santidad es su estado esencial; todo en Él es "santo". Su nombre es santo; su amor es santo.[10] En la Biblia, la santidad es la realidad constitutiva de Dios. Pues bien, hasta que no se satisfaga esa santidad no puede haber salvación para el pecador.

¿Cómo se ajusta la enseñanza de Isaías en el capítulo 53 a esta exigencia? El versículo 6 lo cuenta todo: algo cierto para todos ("todos nosotros"; כֻּלָּנוּ), algo cierto para cada uno ("cada uno"; אִישׁ), y finalmente algo cierto para el Señor ("y Yahweh"; וַיהוָה). En el hebreo la frase final acentúa la acción divina: "Y Yahweh —¡sí, Yahweh!— se posó sobre Él...". (וַיהוָה הִפְגִּיעַ בּוֹ). Como traducción, esto no merecería ningún premio; como representación del énfasis de Isaías, ¡un diez sobre diez! Detrás de cualquier agencia que persiguiera al Siervo hasta su muerte (53:7-9), había una gestión

---

[9] "Quitado por la cárcel y por juicio" (NKJV) o "sacado sin freno y sin justicia".

[10] El adjetivo "santo" se usa para el nombre de Dios más veces que todas las demás instancias de su uso juntas.

divina: El propio Yahweh actuando como su propio Sumo Sacerdote para satisfacer su propia santidad (cf. Lv. 16:21); literalmente, "Yahweh hizo recaer sobre Él la iniquidad de todos nosotros" (53:6).[11] ¡Verdaderamente un drama!

La muerte del Siervo es el punto de intersección de todo el espacio y todo el tiempo. Desde el norte, el sur, el este y el oeste, desde el pasado, el presente y el futuro, la mano divina recoge los pecados de todos los pecadores que se propone salvar, y los conduce personalmente a un lugar solemne y santo: la cabeza de su Siervo.

Volvemos a encontrarnos con "Yahweh" como agente enfático en 53:10, donde leemos (con el mismo hincapié): "Y Yahweh —¡sí, Yahweh!— se deleitó en magullarlo" (וַיהוָה חָפֵץ דַּכְּאוֹ); "lo hizo enfermar" (הֶחֱלִי).[12] La referencia a la "enfermedad", por supuesto, se remonta a 53:4, donde "penas" (חֳלִי) equivale a "enfermedades", en un sentido metafórico de los efectos personales y debilitantes del pecado. Resulta fácil que las palabras "Yahweh se deleitó" sean malinterpretadas y mal utilizadas, pero la Escritura insiste en que el Padre envió al Hijo para ser el Salvador del mundo, y que el Padre ama al Hijo porque entregó su vida (Jn. 10:17; 1 Jn. 4:14). Sin duda, Isaías utiliza palabras fuertes; y, sin duda también, fue inspirado para entrar en un terreno sagrado donde sólo podemos seguirlo borrosamente.

Pero tomemos, por ejemplo, a un padre humano que se alegra de que su hijo sea obediente al llamado de Dios al ministerio a tiempo completo, y que no haya rehuido tal rol sacrificado, exigente e incluso peligroso. Un padre así bien podría decir que se complace con lo que su hijo está emprendiendo.

Sin embargo, como humanos que somos, podría llegar un momento en el sacrificio en el que "estar complacido" estaría más allá de nuestra capacidad, pero, dice Isaías, no más allá de la del Señor. Tan

---

[11] Hiphil de √פגע, "hacer que se encuentre sobre, interponer".

[12] Esta lectura toma דַּכְּאוֹ en su sentido llano como una construcción de infinitivo Piel, "aplastar" (√דכא). Algunos prefieren tratarlo como el adjetivo דכא, "aplastado" (57:15; Sal. 34:10): "Yahweh se deleitó en su Aplastado". Esto evita la dificultad percibida de que Yahweh se deleite en aplastar a su Siervo, pero seguramente Isaías descartó esta comprensión de דַּכְּאוֹ cuando añadió la palabra de definición más cercana, הֶחלִי: "lo hizo enfermar" (Hiphil de √חלל).

intensa era su determinación de tratar salvíficamente a los pecadores y su pecado, que incluso el sacrificio fue su deleite. No nos corresponde a nosotros adentrarnos con pasos torpes en ese territorio, sino postrarnos en asombro, amor y adoración. Este es nuestro Dios, y este es el grado de conmoción en el que lo que hizo su Siervo es aceptable para Él.

iv. *Aceptar voluntariamente el papel de sustituto*. El cuadrilátero de la sustitución está ahora completo. Desde tiempos inmemoriales, el principio de la sustitución era conocido y practicado, y creemos que era un asunto de revelación divina. El reglamento de la Pascua subrayaba vivamente la equivalencia entre el cordero que debía morir y los israelitas que entraban en las casas manchadas de sangre. Su número ("según el número") y sus necesidades ("según la necesidad de cada uno") se tuvieron en cuenta en la elección del cordero, y el requisito de que se quemara todo lo que quedaba tenía en cuenta la insuficiencia humana y el error de cálculo, de modo que, en efecto, la equivalencia era exacta (Ex. 12:4, 10).

Además, cuando Moisés estableció el sistema levítico, el requisito común en todas las categorías de sacrificio era que el oferente pusiera su mano sobre la cabeza del animal, un acto explicado en el ritual del Día de la Expiación como la transferencia del pecado del culpable al "perfecto" (Lv. 1:4; 3:2; 4:4; 16:21-22).

Correspondió al altísimo genio de Isaías ver y enseñar que, en última instancia, sólo un ser humano podía sustituir a los seres humanos, y mostrar el motivo en su descripción del Siervo. Isaías 53:1-3 se propone mostrar que el divino "Brazo de Yahweh" era real y verdaderamente humano: su ascendencia y crecimiento (v. 2a), su apariencia y las reacciones que provocó (v. 2b), y las pruebas que experimentó (v. 3). Pero el pensamiento clave se reserva para 53:7-9.

Los verbos del versículo 7 están en modo nifal, utilizado a menudo, como aquí, para expresar lo que los gramáticos llaman un sentido "tolerante":[13] "se dejó brutalizar" (נִגַּשׂ):[14] de hecho, en lo que respecta a Él, "se dejó oprimir, ¡y no abrió la boca!" (וְהוּא נַעֲנֶה וְלֹא יִפְתַּח-פִּיו). Nada alteró su silenciosa aquiescencia. Sin embargo, ¡era el brazo de Yahweh! Por lo tanto, debemos ir más allá de la "aquiescencia", y hablar de su aceptación deliberada, sostenida y voluntaria de su papel.

Las bestias, a lo largo de los siglos, no sabían ni el qué ni el por qué; ni podían responder, si se les preguntaba, ni poseían una voluntad que les permitiera aceptar voluntariamente su papel. Podían proporcionar un cuerpo en el lugar de un cuerpo humano, su "perfección" en lugar de la corrupción y el fracaso humanos, pero lo único que no podían hacer era representar y sustituir a los humanos en el centro mismo de la pecaminosidad humana: la voluntad que desobedece la voluntad de Dios.

Su sustitución era una imagen real, pero "la sangre de los toros y de los machos cabríos no podía quitar el pecado". Esa tarea tenía que esperar por Aquel que pudiera decir: "He aquí que he venido a hacer tu voluntad, oh Dios" (Heb. 10:4-7).

Hebreos 10:4–7 Porque es imposible que la sangre de toros y de machos cabríos quite los pecados. Por lo cual, al entrar Cristo en el mundo, dice: «Sacrificio y ofrenda no has querido, Pero un cuerpo has preparado para Mí; En holocaustos y *sacrificios* por el pecado no te has complacido. »Entonces dije: "Aquí estoy, Yo he venido (En el rollo del libro está escrito de Mí) Para hacer, oh Dios, Tu voluntad"».

Con la venida del Siervo, pues, vino también una expiación sustitutiva perfecta.

(b) Una expiación completa

Nuestra tarea presente es seguir a Isaías mientras explica cómo el Siervo del Señor en su obra sustitutiva se ocupó total y realmente de nuestro pecado.

---

[13] W. Gesenius, E. Kautzsch y A. E. Cowley, *Gesenius' Hebrew Grammar* (Oxford: Oxford University Press, 1910), § 51c.

[14] Cf. el nifal tolerativo del verso 12, "se dejó contra" (נִמְנָה).

i. *La naturaleza multifacética del pecado.* En Isaías 53 encontramos todo el vocabulario veterotestamentario del pecado. En el versículo 12, la palabra חֵטְא ("pecado") se centra en el hecho del pecado como deficiencia. El verbo parental, √חטא, "pecar", aparece en Jueces 20:16 para no fallar un objetivo. En su uso moral, "pecado" es el asunto específico que encontramos que tenemos que confesar; ya sea pensamiento, palabra o hecho, imaginación interior o acto exterior. Hemos "fallado al blanco", hemos sido incapaces de cumplir el mandamiento del Señor.

En Isaías 53:5, la palabra es עָוֹן, "iniquidad". El verbo parental, √עוה, significa "doblar, torcer" (por ejemplo, Is. 21:3)[15], lo que hace que el sustantivo signifique "comportamiento torcido, perversión". En el vocabulario total de la pecaminosidad, es la palabra "interna", estrictamente, por lo tanto, la naturaleza humana deformada de la que se deriva toda la maldad, aunque en el uso se extiende a los hechos inicuos, sus consecuencias y la culpa que resulta de ellos.

En tercer lugar, está la amenazante palabra פֶּשַׁע, "rebelión" (53:5, 8). ¿Por qué "amenazante"? Porque es la palabra asesina. Por mucho que pongamos una excusa para la naturaleza caída que incita y efectúa el pecado real, el hecho es que, en casos demasiado numerosos para poder recordarlos, se nos presentó una opción y elegimos el camino de la rebelión deliberada, consciente y voluntaria. Pecamos porque así lo quisimos.[16]

ii. *El pecado completamente resuelto.* Por el vocabulario que eligió, Isaías mostró que el Siervo se ocupó del pecado en su totalidad. Ninguna deuda quedó sin pagar, ni ninguna falta sin cubrir. Es igualmente exhaustivo con respecto a las consecuencias del pecado. Isaías nos presenta tres áreas principales del efecto negativo del pecado que la obra del Siervo aborda: hacia lo interno, hacia Dios y hacia el hombre.

Hacia lo interno (α): "cargó con nuestras penas". Isaías diagnostica el estado en el que nos encontramos bajo las palabras

---

15 NKJV: "angustiado"; NVI: "estremecido", alguien "doblado" bajo el desastre.
√ Enraizado en la noción de una figura de autoridad que toma una decisión autorizada
16 2 Reyes 3:7; 8:20 ilustra la idea (cf. Is. 1:3; Jer. 3:13, para la rebelión religiosa).

"enfermedades" y "tristezas" (חֳלִי), "penas" y "dolores" (מַכְאֹב). El pecado es una enfermedad, que debilita al pecador, que se extiende como una infección maligna, que aumenta su agarre en las funciones vitales del alma como una enfermedad despiadada, cuyo apetito no se satisface hasta que destruye todas las funciones y lleva al pecador a la muerte.

El pecado es también una plaga que afecta y disminuye todo el brillo anhelado de la vida, haciendo que toda esperanza quede sin cumplimiento y que nuestras alegrías se conviertan en cenizas. Cuando Isaías habla del Siervo como "varón de dolores" (v. 3), utiliza la misma palabra (מַכְאֹב).[17]

El Siervo entró en la plena realidad de la condición humana tal como la experimentamos (cf. Heb. 4:15). Pero, en particular, nos "quitó" (√נשׂא)[18] e "hizo suyo" (√סבל)[19] todo el peso, en maldad y lacra, de nuestro pecado. La primera palabra es el "levantamiento" de la carga, la segunda es el "soportar" la carga; primero "aceptación" y luego "resistencia". Isaías está utilizando la imaginería del "chivo expiatorio" de Levítico 16 (cf. vv. 21-22), donde aparecen todas las principales palabras del vocabulario del pecado, incluyendo √נשׂא.

Hacia lo interno (β): "proveyó de justicia a muchos". El excedente del pecado incluye el hecho de que todo acto pecaminoso, exterior o interior, "devuelve la patada" al pecador. Somos contaminados y degradados por nuestras acciones, pensamientos y palabras. La muerte del Siervo también se ha ocupado de esto. Sin embargo, para ver esto, tenemos que acercarnos más al hebreo de 53:11 que al tradicional "justificar a muchos" (NJKV; NVI), o "hacer que muchos sean considerados justos" (ESV).

---

[17] De √כאב, "tener dolor" (por ejemplo, Gn. 34:25; Job 14:22, para dolor corporal; pero también para dolor mental, Pr. 14:13; Ez. 13:22).

√ Enraizado en la noción de una figura de autoridad que toma una decisión autorizada

[18] "Soportó" (NKJV; ESV; NRSV); "cargó" (NVI).

[19] "Llevó" (NKJV; ESV; NRSV; NIV).

El hebreo aquí es יַצְדִּיק צַדִּיק צַבְדִּי לָרַבִּים. Contiene una característica que no se encuentra en ninguna otra parte del Antiguo Testamento,[20] dando el significado de "proveer justicia para". Es una afirmación fuerte. El Siervo "conoce" la necesidad que hay que satisfacer y cómo satisfacerla; lo que ha hecho en realidad es compartirse a sí mismo con (literalmente) "los muchos": Él es "ese justo, mi Siervo" y "proporciona justicia"; su justicia, como podemos decir a la luz de toda la Biblia,[21] imputada a nosotros ante nuestra necesidad.

Hacia Dios (α): "el castigo por nuestra paz". Las palabras del v. 5 nos enseñan que los efectos hacia Dios de nuestro pecado también fueron tratados en la muerte del Siervo. Tanto el verbo (√יסר) como su sustantivo (מוּסָר) se mueven dentro del rango semántico de "disciplina, escarmiento, corrección, amonestación", siendo el contexto el que determina el significado en cada caso. En el presente caso, nos ayuda comparar las palabras "el castigo de nuestra paz" (מוּסַר שְׁלוֹמֵנוּ; v. 5) con "el pacto de mi paz" (54:10; בְּרִית שְׁלוֹמִי). Este último significa "mi pacto que promete legalmente la paz", de ahí, 53:5 sería "la pena legal que asegura la paz".[22] Esto satisface el énfasis penal que anima estos versos, así como la "concreción" igualmente penetrante del beneficio asegurado.

Lo que era, pues, por merecimiento y culpabilidad "nuestro", recaía de hecho "sobre Él". Una equivalencia desgarradora a más no poder: ¡sustitución y transferencia legal!

Hacia Dios (β): de ovejas descarriadas a miembros de la familia. Un segundo aspecto de nuestro pecado que trata Isaías es nuestro alejamiento de Dios. El hecho de que el Siervo venga entre nosotros

---

[20] El hiphil de √צדק, "ser justo", suele ir seguido de un objeto directo como en Deuteronomio 25:1; 2 Samuel 15:4. Sólo aquí va seguido de un objeto indirecto con el prefijo לְ.

[21] Por ejemplo, Génesis 15:6; Isaías 54:17; etc.

[22] "Paz" (שָׁלוֹם) deriva de √שׁלם, "estar entero, completo", y se utiliza a lo largo del Antiguo Testamento, como muestra una concordancia, para el establecimiento de una integridad que lo abarca todo, una totalidad de bienestar en nuestra relación con Dios, con la gente y, dentro de nuestras propias personalidades. En Isaías 40-55, la "paz" podría incluso considerarse como una de las hebras del hilo de oro que une los capítulos: la paz que se perdió y por qué (48:18), la paz que no puede darse (48:22), la paz venidera proclamada (52:7), realizada (53:5), asegurada por el pacto (54:10) y disfrutada en el cumplimiento de lo que el éxodo presagió (55:12).

y no nos demos cuenta de su presencia es una prueba de lo alejada que está la mente humana caída de la mente de Dios. Otra prueba de la alienación mental se produce cuando los espectadores ven sus sufrimientos, pero no su verdadera razón (v. 8), aplicando sólo la "luz" de la lógica humana engañosa (v. 4). No es de extrañar, pues, que el versículo 6 diga que todos nos hemos extraviado.

Pero cuando "Yahweh cargó sobre Él la iniquidad de todos nosotros" (וַיהוָה הִפְגִּיעַ בּוֹ אֵת עֲוֺן כֻּלָּנוּ) se produjo un auténtico milagro: los que se extraviaron como ovejas son llevados a casa como hijos, pues, "cuando hagas de su alma una ofrenda por el pecado, verá su descendencia" (אִם-תָּשִׂים אָשָׁם נַפְשׁוֹ יִרְאֶה זֶרַע; v. 10). La construcción prótasis-apódosis revela que el sufrimiento de su alma crea miembros de la familia, eliminando para siempre cualquier distanciamiento previo.

Hacia el hombre: la culpa de hacer daño a los demás. Isaías muestra cómo el Siervo del Señor ha hecho una provisión por el daño infligido interiormente a nosotros mismos, la ofensa causada al Señor y, finalmente, el daño provocado a otras personas.

Isaías 53:10 utiliza la importante palabra אָשָׁם.[23] El significado principal de la raíz es "culpabilidad", el acto que incurre en culpa, la condición de culpa y la pena/restitución que la culpa requiere. Entre las ofrendas, las regulaciones para la אָשָׁם incluyen el resarcimiento del daño infligido a la otra persona. Hay tres posibles traducciones de la línea 3 del verso 10 (אִם-תָּשִׂים אָשָׁם נַפְשׁוֹ), cada una con su propio factor de verdad:

(a) "Cuando tú (Señor) designes su alma como ofrenda por la culpa..."
(b) "Cuando él/su alma haga una ofrenda por la culpa ..."
(c) "Cuando tú (el individuo) ofrezcas/hagas a su alma una ofrenda por la culpa..."

[23] NKJV: "ofrenda por el pecado"; NVI: "ofrenda por la culpa". Cf. Levítico 5-6, "ofrenda por la culpa".

Isaías, el supremo maestro de las palabras, debió de ser consciente de las múltiples posibilidades de interpretación de lo que escribió, y seguramente pretendía que, por plenitud, abarcáramos las tres: (a) el Señor fue el Agente "real" detrás de la muerte del Siervo, como en el versículo 6, y por lo tanto podemos estar seguros tanto de la eficacia como de la aceptabilidad de la ofrenda; (b) el propio Siervo se ofreció voluntariamente, según los versículos 7-9, como la ofrenda por la culpa, proporcionando por lo tanto una sustitución completa para el pecador; (c) se busca la respuesta individual; como dijo Isaac Watts en su excelente himno "Not All the Blood of Beasts":

Mi fe su mano pondría
En esa amada cabeza tuya,
Mientras que, penitente, estoy de pie
Y allí confieso mi pecado.

Pero, sea cual sea la interpretación que elijamos, la noción del אָשָׁם sigue siendo la misma, que los efectos de nuestro pecado se extienden como oleadas, afectando a nuestros semejantes. El pecado es más amplio y de mayor alcance que el propio acto. El Señor, al hacer de su Siervo el אָשָׁם, conoce toda la extensión de toda esa corriente de ondas, y, poniendo nuestro pecado sobre su Siervo, lo carga por completo (v. 6).
El Siervo, ofreciéndose voluntariamente a sí mismo, tiene igualmente tal conocimiento (בְּדַעְתּוֹ; v. 11), y acepta la total pena por la total realidad de nuestro pecado. Nosotros, que venimos haciendo de su alma nuestra אָשָׁם, conocemos nuestro pecado sólo en una parte muy ínfima, pero, al imponer nuestras manos sobre su cabeza, reconociéndolo como nuestro sustituto, actuamos en fe: todo nuestro pecado en toda su extensión fue soportado por el Siervo en su muerte, sin restos, saldos ni excedentes.

En resumen, Isaías nos ha dado una imagen completa de la obra del Siervo —es una expiación completa que abarca todos los aspectos del pecado—, pero ¿qué hay de su eficacia, de su realidad? La muerte del Siervo puede haber logrado la redención en su totalidad, pero ¿qué hay de su aplicación? ¿Y qué hay de la conexión entre ambas?

(3) El resultado: Expiación lograda y aplicada

(a) Una expiación efectiva

Isaías no utiliza las típicas palabras de salvación, redención o reconciliación en su retrato del Siervo, pero, sin utilizarlas, recurre al vocabulario de la expiación, y tanto por declaración directa como por implicación declara que la obra expiatoria completa se encuentra en el pasado, lograda y completada por la muerte del Siervo.

Sin embargo, Isaías también habla en nombre de los que han recibido ojos para ver. Los "nosotros", que una vez miraron al Siervo del Señor y no vieron nada que les hiciera mirar dos veces (53:2b-3), se han convertido de alguna manera en los "nosotros" que tienen un testimonio que dar, una revelación que compartir (53:1), los "nuestro", "nosotros" y "mi" que se han percatado con confianza de la naturaleza, el significado y el efecto de su muerte (53:4-9). Es muy importante seguir la secuencia de 53:4-6:

> El versículo 4 describe nuestro estado inicial de ceguera. El Siervo murió, y su muerte tuvo, objetivamente, toda la plenitud de su significado sustitutivo inherente, pero, subjetivamente, se encontró con incomprensión y mala interpretación.
> En el versículo 5 no se ofrece ninguna explicación, pero la ceguera ha sido sustituida por el testimonio de la realidad objetiva de la sustitución, y la realidad subjetiva de la curación (es decir, de la "enfermedad" del pecado); un equivalente en el Antiguo Testamento a "antes era ciego, ahora puedo ver" (Jn. 9:25).
> El versículo 6 desarrolla la nueva autoconciencia de lo que es cierto para todo el grupo abarcado por el "nosotros", así como de la culpabilidad individual, y una comprensión correcta del lugar y la acción del Señor en la muerte del Siervo, una *inclusio* correctiva a la interpretación errónea del versículo 4b.

Es evidente que se ha producido una conversión personal, pero no se dice nada de que haya escuchado y respondido a la verdad; no hay ninguna referencia a la decisión personal, al compromiso o a la fe. Es plenamente una historia de pecadores necesitados en la mano de Dios. Es la historia secreta de toda conversión, la historia real, la contrapartida veterotestamentaria de "no me eligieron ustedes, sino que yo los elegí a ustedes" (Jn. 15:16).

También es la sentencia de muerte para cualquier interpretación abierta de la expiación, que pretende plantear una disyunción entre la redención realizada y la aplicada. No importa cómo se plantee la pregunta. ¿Podría dejar de salvarse alguien cuyas iniquidades el Señor cargó sobre su Siervo? ¿Podría esa imposición resultar ineficaz? ¿Se han cargado las iniquidades sobre el Siervo con el propósito divino de la salvación eterna? Dado que el universalismo queda descartado por la insistencia de Isaías en "los muchos" (véase más adelante), 53:4-6 compromete al intérprete desprejuiciado a una comprensión efectiva y particularista de la expiación.

El meollo de la cuestión se expone con audacia: el "nosotros" de estos versículos cruciales estaba encerrado en un fallo de comprensión de todo lo relacionado con el Siervo, pero nuestras iniquidades fueron cargadas por Yahweh sobre su Siervo; y esto es lo que nos llevó a "ver". Las implicaciones teológicas son profundas: la expiación en sí misma, y no algo fuera de la expiación, es la causa de cualquier conversión. Los recursos para la conversión se encuentran en la muerte del Siervo; fluyen de ella. Así, es la expiación la que activa la conversión, y no a la inversa (cf. Tit. 3:3-5).

Este elemento de definición, de expiación efectuada y efectiva, que es el núcleo de 53:4-6, es también la idea principal de la sección final del Canto (53:10-12). La relación entre la primera y la última estrofa de este último Canto del Siervo (52:13-15; 53:10-12) es de enigma y explicación. El enigma es la correspondencia exacta entre el sufrimiento del Siervo y la respuesta de asombro y sumisión que suscita, y cómo todo esto se relaciona con la exaltación única que le espera al Siervo.[24]

En 53:10-12, encontramos la misma relación entre sufrimiento y resultado,[25] pero ahora todo se explica. Los asombrosos frutos del sufrimiento surgen del

---

[24] La exaltación es triple: "exaltado ... ensalzado ... muy alto" (NKJV); más exactamente, NIV: "levantado ... elevado ... altamente exaltado": prefigurando la resurrección, ascensión y sesión celestial de Jesús.

[25] Las estrofas entre paréntesis coinciden exactamente. "Mi siervo" (52:13; עַבְדִּי) se equilibra con "el justo, mi siervo" (53:11; עַדִּיק עַבְדִּי), y el sufrimiento de 52:14-15 coincide con la flagelación de 53:10. Así como en 52:14-15 se expresa la relación entre causa y efecto

hecho de que el Señor mismo está actuando: Él es el Agente detrás de la flagelación (53:10), y el Garante y Distribuidor de los resultados (53:12), no de una manera artificial o ficticia, sino asegurando que el Siervo sea recompensado como merece.

Además, la recompensa del Siervo no proviene de su justicia ni siquiera de su impactante sufrimiento, sino únicamente de su muerte por el pecado: en 53:10, su vida ("alma") es una ofrenda de recompensa (אָשָׁם); en 53: 11, proporciona justicia a los muchos (יַצְדִּיק צַדִּיק עַבְדִּי לָרַבִּים) cargando con sus iniquidades (וַעֲוֹנֹתָם הוּא יִסְבֹּל), y en 53: 12, su obtención de "los muchos" como premio (אֲחַלֶּק-לוֹ בָרַבִּים) y su despojo de los fuertes (וְאֶת-עֲצוּמִים יְחַלֵּק שָׁלָל) se siguen exactamente de (תַּחַת אֲשֶׁר) derramando su vida ("alma") hasta la muerte (הֶעֱרָה לַמָּוֶת נַפְשׁוֹ), su autoenumeración voluntaria con los rebeldes (וְאֶת-פֹּשְׁעִים נִמְנָה), soportando su pecado (וְהוּא חֵטְא-רַבִּים נָשָׂא) e interponiéndose por los transgresores (וְלַפֹּשְׁעִים יַפְגִּיעַ);[26] en una palabra, su muerte, eso y nada más, asegura los resultados de la redención aplicada.

(b) El Siervo Administrador

El Siervo no es sólo el Procurador de los resultados de su muerte; también es el Administrador de los mismos. Según 53:7-9, el Siervo del Señor se sometió voluntariamente a la injusticia y a la muerte, aunque el propio entierro contradecía misteriosamente las expectativas de sus verdugos.[27] Pero ahora Isaías nos revela al Siervo vivo después de su pasión.

Sin embargo, no está, como otros que murieron, experimentando la vida intermedia del Seol; está activo, dominante, con días prolongados, confiriendo las bendiciones por las que murió, y disfrutando de los frutos de su muerte voluntaria y victoriosa. Isaías no utilizó la palabra "resurrección", pero bien podría haberlo hecho.

---

mediante "así como..." (כֵּן... כַּאֲשֶׁר), en 53:12 se utiliza la preposición de exactitud causal: "precisamente porque" (תַּחַת אֲשֶׁר).

26 √פגע en el Qal (activo simple), "encontrarse, alcanzar, llegar". En el hiphil (activo causal), "hacer que se reúna, interponer" (53:6); pero también (posiblemente con el sentido de hacer que dos partes se reúnan), "interponer, mediar" (cf. 59:16); "hizo intercesión" (NKJV; NIV).

27 Más "misteriosamente" de lo que admiten los traductores, también, pues el hebreo escribe "hombres malvados" (רְשָׁעִים) (plural) y "un hombre rico" (עָשִׁיר) (singular). Al igual que con la triple exaltación de 52:13, las circunstancias del entierro del Siervo constituyen una pista isaiánica que, en su momento, identificará al Siervo (Mt. 27:38, 57).

Isaías vincula la administración "post-resurrección" del Siervo a la voluntad de Yahweh poniendo entre paréntesis el verbo "complacido" (חָפֵץ) y su sustantivo "placer" (חֵפֶץ) en 53:10. La complacencia/voluntad de Yahweh impulsó y se cumplió en la obra de expiación, pero también continúa a través del Siervo, que vive para administrar la expiación que realizó con su muerte. La mano del Siervo —el órgano de intervención y acción personal— dispensa ahora la expiación, aplicándola a quien Él quiere.

El Siervo no está involucrado en una nueva ofrenda de sí mismo; está administrando los frutos de un acto histórico pasado. La decisión de otorgar es suya; no hay otra mano o agencia que pueda salvar.[28] Debemos tener esto en cuenta cuando recordamos que un posible significado de 53:10b es "cuando hagas de su alma una ofrenda por la culpa". Esta decisión y respuesta verdaderamente personal no es un elemento que contribuya a la obra de la salvación, sino que se engloba en la función administrativa de la mano dispensadora del Siervo.

En resumen, pues, dos verdades destacan en esta sección final del Canto. La primera es que la expiación se logró en su totalidad por la muerte del Siervo, y es aplicada por el propio Siervo, que distribuye y aplica activamente la generosidad salvadora de lo que Hebreos llamará "un sacrificio por los pecados, una vez y para siempre" (Heb. 10:12). En segundo lugar, la complacencia del Señor, que impulsó la muerte salvadora, incluye también su complacencia en cuanto al disfrute de sus beneficios. Es la "mano" del Siervo la que lleva los beneficios de la expiación a quienes el Señor quiere.

El Señor quiere, pues, la obra y la recepción de la salvación, y el Siervo asegura voluntariamente ambas cosas. La voluntad de Dios de salvar, la obra expiatoria del Siervo y su posterior administración de esa obra, pertenecen a la misma "vía" teológica. Isaías no admite disyunciones ni discordias entre ninguno de estos tres elementos: todos se sincronizan en perfecta armonía, produciendo una salvación completa y efectiva: la redención realizada y aplicada.

Ahora, es necesario prestar atención a un último aspecto de la obra del Siervo: ¿A quién estaba destinada esta expiación efectiva y aplicada?

---

28 También es importante volver a 53:1, que enseña que el Siervo sólo puede ser reconocido como resultado de una revelación divina. El "brazo de Yahweh" tiene que ser revelado, de lo contrario seguirá siendo visto en términos meramente humanos.

Los receptores de la salvación del Siervo

El principio y el final del Canto están unidos por referencias a "muchos" o "los muchos": "muchos" (רַבִּים) se horrorizaron/horrorizaron (52:14); "muchas naciones" (גּוֹיִם רַבִּים) se beneficiaron de la aspersión (52:15); el Siervo "proporcionó justicia a los muchos" (11: 53; לָרַבִּים); "le repartiré a los muchos/le daré a los muchos como su parte" (53:12; בָרַבִּים);[29] "Él mismo levantó el pecado de muchos" (53:12; רַבִּים). ¿Cómo debemos entender esta palabra, obviamente significativa?

Su uso general en el Antiguo Testamento no ayuda. En su mayor parte, se utiliza de forma inespecífica —"muchos" (1 S. 14:6) contrasta con "pocos" (Nm. 13:18)— o para expresar la idea general de "numerosidad" (Ex. 5:5). Un puñado de casos ejemplifican el adjetivo plural con el artículo definido, como en 53:11 (cf. 8:7; Jer. 1:15; Dn. 11:33, 39; 12:3), pero no dan la orientación que necesitamos. Por lo tanto, lo mejor es examinar los versículos individualmente.

En 52:14-15, a la luz de la prometida salvación universal que el Siervo ha de lograr (42:1-4; 49:6-9; 51:4-5), las "muchas naciones" que han de ser "rociadas" deben referirse al numeroso grupo implicado en todo el mundo; es decir, muchas naciones en contraste con la única nación que, hasta ahora, había disfrutado de la revelación divina.

Las referencias a "muchos" y a "los muchos" en Isaías 53:11-12 plantean una serie de cuestiones totalmente diferentes, simplemente porque se refieren a la eficacia de la muerte salvadora del Siervo para los individuos. En el versículo 11, "los muchos" son aquellos cuyas iniquidades ha cargado el Siervo y a quienes las bendiciones de su muerte expiatoria han llegado realmente en forma de don de justicia. En el versículo 12a, el tema es la recompensa del Señor que el Siervo ha merecido. Ha "ganado" (לָכֵן אֲחַלֶּק-לוֹ) "los muchos" como su porción asignada (cf. Jn. 6:37). Isaías 53:12b vuelve a hablar de cómo el Siervo ha llegado por esta recompensa: "en exacta retribución por" (תַּחַת אֲשֶׁר) haber derramado su alma hasta la muerte, dejándose contar con los rebeldes y cargando con el pecado de "muchos".

¿Cómo debe entenderse todo esto? En 52,15, "muchos" son implícitamente todas las naciones fuera de Israel, ahora introducidas en el ámbito de la

---

[29] La preposición prefijada es aquí el *beth essentiae*: "Le daré su parte en términos de los muchos".

salvación, un número que se extiende a todos. Sin embargo, esto no nos compromete con el universalismo ("todos sin excepción"), ya que la analogía requiere que las naciones se salven como se salva Israel, y sabemos que, tanto en el Antiguo Testamento como en el Nuevo Testamento, "no todos los que son de Israel son Israel" (Ro. 9:6), de modo que incluso cuando "muchos" parece implicar "todos", sigue aplicándose efectivamente sólo a nivel individual: a algunos en contraste con todos.

¿Debemos decir entonces que "muchos" en 53:11-12 simplemente nos asegura la numerosidad del grupo, y dejar el asunto así? En cierto modo, esto tiene que ser cierto, ya que sólo el paso del tiempo saca a la luz las dimensiones de propagación de la asamblea mundial resultante de esta expiación hecha una vez y para siempre (45:14-25; 51:4-5). Pero si se entiende que la muerte expiatoria no va más allá de hacer posible la salvación de "muchos", y necesita la contribución de la fe individual para completar lo que la muerte del Siervo sólo empezó, nos hemos desviado de lo que enseña Isaías.

El Canto es muy preciso a la hora de relacionar 53:10-12 con 53:4-6. El clímax de los versos 4-6 es sorprendentemente enfático: "Y Yahweh" (וַיהוָה); ahí comienzan los versos 10-12 (וַיהוָה). En manos de un maestro de las palabras tan hábil como Isaías, una coincidencia de redacción tan fuerte debe ser deliberada. Además, los dos conjuntos de tres versos tienen siete palabras significativas en común, todas ellas relacionadas con la naturaleza y el significado de la muerte del Siervo, compartiendo las imágenes de la enfermedad, la carga de los pecados (Día de la Expiación) y la mediación.[30]

Asimismo, en cada uno de los conjuntos se produce la misma mezcla de la acción del Siervo y la acción de Yahweh. La implicación de esto es que "los muchos", que son objeto tanto de la obra salvífica del Siervo como de su aplicación en los versículos 10-12, son las ovejas descarriadas del versículo 6 cuyas iniquidades Yahweh hizo recaer sobre el Siervo, y que son convertidas (¡milagrosamente!) por su muerte. Por tanto, "muchos" tiene una cierta especificidad, al tiempo que conserva su carácter inherente de cantidad: se

[30] En cada caso, la primera línea implica √חלל, "estar enfermo", y la última línea √פגע (en el Hiphil), "hacer que se encuentre sobre, interponer"; los verbos de cargar con el pecado √נשׂא, "levantar, llevar, cargar", y √סבל, "cargar"; el verbo de sufrimiento √דכא, "aplastar", es común a ambos conjuntos, al igual que las palabras "pecado" עָוֹן, "iniquidad", y פֶּשַׁע, "rebelión".

refiere a aquellos por los que el Siervo hizo expiación y a los que aplica esa misma expiación (cf. Ap. 7:9).

Otros términos que Isaías utiliza de forma coextensiva con "los muchos" apoyan este punto. "Mi pueblo" (53:8; עַמִּי), y la "simiente" del Siervo (53; זֶרַע: 10),[31] son el producto de la voluntad y el beneplácito de Yahweh, y del oficio salvador y administrador del Siervo; son consecuencia de que su vida es una ofrenda de culpa; fue por ellos que soportó "los dolores de su alma". Los destinatarios previstos y los beneficiarios reales de la muerte expiatoria del Siervo son un mismo grupo.

Combinando todos estos elementos, podemos concluir que el referente de רַבִּים: es una familia innumerable de todas las naciones, incluido Israel, que constituye el pueblo elegido de Dios, para el que la redención es realizada *y* aplicada.

Para finalizar, para que no tratemos de sacar nuestras propias conclusiones "lógicas" de que esa arista "particularista" de la obra del Siervo debe negar necesariamente la proclamación universal de la salvación de Yahweh y la invitación al todo, el universo más amplio de Isaías 53 nos lo prohíbe (cf. 54:1-55:13).

La plenitud y eficacia de la muerte del Siervo, destinada a sus innumerables elegidos de todas las naciones, no obstaculiza la proclamación e invitación universales a recibir la salvación de Dios, como revela Isaías 55; más bien, en todo caso, la expiación definitiva del Siervo constituye la base para la proclamación e invitación.

---

[31] Así, con precisión, NKJV. NIV y ESV traducen "descendencia" que es, por supuesto, una traducción correcta, pero tristemente oscurece lo que es una palabra especialmente clave en la historia de la salvación.

§11. "PARA LA GLORIA DEL PADRE Y LA SALVACIÓN DE SU PUEBLO": EXPIACIÓN DEFINITIVA EN LOS SINÓPTICOS Y EN LA LITERATURA JOÁNICA

Matthew S. Harmon

Sin duda, la muerte y resurrección de Jesús es el tema central de los Evangelios. Pero los Evangelios no se contentan con describir los acontecimientos que rodean la muerte y resurrección de Jesús, sino que además explican el significado de esos acontecimientos. Como parte de ese significado, estos libros bíblicos abordan directa e indirectamente el propósito de la expiación de Cristo. De hecho, hay pocos corpus en las Escrituras que tengan más que decir sobre este tema que los Evangelios Sinópticos y la literatura joánica.[1]

Al examinar este material, argumentaré tres cosas. En primer lugar, Jesús murió para manifestar la gloria del Padre. Segundo, Jesús murió para lograr la salvación de su pueblo. En tercer lugar, Jesús murió por los pecados del mundo.

1 Hay tanto material que este capítulo no podrá abordar todos los pasajes que son relevantes para el tema.

Concluiré resumiendo mis conclusiones y ofreciendo algunas reflexiones finales. Tener en cuenta estas tres verdades es esencial para construir una comprensión bíblica del propósito de la expiación de Cristo.

I. Jesús murió para manifestar la gloria del Padre

Antes de determinar por quién murió Cristo, es necesario establecer primero el propósito último de su muerte.[2] Hacerlo proporciona un punto de partida para evaluar otros propósitos y beneficios de la muerte de Cristo, tal como se indica en las Escrituras. Según los sinópticos y la literatura joánica, el fin último de la muerte de Cristo es manifestar definitivamente la gloria de Dios. El Hijo glorifica al Padre haciendo la obra del Padre, que consiste en cumplir efectivamente la salvación de los que el Padre le dio.

El propósito último de la expiación: La gloria del Padre

Los Evangelios subrayan repetidamente que todo lo que hace Cristo es para la gloria del Padre. Según Juan 1:14, uno de los resultados de la encarnación es que "vimos Su gloria, gloria como del unigénito del Padre, lleno de gracia y de verdad".[3] Aludiendo a Éxodo 33-34, Juan afirma que la misma gloria mostrada a Moisés es ahora visible en el Verbo encarnado.[4] Unos versículos más adelante, Juan explica además que este mismo Verbo en la carne "le ha dado a conocer [a Dios]" (1:18).

El verbo griego que se utiliza aquí (ἐξηγέομαι) significa "proporcionar información detallada de forma sistemática; informar, relatar, contar completamente".[5] El impresionante punto que Juan señala es que, como la

[2] Incluso algunos que sostienen la "expiación universal" reconocen que ésta es la cuestión central. Por ejemplo, Robert P. Lightner, *The Death Christ Died: A Case for Unlimited Atonement* (Des Plaines: Regular Baptist Press, 1967), 33: "No hay duda al respecto; la cuestión entre la expiación limitada y la universal se centra en el designio o propósito de la obra redentora de Cristo".

[3] Compárese Lucas 2:14, donde los ángeles proclaman: "¡Gloria a Dios en las alturas!" para anunciar el nacimiento de Jesús a los pastores en el campo.

[4] Véase D. A. Carson, *The Gospel According to John, PNTC* (Grand Rapids, MI: Eerdmans, 1991), 129.

[5] Johannes E. Louw y Eugene A. Nida, *Greek-English Lexicon of the New Testament: Based on Semantic Domains* (Nueva York: Sociedades Bíblicas Unidas, 1989), 1:410.

Palabra hecha carne, Jesucristo es la más completa revelación de Dios. Como tal, Juan pretende que el lector vea que todo lo que Jesús dice y hace es una manifestación de la gloria de Dios.

Por eso no es de extrañar que los signos milagrosos de Jesús se enmarquen como una muestra de su gloria. Después de que Jesús convierte el agua en vino durante las bodas de Caná, Juan explica: "Este principio de Sus señales hizo Jesús en Caná de Galilea, y manifestó Su gloria, y Sus discípulos creyeron en Él" (2:11). Esta afirmación es más que cronológica; indica que, en cierto sentido, esta primera señal es paradigmática de todos los milagros de Jesús.[6] En repetidas ocasiones en los Evangelios, la gente responde a los milagros de Jesús (Lc. 5:25-26; 7:16; 13:13, 17; 17:15, 18; 18:43; 19:38) e incluso a su enseñanza (Lc. 4:15) glorificando a Dios. Sin embargo, a pesar de la cantidad de señales que Jesús realizó, muchos se negaron a creer en Él (Jn. 12:37-40).

> **Juan 12:37–40** Pero aunque había hecho tantas señales delante de ellos, no creían en Él, para que se cumpliera la palabra del profeta Isaías, que dijo: «Señor, ¿quién ha creído a nuestro anuncio? ¿Y a quién se ha revelado el brazo del Señor?». Por eso no podían creer, porque Isaías dijo también: «Él ha cegado sus ojos y endurecido su corazón, para que no vean con los ojos y entiendan con el corazón, y se conviertan y Yo los sane».

Así que, aunque Jesucristo era la expresión definitiva de la gloria de Dios, la mayoría no creyó en Él por su dureza de corazón.

La muestra más clara de la gloria de Dios es la muerte, la resurrección y la ascensión de Cristo.[7] A lo largo de los Evangelios, la gloria de Dios está especialmente vinculada a estos distintos acontecimientos de la vida de Jesús. La transfiguración se presenta como un anticipo de la gloria que tendrá Jesús una vez que se cumpla su éxodo en Jerusalén (Lc. 9:28-36). En su Evangelio, Juan utiliza con frecuencia el verbo "glorificar" (δοξάζω) como abreviatura de

---

[6] Compárese la conclusión de Carson, *John*, 175: "es posible que Juan esté diciendo que esta primera señal es también primaria, porque apunta a la nueva dispensación de gracia y cumplimiento que Jesús está inaugurando".

[7] Aunque la crucifixión, la resurrección y la ascensión de Jesús son acontecimientos distintos, juntos constituyen un único (aunque complejo) acto redentor de Cristo en nuestro favor. Por eso, aunque las Escrituras atribuyen a veces un determinado beneficio a uno de estos acontecimientos, ese acontecimiento específico carecería de su verdadero significado si se separara de los otros dos (véase además Michael S. Horton, *The Christian Faith: A Systematic Theology for Pilgrims on the Way* [Grand Rapids, MI: Zondervan, 2010], 521-47).

la muerte y resurrección de Jesús (7:39; 12:16, 23, 28; 13:31-32; 17:1, 4-5). Destacan dos textos claros.

En Juan 12, en respuesta a unos griegos que querían verlo, Jesús responde: "Ha llegado la hora para que el Hijo del Hombre sea glorificado" (12:23). El contexto deja claro que Jesús tiene en mente su muerte y resurrección. En primer lugar, la analogía del trigo que cae en la tierra, muere y da fruto representa su muerte y resurrección (12:24). En segundo lugar, en 12:28, Jesús pide al Padre "glorifica tu nombre".

El Padre responde: "Lo he glorificado y lo volveré a glorificar". Varios versículos después, Jesús afirma: "Yo, cuando sea levantado de la tierra, atraeré a todos hacia mí" (12:32). Juan explica que Jesús "dijo esto para mostrar con qué tipo de muerte iba a morir" (12:33). Jesús hace una conexión similar entre la hora que viene y la glorificación de Dios, en Juan 13:31-32. Una vez que Judas se marcha para traicionarlo, Jesús dice a los discípulos que quedan: "Ahora es glorificado el Hijo del Hombre, y Dios es glorificado en Él. Si Dios es glorificado en Él, Dios también lo glorificará en Él mismo, y lo glorificará enseguida".

Al despedir al traidor, Jesús pone en marcha la cadena de acontecimientos que conducirá a la expresión definitiva de la gloria de Dios: su muerte sacrificial y su triunfal resurrección. Así, el signo definitivo que muestra la gloria de Dios es la muerte, resurrección y ascensión de Cristo.

El medio para glorificar al Padre: Hacer la obra del Padre

Las Escrituras no se limitan a presentar la muerte de Jesús como una glorificación del Padre, sino que sitúan su muerte en el marco más amplio de la glorificación del Padre por parte del Hijo al realizar la obra que el Padre le encomendó antes de encarnarse. El Hijo acepta mostrar la gloria del Padre redimiendo al pueblo que el Padre le dio.[8] Como resultado, este pueblo redimido

---

[8] Este acuerdo se denomina a veces pacto de redención, o *pactum salutis*. Para tratamientos útiles, véase lo siguiente: Louis Berkhof, *Systematic Theology* (Grand Rapids, MI: Eerdmans, 1996), 265-71; Richard A. Muller, "Toward the Pactum Salutis: Locating the Origins of a Concept", *Mid-American Journal of Theology* 18 (2007): 11-65; Herman Bavinck, *Sin and Salvation in Christ*, vol. 3 de *Reformed Dogmatics*, ed. John Bolt, trad. John Vriend, 4 vols. (Grand Rapids, MI: Baker, 2011), 212-16; John B. Webster, "'It Was the Will of the Lord to Bruise Him': Soteriology and the Doctrine of God", en *God of Salvation: Soteriology in Theological Perspective*, ed. Ivor J. Davidson y Murray Rae (Farnham, Surrey, Reino Unido:

participará en la comunión intratrinitaria que comparten el Padre y el Hijo desde toda la eternidad. Varios pasajes de la literatura joánica describen este acuerdo, pero tres son especialmente importantes.

El primero se encuentra en el Discurso del Pan de Vida (Jn. 6:22-58), donde Jesús explica la obra que el Padre le encomendó. Después de identificarse como el Pan de Vida, Jesús afirma:

> Todo lo que el Padre me da, vendrá a Mí; y al que viene a Mí, de ningún modo lo echaré fuera. Porque he descendido del cielo, no para hacer Mi voluntad, sino la voluntad del que me envió. Y esta es la voluntad del que me envió: que de todo lo que Él me ha dado Yo no pierda nada, sino que lo resucite en el día final. Porque esta es la voluntad de Mi Padre: que todo aquel que ve al Hijo y cree en Él, tenga vida eterna, y Yo mismo lo resucitaré en el día final... Nadie puede venir a Mí si no lo trae el Padre que me envió, y Yo lo resucitaré en el día final (Jn. 6:37-40, 44).

En esta sección, Jesús subraya reiteradamente que ha bajado del cielo para cumplir la voluntad del Padre. A partir de este pasaje, el plan establecido por el Padre y el Hijo puede resumirse como sigue (1) el Padre da un grupo específico de personas al Hijo; (2) el Hijo baja del cielo para hacer la voluntad del Padre; (3) la voluntad del Padre es que el Hijo no pierda a ninguno de ellos, sino que los resucite en el último día; (4) estas personas vienen al Hijo al mirarle y creer; (5) el Hijo les da la vida eterna; (6) el Hijo los resucitará en el último día; y (7) nadie puede venir al Hijo a menos que el Padre que ha enviado al Hijo los atraiga. Por lo tanto, es la elección del Padre de un grupo específico de personas la que define quién viene al Hijo y es resucitado en el último día.[9]

Esta progresión socava seriamente el argumento de que "el decreto de la elección es lógicamente posterior al decreto de la expiación, donde también, de

---

Ashgate, 2011), 15-34. Aún si uno se sintiera incómodo con la expresión "pacto de redención", no cabe duda de que la Escritura habla de un acuerdo en la eternidad pasada entre el Padre y el Hijo que establece el plan de la historia redentora.

[9] Obsérvese que más adelante, en el mismo capítulo, Jesús retoma el mismo tema cuando, tras observar que algunos no creen, afirma: "Por eso les he dicho que nadie puede venir a mí si no se lo concede el Padre" (6:65). Esto ayuda a explicar cómo Judas formaba parte de los Doce y, sin embargo, traicionó a Jesús (6:70-71).

hecho, cabe en el desarrollo de la aplicación de la salvación. Es decir, la expiación es general, su aplicación es particular".[10]

Según Juan 6:37-44, el Padre no planea enviar al Hijo para salvar a todos, y luego sólo elegir a algunos, sabiendo que sin esa elección nadie creería. Tal argumento sugiere que la redención circunscribe la elección; en otras palabras, la bondad general de Dios hacia toda la humanidad impulsa en última instancia la expiación, y la elección es necesaria sólo porque sin ella nadie creería. Pero Juan 6 indica que el Padre entrega al Hijo un grupo específico de personas por las que *entonces* viene a morir para darles la vida eterna. El particularismo está presente en la planificación y la realización de la expiación, no sólo en su aplicación.[11] Por tanto, es la elección la que circunscribe la expiación, y no al revés.

El segundo pasaje clave es la Oración Sumo-sacerdotal (Jn. 17:1-26), que deja aún más claro que el Hijo glorifica al Padre al realizar la obra que el Padre le encomendó. Tras anunciar que ha llegado la hora, Jesús ora: "glorifica a tu Hijo para que el Hijo te glorifique a ti" (17:1). La combinación de "hora" (ὥρα) y "glorificar" (δόξασόν) evoca 12:23-24, donde Jesús habló de su muerte y resurrección. Esa conexión aclara lo que Jesús quiere decir cuando ora: "Yo te glorifiqué en la tierra, habiendo terminado [τελειώσας] la obra [τὸ ἔργον] que me diste que hiciera" (17:4, NBLH).

El hecho de que se refiera a su inminente muerte y resurrección se confirma además por el uso que hace Juan del verbo τελειόω ("terminar"),[12] que es similar al verbo τελέω en 19:30, donde Jesús grita: "Consumado es [τετέλεσται]", inmediatamente antes de su muerte.[13] El participio de 17:4, τελειώσας ("terminando"), indica que la finalización de la obra es el medio por el que Jesús glorifica al Padre.[14] Así, la conexión es clara: el Hijo glorifica al Padre

---

[10] D. Broughton Knox, "Some Aspects of the Atonement", en *The Doctrine of God*, vol. 1 de *D. Broughton Knox, Selected Works* (3 vols.), ed. Tony Payne (Kingsford, NSW: Matthias Media, 2000), 265.

[11] Contra Knox, ibid.

[12] Para una conclusión similar, véase, por ejemplo, Andreas J. Köstenberger, *John*, *BECNT* (Grand Rapids, MI: Baker, 2004), 489; y Carson, *John*, 556-57.

[13] En dos ocasiones anteriores, Juan utiliza el verbo τελειόω con el sustantivo ἔργον ("obra") para denotar la totalidad del ministerio de Jesús (4:34; 5:36). Pero mientras que en estas dos ocurrencias anteriores ἔργον es plural, aquí en 17:4 es singular, lo que probablemente enfatiza la totalidad de la obra de Jesús (Köstenberger, *John*, 489).

[14] Así también J. Ramsey Michaels, *The Gospel of John*, *NICNT* (Grand Rapids, MI: Eerdmans, 2010), 860.

terminando la obra que el Padre le encomendó, que implica su muerte y su resurrección.

Pero, aunque el foco de "la obra" (τὸ ἔργον) en cuestión es claramente la cruz, el contexto más amplio de Juan 17 indica que se trata de algo más. Jesús afirma que ha manifestado el nombre del Padre "a los que me diste [ἔδωκάς][15] del mundo" (17:6). Les dio las palabras que el Padre le dio (17:8, 14), y las guardó en nombre del Padre (17:12). La gloria que tenía con el Padre la ha dado ahora a sus discípulos (17:22).

Así que ahora ruega al Padre que los proteja (17:11, 15), los unifique (17:11, 20-23), colme su gozo (17:13), los santifique (17:17-19) y les permita ver y participar en la gloria del Hijo (17:22-24). Mientras tanto, los envía al mundo como el Padre lo envió a Él (17:17-19). Así, "la obra" (τὸ ἔργον) que Jesús realiza para glorificar al Padre, aunque ciertamente se centra en la cruz, abarca todo lo que Jesús hace para que las personas que el Padre le entregó estén con el Hijo y participen de la gloria que comparten (17:20-26).

Es la totalidad de esta obra la que Cristo afirma haber terminado: expiar los pecados de aquellos que el Padre le dio *y* orar por ellos como su Sumo Sacerdote para llevarlos a la gloria. Y es la totalidad de esta obra (expiación *e* intercesión) la que se aplica a aquellos que el Padre entregó al Hijo; de hecho, es sobre la base de la obra del Hijo que el Padre los atraerá (cf. 12:32).

Afirmar que Cristo expía los pecados de todos, pero que luego aplica esa expiación sólo a los elegidos, es contrario a la totalidad de la obra que Cristo realiza para glorificar al Padre. Tal afirmación también presenta a las personas de la Trinidad trabajando en contraposición entre sí: el Padre pretende que la expiación cubra los pecados de los elegidos; el Hijo expía los pecados de todos, pero luego lo aplica sólo a los elegidos por medio del Espíritu. Por el contrario, Juan 17 destaca no sólo la totalidad de la obra que Cristo realizó efectivamente para glorificar al Padre, sino también la armonía trinitaria en la planificación, realización y aplicación de esa obra en favor de los elegidos.[16]

---

[15] Se trata del mismo verbo utilizado en 6:37.

[16] Otro ejemplo de armonía trinitaria es que tanto el Padre como el Hijo atraen a las personas hacia el Hijo (6:44; 12:32, respectivamente). De hecho, es el hecho de que el Hijo sea elevado en una cruz lo que se presenta como la *base* de la atracción de las personas hacia Él (12:32; nótese la construcción protasis-apódosis). A esta armonía contribuye el hecho de que Jesús da su Espíritu a los que creen, sus elegidos, después de ser glorificado mediante su muerte (7:39; 14:16-17; 16:7-11; 20:19-23).

El tercer pasaje clave es la visión del Salón del Trono de Apocalipsis 4:1-5:14. Juan ofrece una imagen más de Cristo glorificando al Padre al realizar la obra que el Padre le encomendó. Como "el León de la tribu de Judá" (5:5) y el "Cordero de pie, como inmolado" (5:6), sólo Cristo es digno de tomar el "rollo escrito por dentro y por fuera, sellado con siete sellos" (5:1, 7).

Aunque es objeto de debate, parece que lo mejor es entender este inusual pergamino como una "tablilla celestial que contiene el propósito y el fin de la historia redentora".[17] Como León y Cordero, el Hijo es digno de abrir este pergamino porque sólo Él tiene la autoridad para ejecutar el plan divino de la redención.[18] Esta autoridad queda confirmada por el canto de alabanza de los ancianos:

> Digno eres de tomar el libro
> y de abrir sus sellos,
> porque Tú fuiste inmolado, y con Tu sangre compraste para Dios
> a gente de toda tribu, lengua, pueblo y nación
> Y los has hecho un reino y sacerdotes para nuestro Dios;
> y reinarán sobre la tierra (Ap. 5:9-10)

Dos características particulares de este canto son dignas de mención. En primer lugar, la muerte sacrificial de Cristo es el punto central de lo que el Cordero ha hecho para llevar a cabo el plan redentor de Dios;[19] como tal, es el medio por el que el Hijo glorifica al Padre. En segundo lugar, su muerte rescató a personas *para Dios* (τῷ θεῷ); en otras palabras, su salvación fue, ante todo, para promover sus propios propósitos: el propósito principal es que, debido a la muerte de Cristo, ahora es digno de compartir la gloria y la alabanza únicas que sólo pertenecen a Dios.

Esto se cumple inicialmente cuando miríadas de ángeles (5:11-12) y toda la creación (5:13-14) se unen para reconocer el valor del Cordero que fue inmolado, pero espera la consumación para su cumplimiento final.

---

[17] Grant R. Osborne, *Revelation, BECNT* (Grand Rapids, MI: Baker, 2002), 249.

[18] G. K. Beale, *The Book of Revelation: A Commentary on the Greek Text, NIGTC* (Grand Rapids, MI: Eerdmans, 1999), 340.

[19] Este punto se refuerza aún más si, efectivamente, el rollo (5:1) se representa como un testamento romano que requería la muerte del testador para que se efectuara la herencia. Sobre esta posibilidad, véase Beale, *Revelation*, 344-46.

Apocalipsis 5:13–14 Y oí decir a toda cosa creada que está en el cielo, sobre la tierra, debajo de la tierra y en el mar, y a todas las cosas que en ellos *hay*: «Al que está sentado en el trono, y al Cordero, *sea* la alabanza, la honra, la gloria y el dominio por los siglos de los siglos». Los cuatro seres vivientes decían: «Amén», y los ancianos se postraron y adoraron.

De este pasaje surge un esbozo del plan redentor de Dios.

(1) El Padre decide manifestar su gloria.

(2) El Hijo ejecuta este plan dando su vida para rescatar para el Padre a personas de toda tribu, lengua, pueblo y nación.

(3) El Hijo hace de estas personas rescatadas un reino y sacerdotes de Dios que reinan en la tierra.

(4) El resultado es que toda la creación ensalza la gloria del Padre y del Hijo.

Este es el objetivo hacia el que Dios dirige toda la historia redentora. Una vez más queda claro que el Hijo glorifica al Padre al realizar la obra que el Padre le encomendó.

Resumen

Otros textos (Jn. 10:18; 12:49-50; 14:30-31) dan testimonio del acuerdo redentor entre el Padre y el Hijo. Pero los textos considerados anteriormente son suficientes para mostrar no sólo que dicho acuerdo existe, sino también que es el marco general en el que deben entenderse la encarnación, la vida, el ministerio, la muerte, la resurrección y la ascensión.[20]

El objetivo último de este acuerdo era mostrar la gloria del Padre a toda la creación para que fuera adorado. El Hijo ejecuta este plan redimiendo a los que el Padre le ha dado mediante su vida, muerte, resurrección y ascensión. Como el Hijo realiza toda la obra que el Padre le envió a hacer, su pueblo será uno con el Padre y el Hijo, viendo la gloria que comparten. En consecuencia, tanto el Padre como el Hijo reciben ahora una alabanza incesante en el cielo, en previsión del día en que toda la creación reconocerá la gloria de Dios desplegada en la redención de su pueblo que habita en un cosmos transformado.

---

[20] Para una conclusión similar, véase especialmente Webster, "It Was the Will of the Lord", 15-34.

Cuando se entiende con este trasfondo, queda claro que la manifestación de la gloria de Dios depende de que el Hijo realice efectivamente todo lo necesario para la redención de su pueblo. Jesús afirma claramente: "Y yo, cuando sea levantado de la tierra, *atraeré* a todos hacia Mí" (Jn. 12:32). La construcción prótasis-apódosis muestra que existe un vínculo necesario entre el acontecimiento de la redención y su aplicación.

Así, cuando se trata de la salvación "no estamos en el ámbito de lo fugaz o condicional, sino en el de la historia bajo la promesa fiel de Dios a sí mismo y, por tanto, a nosotros".[21] Si se pierde uno solo de los que el Padre entregó al Hijo, entonces Dios no recibe toda la gloria que merece, porque la manifestación de su gloria depende de que los elegidos sean uno con el Padre y el Hijo en la gloria futura. Pero como el Hijo cumple efectivamente todo lo necesario, Dios es glorificado como fuente, agente y meta de nuestra salvación.

Por lo tanto, encuadrar la cuestión del propósito de la expiación como una diferencia entre la intención de salvar a todas las personas (arminianos) o a los elegidos (reformados) pierde de vista el punto más amplio.[22] Como señala John Webster:

> La salvación de las criaturas es un importante asunto, pero no el más importante, que es la majestad de Dios y su promulgación... La salvación se produce como parte de la autoexposición divina; su fin último es la reiteración de la majestad de Dios y la glorificación de Dios por todas las criaturas. La soteriología, por tanto, tiene su lugar dentro de la teología del *mysterium trinitatis*, es decir, la riqueza de vida inherente y comunicada de Dios como Padre, Hijo y Espíritu Santo.[23]

Así, cuando la Escritura habla del propósito de Dios en la expiación en términos de salvar a las personas del pecado o demostrar su amor por el mundo, estas afirmaciones deben evaluarse a la luz del propósito último de Dios de mostrar su gloria. Dicho de otro modo, la salvación de la humanidad no fue el propósito principal de la expiación, sino el medio esencial por el que se cumplió el objetivo último de glorificar al Padre.

---

[21] Ibid., 30.

[22] Véase, por ejemplo, Lightner, *Death Christ Died*, 33-56.

[23] Webster, "It Was the Will of the Lord" 20.

II. Jesús murió para lograr la salvación de su pueblo

Como complemento al primer punto, hay muchos textos que especifican que Jesús murió por un grupo particular de personas descritas de diversas maneras.

Los Sinópticos y Hechos

Mateo indica desde el principio de su Evangelio que la obra de Jesús es en favor de su pueblo. El ángel del Señor le dice a José que María "dará a luz un hijo, y le pondrás por nombre Jesús, porque Él salvará a su pueblo de sus pecados" (1:1). Más que explicar simplemente la etimología del nombre de Jesús, el anuncio angélico indica que la salvación que realizará Jesús es específicamente para su pueblo. El resto de Mateo desarrolla la identidad de "su pueblo", a menudo con resultados sorprendentes.[24] Dos pasajes en particular son cruciales para determinar la referencia a "su pueblo".

(1) Mateo 20:28

> **Mateo 20:26–28** »No ha de ser así entre ustedes, sino que el que entre ustedes quiera llegar a ser grande, será su servidor, y el que entre ustedes quiera ser el primero, será su siervo; así como el Hijo del Hombre no vino para ser servido, sino para servir y para dar Su vida en rescate por muchos».

Poco antes de su entrada final en Jerusalén, Jesús responde a la petición de Santiago y Juan de ocupar lugares especiales de honor en el reino mesiánico (20:20-28). Al contrastar la grandeza en el reino con la grandeza en esta época,

---

[24] D. A. Carson, "Matthew", en *The Expositor's Bible Commentary*, ed. Frank E. Gaebelein (Grand Rapids, MI: Zondervan, 1994), 77, comenta: "Aunque para José 'su pueblo' serían los judíos, incluso José entendería a partir del Antiguo Testamento que algunos judíos cayeron bajo el juicio de Dios, mientras que otros llegaron a ser un remanente piadoso. En cualquier caso, Mateo no tarda en decir que tanto Juan el Bautista (3:9) como Jesús (8:11) retratan a los gentiles uniéndose al remanente piadoso para convertirse en discípulos del Mesías y en miembros de 'su pueblo' (véase 16:18; cf. Gn. 49:10; Tit 2:13-14; Ap. 14:4). Por tanto, las palabras 'su pueblo' están llenas de un significado que se va desgranando a medida que se desarrolla el Evangelio. Se refieren al 'pueblo del Mesías'". R. T. France, The Gospel of Matthew, NICNT (Grand Rapids, MI: Eerdmans, 2007), 53, señala que también es posible ver una conexión entre "su pueblo" y "mi iglesia" en 16:28.

Jesús señala su propio ejemplo cuando afirma que "el Hijo del Hombre no ha venido a ser servido, sino a servir, y a dar su vida en rescate por muchos [ἀντὶ πολλῶν]" (20:28). Aunque es posible tomar "muchos" como sinónimo de "todos",[25] hay razones para ver allí una referencia más restringida. En primer lugar, es probable que Jesús se haga eco del lenguaje de Isaías 52:13-53:12, donde el Siervo muere en lugar de muchos.[26]

En ese pasaje, "los muchos" (הָרַבִּים [TM]/οἱ πολλοί [LXX]) se refiere a aquellos a los que se *aplica* realmente la obra salvadora del Siervo, incluyendo no sólo a los judíos sino también a "muchas naciones" (52:15).[27] En segundo lugar, el lenguaje del rescate (λύτρον) indica el pago de un precio específico (la vida de Jesús) por la liberación de un pueblo específico (muchos).[28] Su vida se da a cambio de (ἀντί) la de los muchos, no por todos sin excepción.

---

25 Tal vez el ejemplo más influyente sea el de Joachim Jeremias, "πολλοί", *TDNT* 6:543-45, quien argumenta que πολλοί se usa de forma inclusiva (= "todos") basándose en la evidencia del Antiguo Testamento. Pero, aunque Jeremias analiza Isaías 52:13-53:12, no tiene en cuenta que la obra del Siervo por los muchos *se aplica* realmente a los muchos (véase J. Alec Motyer, "'Stricken for the Transgressions of My People': The Atoning Work of Isaiah's Suffering Servant", capítulo 10 de este volumen). Además, la afirmación de Jeremias de que, con la excepción de Mateo 24:12 y 2 Corintios 2:17, πολλοί siempre significa "todos" es bastante exagerada; se puede ver toda una serie de textos paulinos en los que πολλοί significa "muchos" o "la mayoría", pero no "todos", en Douglas J. Moo, *The Epistle to the Romans, NICNT* (Grand Rapids, MI: Eerdmans, 1996), 336 n. 100.

26 Para las conexiones entre Marcos 10:45/Mateo 20:28 e Isaías 53, véase especialmente Rikki E. Watts, *Isaiah's New Exodus in Mark, Biblical Studies Library* (Grand Rapids, MI: Baker, 2000), 257-90.

TM Texto masorético

LXX Septuaginta

27 También hay pruebas de que en Qumrán el término "los muchos" (הָרַבִּים) se refiere a veces a la comunidad elegida en contraste con los que aún no están plenamente iniciados en la comunidad (1QS 6: 11-27) (Hanns Walter Huppenbauer, "Rb, rwb, rbym in der Sektenregel", *Theologische Zeitschrift* 13 [1957]: 136-37, y Ralph Marcus, "*Mebaqqer* and *rabbim* in the Manual of Discipline 6:11-13", *JBL* 75 [1956]: 298-302). Aunque la interpretación de Qumrán no demuestra que "muchos" sea equivalente a "los elegidos" en Isaías 53, sí demuestra un claro precedente para esta interpretación.

28 El pago de un precio para asegurar la liberación es fundamental para este grupo de palabras (Leon Morris, *The Apostolic Preaching of the Cross*, 3ª ed. [Grand Rapids, MI: Eerdmans, 1965], 12-13). Además de referirse a la compra de la libertad de los esclavos o prisioneros de guerra, este grupo de palabras también podría referirse a los sacrificios realizados para pagar por los pecados contra los dioses (Adela Yarbro Collins, "The Signification of Mark 10:45 among Gentile Christians", *Harvard Theological Review* 90 [1997]: 371-82).

(2) Mateo 26:28

Mateo 26:27–28 Y tomando una copa, y habiendo dado gracias, se *la* dio, diciendo: «Beban todos de ella; porque esto es Mi sangre del nuevo pacto, que es derramada por muchos para el perdón de los pecados.

Durante la Última Cena (26:26-29), Jesús ofrece la copa a sus discípulos y les explica: "Esta es mi sangre del pacto, que es derramada por muchos para el perdón de los pecados" (26:28). Al igual que el rociado de sangre sellaba a un pueblo en particular en el antiguo pacto (Ex. 24:1-8), aquí la inauguración del nuevo pacto requiere que Jesús derrame su sangre por un pueblo en particular. Ese pueblo en concreto son los "muchos" por los que Jesús da su vida como rescate (Mt. 20:28). La combinación de "muchos" y "perdón de los pecados" aquí en 26:28 forja un vínculo con el anuncio angélico de 1:21 de que Jesús "salvará a su pueblo de sus pecados". Además, es probable que esta combinación aluda de nuevo a la obra del Siervo Sufriente de Isaías 53.[29]

Así, "su pueblo" en Mateo 1:21 se aclara aún más con los "muchos" de 20:28 y 26:28 por quienes Jesús muere para perdonar sus pecados. Como cumplimiento de la esperanza del Antiguo Testamento, Jesús sella el nuevo pacto rescatando a un pueblo en particular de su esclavitud al pecado mediante su muerte y resurrección.

Estos textos hacen hincapié en la muerte de Jesús por un grupo específico de personas y no por la humanidad en general. Independientemente de si el término utilizado es "muchos" o "su pueblo", el punto sigue siendo el mismo: Jesús dio su vida como rescate por el pueblo escatológico de Dios, compuesto por judíos y gentiles que creen en Él.

Literatura joánica

Encontramos el mismo tipo de afirmaciones particularistas en la literatura joánica. Pero a diferencia de los sinópticos, Juan también incluye numerosas afirmaciones sobre la elección por parte de Dios de un pueblo concreto para

---

[29] Sobre la alusión a Isaías 53 aquí, véase Douglas J. Moo, *The Old Testament in the Gospel Passion Narratives* (Sheffield, Reino Unido: Almond, 1983), 127-32.

recibir los beneficios de la muerte de Jesús. Además de Juan 6, tratado anteriormente, los siguientes pasajes resultan especialmente significativos.

En Juan 10:11-18, Jesús se presenta como el Buen Pastor que da su vida por sus ovejas (10:11). Además, Jesús describe a estas ovejas como "las mías", que le conocen "como el Padre me conoce a mí y yo conozco al Padre" (10:15). Pero, ¿quiénes son esas ovejas? Son el pueblo escatológico de Dios, formado por judíos y gentiles (10:16). Los líderes religiosos no creen porque no forman parte del rebaño de Jesús (10:26). En cambio, las ovejas de Jesús oyen su voz, le siguen y reciben la vida eterna (10:27-28).

> **Juan 10:26–28** »Pero ustedes no creen porque no son de Mis ovejas. »Mis ovejas oyen Mi voz; Yo las conozco y me siguen. »Yo les doy vida eterna y jamás perecerán, y nadie las arrebatará de Mi mano.

Son sus ovejas porque el Padre se las dio al Hijo (10:29). Obsérvese que Jesús no dice que los líderes religiosos no forman parte de su rebaño porque no creen.

Más bien, Jesús deja claro que la incredulidad de los líderes religiosos es una consecuencia del hecho de que no son sus ovejas. De este pasaje se desprende que las ovejas de Jesús son un conjunto particular de personas que ya existe antes de que ejerzan la fe en Él, y que los que no forman parte de ese grupo divinamente seleccionado no creen (cf. 8:47). Como Buen Pastor, Jesús da su vida por un grupo particular de personas (sus ovejas) en distinción de otros (los que no son sus ovejas).[30]

Juan incluso describe a los enemigos de Jesús como testigos de que su muerte iba dirigida a un grupo concreto de personas. Tras la resurrección de Lázaro por parte de Jesús, el Sanedrín se reúne en una sesión de urgencia para

---

[30] Simplemente no funciona afirmar que un texto como éste no dice explícitamente "que Cristo murió sólo por la Iglesia o que no murió por los no elegidos", como hace David L. Allen, "The Atonement: Limited or Universal?", en *Whosoever Will: A Biblical-Theological Critique of Five-Point Calvinism*, ed. David L. Allen y Steve W. Lemke (Nashville: B&H Academic, 2010), 79. Es cierto que la afirmación de que Jesús dio su vida por sus ovejas no *exige lógicamente* que haya muerto *sólo* por los elegidos. Pero hay que subrayar que esta afirmación no está aislada, sino que forma parte de una matriz más amplia de ideas en este pasaje que describe el propósito de la venida de Cristo al mundo, los medios para lograr ese propósito y la distinción específica entre sus ovejas y los que no son sus ovejas. Así, "sacar la fórmula 'dar su vida por' de la relación en la que se produce y aplicarla a los que finalmente perecen es hacer una distinción que la propia enseñanza de Jesús prohíbe" (John Murray, "The Atonement and the Free Offer of the Gospel", en *Collected Writings of John Murray. Volume 1: The Claims of Truth* [Carlisle, PA: Banner of Truth, 1976], 76).

discutir qué hacer con Jesús (11:47-53). El sumo sacerdote Caifás argumenta que "conviene que un solo hombre muera por el pueblo, y no que toda la nación perezca" (11:50).

Juan continúa explicando que Caifás estaba profetizando, sin saberlo, "que Jesús moriría por la nación, y no sólo por la nación, sino también para reunir en uno a los hijos de Dios que estaban esparcidos" (11:51-52). Mientras que Caifás quiere decir claramente que la muerte de Jesús evitaría al pueblo judío problemas con Roma, Juan ve el significado teológico de la declaración.

La muerte de Jesús es por "la nación" (es decir, el pueblo judío), así como por otros que deben ser reunidos en la unidad de los hijos de Dios.[31] Siguiendo la línea de la discusión sobre las ovejas de Jesús en el capítulo 10, debemos entender esto como una reiteración de la idea de que el verdadero pueblo de Dios, compuesto por judíos y gentiles por igual, es el pueblo por el que Jesús muere.

Cuando Jesús prepara a sus discípulos para su inminente muerte, vuelve a insistir en que ésta es para un grupo concreto de personas. Después de ordenar a sus discípulos que se amen unos a otros como él los ha amado (15:12), Jesús describe la naturaleza de su amor: "Nadie tiene mayor amor que el que da la vida por sus amigos" (15:13).[32] Así como el Buen Pastor da su vida por las ovejas, aquí Jesús da su vida por sus amigos por amor a ellos. Este amor

---

[31] Nótese que este grupo de personas ("hijos de Dios") existe antes de que crean en Jesús, otra indicación de su elección divina.

[32] Es común hablar del amor de Dios de una manera que borra cualquier distinción en cómo la Biblia habla de él. Pero, siguiendo a Carson, es posible identificar al menos cinco formas diferentes en que la Biblia habla del amor de Dios: (1) El amor especial entre el Padre y el Hijo; (2) el amor providencial de Dios por su creación; (3) la postura salvífica de Dios hacia su mundo caído; (4) el amor particular, efectivo y selecto de Dios hacia sus elegidos; y (5) el amor provisional o condicional de Dios por su pueblo (D. A. Carson, *The Difficult Doctrine of the Love of God* [Wheaton, IL: Crossway, 2000], 16-24; y también Murray, "Atonement and the Free Offer of the Gospel", 69-74). Geerhardus Vos, "The Biblical Doctrine of the Love of God", en *Redemptive History and Biblical Interpretation: The Shorter Writings of Geerhardus Vos*, ed. Richard B. Gaffin (Phillipsburg, NJ: P&R, 1980), 456, tiene razón al señalar que (4) recibe el mayor énfasis distributivo en las Escrituras. En otras palabras, el amor de Dios por los elegidos no es una mera "idea tardía", como sucede en el esquema amyraldiano. Este enfoque es mucho más fiel a la Escritura que afirmar simplemente: "El quid de la cuestión es: ¿Ama Dios a todos los hombres o no?". (Lightner, *Death Christ Died*, 111).

particular por sus amigos se basa en la elección divina: "No me eligieron ustedes, sino que yo los elegí a ustedes" (15:16).[33]

Aunque no es un énfasis destacado en las epístolas joánicas, hay un par de textos que se refieren a la obra del Hijo como específicamente dirigida a su pueblo (1 Jn. 3:16; 4:10). Por otra parte, Apocalipsis 5:9-10 es especialmente significativo porque combina claramente el objetivo último de la gloria de Dios, la muerte de Cristo y la redención de un pueblo concreto. Las criaturas celestiales cantan que por su sangre el Cordero rescató a un pueblo particular, no a todo el mundo. Son comprados de (ἐκ) "toda tribu y lengua y pueblo y nación".

El texto no dice que Cristo rescató a toda tribu y lengua y pueblo y nación, sino a personas de toda tribu y lengua y pueblo y nación. Así que Beale está en lo cierto al señalar que "no se trata de una redención de todos los pueblos sin excepción, sino de todos sin distinción (gente de todas las razas), como aclara 14:3-4, 6".[34] La alusión a Éxodo 19:5-6 deja claro que es este pueblo en particular el que es hecho un reino y sacerdotes para Dios.

> **Éxodo 19:5–6** "Ahora pues, si en verdad escuchan Mi voz y guardan Mi pacto, serán Mi especial tesoro entre todos los pueblos, porque Mía es toda la tierra. "Ustedes serán para Mí un reino de sacerdotes y una nación santa". Estas son las palabras que dirás a los israelitas»

Resumen

Este conjunto de textos, extraídos principalmente de los escritos joánicos y apoyados también por textos de los evangelios sinópticos, demuestra que cuando Jesús vivió, murió, resucitó, ascendió e intercedió, lo hizo por un grupo concreto de personas. A este grupo se le denomina de diversas maneras: su pueblo, la iglesia, los muchos, sus ovejas, los hijos de Dios y sus amigos. Son los que el Padre ha dado al Hijo antes de que viniera a la tierra, y a los que el Padre atrae para que vengan al Hijo, que entonces les concede la vida eterna. Extraídas de

---

[33] En este punto quisiera recordar al lector el vínculo inseparable entre aquellos por los que el Hijo muere y aquellos por los que intercede, tal como se describe en Juan 17 (véase la discusión más arriba).

[34] Beale, *Revelation*, 359.

todas las tribus, lenguas, pueblos y naciones, son las ovejas por las que el Buen Pastor da su vida y que participarán en el amor y la gloria intratrinitarios.

III. Jesús murió por los pecados del mundo

Junto a los numerosos textos señalados hasta ahora, hay otros que subrayan el alcance universal de la obra de Cristo. Estos textos "universalistas" subrayan que aquellos que el Padre ha entregado al Hijo no se limitan a una etnia en particular, sino que proceden de toda la humanidad.

Los Sinópticos y Hechos

Hay varios textos en los Sinópticos y los Hechos en los que la oferta de perdón a través del Evangelio se hace a todos (por ejemplo, Mt. 11:28; 24:14; 28:18-20; Lc. 2:30-32; Hch. 1:8). Los defensores de la expiación universal afirman que estos textos descartan la expiación definitiva. Por ejemplo, Norman Douty pregunta:

> ¿Cómo puede Dios autorizar a sus siervos a ofrecer el perdón a los no elegidos si Cristo no lo compró para ellos?... Los defensores de la expiación limitada atribuyen el problema a Dios, quien, dicen, les ha dicho en su Palabra que Cristo murió sólo por los elegidos, y que ellos deben ofrecer la salvación a todos. Le honran creyendo mansamente en ambas cosas, sin intentar reconciliarlas.[35]

Es claro e innegable que el evangelio debe ser predicado a todos indistintamente. Sin embargo, estos textos no dicen nada directamente sobre el alcance de la expiación. Simplemente enfatizan la necesidad de predicar el evangelio a todos y cada uno de los que quieran escuchar. No hay ninguna contradicción, ni bíblica ni lógica, en decir que Cristo murió por un grupo particular de personas y al mismo tiempo afirmar que esta buena noticia debe ser predicada a todos sin distinción.

Lo que Douty y otros no aprecian es que Dios ha ordenado que el medio por el cual los elegidos creerán en Cristo es la predicación indiscriminada del

---

[35] Norman F. Douty, *The Death of Christ: A Treatise Which Answers the Question: "Did Christ Die Only for the Elect?"* (Swengel, PA: Reiner, 1972), 41.

evangelio (Ro. 8:29-30; 10:14-17). Puesto que nadie más que Dios sabe quiénes son los elegidos antes de su conversión, el evangelio se predica a todos sin distinción en la confianza de que las ovejas de Jesús oirán su voz y creerán (Jn. 10:27).[36]

Además, en muchos de estos textos hay indicios en el contexto de que el énfasis está en la oferta del evangelio a todos, independientemente de la etnia. Ese es claramente el énfasis en Mateo 24:14 y 28:18-20, donde se utiliza explícitamente la frase "todas las naciones" (πάντα τὰ ἔθνη). Lo mismo ocurre con Lucas 2:30-32 y Hechos 1:8. El punto en estos textos es que el evangelio no debe limitarse al pueblo judío, sino que debe ser proclamado a todos los pueblos de la tierra.

Asimismo, Mateo 11:28 y su contexto circundante entrelazan la particularidad y la oferta indiscriminada del evangelio. Justo antes de invitar a todos los cansados a venir a Él (11:28), Jesús dice: "Todo me ha sido entregado por mi Padre, y nadie conoce al Hijo sino el Padre, y nadie conoce al Padre sino el Hijo y aquel a quien el Hijo quiera revelarlo" (11:27). Que esta revelación no se da a todos es evidente en el versículo 25, donde Jesús alaba al Padre "porque has ocultado estas cosas a los sabios y entendidos y las has revelado a los niños". Particularismo y universalismo son realidades complementarias, no contradictorias.

Literatura joánica

Al argumentar que el alcance de la expiación es "universal", se apela con frecuencia a la literatura joánica. Esto es bastante comprensible, ya que contiene una serie de textos que enfatizan el alcance universal de la obra redentora de Dios a través de Cristo. Sin embargo, cuando se entienden dentro del contexto más amplio de los escritos de Juan, estos textos se interpretan mejor como un

[36] Esto es más satisfactorio que afirmar que "una expiación universal honra verdaderamente la gracia de Dios y libera a Dios de la acusación de que es responsable, a través de la elección, de excluir a algunos de su reino" (Donald M. Lake, "He Died for All: The Universal Dimensions of the Atonement", en *Grace Unlimited*, ed., Clark H. Pinnock [Minneapolis: Bethany Fellowship, 1975], 43). Para un tratamiento útil de esta cuestión, véase Roger R. Nicole, "Covenant, Universal Call, and Definite Atonement", *JETS* 38 (1995): 405-411.

énfasis en que la expiación se extiende más allá de los judíos para incluir a personas de toda tribu y lengua.

El uso de la palabra κόσμος ("mundo") es fundamental para el debate. De las 186 apariciones en el Nuevo Testamento, 105 se encuentran en la literatura juanina.[37] Como es de esperar, κόσμος se utiliza de varias maneras, y sólo el contexto puede determinar qué sentido tiene en un versículo concreto. Una forma común de categorizar los usos es dividirlos en casos con connotaciones positivas, neutras o negativas.[38] Pero este enfoque sólo tiene un valor limitado, porque (1) no hay casos positivos inequívocos,[39] y (2) incluso cuando un caso puede ser clasificado como neutro, muy a menudo hay un caso negativo cerca.[40]

En efecto, Carson acierta cuando señala que:

> Aunque un puñado de pasajes conservan un énfasis neutro, la gran mayoría son decididamente negativos. El "mundo", o frecuentemente "este mundo" (por ejemplo, 8:23; 9:39; 11:9; 18:36), no es el universo, sino el orden creado (especialmente de los seres humanos y los asuntos humanos) en rebelión contra su Hacedor (por ejemplo, 1:10; 7:7; 14:17, 22, 27, 30; 15:18-19; 16:8, 20, 33; 17:6, 9, 14).[41]

Para organizar nuestra discusión, examinaremos tres categorías diferentes de uso de κόσμος en la literatura joánica. Pero al hacerlo debemos recordar que algunos ejemplos podrían encajar en más de una categoría; como resultado, debemos tener cuidado de no ver estas categorías como mutuamente excluyentes.

La primera categoría son aquellos lugares en los que κόσμος se refiere al mundo como escenario de la obra redentora de Dios a través de Cristo. Cristo es presentado como la verdadera luz que viene al mundo (Jn. 1:9-10; cf. 9:5). Es

---

37 El desglose es el siguiente: Evangelio de Juan (78×); 1 Juan (23×); 2 Juan (1×); Apocalipsis (3×).

38 Véase, por ejemplo, N. H. Cassem, "Grammatical and Contextual Inventory of the Use of kosmos in the Johannine Corpus with Some Implications for a Johannine Cosmic Theology", *NTS* 19 (1972): 81-91.

39 Algunos intentan situar aquí textos como Juan 1:29 y 3:16, pero, como argumentaré más adelante, el contexto sugiere lo contrario.

40 Incluso quienes defienden este método de categorización reconocen la frecuente confusión que se produce; véase, por ejemplo, Stanley B. Marrow, "*Kosmos* in John", *CBQ* 64 (2002): 96.

41 Carson, *John*, 122-23; véase igualmente, Bill Salier, "What's in a World? *Kosmos* in the Prologue of John's Gospel", *RTR* 56 (1997): 106-107.

aquel "a quien el Padre consagró y envió al mundo" (10:36), y al acercarse su última Pascua "supo que había llegado su hora de pasar de este mundo al Padre, habiendo amado a los suyos que estaban en el mundo" (13:1; cf. 16:28). Se podrían enumerar varios textos más,[42] pero la cuestión está suficientemente clara: el mundo es el escenario en el que Dios lleva a cabo sus propósitos redentores en y por medio de Cristo.

Sin embargo, hay que señalar que incluso en estos pasajes, en los que κόσμος parece tener un sentido neutro, las connotaciones negativas nunca están completamente ausentes. Por ejemplo, incluso el sentido aparentemente "neutro" de κόσμος en Juan 1:9-10 inserta el rechazo experimentado por el Verbo. Como resultado:

> Cuando [Juan] dice del κόσμος que no conoce al Hijo de Dios, que no conoce a Dios, que no cree, que odia, el κόσμος es en cierto sentido personificado como el gran oponente del Redentor en la historia de la salvación.[43]

O, como dice Marrow, "el κόσμος se erigirá como el poder opuesto a la revelación, la suma de todos y todo lo que se opone rotundamente a ella y se convierte, en consecuencia, en objeto de juicio".[44]

La segunda categoría es más relevante para nuestro tema. En la literatura joánica κόσμος se utiliza con frecuencia para subrayar el alcance de la obra redentora de Dios. En otras palabras, el énfasis recae en que la obra de Cristo abarca a todas las personas sin distinción, no sólo al pueblo judío.[45] A veces este énfasis es claro en el contexto inmediato, mientras que otras veces no lo es. Pero en cada uno de los siguientes textos Juan llama la atención sobre la verdad de que la redención de Cristo trasciende las fronteras étnicas para incluir no sólo a los judíos, sino también a los gentiles.

---

[42] Véase, por ejemplo, Juan 6:14; 8:26; 9:39; 11:27; 12:46; 16:21, 28; 18:37; 1 Juan 4:1, 3, 9, 17; 2 Juan 1:7; Apocalipsis 11:15; 13:8; 17:8.

[43] Hermann Sasse, "κοσμέω, κόσμος, κόσμιος, κοσμικός", *TDNT*, 3:894.

[44] Marrow, "*Kosmos* in John", 98.

[45] El punto de vista que se defiende aquí debe distinguirse de la afirmación de que κόσμος significa realmente "elegidos" en estos contextos. Se trata más bien de que el amor salvador de Dios no se limita a una etnia concreta, sino que se extiende a todos los seres humanos sin distinción.

El primer ejemplo es Juan 1:9-13.[46] Tras afirmar que "el mundo no conoció" al Verbo, Juan distingue entre "los suyos" (es decir, los judíos) que no lo recibieron y los que sí lo recibieron (1:11-12).

> **Juan 1:11–13** A lo Suyo vino, y los Suyos no lo recibieron. Pero a todos los que lo recibieron, les dio el derecho de llegar a ser hijos de Dios, *es decir,* a los que creen en Su nombre, que no nacieron de sangre, ni de la voluntad de la carne, ni de la voluntad del hombre, sino de Dios.

Esta distinción prepara el camino para que Juan subraye que todos aquellos, ya sean judíos o gentiles, que sí recibieron a Jesús, son hijos de Dios (τέκνα θεοῦ). Así, Juan conecta el κόσμος con una distinción entre judíos y no judíos como medio de subrayar el alcance universal de la obra redentora de Cristo.

Juan 4:42 debe entenderse de forma similar. Después de que Jesús conversa con la mujer samaritana (4:7-26), su testimonio a sus compañeros samaritanos lleva a muchos a creer en Él (4:39). Pero después de hablar con Jesús ellos mismos, lo que oyen les lleva a concluir que "éste es realmente el Salvador del mundo" (4:42). En otras palabras, creen que Jesús no es sólo el Salvador del pueblo judío, sino de todo el mundo, incluso de los samaritanos. Reconocen que su salvación trasciende incluso la tajante división entre judíos y samaritanos para abarcar a todos los que creen sin distinción.[47]

El alcance de la redención de Cristo se extiende no sólo a los samaritanos, sino incluso a los griegos.[48] En respuesta a unos griegos que desean ver a Jesús (Jn. 12:20-21),[49] Jesús afirma: "Yo, cuando sea levantado de la tierra, atraeré a todas las gentes [πάντας] hacia mí" (12:32). En este contexto debe entenderse la afirmación de Jesús en 12,47: "No he venido a juzgar al mundo [οὐ γὰρ ἦλθον ἵνα κρίνω τὸν κόσμον], sino a salvar al mundo [ἀλλ' ἵνα σώσω τὸν κόσμον]".

---

[46] Para un tratamiento provechoso de κόσμος en este texto, véase Salier, "What's in a World?", 110-14.

[47] De hecho, el orden del material así lo sugiere: en el capítulo 3, Jesús ofrece la salvación a un hombre judío religioso; en el capítulo 4, la ofrece a una mujer samaritana inmoral.

[48] Aunque algunos han argumentado que los griegos de los que se habla aquí son en realidad judíos de habla griega, tiene mucho más sentido en el contexto considerarlos como gentiles (Carson, *John*, 435-36).

[49] Nótese que este incidente sigue inmediatamente a la declaración de los fariseos de que "todo el mundo" ha ido tras Jesús (Jn. 12:19).

Viniendo como viene al final del Libro de las Señales, este énfasis en el alcance universal de la obra redentora de Cristo es aún más significativo.

Estos ejemplos arrojan luz sobre otros textos en los que κόσμος aparece sin aclaración explícita en el contexto inmediato. En Juan 1:29, Juan el Bautista identifica a Jesús como "el Cordero de Dios, que quita el pecado del mundo [τὴν ἁμαρτίαν τοῦ κόσμου]". Si bien es cierto que no hay nada en el contexto inmediato que indique lo que significa aquí κόσμος, es preciso traer a colación los otros numerosos usos "restringidos".

Por ello, es un poco engañoso afirmar que no hay nada en el contexto que indique esta distinción;[50] el contexto relevante es cómo se usa κόσμος en otras partes de Juan. Por tanto, el sentido de esta afirmación no es que Jesús quitará el pecado de todas las personas del mundo sin excepción, sino que su muerte redimiría a todos sin distinción, no sólo a Israel. Esta conclusión se ve confirmada por el hecho de que el Cordero de Dios quita *realmente* el pecado, en lugar de hacerlo sólo *potencialmente*.

Una dinámica similar está presente en Juan 3:16. Como explicación adicional de la conversación de Jesús con Nicodemo ("un dirigente de los judíos"; 3:1), Juan afirma: "Porque tanto amó Dios al mundo, que dio a su Hijo único, para que todo el que crea en Él no se pierda, sino que tenga vida eterna".[51]

En contraste con el particularismo judío que caracterizaba a muchos dentro de Israel en aquella época,[52] Jesús subraya que el alcance de los propósitos redentores de Dios se extiende más allá del pueblo judío para incorporar al mundo entero.[53] Esta conclusión se ve reforzada por el contexto más amplio. De

---

[50] Así, Lightner, *Death Christ Died*, 68.

[51] No es relevante para nuestro tema si estas son las palabras de Jesús o las de Juan; el punto que se plantea aquí es válido en ambos casos.

[52] Sobre este punto, véase Adolf von Schlatter, *Der Evangelist Johannes*, 2a ed. (Stuttgart: Calwer, 1948), 48-49; y Köstenberger, *John*, 67-68.

[53] Una confirmación más de que esta comprensión de κόσμος es correcta se encuentra en cómo se usa la palabra en Juan 3:17. Si se insiste en que κόσμος en 3:16 debe entenderse como todos sin excepción, entonces lo mismo debe ser cierto en 3:17, lo que resulta en el universalismo (Murray, "Atonement and the Free Offer of the Gospel", 80). Al argumentar que κόσμος debe referirse a todos sin excepción, Laurence M. Vance, *The Other Side of Calvinism*, rev. ed. (Pensacola, FL: Vance, 1999), 435-36, hace mucho hincapié en la referencia a Números 21:6-9 en Juan 3:14-15. Sin embargo, no es consciente de que Jesús utiliza este ejemplo como punto de contacto desde el contexto judío de Nicodemo para plantear un punto más amplio sobre la salvación de judíos y gentiles por igual. El punto, entonces, es que, así como la serpiente levantada fue el medio de salvación para los israelitas en el desierto, así también el levantamiento del Hijo del Hombre es el medio de salvación para judíos y gentiles por igual.

hecho, la siguiente vez que se utiliza κόσμος después de 3:16-19 es en 4:42, donde se enfatiza claramente el alcance de la obra de Jesús (ver arriba).

Así que Jesús está resaltando ante este gobernante *judío* que *todo aquel* que crea, sea judío o gentil, tiene vida eterna. Esto no disminuye en absoluto la impresionante naturaleza del amor de Dios que se describe aquí. Como señala Carson, "el amor de Dios es digno de admiración no porque el mundo sea tan grande e incluya a tanta gente, sino por lo malo que es el mundo: esa es la connotación habitual de *kosmos*".[54] A pesar de la rebelión del mundo contra su Hacedor, Dios da a su Hijo para que todo aquel que crea tenga vida eterna.[55]

Este amplio trasfondo esclarece 1 Juan 2:2. Después de referirse a Cristo como nuestro Abogado, Juan dice que Cristo "es la propiciación por nuestros pecados, y no sólo por los nuestros, sino también por los de todo el mundo". Aquí hay que tener en cuenta el contexto más amplio de la carta. Juan escribe a los creyentes que se enfrentan a falsos maestros que afirman ser tan espirituales que no pecan (1:6-10), a pesar de su evidente desobediencia a los mandamientos de Dios (2:3-6, 9-11).

Aunque en un principio formaban parte de la comunidad, el hecho de que se hayan marchado demuestra que no formaban verdaderamente parte de ella (2:19-27). "Son del mundo; por eso hablan del mundo, y el mundo los escucha" (4:5). Así que ante los opositores que se consideraban una muesca espiritual por encima de todos los demás, Juan responde subrayando que cuando Cristo murió "no fue por el bien, digamos, de los judíos solamente o, ahora, de algún grupo, gnóstico o no, que se erige como intrínsecamente superior. Lejos de eso. No fue sólo por nuestros pecados, sino también por los de todo el mundo".[56]

Esta conclusión se confirma por el estrecho paralelismo con Juan 11:50-52, donde Juan utiliza un lenguaje similar para subrayar que la muerte de Jesús se aplica a todos "los hijos de Dios que están dispersos":

---

[54] Carson, *John*, 205.

[55] Pasajes como Juan 6:35, 51; 8:12; 9:5; 12:46 también deben entenderse así. Con respecto a Juan 3:16, vale la pena citar los comentarios de John Murray: "Después de todo, no hay nada en este texto que apoye lo que frecuentemente se supone que afirma, es decir, la expiación universal. Lo que realmente dice es algo parecido a la expiación definitiva. Algo se hace infaliblemente cierto y seguro: todos los creyentes tendrán vida eterna" ("Atonement and the Free Offer of the Gospel", 80).

[56] Carson, *Difficult Doctrine of the Love of God*, 76.

Juan 11:52: ... καὶ οὐχ ὑπὲρ τοῦ ἔθνους **μόνον ἀλλ'** ἵνα **καὶ** τὰ τέκνα τοῦ θεοῦ τὰ διεσκορπισμένα συναγάγῃ εἰς ἕν....
y **no sólo** para la nación, **sino también** para reunir en uno a los hijos de Dios que están dispersos.

1 Juan 2:2: καὶ αὐτὸς ἱλασμός ἐστιν περὶ τῶν ἁμαρτιῶν ἡμῶν, οὐ περὶ τῶν ἡμετέρων δὲ **μόνον ἀλλὰ καὶ** περὶ ὅλου τοῦ κόσμου.
Él es la propiciación por nuestros pecados, y **no sólo** por los nuestros, **sino también** por los de todo el mundo.

Juan Calvino resume muy bien el asunto cuando afirma que:

> El propósito de Juan no era otro que el de hacer común este beneficio a toda la Iglesia. Entonces, bajo la palabra *todos* o todo, no incluye a los réprobos, sino que designa tanto a los que deben creer como a los que entonces estaban dispersos por diversas partes del mundo.[57]

El punto, entonces, es que la muerte de Cristo —representada aquí como una propiciación *real* por los pecados del mundo, no una *potencial*[58]— es para todos sin distinción, no todos sin excepción.[59]

Este énfasis en el alcance universal de la expiación aparece de nuevo en 1 Juan 4:7-14. La máxima expresión del amor de Dios es que "envió a su Hijo como propiciación por nuestros pecados" (4:10). El amor de Dios por su pueblo es la razón por la que los creyentes deben amarse unos a otros (4:11), y al hacerlo demuestran que Dios permanece en ellos por su Espíritu (4:12-13). Como resultado, los creyentes "dan testimonio de que el Padre ha enviado a su Hijo

---

[57] Juan Calvino, *Commentaries on the Catholic Epistles, Calvin's Commentaries* 22, ed. y trad. John Owen (Grand Rapids, MI: Baker, 1996; reimpresión de las traducciones de los comentarios de CTS), 173.

[58] Véanse los útiles comentarios de Henri Blocher sobre la lógica descuidada del lenguaje de la "potencialidad" en relación con la expiación ("Jesus Christ the Man: Toward a Systematic Theology of Definite Atonement", capítulo 20 de este volumen).

[59] Para otras posibles formas de entender cómo se utiliza κόσμος en 1 Juan 2:2, véase Roger R. Nicole, "Particular Redemption", en *Our Savior God: Man, Christ, and the Atonement*, ed. James Montgomery Boice (Grand Rapids, MI: Baker, 1980), 176-77; y George M. Smeaton, *The Apostles' Doctrine of the Atonement; with Historical Appendix* (Grand Rapids, MI: Zondervan, 1957 [1870]), 459-60: Juan da a entender que la propiciación de Cristo "no era sólo para él y para aquellos a quienes escribía, sino para los redimidos de cada época, lugar y pueblo, es decir, prospectiva y retrospectivamente" (460).

para ser el Salvador del mundo [σωτῆρα τοῦ κόσμου]" (4:14). De nuevo, vemos el alcance universal de la expiación declarado junto al amor particular que Dios tiene por su pueblo.

La tercera categoría en la utilización de κόσμος por parte de Juan consiste en lugares en los que se hace una clara distinción entre el pueblo de Dios y el mundo.[60] Aunque hay numerosos textos que establecen esta distinción, nos centraremos en Juan 14-17.

En varios apartados de estos capítulos, Jesús distingue cosas que son ciertas para sus seguidores, pero no para el mundo. Mientras que los creyentes reciben el Espíritu de la verdad, el mundo no puede (14:16-17). Pronto el mundo dejará de ver a Jesús, pero sus discípulos sí lo harán (14:18-24). Deben esperar el odio del mundo porque no son del mundo, sino que han sido elegidos de entre el mundo (15:18-19). Aunque los discípulos llorarán cuando Jesús muera, el mundo se alegrará (16:20).

Este contraste es más evidente en Juan 17. Después de describir lo que ha hecho por los que el Padre le ha dado (17:6-8), Jesús dice: "Estoy pidiendo por ellos. No ruego por el mundo, sino por los que me has dado, porque son tuyos" (17:9). Como Jesús ya no estará en el mundo, pero sí su pueblo, ruega al Padre que vele por ellos (17:10-13).

El mundo odiará a su pueblo porque éste no es del mundo, al igual que Jesús no es de este mundo (17:14-16). Pero, así como Jesús fue apartado y enviado al mundo, también lo es su pueblo (17:17-19).

> **Juan 17:17–19** »Santifícalos en la verdad; Tu palabra es verdad. »Como Tú me enviaste al mundo, Yo también los he enviado al mundo. »Y por ellos Yo me santifico, para que ellos también sean santificados en la verdad.

Jesús continúa orando por los que creerán a través del testimonio de su pueblo, para que su unidad demuestre al mundo que el Padre envió al Hijo (17:20-23). Mientras que el mundo no conoce al Padre, el Hijo y su pueblo sí (17:25).

Así pues, en todos estos textos (y en otros, como 1 Jn. 2:15-17; 3:1, 13; 4:4-5; 5:4-5, 19), se establece una clara distinción entre los que el Padre ha dado al Hijo y el mundo. Al orar explícitamente por su pueblo y no por el mundo, Jesús

[60] Esta distinción, por supuesto, tiene su origen en el hecho de que Jesús a menudo se contrasta a sí mismo, sus caminos, su reino, etc., con el mundo; véase, por ejemplo, Juan 7:7; 8:23; 18:36; 1 Juan 3:1; 4:4.

deja claro que su obra redentora —incluyendo su encarnación, vida, ministerio, muerte, resurrección y exaltación— se realiza particularmente para su pueblo en contraste con el mundo. Las ovejas de Jesús experimentan los beneficios de su obra de una manera que el mundo no recibe (de hecho, no puede recibir).

Así que, a la luz de nuestro breve estudio de cómo se utiliza κόσμος en los escritos joánicos, simplemente no servirá afirmar, como hacen algunos defensores de la "expiación universal", que "mundo significa mundo", como si resultara una obviedad que κόσμος se refiere a todos sin excepción y no a todos sin distinción.[61] Cuando los fariseos exclaman: "Ya ven que no ganan nada. Miren, ¡el mundo se ha ido tras Él!". (Jn. 12:19), ciertamente no quieren decir que todas las personas sin excepción fueron tras Jesús. O cuando Jesús le dice al sumo sacerdote: "He hablado abiertamente al mundo" (Jn. 18:20), claramente no quiere decir que haya hablado con todas las personas sin excepción.

En consecuencia, cuando textos como Juan 1:29 hablan de Jesús como "el Cordero de Dios que quita el pecado del mundo", no se deduce que esto deba y pueda significar exclusivamente que Jesús hace posible la expiación de todas las personas. Sólo el contexto puede determinar qué significa κόσμος, no las suposiciones *a priori*.

Resumen

La repetida insistencia en que la muerte de Cristo no es sólo para el pueblo judío, sino que se extiende a todos los pueblos sin distinción, es una verdad gloriosa. Jesús no es simplemente el Mesías judío, sino en última instancia el "Salvador del mundo" (Jn. 4:42). Debido a esto, el evangelio puede ser ofrecido libre e indiscriminadamente a todos en la confianza de que aquellos que el Padre ha dado al Hijo son tomados de entre los judíos y los gentiles por igual, y que el Padre los atraerá a Cristo.

Conclusión

Cuando el Padre envió al Hijo al mundo, su propósito último fue manifestar la gloria de Dios. El medio elegido para glorificar al Padre fue la muerte del Hijo

---

[61] Véase, por ejemplo, Terry L. Miethe, "The Universal Power of the Atonement", en *The Grace of God and the Will of Man*, ed. Clark H. Pinnock (Minneapolis: Bethany, 1995), 80.

por las personas que el Padre le dio de antemano. Estos elegidos son tomados de todas las tribus y lenguas y pueblos para constituir el único pueblo de Dios.

El Hijo también intercede por su pueblo para asegurar que realmente experimentará todo lo que Dios quiere para él. Esta conclusión no excluye los beneficios no salvíficos que los no elegidos experimentan como resultado de la muerte de Cristo. Tampoco niega que Dios ame a su creación caída. Tampoco invalida la oferta genuina del evangelio a todas las naciones. Simplemente afirma que el propósito último de la expiación está centrado en Dios y no en el hombre: *el Hijo bajó del cielo para glorificar a su Padre haciendo su voluntad, que era salvar a los que el Padre le había dado.*

La única respuesta apropiada por nuestra parte es la adoración, una realidad que se plasma en estas estrofas del himno de Matthew Bridges, *A Cristo coronad* (Crown Him with Many Crowns):

> Coronadle con muchas coronas, el Cordero sobre su trono.
> Escuchad cómo el himno celestial acalla toda otra música.
> Despierta, alma mía, y canta a Aquel que murió por ti,
> Y aclámalo como tu Rey incomparable por toda la eternidad.
>
> Coronadle como el Señor de la vida, que triunfó sobre la tumba
> Y se levantó victorioso en la lucha por aquellos que vino a salvar.
> Sus glorias cantamos ahora, que murió y resucitó en lo alto,
> Que murió para traer la vida eterna, y vive para que la muerte muera.[62]

---

[62] Por fidelidad al original, se han traducido las palabras de forma literal y sin mayor consideración a la métrica o rima. E. A. Strange tradujo el himno al español versificado y se puede encontrar en distintos himnarios (Nota del traductor).

§12. ¿POR QUIÉN MURIÓ CRISTO?: PARTICULARISMO Y UNIVERSALISMO EN LAS EPÍSTOLAS PAULINAS

Jonathan Gibson[1]

Introducción

Es bastante obvio que el apóstol Pablo no aborda directamente la pregunta "¿Por quién murió Cristo?". Sus epístolas son cartas ocasionales escritas a diversas iglesias de Asia Menor en la segunda mitad del siglo I d.C. Sin embargo, la cuestión se plantea cuando se intentan unir varios textos del corpus paulino que se relacionan con su teología de la expiación.

Por ejemplo, en la teología de la expiación de Pablo existe una tensión entre el particularismo y el universalismo. Por un lado, se dice que Cristo murió por "mí" (Gá. 2:20), por la "iglesia" (Hch. 20:28;[2] Ef. 5:25), por "su pueblo" (Tit.

---

[1] Agradezco a Dirk Jongkind y Peter Orr sus útiles comentarios sobre un borrador anterior de este capítulo.

[2] Se incluye aquí, ya que Lucas recoge que Pablo pronunció estas palabras a los ancianos de Éfeso.

2:14), por "nosotros" los creyentes (Ro. 5:8; 8:32; 1 Co. 5:7; Gá. 3:13; Ef. 5:2; 1 Ts. 5:10; Tit. 2:14). Por otro lado, se dice que Cristo murió por "muchos" (Ro. 5:15, 19), por "todos" (2 Co. 5:14-15; 1 Ti. 2:6), por el "mundo" (2 Co. 5:19); Dios tendrá misericordia de "todos" (Ro. 11:32); desea que "todos" lleguen al conocimiento de la verdad (1 Ti. 2:4); es el Salvador de "todos" (1 Ti. 4:10); la salvación de Dios se ha presentado a "todos los pueblos" (Tit. 2:11); por medio de Cristo, Dios pretende reconciliar "todas las cosas" consigo mismo "haciendo la paz mediante la sangre de su cruz" (Col. 1:20).

Además de estos fuertes elementos universalistas, Pablo habla de la muerte de Cristo por personas que son consideradas falsos maestros (Hch. 20:28-30) o que pueden perecer finalmente (Ro. 14:15; 1 Co. 8:11). Así pues, la pregunta "¿por quién murió Cristo?" surge de forma natural cuando se lee a Pablo de forma sincrónica. Este breve estudio de los textos revela que en la teología de la expiación de Pablo existe, a primera vista, una tensión entre el particularismo y el universalismo.

Sin embargo, estos no son los únicos textos que se relacionan con la teología de la expiación de Pablo; hay otros textos en la esfera más amplia de su soteriología que inciden directamente en su teología de la expiación.[3] Los llamo textos "*loci* doctrinales". Se refieren a diversas doctrinas —como la escatología, la elección, la unión con Cristo, la cristología, el trinitarismo, la doxología, el pacto, la eclesiología y la sacramentología— que son como hilos interconectados en el entramado de la soteriología de Pablo, proporcionando una influencia significativa e importante en la intención y la naturaleza de la expiación.

En resumen, a riesgo de simplificar demasiado, entiendo que la teología paulina de la expiación se compone de al menos cuatro grupos de textos (con

---

[3] Soy consciente de que hay definiciones opuestas de la palabra "soteriología". Por ejemplo, E. D. Morris, "Soteriology", en *Encyclopedia of Religious Knowledge* (Schaff-Herzog), 13 vols. (Londres/Nueva York: Funk & Wagnalls, 1908), 11:9b, restringe el término a "la obra del Salvador", y excluye "por un lado, el propósito electivo y el amor del Padre, o, por otro, el ministerio interior del Espíritu en la aplicación de la gracia salvadora". Más adelante distingue entre soteriología objetiva (la obra del Salvador) y soteriología subjetiva (regeneración y santificación por el Espíritu) (11:11a). Louis Berkhof, *Systematic Theology* (Grand Rapids, MI: Eerdmans, 1941), 415, en cambio, restringe el término a la aplicación de la obra de la redención. A los efectos de este capítulo y del siguiente, la soteriología consiste en los actos salvíficos de Dios, iniciados en la eternidad pasada por Dios Padre, revelados en Jesucristo y aplicados por el Espíritu. Por lo tanto, abarca todo, desde la elección y la predestinación hasta la glorificación final.

cierto solapamiento entre ellos): (1) textos particularistas que se refieren a la muerte de Cristo por un grupo particular ("yo", "iglesia", "su pueblo", "nosotros"); (2) textos universalistas que se refieren a la muerte de Cristo por un grupo indefinido y ambiguo ("muchos", "todos", "mundo"); (3) textos "de perdición" (a falta de un término mejor) que se refieren a la muerte de Cristo por las personas que finalmente pueden perecer, ya sea porque son expuestos como falsos maestros o porque tropiezan con el pecado por una conciencia débil; y (4) textos de "loci doctrinales" que se refieren a doctrinas importantes que inciden directamente en el propósito y la naturaleza de la expiación (como la escatología, la elección, la unión con Cristo, la cristología, el trinitarismo, la doxología, el pacto, la eclesiología y la sacramentología).[4]

Estos cuatro grupos de textos constituyen componentes importantes de una lente teológica unificada a través de la cual se puede ver el propósito y la naturaleza de la expiación.

En este capítulo se analizan detalladamente los tres primeros grupos de textos; en el siguiente se expondrá el cuarto grupo de textos, en el que propongo un nuevo enfoque de la cuestión de la expiación definitiva en Pablo. En ese capítulo, argumentaré que las discusiones sobre el propósito y la naturaleza de la expiación a menudo producen un *quid pro quo* textual, que luego resulta en un impasse. Sin embargo, aunque se requiere un nuevo enfoque —uno que entienda la doctrina paulina de la expiación a través de la lente más amplia de su soteriología—, sigue siendo necesaria la exégesis de los textos particularistas, universalistas y "de perdición", ya que estos textos son en sí mismos importantes partes constituyentes de esa lente.

En el presente capítulo, analizaré en las epístolas de Pablo (1) textos particularistas; (2) textos universalistas; (3) textos "de perdición"; (4) importantes salvedades en la interpretación de los términos "todos" y "mundo"; y (5) la relación práctica entre su teología de la expiación y la evangelización. Al hacerlo, demostraré que los elementos universalistas de la teología de la expiación de Pablo complementan, en lugar de comprometer, la posibilidad de interpretar la muerte de Cristo como una expiación definitiva.

---

[4] La lista no pretende ser exhaustiva.

I. Textos particularistas: Cristo murió por "mí", por la "Iglesia", por "su pueblo", por "nosotros"

Hechos 20:28; Romanos 5:8; 8:32; Gálatas 2:20; Efesios 5:25; Tito 2:14

> **Hechos de los Apóstoles 20:28** »Tengan cuidado de sí mismos y de toda la congregación, en medio de la cual el Espíritu Santo les ha hecho obispos para pastorear la iglesia de Dios, la cual Él compró con Su propia sangre.
> **Romanos 5:8** Pero Dios demuestra su amor para con nosotros, en que siendo aún pecadores, Cristo murió por nosotros.
> **Romanos 8:32** El que no negó ni a Su propio Hijo, sino que lo entregó por todos nosotros, ¿cómo no nos dará también junto con Él todas las cosas?
> **Gálatas 2:20** »Con Cristo he sido crucificado, y ya no soy yo el que vive, sino que Cristo vive en mí; y la *vida* que ahora vivo en la carne, la vivo por la fe en el Hijo de Dios, el cual me amó y se entregó a sí mismo por mí.
> **Efesios 5:25** Maridos, amen a sus mujeres, así como Cristo amó a la iglesia y se dio Él mismo por ella.
> **Tito 2:14** El se dio por nosotros, para redimirnos de toda iniquidad y purificar para Sí un pueblo para posesión Suya, celoso de buenas obras.

A lo largo de sus epístolas, Pablo describe la expiación en términos particularistas: Cristo murió por su "iglesia" (ἐκκλησία; Hch. 20:28; Ef. 5:25), "por mí" (ὑπὲρ ἐμοῦ; Gá. 2:20), po "un pueblo" (λαόν; Tit. 2:14), "por nosotros" (ὑπὲρ ἡμῶν) (Ro. 5:8; 8:32; cf. 8:34; Gá. 3:13; Ef. 5:2; 1 Ts. 5:10; Tit. 2:14).

Los textos particularistas en Pablo requieren poca discusión en muchos sentidos, ya que tanto los semipelagianos como los arminianos, los amyraldianos y los universalistas hipotéticos reconocen su existencia. Para estos defensores, la realidad de la muerte de Cristo por un grupo más particular que el mundo se resuelve generalmente en el nivel de la aplicación: Cristo murió universalmente por todos, pero esto se aplica sólo a los que creen; o se resuelve en el nivel de las intenciones gemelas: Cristo proveyó la expiación para todos, contingente a su fe, pero sólo aseguró la expiación real para sus elegidos. En este sentido, los textos particularistas pueden ser afirmados por todas las partes.

Con todo, el argumento esgrimido ante los defensores de la expiación definitiva es que los textos particularistas no excluyen *por sí mismos* que Cristo haga expiación por los no elegidos.[5] Inferir tal cosa es cometer la falacia de la inferencia negativa. El hecho de que Pablo pueda decir "el Hijo de Dios que me amó y se entregó a sí mismo por mí" (Gá. 2:20) no impide que Pablo afirme también la muerte de Cristo por la iglesia (Hch. 20:28; Ef. 5:25). A su vez, la afirmación de Pablo de la muerte de Cristo por la iglesia no anula las declaraciones relativas a la muerte de Cristo por "muchos", por "todos" o por el "mundo" (por ejemplo, Ro. 5:15; 1 Ti. 2:6; 2 Co. 5:19, respectivamente). La Escritura no afirma en ninguna parte que Cristo murió *sólo* por los elegidos o *únicamente* por ellos.[6] Este tipo de argumentación es, a primera vista, totalmente justa.[7]

Sin embargo, si se examina más detenidamente, el argumento es demasiado simplista para ser de gran peso por varias razones. En primer lugar, deducir la expiación universal de este argumento es un *non sequitur*. El hecho de que la palabra "sólo" o "únicamente" no aparezca en los textos que se refieren a la muerte de Cristo por un pueblo concreto, no significa por sí mismo que su muerte se refiera también a los que están fuera del grupo concreto que se menciona. Para ilustrar: la palabra "sólo" no aparece en las promesas que Dios dio a Abraham, pero eso no significa que esas promesas sean de alguna manera también aplicables a personas fuera de la familia de Abraham.

El contexto deja claro que sólo Abraham y sus descendientes fueron los destinatarios de tales promesas, aunque la expresión "sólo" o "únicamente" esté

---

[5] Por ejemplo, véase Robert P. Lightner, *The Death Christ Died: A Biblical Case for Unlimited Atonement*, 2ª ed. (Grand Rapids, MI: Kregel, 1998), 62; D. Broughton Knox, "Some Aspects of Atonement", en *The Doctrine of God*, vol. 1, de *D. Broughton Knox, Selected Works* (3 vols.), ed. Tony Payne (Kingsford, NSW: Matthias Media, 2000), 263; y Terry L. Miethe, "The Universal Power of the Atonement", en *The Grace of God and the Will of Man*, ed., Clark H. Pinnock (Minneapolis: Bethany, 1995), 73.

[6] Así, Knox, "Some Aspects of the Atonement", 263: "La Biblia afirma ciertamente que Cristo dio su vida por sus ovejas, y que compró su iglesia con su propia sangre; pero en ninguna parte se expresa el sentimiento de forma negativa, es decir, que murió sólo por sus ovejas, o que la redención debe entenderse sólo para los elegidos...".

[7] El argumento se basa en la lógica aristotélica: si todo S es P, entonces se puede inferir que algún S es P; a la inversa, no se puede inferir del hecho de que, si algún S es P, entonces el resto de S no es P (esta observación es señalada por Robert L. Reymond, *A New Systematic Theology of the Christian Faith* [Nashville: Thomas Nelson, 1997], 674). Irónicamente, una de las acusaciones que a menudo se hacen a los defensores de la expiación definitiva es el uso injustificado de la lógica aristotélica. No tengo ningún problema con ello en este caso.

ausente. Lo mismo ocurre con los textos particularistas de Pablo. Como comentó Francis Turretin, "todos los pasajes [particularistas] aducidos, si no explícitamente, implícitamente contemplan una exclusión en la descripción de aquellos por los que Cristo murió (que no puede pertenecer a otros)".[8] Así, por ejemplo, en Efesios 5:25, la descripción que hace Pablo de Cristo como Cabeza y Esposo de su cuerpo y esposa, la iglesia, supone una unión orgánica, de tal manera que cuando Él muere, muere unido a su cuerpo y a su esposa de una forma que excluye necesariamente a otras personas o a otra entidad orgánica, a no ser que se quiera pensar en la poligamia.[9]

Además, el propósito de la entrega sacrificial de Cristo es para la santificación y la salvación final de la iglesia, algo que no corresponde a los no elegidos. "Y puesto que no se entregó por nadie más que por este fin, no puede decirse que se haya entregado por nadie que no obtenga ese fin".[10] En cuanto a Gálatas 2:20, Pablo no está hablando de "un privilegio propio, sino común a él y a otros elegidos o creyentes a los que se presenta como ejemplo para que puedan predicar lo mismo de ellos en el mismo estado".[11]

En segundo lugar, si Pablo quería ser inequívoco con respecto a la universalidad de la expiación, disponía de los medios para hacerlo mediante el uso de negativos absolutos, algo que emplea en otras partes de sus escritos. Pablo enfatiza la universalidad del pecado mediante el uso de negativos absolutos: "como está escrito: 'Nadie es justo, ni siquiera uno [οὐδὲ εἷς]; ... nadie hace el bien, ni siquiera uno [(οὐκ ἔστιν) ἕως ἑνός]'" (Ro. 3:10-12). El lenguaje es indiscutiblemente inequívoco,[12] y podría haber sido fácilmente empleado por Pablo cuando llegó a hablar de la expiación de Cristo si hubiera querido subrayar que estaba destinada a cada persona: "no hubo nadie por quien Cristo no muriese".[13]

---

8 Francis Turretin, *Institutes of Elenctic Theology*, ed. James T. Dennison, Jr., trad. George Musgrave Giger, 3 vols. (Phillipsburg, NJ: P&R, 1993), 2:460.

9 "Una exclusión se da a entender con suficiente claridad por las propias palabras y la naturaleza de la cosa" (ibid., 462).

10 Ibid.

11 Ibid., 460.

12 Un ejemplo del Antiguo Testamento sería 2 Samuel 13:30: "Absalón ha abatido a todos los hijos del rey, y no ha quedado ni uno de ellos (וְלֹא-נוֹתַר אֶחָד מֵהֶם)".

13 Estoy en deuda con Andrew D. Naselli, "John Owen's Argument for Definite Atonement in The Death of Death in the Death of Christ:A Brief Summary and Evaluation", *Southern Baptist Journal of Theology* 14.4 (2010): 75-76, en relación con este punto.

Sin embargo, cuando se trata de "universalizar" el público objetivo de la expiación de Cristo, Pablo emplea un lenguaje deliberadamente *ambiguo*: "muchos", "todos" y "mundo", términos que pueden significar "todos sin excepción", pero pueden significar igualmente "todos sin distinción". El contexto debe determinar el significado en cada caso particular.[14]

Por último, aunque los reformados efectivamente deben explicar los textos universalistas, podría decirse que los partidarios de una expiación universal tienen la responsabilidad de explicar por qué Pablo emplearía un lenguaje limitado o definido, si realmente no había ninguna limitación en el objeto de la expiación.[15] Si el amor de Dios se muestra en su mejor y más brillante forma en una expiación universal en la que Cristo muere por todos (lo que se argumenta en el esquema universalista hipotético, semipelagiano, arminiano y amyraldiano), ¿qué ventaja aporta hablar de su muerte en términos particularistas? Particularizar la expiación hace que el amor de Dios ya no sea más intenso ni más precioso.

En conclusión, como señala A. A. Hodge:

> Las expresiones particulares y definidas deben limitar la interpretación de las generales, y no lo contrario. Es claramente mucho más fácil asignar razones plausibles por las que, si Cristo murió particularmente por sus elegidos, estando ellos todavía dispersos entre todas las naciones y generaciones, y no distinguibles por nosotros de la masa de la humanidad caída a la que se ofrece indiscriminadamente el evangelio, debería decirse en ciertas conexiones que ha muerto por el mundo o por todos, más que asignar cualquier razón plausible por la que, si murió para hacer posible la salvación de todos, debería sin embargo decirse en cualquier conexión que ha muerto con el propósito de salvar ciertamente a sus elegidos.[16]

Los textos particularistas que he mencionado anteriormente apoyan la expiación definitiva, pero hay un texto paulino que suele pasar desapercibido y que parece

---

[14] Curiosamente, las referencias a "todos" en relación con la cruz son tan frecuentes como las afirmaciones similares de "todos" en relación con la aplicación y el destino final.

[15] William Cunningham, *Historical Theology: A Review of the Principal Doctrinal Discussions in the Christian Church since the Apostolic Age, Volume 2* (1862; reimpr., Edinburgh: Banner of Truth, 1960), 340.

[16] A. A. Hodge, *The Atonement* (1867; reimpr., Londres: Evangelical Press, 1974), 425.

apoyar aún más una referencia particularista a la muerte de Cristo. Se trata de Romanos 3:24-26

Romanos 3:24-26

> … son justificados gratuitamente por Su gracia por medio de la redención que es en Cristo Jesús, a quien Dios exhibió públicamente como propiciación por Su sangre a través de la fe, como demostración de Su justicia, porque en Su tolerancia, Dios pasó por alto los pecados cometidos anteriormente, para demostrar en este tiempo Su justicia, a fin de que Él sea justo y sea el que justifica al que tiene fe en Jesús.

En este pasaje, Pablo destaca la justicia de Dios al presentar a Cristo como propiciación (ἱλαστήριον). La expiación propiciatoria de Cristo reivindica la justicia de Dios, retrospectiva y prospectivamente (vv. 25-26). Con respecto al pasado, Pablo afirma que el castigo de Dios al pecado en la cruz justifica que pase por alto (πάρεσιν) los pecados cometidos anteriormente (τῶν προγεγονότων ἁμαρτημάτων; v. 25). Pero, ¿los pecados de quién? Frédéric Godet sostiene que tiene una referencia universal,[17] mientras que para Douglas Moo el referente es a los "pecados en el Antiguo Pacto".[18]

La comunidad de fe del antiguo pacto está ciertamente en el punto de mira, ya que Pablo pasa a hablar de la justicia de Dios en el tiempo presente (ἐν τῷ νῦν καιρῷ; v. 26) al justificar a los que tienen fe en Jesús: la comunidad de fe del nuevo pacto. De hecho, en Romanos 4, para reforzar su argumento a favor de la justificación sólo por la fe, Pablo habla del perdón de Abraham y David sobre la base de su fe, cuyos pecados fueron *definitivamente* pasados por alto hasta que fueron castigados en Cristo. Si los "pecados pasados" tienen una connotación universal, entonces habría que preguntarse qué consiguió la muerte propiciatoria de Cristo por los pecados del faraón y de los egipcios, por ejemplo.

Tiene más sentido entender que los "pecados pasados" son los de la comunidad de fe del Antiguo Testamento, y, por tanto, en este sentido, la

---

[17] Frédéric Godet, *Commentary on St. Paul's Epistle to the Romans, Clark's Foreign Theological Library*, 2 vols. (Edimburgo: T. & T. Clark, 1892), 2:263-64.

[18] Douglas J. Moo, *The Epistle to the Romans, NICNT* (Grand Rapids, MI: Eerdmans, 1996), 240.

expiación que Cristo ofreció ya tenía un enfoque particular. Parece razonable, entonces, que también tenga una referencia definida en el "tiempo presente".

II. Textos Universalistas: Cristo murió por "muchos", por "todos", por el "mundo"

Varios textos paulinos relativos a la obra salvadora de Dios en Cristo presentan una alusión universal.

Romanos 5:12-21

> Por tanto, tal como el pecado entró en el mundo por medio de un hombre, y por medio del pecado la muerte, así también la muerte se extendió a todos los hombres, porque todos pecaron. Pues antes de la ley había pecado en el mundo, pero el pecado no se toma en cuenta cuando no hay ley. Sin embargo, la muerte reinó desde Adán hasta Moisés, aun sobre los que no habían pecado con una transgresión semejante a la de Adán, el cual es figura de Aquel que había de venir.
>
> Pero no sucede con la dádiva como con la transgresión. Porque si por la transgresión de uno murieron los muchos, mucho más, la gracia de Dios y el don por la gracia de un Hombre, Jesucristo, abundaron para los muchos. Tampoco sucede con el don como con lo que vino por medio de aquel que pecó; porque ciertamente el juicio surgió a causa de una transgresión, resultando en condenación; pero la dádiva surgió a causa de muchas transgresiones resultando en justificación. Porque si por la transgresión de un hombre, por este reinó la muerte, mucho más reinarán en vida por medio de un Hombre, Jesucristo, los que reciben la abundancia de la gracia y del don de la justicia.
>
> Así pues, tal como por una transgresión resultó la condenación de todos los hombres, así también por un acto de justicia resultó la justificación de vida para todos los hombres. Porque así como por la desobediencia de un hombre los muchos fueron constituidos pecadores, así también por la obediencia de Uno los muchos serán constituidos justos.
>
> La ley se introdujo para que abundara la transgresión, pero donde el pecado abundó, sobreabundó la gracia, para que así como el pecado reinó en la muerte,

así también la gracia reine por medio de la justicia para vida eterna, mediante Jesucristo nuestro Señor.

En este extenso párrafo, Pablo supone una unión entre Adán y todos sus descendientes y una unión entre Cristo y todos sus descendientes: "existe una unión vivificante entre Cristo y los suyos que es similar, pero más poderosa, que la unión productora de muerte entre Adán y los suyos".[19] La unión se ve por la conexión de Adán y Cristo con "los muchos" (οἱ πολλοί; vv. 15b, c, 19a, b) y los "todos" (πάντες; v. 18a, b) a lo largo de este párrafo. Se requiere un manejo cuidadoso de estos términos para hacerles justicia dentro de su contexto, pero también dentro del contexto de la teología a nivel más amplio del Nuevo Testamento.

Para empezar, la palabra πολλοί ("muchos") no siempre denota "cada uno" o "todos" en un sentido inclusivo.[20] En el corpus de Pablo, la mayoría de los casos de οἱ πολλοί son restrictivos, designando "muchos" o "la mayoría", pero no "todos".[21] Aquí, en Romanos 5, la palabra πολλοί tiene tanto un sentido inclusivo como un sentido restrictivo: es decir, cuando se utiliza en relación con aquellos a los que afecta la obra de Adán, se refiere inclusivamente a "todos", como en "cada uno" (v. 15; cf. v. 12); pero cuando se usa en relación con aquellos a los que afecta la obra de Cristo, se refiere a los que reciben (λαμβάνοντες) el don de la justicia (v. 17).

Lo mismo ocurre con el uso que hace Pablo de πᾶς ("todos"); también hay que interpretarlo dentro de su contexto.[22] En muchos pasajes paulinos está

---

19 Moo, *Romans*, 318.

20 Contra J. Jeremias, "πολλοί", *TDNT* 6:536-41.

21 Para (οἱ) πολλοί, véase Romanos 16:2; 1 Corintios 1:26 [2×]; 11:30; 16:9; 2 Corintios 2:17; 6:10; 11:18; Gálatas 3:16; Filipenses 3:18; Tito 2:10. Para πολύς, véase 1 Corintios 10:5; 15:6; Filipenses 1:14 (articular); 2 Corintios 2:6; 4:15; 6:10. Para πάντες, véase 1 Corintios 9:19; 10:1-4 (passim); 15:6; Filipenses 1:13. Aunque varios de ellos podrían ser inclusivos, Moo, *Romans*, 336 n. 100, rebate con razón la afirmación de Jeremías de que "οἱ πολλοὶ se utiliza siempre de forma inclusiva" en el Nuevo Testamento, excepto en Mateo 24:12 y 2 Corintios 2:17 (*TDNT* 6:540). Véase Romanos 12:5 y 1 Corintios 10:17 para los lugares en los que Pablo utiliza οἱ πολλοί de forma inclusiva, pero en los que el contexto limita el grupo al que se pretende llegar.

22 J. William Johnston, *The Use of Πᾶς in the New Testament, Studies in Biblical Greek* (Nueva York: Peter Lang, 2004), 35, esboza cuatro alcances básicos de πᾶς en el Nuevo Testamento: (1) "todos sin excepción"; (2) "todo lo que acaba de ser objeto de discusión"; (3) "todo tipo" o "todos sin distinción"; (4) "todos en el sentido más elevado o puro". En términos más generales, Johnston sostiene que πᾶς sugiere la cuantificación, ya sea en un

necesariamente limitado por el contexto (Ro. 8:32; 12:17, 18; 14:2; 16:19). En el caso particular de Romanos 5:18, donde aparece dos veces, existe un debate sobre el referente adecuado de πάντες, primero en relación con la obra de Adán y luego en relación con la obra de Cristo:

Ἄρα οὖν ὡς δι' ἑνὸς παραπτώματος εἰς **πάντας** ἀνθρώπους εἰς κατάκριμα, οὕτως καὶ δι' ἑνὸς δικαιώματος εἰς **πάντας** ἀνθρώπους εἰς δικαίωσιν ζωῆς-.

Por lo tanto, así como una transgresión llevó a la condenación de **todos** los hombres, un acto de justicia lleva a la justificación y a la vida de **todos** los hombres.[23]

Basándose en supuestos paralelos con Romanos 11:32 y 1 Corintios 15:22, Ernst Käsemann concluye que la πάντες de Romanos 5:18b tiene el mismo alcance que la πάντες del versículo 18a: "la gracia omnipotente es impensable sin el universalismo escatológico".[24] Bruce L. McCormack cree que el paralelismo con 1 Corintios 15:22 no encaja,[25] pero sin embargo, por otros motivos, argumenta de forma similar a Käsemann sobre Romanos 5:18: la Escritura no confirma el universalismo escatológico como un hecho, pero nos permite esperarlo.[26]

Ciertamente, el lenguaje δικαιο de Pablo se emplea siempre para conferir un *estatus* al individuo, de modo que no es una mera provisión objetiva lo que

---

sentido sumativo ("todos sin distinción" o "un conjunto de elementos tomados como un todo") o en un sentido distributivo ("todos sin excepción" o "todos y cada uno de un grupo").

[23] Romanos 5:18 proporciona la apódosis de la comparación iniciada en 5:12: "Por lo tanto, así como el pecado entró en el mundo por un hombre, y la muerte por el pecado, y así la muerte se extendió a todos los hombres porque todos pecaron... [Por lo tanto, como una sola transgresión llevó a la condenación para todos los hombres], así un solo acto de justicia lleva a la justificación y a la vida para todos los hombres".

[24] Ernst Käsemann, *Commentary on Romans*, trad. Geoffrey W. Bromiley (Grand Rapids, MI: Eerdmans, 1980), 157.

[25] Bruce L. McCormack, "So That He Might Be Merciful to All: Karl Barth and the Problem of Universalism", en *Karl Barth and American Evangelicalism*, ed. Bruce L. McCormack y Clifford B. Anderson (Grand Rapids, MI: Eerdmans, 2011), 231-32, sostiene que la redacción de 1 Corintios 15:22 muestra que cada "todos" tiene una connotación diferente. El segundo "todos" se limita a "los que son de Cristo" (v. 23).

[26] Ibid., 238–39.

tiene en mente,[27] o una redención "potencial",[28] sino una salvación real y efectiva. Sin embargo, tanto Käsemann como McCormack pierden de vista el sentido del texto: El interés de Pablo es demostrar "no la extensión numérica de los justificados como idéntica a la extensión numérica de los condenados, sino el paralelismo que se da entre el camino de la condena y el de la justificación. Es el *modus operandi* lo que está a la vista".[29]

El alcance de cada πάντες está necesariamente limitado por el alcance de cada ἑνός y su obra.[30] Como afirma Moo:

> El punto de Pablo no es tanto que los grupos afectados por Cristo y Adán, respectivamente, sean coextensivos, sino que Cristo afecta a los que son suyos con tanta certeza como Adán a los que son suyos.[31]

Defender una relación exacta entre los dos grupos relacionados con Adán y Cristo es optar por la posición del universalismo, que, a la luz de otros textos paulinos, resulta insostenible (por ejemplo, Ro. 2:12; 2 Ts. 1:8-9). De hecho, en contra de lo que sostiene McCormack, incluso el contexto inmediato nos impide tomar ese camino.

La vida no reina en todos por el mero hecho de la obra de Cristo; más bien, la vida reina en "los que reciben" (οἱ ... λαμβάνοντες) la abundante provisión de gracia de Dios (Ro. 5:17).[32] McCormack (y Käsemann) han fallado en ver la

---

[27] Contra R. C. H. Lenski, *The Interpretation of St. Paul's Epistle to the Romans* (1936; repr., Minneapolis: Augsburg, 1961), 383: "Lo que Cristo obtuvo para todos los hombres, no lo reciben todos". Cf. también Lightner, *Death Christ Died*, 135-47.

[28] Udo Schnelle, *Apostle Paul: Life and Theology*, trad. M. Eugene Boring (Grand Rapids, MI: Baker Academic, 2005), 579, comentando 1 Corintios 15:23.

[29] John Murray, *The Epistle to the Romans*, 2 vols., *NICNT* (Grand Rapids, MI: Eerdmans, 1959), 1:203. McCormack, "So That He Might Be Merciful to All", 233, parece coincidir en un punto. Comentando sobre Romanos 5:17 dice: "El contraste aquí es entre el efecto del acto del primer hombre y el efecto del acto del segundo". Sin embargo, véase más adelante, donde McCormack también se confunde en el texto.

[30] Compárese también la relación de de οἱ πολλοί con ἑνός en los versículos 15 y 19.

[31] Moo, *Romans*, 343. No se trata de insistir en un particularismo de la gracia por los términos "muchos" o "todos" —tal maniobra sería injustificada—; pero es igualmente injustificado concluir que los términos denotan un universalismo absoluto.

[32] Contra McCormack, "So That He Might Be Merciful to All", 233, quien afirma que "el contexto literario [de Romanos 5:18] requiere que el segundo 'todos' sea tan universal en su alcance como lo es el primer ['todos]". Pero el versículo 17 demuestra que el contexto literario no requiere tal co'nclusión. Lo que resulta desconcertante es que McCormack proceda a citar el versículo 17. El punto que McCormack plantea es incorrecto por el simple hecho de que la extensión igual de la obra de Cristo a la de Adán no es lo que hace que su

desbalanceada comparación del apóstol en el versículo 17. Como señaló Calvino:

> La maldición de Adán es anulada por la gracia de Cristo, y la vida que Cristo otorga se traga la muerte que vino de Adán. *Sin embargo, las partes de esta comparación no se corresponden.* Pablo debió haber dicho que la bendición de la vida reina y florece cada vez más por la abundancia de la gracia, en lugar de lo cual dice que *los creyentes* "reinarán". Sin embargo, el sentido es el mismo, pues el reino de los creyentes está en la vida, y el reino de la vida está en los creyentes.[33]

Esto ayuda a rebatir la afirmación de M. Eugene Boring de que en Romanos 5:12-21 Pablo demuestra que:

> En Jesucristo se afirma el poder real de Dios, y la imagen final es la de Dios-rey que ha *sustituido* el reino del pecado y la muerte por el reino de la justicia y la vida, y lo ha hecho *para todos los seres humanos*.[34]

---

obra sea "mucho más" efectiva que la de Adán; más bien, es el *efecto* de la obra de Cristo lo que la hace superior a la de Adán: no sólo Cristo revierte la obra de Adán sino que la sustituye asegurando que haya *abundancia* de gracia y que la vida vuelva a *reinar*. Incluso Ulrich Wilckens, *Römer, Der Brief an die Römer (Röm 6-11), 3 vols, Evangelisch-Katholischer Kommentar zum Neuen Testament VI/2 Studienausgabe* (Neukirchen, Alemania: Neukirchener Verlag, 1980), 1:325, admite que οἱ ... λαμβάνοντες son cristianos, aunque luego se escabulle de un referente específico de "todos" sugiriendo que son meramente representativos de la totalidad de personas que son liberadas por Cristo del pecado y la muerte ("die Gesamtheit der durch Christus von Sünde und Tod befreiten Menschen"). El argumento de M. Eugene Boring, "The Language of Universal Salvation in Paul", *JBL* 105.2 (1986): 287, de que la gran mayoría de los usos de Pablo de λαμβάνοντες son pasivos, puede ayudar a moderar el entusiasmo de Bultmann por la "necesidad de decidir" que se lee en el texto, pero no milita contra el hecho de que la obra de Cristo reina sólo en los que la reciben.

[33] Calvino, *Romans and Thessalonians, CNTC* (Grand Rapids, MI: Eerdmans, 1960), 116 (énfasis añadido).

[34] Boring, "Universal Salvation in Paul", 283-84 (énfasis añadido en la última frase). El artículo seminal de Boring presenta la opinión de que el lenguaje soteriológico "conflictivo" de Pablo se debe a que engloba imágenes que poseen su propia lógica inherente, pero que no son necesariamente reconciliables entre sí. Así, según Boring, "al igual que la imagen abarcadora de Dios-juez tiene un pensamiento de dos grupos incorporado, el pensamiento de un grupo es inherente a la imagen de Dios-rey" (280). Mi argumento aquí no es el de Boring en cuanto a que Pablo trabaja con varias imágenes en su soteriología —concedido que Romanos 5:12-21 transmite la imagen real con su uso de la terminología de "reino"— o que tales imágenes tienen su propia "lógica inherente" —eso es cierto—, sino que mi argumento yace en que Boring no ha descifrado adecuadamente la lógica inherente de la imagen real en 5:12-21: no se dice que el derrocamiento de la transgresión de Adán por

Boring no ve la comparación desbalanceada que observa Calvino. La obra de Cristo en Romanos 5 se vincula a los creyentes, a los que reciben su gracia (v. 17); la obra de Adán se relaciona con toda la humanidad sin excepción (v. 12).

McCormack reconoce el aspecto de "recepción" del versículo 17, pero luego lo sigue con una réplica: "Pero *cómo* y *cuándo* se recibe son cuestiones que quedan sin resolver en esta etapa del argumento de Pablo en Romanos".[35] Esta afirmación es desconcertante a la luz del número de veces que Pablo habla del *cómo* y el *cuándo* de la recepción de la gracia de Dios hasta este punto en Romanos. La fe, el mecanismo por el que las personas reciben la gracia de Dios, se menciona unas treinta veces hasta Romanos 5:12,[36] y en cada caso, ya sea implícita o explícitamente, la fe se produce durante la experiencia de vida de la persona en cuestión; difícilmente algo "no resuelto" en esta etapa del argumento de Pablo en Romanos.

Por supuesto, el argumento de McCormack es más matizado: simplemente quiere atenuar la conclusión de que "recibir es un acto que sólo puede tener lugar dentro de los límites de la historia".[37] ¿No puede ocurrir la fe *después* del fin de la historia y del tiempo?, se pregunta McCormack. Para él, este es el "misterio" del que habla Pablo: no el hecho de dejar de lado la condición de la fe, sino cómo puede engendrarse esa fe una vez que la historia se ha consumado.[38] Basa esa

---

parte de Cristo sea para "todos los seres humanos", sino para todos "los que reciben" la abundancia de la gracia (v. 17). Aunque Boring reconoce la frase del versículo 17, no capta la "suave implicación" (por usar sus propias palabras) de la misma: que hay, por tanto, *dos* grupos y no uno *dentro de la imagen real*: los que reciben el don gratuito de Dios y los que no. Además, parece que Pablo consideraría que las diferentes imágenes soteriológicas abarcadoras son *complementarias* (y, por lo tanto, seguramente también "reconciliables" y compatibles), ya que la imagen real de 5:12-21 se emplea en el argumento más amplio de Pablo para probar su punto en 5:1-11, que Dios es un *Juez* que salvará a los creyentes en el día de su ira, siendo la "implicación suave" que hay algunos que no se salvarán. En otras palabras, la imagen real de 5:12-21 sirve de apoyo a la imagen jurídica de 5:1-11, sugiriendo una relación compatible entre ambas en lugar de una "irreconciliable". Como admite el propio Boring, incluso 5:12-21 contiene terminología jurídica (κρίμα, κατάκριμα, κλτ.); y, como señala Richard H. Bell, un universalista, incluso en Romanos 11 hay terminología de justificación, lo que crea problemas para la imagen real de Boring en ese capítulo ("Rom 5:18-19 and Universal Salvation", *NTS* 48 [2002]: 432 n. 97). (El artículo de Bell no avanza más en el debate).

35 McCormack, "So That He Might Be Merciful to All", 233.

36 Romanos 1:5, 8, 12, 16, 17; 3:22, 25, 26, 27, 28, 30, 31; 4:3, 5, 9, 11 (2×), 12, 13, 14, 16 (2×), 17, 18, 19, 20, 22, 24; 5:1, 2. (Algunos leen διὰ πίστεως Ἰησοῦ Χριστοῦ en 3:22 como genitivo subjetivo —"por la fidelidad de Jesucristo"—, pero esto apenas repercute en las estadísticas).

37 McCormack, "So That He Might Be Merciful to All", 233.

38 Ibid., 236–37.

esperanza en las afirmaciones que hace Pablo en Romanos 9-11, especialmente en 11:25b: "un endurecimiento parcial ha venido sobre Israel, hasta que haya entrado la plenitud de los gentiles".

Para McCormack, "eso se refiere seguramente al final, al acto final de la historia".[39] La escatología de Pablo experimentó un "desarrollo conspicuo", según McCormack, de manera que Dios está dispuesto y es capaz de salvar al Israel étnico y nacional más allá de los límites de la historia. Esto no incluye sólo a *una parte* del Israel nacional, sino a "todo Israel" (11:26), lo que significa "todo individuo judío, vivo o muerto".[40] Esto explica por qué Pablo abre aún más el abanico en 11:32: "Porque Dios ha entregado a todos a la desobediencia, para tener misericordia de todos".

En resumen, la propuesta de McCormack para la esperanza de la salvación universal es la siguiente: Si Dios salvará a todo judío más allá de los límites del tiempo y la historia, ¿no es razonable albergar la esperanza de que lo haga con todos los demás?

Crítica a McCormack

Se pueden presentar una serie de puntos en respuesta.

(1) La propuesta de McCormack de que "este misterio" [τὸ μυστήριον τοῦτο] se refiere a cómo puede engendrarse la fe una vez consumada la historia es una novedad entre los comentaristas (antiguos y recientes). No se trata de negar la validez del argumento, pero sí de plantear la cuestión de qué es lo que en el contexto sugiere que Pablo tenga en su mira la creación de la fe más allá de los límites del tiempo y la historia. La lógica del texto apunta más bien en la dirección de que el "misterio" se refiere a la secuencia por la que Israel se salvará: "Israel se endurece *hasta que* [ἄχρι] entren los gentiles, y así [οὕτως] se salve todo Israel".[41]

(2) J. William Johnston, en su estudio sobre πᾶς en el Nuevo Testamento, afirma que, desde el punto de vista sintáctico-semántico, los sustantivos

39 Ibid., 236.

40 Ibid., 238.

41 Moo, *Romans*, 716. Las otras propuestas de lo que es el "misterio" son: (1) el endurecimiento que ha venido sobre Israel; (2) el endurecimiento parcial y temporal de Israel; (3) todo Israel se salvará.

geográficos (políticos o raciales) anárquicos modificados por πᾶς suelen transmitir un sentido sumativo.[42] "Todo Israel" (πᾶς Ἰσραήλ, כל-ישׂראל), era un modismo bien conocido en las fuentes veterotestamentarias y judías,[43] que tenía un significado corporativo más que un sentido de "todos y cada uno" en este caso. Ciertamente, en el contexto, la imagen del olivo (11:16-24) es de naturaleza más colectiva que individualista.

(3) En relación con el "todos" de 11:32, McCormack ha descuidado el elemento distintivo del llamamiento de Pablo al ministerio evangélico: "Apóstol de los gentiles" (véase 11:13). A lo largo de Romanos, Pablo hace hincapié en que tanto los judíos *como los gentiles* están incluidos en el plan de salvación de Dios,[44] y ese ha sido su tema en los versículos anteriores: que después de que haya entrado la plenitud de los gentiles, todo Israel como entidad orgánica (aunque no necesariamente todos los judíos) se salvará. Atender a este aspecto de la teología y la misión de Pablo proporciona una explicación más razonable de por qué utilizó un lenguaje omnicomprensivo en 11:32.[45]

(4) De estos tres puntos se deduce que las conclusiones que McCormack saca de varios aspectos del esquema histórico-salvífico de Pablo en Romanos están ausentes en el propio pensamiento de Pablo. En ninguna parte saca Pablo tales conclusiones, cosa que incluso McCormack admite; y si hubiera querido que viviéramos con tal esperanza, entonces ¿por qué no plantear en este punto crucial de la epístola, o en otro lugar, una cuestión tan obvia?

(5) Incluso si uno concede, bajo la inspiración del Espíritu Santo, algún "desarrollo" en la soteriología de Pablo, lo que no se puede permitir es la clara incompatibilidad que la salvación universal supone respecto a los otros textos

---

[42] Por ejemplo, Mateo 2:3; 3:5; Lucas 6:17; Hechos 1:8. Y, aunque algunos de estos textos del Nuevo Testamento presentan una alusión más geográfica que poblacional, hay numerosos ejemplos de la LXX (Jue. 3:3; 1 S. 18:16; 2 R. 22:13; 2 Cr. 23:8; Neh. 13:12).

[43] Para las fuentes judías, véase Jub. 50:9; T. Leví 17:5; T. Jos. 20:5; T. Ben. 10:11; Pseudo Filón 22:1; 23:1.

[44] Véase también Romanos 1:5, 7, 13-14, 16; 2:11, 26-29; 3:23, 29-30; 4:9-12, 16-17; 9:24-26, 30; 10:11-13, 20; 11:12, 15, 17, 19-20; 15:9-12; 16:26.

[45] Véase Thomas R. Schreiner, *Paul: Apostle of God's Glory in Christ* (Downers Grove, IL: Apollos, 2001), 184. Véase también Johnston, *Use of Πᾶς in the New Testament*, 143-48, sobre el "todos" de Romanos 11:26 y cómo no es necesario tomarlo en el sentido plenamente implícito de "todo individuo dentro del Israel nacional". Johnston afirma con razón que "todo Israel puede ser salvado como grupo aunque algunos israelitas étnicos individuales no compartan ese destino" (148).

en los que Pablo habla de la condenación de los perdidos, incluso aquí en Romanos 9-11.[46]

En resumen, a menos que se opte por el universalismo absoluto, el uso de οἱ πολλοί y πάντες en Romanos 5:12-21 debe interpretarse a la luz del ἑνός con el que están relacionados.

2 Corintios 5:14-15

> Pues el amor de Cristo nos apremia, habiendo llegado a esta conclusión: que Uno murió por todos, y por consiguiente, todos murieron. Y por todos murió, para que los que viven, ya no vivan para sí, sino para Aquel que murió y resucitó por ellos

La cuestión controvertida en este texto es la palabra "todos". T. F. Torrance, comentando el carácter universal de este pasaje, señaló que debe "tomarse con toda seriedad y no reducirse".[47] Estoy de acuerdo. El quid principal para los intérpretes es el referente de cada instancia de πάντες en los versos 14 y 15, y el referente de οἱ ζῶντες en el verso 15. Los comentaristas han presentado cuatro interpretaciones principales:[48]

(1.) Lectura "universalista": el triple uso de πάντες y οἱ ζῶντες se refiere a todas las personas sin excepción: toda la humanidad.[49]

(2.) Lectura "universal-particular": los tres usos de πάντες denotan a todas las personas sin excepción, mientras que οἱ ζῶντες describe a los "en Cristo". En esta lectura, la muerte (ἀπέθανον) de todos es real: "Cuando Cristo murió, todos murieron; es más, su muerte implicó la muerte de

46 Por ejemplo, Romanos 9:3, 6-7, 13, 18, 21-22, 31-33; 10:2-4; 11:7-10, 20-23, 28. Incluso Boring, "Universal Salvation in Paul", 288, refuta el argumento de McCormack: el particularismo se da tanto en los textos paulinos tempranos como en los tardíos.

47 T. F. Torrance, *The Atonement: The Person and Work of Christ* (Downers Grove, IL: IVP Academic, 2009), 183.

48 Las etiquetas de cada interpretación son mi propia descripción de las posiciones.

49 J. Lambrecht, "'Reconcile yourselves...': A Reading of 2 Cor 5,11-21", *Benedictina* 10 (1989): 161-209.

ellos".[50] La muerte ocurre al mismo tiempo que la muerte (ἀπέθανεν)[51] de Cristo y "puede ser la muerte merecida por el pecado, o una muerte objetiva 'ética' que debe ser apropiada subjetivamente por la fe individual, o una participación colectiva en el acontecimiento de la muerte de Cristo por la que fue destruido el poder del pecado".[52] Pero, "si bien todas las personas 'murieron' cuando Cristo murió, no todas resucitaron a una nueva vida cuando Él resucitó de entre los muertos".[53] Aunque Murray J. Harris desaconseja hablar de una muerte "potencial" para todos, como en la opción (3) que sigue, sin embargo parece llegar a una posición similar cuando escribe: "Hay un universalismo en el alcance de la redención, ya que ninguna persona está excluida de la oferta de salvación de Dios; pero existe un particularismo en la aplicación de la redención, ya que no todos se apropian de los beneficios ofrecidos por esta salvación universal".[54]

(3.) Lectura "potencial-actual": viendo el motivo εἷς-πάντες como una reminiscencia de Romanos 5:12 y 5:18, la muerte de Cristo sigue siendo potencialmente inclusiva para "todos" los que están "en Adán", pero es real para aquellos "en Cristo" que se han apropiado de ella mediante la fe.[55] Así, la distinción potencial-actual se aplica a la palabra πάντες en 2 Corintios 5:14: Cristo murió potencialmente por todos (en Adán), pero sólo todos (en Cristo) murieron realmente: "Los 'todos' que han muerto 'en Cristo' no son coextensivos con los 'todos' que pecan y mueren 'en Adán'".[56]

(4.) Lectura "todos-actual": el triple referente de πάντες es coextensivo con οἱ ζῶντες; y la muerte de Cristo por todos y la muerte de todos es vista

[50] Murray J. Harris, *The Second Epistle to the Corinthians, NIGTC* (Grand Rapids, MI: Eerdmans, 2005), 421-22.

[51] Dado que ambos verbos aparecen en aoristo, no hay razón para distinguir el momento de estas muertes (ibid., 421).

[52] Ibid., 422.

[53] Ibid., 421.

[54] Ibid., 423.

[55] Paul Barnett, *The Second Epistle to the Corinthians, NICNT* (Grand Rapids, MI: Eerdmans, 1997), 290 n. 10: "La muerte y resurrección de Cristo es para todos, cancelando los efectos del pecado y la muerte y proporcionando así la potencialidad, objetiva y subjetiva, del fin de la muerte y el comienzo de la vida para todos".

[56] Ibid., 290.

> como real.[57] La diferencia entre esta interpretación y la lectura "universalista" es que aquí "todos" se refiere a un grupo indefinido de personas, pero que no equivale a todas las personas sin excepción; en otras palabras, "todos" en este contexto significa todas las personas sin distinción-no toda la humanidad.

Al llegar a una decisión sobre el referente de πάντες, hay que tener en cuenta varios puntos. En primer lugar, la alusión a Romanos 5:12, 15-19 a través del motivo εἷς-πάντες no obliga a interpretar πάντες como una referencia a todo el mundo, ya que en el pasaje de Romanos πάντες se circunscribe o bien a Adán o bien a Cristo: en relación con el primero, toda la humanidad está ciertamente incluida -todos pecaron y murieron a causa de su unión con Adán- pero no así en relación con el segundo, a menos que se opte por el universalismo. Esto descarta la opción (1).

De hecho, las palabras Χριστὸς ὑπὲρ ἡμῶν ἀπὲθανεν de Romanos 5:8 son igual de cercanas a 2 Corintios 5:14 y tienen en mente a los creyentes. En segundo lugar, la mayoría de los comentaristas admiten que la lectura más sensata es tomar πάντες en las tres ocurrencias como coextensivas (aparte de la lectura potencial-actual). El artículo definido (οἱ) que precede a πάντες en el verso 14b es anafórico, y apunta al πάντες del verso 14a; y, tanto si se toma καί como epexegético o conjuntivo en el verso 15a, la siguiente frase ὑπὲρ πάντων ἀπέθανεν es idéntica en sentido al verso 14a.

Por lo tanto, tiene sentido tomar cada πάντες con igual referencia. Ciertamente, el contexto no ofrece indicadores de alcances diferentes.[58] Esto

---

[57] Charles Hodge, *Commentary on the Second Epistle to the Corinthians* (Grand Rapids, MI: Eerdmans, 1953), 135-37: "Cristo murió por todos los que murieron cuando Él murió" (136). Cf. también John Murray, *Redemption Accomplished and Applied* (Edimburgo: Banner of Truth, 1955), 81.

[58] Harris, *Second Corinthians*, 421, está de acuerdo con este punto, pero considera que el referente de "todos" es todo el mundo, antes de argumentar que οἱ ζῶντες "sugiere que se está introduciendo una categoría nueva y distinta", es decir, los creyentes. Propone que, si Pablo hubiera querido que οἱ ζῶντες fuera coextensivo con πάντες, habríamos esperado que Pablo escribiera simplemente καὶ ὑπὲρ πάντων απέθανεν ἵνα μηκέτι ἑαυτοῖς ζῶσιν κτλ, o ... ἵνα ζῶντες μηκέτι κτλ. Pero esto es poner palabras en la boca/pluma de Pablo. La introducción de οἱ ζῶντες no requiere necesariamente la introducción de una nueva categoría de personas, si observamos que Pablo habla ahora del mismo grupo, pero de una forma nueva: πάντες se refiere a los que murieron como consecuencia de la muerte de Cristo; οἱ ζῶντες, a todos los que viven (ζῶσιν) para Cristo. Así, la introducción de una nueva

sugeriría que la opción (3) no es digna de apoyo. En tercer lugar, una atención indebida a la palabra πάντες puede descuidar la importante conjunción ἄρα. En muchos sentidos, el significado del versículo gira en torno a esta única palabra: Cristo murió por todos, *por lo tanto*, todos murieron. Lo que Pablo quiere decir, entre otras cosas, es que la muerte de Cristo *produce* la muerte espiritual de los demás, de manera que (καί) murió por todos para que (ἵνα) los que viven (habiendo muerto en Cristo) ya no vivan para sí mismos, sino para el que murió y resucitó por ellos (v. 15).[59]

En otras palabras, la muerte de Cristo es a la vez eficaz y propositiva y revela que hay una unión implícita entre Cristo y aquellos por los que murió, algo que Pablo hace más explícito en Romanos 6:1-11.

Aunque Harris afirma la eficacia de la muerte de Cristo en 2 Corintios 5:14, su explicación de lo que implica exactamente esta muerte es menos específica.[60] Propone algunas explicaciones, pero cada una de ellas es poco convincente. La "muerte merecida por el pecado" tiene poco sentido porque Cristo muere la muerte "merecida" *por* ellos; la muerte de "todos" es una muerte que ellos mismos mueren.

Las opciones segunda y tercera de Harris van en la dirección correcta — "una muerte 'ética' objetiva de la que hay que apropiarse subjetivamente por la fe individual" o "una participación colectiva en el acontecimiento de la muerte de Cristo por la que se destruyó el poder del pecado"— pero en todos los casos

---

frase para el mismo grupo es totalmente apropiada dado lo que Pablo sigue diciendo sobre ellos.

[59] Contra las personas en lados opuestos del debate sobre la expiación que sugieren que la muerte de "todos" se refiere al estado de las personas por las que murió Cristo. Véase, por ejemplo, *John Owen, Salus Electorum, Sanguis Jesu: Or The Death of Death in the Death of Christ*, en *The Works of John Owen*, ed. W. H. Goold, 24 vols. (Edimburgo: Johnstone & Hunter, 1850-1855; reimpr. Edimburgo: Banner of Truth, 1967), 10:350-51, por un lado; y John F. Walvoord, "Reconciliation", *BSac* 120 (enero-marzo de 1963): 10, por otro. Pero el verbo es activo, no pasivo: "todos murieron", no "todos (por los que Cristo murió) estaban muertos". Contra también Norman F. Douty, *The Death of Christ: A Treatise Which Answers the Question: "Did Christ Die Only for the Elect?"* (Swengel, PA: Reiner, 1972), 70: "todos por los que murió aquel viernes por la tarde, murieron en la ley cuando Él expiró, no es que dejaran de pecar. En otras palabras, su muerte fue de carácter legal, no espiritual; fue objetiva, no subjetiva; fue judicial, no moral (o ética)".

[60] Harris, *Second Corinthians*, 420-21. Barnett, *Second Corinthians*, 290-91, habla sólo de lo que la muerte de Cristo estaba "destinada" a procurar, y pasa por alto este aspecto principal sobre la eficacia real. Afirma la actualidad de la muerte de Cristo para todos, pero sólo una vez que hay un compromiso de fe en Cristo (290). Esto implica que la actualidad de la expiación depende de la fe humana.

falla en captar algunas de las consecuencias de su propia interpretación del versículo. Si la "muerte 'ética' objetiva" debe ser apropiada subjetivamente por la fe, ha estrechado inmediatamente el referente de πάντες a *todos los que creen*, lo cual es inconsistente con su opinión de que πάντες se refiere a todos, y que sólo en el verso 15 hay un estrechamiento con la introducción de la nueva categoría οἱ ζῶντες.

En cuanto a su tercera opción, Harris se muestra incoherente al interpretar las implicaciones de "una participación colectiva en el acontecimiento de la muerte de Cristo por el que se destruyó el poder del pecado". Si esto es cierto, y el poder del pecado es destruido —y creo que lo es: la muerte de Cristo por todos *efectúa* la muerte de todos— entonces todos (cada uno) seguramente morirían para sí mismos, con lo que o bien se torna verdadero el universalismo, si πάντες significa todos, o bien se restringe el alcance de πάντες a lo mismo que οἱ ζῶντες. Además, como sigue explicando el versículo 15, Cristo murió *y resucitó* por los creyentes (τῷ ὑπὲρ αὐτῶν ἀποθανόντι καὶ ἐγερθέντι).[61]

Si su muerte por todos resultó en la muerte espiritual de todos, entonces seguramente por implicación su resurrección resultaría en la resurrección espiritual de todos, algo que Pablo indica explícitamente en otra parte (Ro. 6:1-11). Para que Harris mantenga su posición, tiene que argumentar que "aunque todas las personas murieron, en un sentido [uno de los tres sentidos anteriores, presumiblemente], cuando el Hombre que las representaba murió, no todas fueron resucitadas a una nueva vida cuando Él resucitó".[62] Pero esto plantea la pregunta de por qué no, ya que Harris argumenta anteriormente que ὑπὲρ αὐτῶν significa que Cristo las representó,[63] y por lo tanto su representación seguramente debe funcionar *tanto* en su muerte como en su resurrección. Aquí parece producirse una incoherencia por parte de Harris.

A veces parece sugerir una unión implícita con Cristo en ambas fases de la muerte y resurrección de Cristo, y otras veces quiere permitir una disyunción entre ellas: unión con Cristo en su muerte, pero no en su resurrección. Pero, como dice Pablo en Romanos, "pues si hemos estado unidos a Él en una muerte semejante a la suya, ciertamente estaremos unidos a Él en una resurrección

---

[61] Dado que el artículo único τῷ modifica tanto a ἀποθανόντι como a ἐγερθέντι, parece que ὑπὲρ αὐτῶν puede interpretarse con ambos participios.

[62] Harris, *Second Corinthians*, 423.

[63] Ibid., 422.

semejante a la suya" (6:5). Obsérvese lo que el apóstol argumenta aquí: si la unión con Cristo se produjo en su muerte, la unión con Cristo en su resurrección se produce necesariamente. No puede haber disyunción.

Para Pablo, la redención efectuada (la muerte *y* resurrección de Cristo) *condiciona* la redención aplicada.[64] La perspectiva redentora-histórica no se limita a proporcionar la base de una analogía para explicar lo que sucede en la experiencia existencial del creyente; es "a la vez dominante y determinante",[65] de modo que todos aquellos por los que Cristo murió también murieron en Cristo, y todos los que murieron en Cristo ciertamente también resucitarán con Él, de modo que "los que viven ya no vivan para sí mismos, sino para el que por ellos murió y resucitó". Todo esto es así por el vínculo inquebrantable entre Cristo y aquellos por los que murió y resucitó.

En resumen: parece que la única posición coherente que se puede adoptar exegética y teológicamente es la opción (4). Aquellos que desean argumentar que "todos" es todo el mundo, con el verso 15 introduciendo un grupo más estrecho (Harris), o con el verso 14 denotando potencialidad y el verso 15 actualidad (Barnett), deben lidiar con la consecuencia de decir que la muerte de Cristo efectuó la "muerte" de todos, pero luego falló en traer su nueva vida (Harris), o que su muerte no efectuó realmente la muerte de todos en primer lugar (Barnett).

2 Corintios 5:19

> Es decir, que Dios estaba en Cristo reconciliando al mundo con Él mismo, no tomando en cuenta a los hombres sus transgresiones, y nos ha encomendado a nosotros la palabra de la reconciliación

Comprender el punto teológico básico de 2 Corintios 5:14-15 ayuda a interpretar el referente de "mundo" (κόσμος) en el versículo 19. Tomando la combinación

---

[64] John Murray, "Definitive Sanctification", *CTJ* 2 (1967): 5-21 (19): "Algo ocurrió en el pasado histórico que hace necesario lo que se realiza y ejemplifica en la historia de la vida actual".

[65] Richard B. Gaffin, *Resurrection and Redemption: A Study in Paul's Soteriology*, 2a ed. (Phillipsburg, NJ: P&R, 1987), 59.

de ὡς ὅτι como epexegética ("es decir"[66]), el verso 19 explica y amplía el pensamiento del verso 18: "Todo esto proviene de Dios, quien por medio de Cristo nos reconcilió consigo mismo y nos dio el ministerio de la reconciliación". Existe un debate sobre la mejor traducción del versículo 19, pero una serie de consideraciones inclinan la balanza a favor de "Dios estaba en Cristo, reconciliando al mundo consigo mismo".[67]

En esta traducción, θεὸς ἦν ἐν Χριστῷ no se refiere a la encarnación, aunque ciertamente la incluye, sino al conjunto de la vida de Cristo, y en particular, dado el contexto (vv. 14-15), a la muerte de Cristo por la que Dios reconcilió al mundo consigo mismo. Así pues, tenemos una profunda declaración cristológica en esta breve expresión: ontológicamente, Dios estaba en Cristo y actuó a través de Él para asegurar la redención divina del mundo.

Este acto de reconciliación de "Dios en Cristo" tiene como centro el κόσμος, un término que puede referirse a la totalidad de la creación (cf. Ro. 1:20; 1 Co. 3:22), pero más probablemente, en el contexto, al mundo de los seres humanos (cf. Ro. 3:6; 5:12-13; 2 Co. 1:12), como exigen los pronombres αὐτοῖς y αὐτῶν, y como indica παραπτώματα. Pero, ¿a quién se incluye exactamente en la palabra κόσμος? Ciertamente, ningún exégeta debe dudar de la connotación omnicomprensiva y global que conlleva κόσμος. Su pleno peso y su carácter corporativo no deben ser disminuidos en modo alguno (véase más adelante).

No obstante, como ocurre con otros usos del término en Pablo (cf. Ro. 11:12, 15), la palabra no tiene por defecto el significado de "todos sin excepción", o "cada persona". La reflexión sobre el contexto inmediato y la cuidadosa atención a lo que afirma exactamente 2 Corintios 5:19 hacen que uno dude de sacar tal conclusión. Para empezar, si se toma correctamente ὡς ὅτι como epexegético, entonces κόσμος explica y amplía los ἡμᾶς del versículo 18, que son claramente creyentes.

Además, la primera de las dos cláusulas participativas siguientes (μὴ λογιζόμενος αὐτοῖς τὰ παραπτώματα αὐτῶν) proporciona restricciones para equiparar el "mundo" con "todos".[68] "El mundo" son aquellos hacia los que

---

[66] Las otras opciones viables pero menos convincentes son tomar la frase como comparativa o causal. Véase Harris, *Second Corinthians*, 438-40, para la evaluación de cada opción.

[67] Véase ibid., 440-42, para estas. La traducción de la ESV también es aceptable.

[68] Ambas cláusulas participiales enuncian dos implicaciones o consecuencias del acto de reconciliación de Dios por medio de Cristo.

(αὐτοῖς[69]) Dios no tiene en cuenta sus pecados (τὰ παραπτώματα αὐτῶν).[70] A menos que uno esté dispuesto a adoptar el universalismo, el "mundo" en el verso 19 entonces simplemente no puede significar "cada uno".[71] El mundo es perdonado por Dios, lo que significa que debe ser un mundo *creyente* lo que Pablo tiene en mente.[72]

Parece mejor, entonces, ver "mundo" en 2 Corintios 5:19 como una referencia a la gente en un sentido general ("todos sin distinción"), en oposición a un sentido distributivo e inclusivo ("todos sin excepción"). Cuando Pablo utiliza el término, tiene en mente a judíos y gentiles.[73] "La gracia de Dios abarca todo el cosmos en su capacidad orgánica, incluyendo a los gentiles; no una rama, sino todo el árbol de la raza humana es el objeto de su acto reconciliador".[74]

Colosenses 1:20

> Y por medio de Él reconciliar todas las cosas consigo, habiendo hecho la paz por medio de la sangre de Su cruz, ya sean las que están en la tierra o las que están en los cielos.

---

69 Un dativo de desventaja.

70 El mero uso del participio en tiempo presente καταλλάσσων no significa que este acto de reconciliación estuviera en curso o fuera incompleto. El contexto debería determinar el significado aquí. Si, como se argumenta, el verso 19 amplía el verso 18, entonces el acto completo de reconciliación de Cristo está en el panorama de Pablo. S. E. Porter, *Καταλλάσσω in Ancient Greek Literature, with Reference to Pauline Writings* (Córdoba: El Amendro, 1994), 138-39, argumenta por motivos aspectuales que el verso 19 debería traducirse como "el acto de reconciliación de Dios", con la construcción perifrástica utilizada para dar énfasis.

71 Comentando este versículo, David L. Allen, "The Atonement: Limited or Universal?", en *Whosoever Will: A Biblical-Theological Critique of Five-Point Calvinism*, ed. David L. Allen y Steve W. Lemke (Nashville: B&H Academic, 2010), 64, escribe: "El plan de Dios en la expiación fue proveer un castigo y una satisfacción por el pecado como base para la salvación de toda la humanidad y para asegurar la salvación de todos los que creen en Cristo". Pero en ninguna parte del texto Pablo afirma una intención dividida en la expiación. Allen tiene que introducir esa lectura en este texto en particular.

72 Una posible alusión aquí al Salmo 32:2 apoya este punto de vista, que los que componen el "mundo" son creyentes. La frase μὴ λογιζόμενος recuerda muy probablemente las palabras de David en LXX Salmo 32:2: "μακάριος ἀνήρ, οὗ οὐ μὴ λογίσηται κύριος ἁμαρτίαν". (cf. Jer. 31:34).

73 Stanley E. Porter, "Reconciliation as the Heart of Paul's Missionary Theology", en *Paul as Missionary: Identity, Activity, Theology, and Practice*, ed. Trevor J. Burke y Brian S. Rosner, *Library of New Testament Studies* 420 (Londres: T. & T. Clark, 2011), 175.

74 Geerhardus Vos, "The Biblical Doctrine of the Love of God", en *Redemptive History and Biblical Interpretation: The Shorter Writings of Geerhardus Vos*, ed. Richard B. Gaffin (Phillipsburg, NJ: P&R, 1980), 450.

En 2 Corintios 5:19 la palabra "mundo" denota la humanidad. Cristo salvará al mundo en el sentido de que salvará a una nueva humanidad: Judío y gentil unidos como un solo hombre (Ef. 2:15).

Sin embargo, hay otros textos paulinos, como Colosenses 1:20, que demuestran que la muerte de Cristo afectará al "universo", a todo el orden creado. Pablo afirma claramente que por medio de Cristo (δἰαὐτοῦ) Dios reconciliará (ἀποκαταλλάξαι) consigo todas las cosas (τὰ πάντα), haciendo la paz (εἰρηνοποιήσας[75]) mediante la sangre de su cruz (διὰ τοῦ αἵματος τοῦ σταυροῦ αὐτοῦ). Sobre la base del impacto universal de la muerte de Cristo, algunos han argumentado retrospectivamente a favor de una expiación universal: Seguramente, si la muerte de Cristo conduce a la reconciliación de todas las cosas en la tierra y en el cielo, debe haber muerto por todos.

Así argumenta Shultz:

> Para que Cristo reconciliara todas las cosas con el Padre, tuvo que pagar por todos los pecados, incluidos los de los no elegidos. De lo contrario, algunos pecados quedarían fuera de su obra expiatoria y, por tanto, de su triunfo cósmico.[76]

En la discusión que sigue, se demostrará que esta es una deducción errónea. Las repercusiones universales para el orden creado se basan, de hecho, en una expiación definitiva, no universal.

Desde la época de Orígenes, algunos intérpretes han empleado Colosenses 1:20 como argumento a favor de la salvación universal. El raro verbo ἀποκαταλλάξαι sólo aparece dos veces en el Nuevo Testamento (aquí y en Ef. 2:16), pero su forma base καταλλάσω se encuentra con más frecuencia en Pablo (Ro. 5:10 [2×]; 1 Co. 7:11; 2 Co. 5:18, 19, 20), al igual que su sustantivo correspondiente (Ro. 5:11; 11:15; 2 Co. 5:18, 19).

En cada uno de estos casos (con 1 Co. 7:11 como excepción), "reconciliar/reconciliación" se refiere a "la restauración de la comunión entre Dios y los pecadores".[77] Pero el objeto de ἀποκαταλλάξαι, aquí τὰ πάντα,

---

[75] Un participio de medios.

[76] Gary L. Shultz, Jr., "God's Purposes in the Atonement for the Nonelect", *BSac* 165 (abril-junio, 2008): 157.

[77] Douglas J. Moo, *The Letters to the Colossians and to Philemon, PNTC* (Nottingham, Reino Unido: Apollos, 2008), 134.

sugiere que el alcance de esta "reconciliación" es más amplio que la humanidad. La frase τὰ πάντα aparece cinco veces en el contexto (cf. esp. Col. 1:16), y en cada ocasión se refiere al universo creado.

Pablo incluso especifica τὰ πάντα como cosas en la tierra (τὰ ἐπὶ τῆς γῆς) y cosas en el cielo (τὰ ἐν τοῖς οὐρανοῖς; v. 20). En 2:15, habla de que "los gobernantes y las autoridades" (τὰς ἀρχὰς καὶ τὰς ἐξουσίας) quedan desarmados por la cruz. Así, lo que se "reconcilia" con Dios no es sólo la humanidad, sino todo el cosmos creado. Y esto no debe sorprendernos, ya que desde un punto de vista bíblico-teológico, la línea argumental de la Biblia revela una relación integral entre la redención y la creación: "Dios no crea el mundo de la redención sin tener en cuenta el mundo anterior de la naturaleza";[78] y puesto que la creación lo abarca todo —"los cielos y la tierra"— es comprensible que la obra redentora de Cristo tenga un impacto restaurador *universal*. La sangre de Cristo penetrará en todos los rincones de este universo creado.

La cuestión, sin embargo, pasa a ser qué significa exactamente el término "reconciliar" (ἀποκαταλλάξαι). De las diversas posibilidades,[79] los evangélicos han presentado dos propuestas principales.

1. "Reconciliar" significa "pacificar"

F. F. Bruce y Peter T. O'Brien proponen que, en el contexto, ἀποκαταλλάξαι significa "pacificación".[80] Es decir, la tierra y el cielo han sido restaurados a su orden divinamente creado y determinado, el universo está de nuevo bajo su legítima Cabeza, y reina la paz cósmica.[81]

Mediante su muerte en la cruz (διὰ τοῦ αἵματος τοῦ σταυροῦ αὐτοῦ), Cristo ha logrado esta paz (εἰρηνοποιήσας) para el universo, una paz que era la esperanza escatológica de los profetas del Antiguo Testamento (Is. 52:6-10; Jer. 29:11; Ez. 34:25; Miq. 5:5; Hag. 2:9; Zac. 9:10). No se trata de que todos los

---

[78] Geerhardus Vos, *Biblical Theology: Old and New Testaments* (Edimburgo: Banner of Truth, 1948), 21.

[79] Para ello, véase el útil resumen de Peter T. O'Brien (*Colossians, Philemon, WBC* 44 [Waco, TX: Word, 1982], 54-55); y Robert A. Peterson, "To Reconcile to Himself All Things: Colosenses 1:20", *Presbyterion* 36.1 (primavera de 2010): 37-46.

[80] F. F. Bruce, *Commentary on the Epistles to the Ephesians and Colossians, NICNT* (Grand Rapids, MI: Eerdmans, 1957), 210; O'Brien, *Colossians, Philemon*, 55-56.

[81] Parafraseando a Eduard Lohse, *Colossians and Philemon*, trad. W. R. Poehlmann y R. J. Karris de la 14ª ed. alemana. (Filadelfia: Fortress, 1971), 59.

seres humanos entren en una relación de amor con Dios en la que se sometan voluntariamente a su gobierno sobre sus vidas; más bien, la paz que ha logrado Cristo puede ser "aceptada libremente, o... impuesta obligatoriamente" (Fil. 2:10-11).[82]

Sin embargo, hay una reordenación, una restauración y una renovación del universo previamente fracturado.[83] Moo está de acuerdo: lo que está en el ámbito de Pablo aquí no es la salvación o redención cósmica, sino la restauración cósmica.[84]

2. "Reconciliar" significa "paz con Dios"

I. Howard Marshall propone que ἀποκαταλλάξαι "tiene el sentido de la restauración real de las buenas relaciones", pero que el pensamiento en Colosenses 1:20 es simplemente la "provisión de reconciliación de Dios para el mundo".[85] La realización de esta reconciliación depende de la aceptación del evangelio y de la fe, y "por lo tanto", para Marshall, "es muy improbable que se enseñe aquí cualquier tipo de salvación universal de toda la creación".[86]

El énfasis de Pablo no está tanto en el *hecho* de la reconciliación de "todas las cosas", que Marshall considera que son los gobernantes y las autoridades en el versículo 16, como en su propia *necesidad* de reconciliación. Esta interpretación evita "los intentos desesperados de dar a 'reconciliar' un sentido distinto al que suele tener".[87]

John Piper argumenta de forma similar. Inspirándose en el lenguaje de la "paz" de Efesios 2:14-15, sostiene que ἀποκαταλλάξαι no puede tener el

---

[82] Bruce, *Ephesians and Colossians*, 210. Véase también Henri A. G. Blocher, "Everlasting Punishment and the Problem of Evil", en *Universalism and the Doctrine of Hell*, ed., Nigel M. de S. Cameron (Grand Rapids, MI: Baker, 1992), 282-312, que defiende la cesación del pecado pero un remordimiento eterno por ese pecado.

[83] Herman Bavinck, *Sin and Salvation in Christ*, vol. 3 de *Reformed Dogmatics*, ed. John Bolt, trad. John Vriend, 4 vols. (Grand Rapids, MI: Baker Academic, 2006), 472, entiende que esto significa que los demonios y los malvados serán enviados al infierno, pero toda la creación con sus habitantes será restaurada en el nuevo cielo y la nueva tierra.

[84] Moo, *Colossians and Philemon*, 136.

[85] I. Howard Marshall, "The Meaning of 'Reconciliation'", en *Unity and Diversity in New Testament Theology: Essays in Honor of George E. Ladd*, ed. Robert A. Guelich (Grand Rapids, MI: Eerdmans, 1978), 126.

[86] Ibid.

[87] Ibid.

significado de pacificación.[88] Los interlocutores de Piper son Bruce Ware y Mark Driscoll, que afirman que las personas que están en el infierno están "reconciliadas" con Dios; ellos también comprenden τὰ πάντα. Para abstenerse de lo que él cree que es una posición antibíblica, Piper necesariamente restringe el significado de τὰ πάντα a "todas las cosas en el nuevo cielo y la nueva tierra".[89] Piensa que tal perspectiva explica por qué Pablo tal vez omite el término καταχθονίων ("bajo la tierra"; cf. Fil. 2:10) cuando dice que Cristo "reconciliará consigo todas las cosas, ya sea en la tierra o en el cielo" (Col. 1:20).

Para Piper, habrá una "oscuridad exterior", algo "bajo la tierra" que no está reconciliado con Dios. "En la nueva realidad todas las cosas están reconciliadas con Cristo por su sangre".[90]

Colosenses 1:20 y la expiación definitiva

La posición de Marshall y Piper tiene cierto peso, aunque cabe preguntarse si no incurren en una restricción injustificada del campo semántico de ἀποκαταλλάξαι. Sin embargo, sea cual sea la interpretación que se adopte de este versículo, el texto no tiene ninguna consecuencia para la doctrina de la expiación definitiva. El impacto universal de la muerte de Cristo no es sinónimo de una expiación universal. La distinción es importante.

En este texto, Pablo no está argumentando que Cristo propició la ira de Dios por cada ser humano, como tampoco está argumentando que Cristo propició la ira de Dios por las rocas y los pájaros y las estrellas, o incluso los ángeles caídos. Más bien, Pablo se limita a afirmar que una de las consecuencias escatológicas de la muerte de Cristo es una paz universal entre todas las cosas en la tierra y en el cielo. Con su muerte, Jesús es el *Christus Victor* que devuelve todo en el universo a su lugar y orden legítimos.

El alcance de la redención realizada no está aquí en la perspectiva periférica de Pablo; su enfoque es el impacto escatológico de la cruz de Cristo, no el alcance sustitutivo de la misma. Argumentar retrospectivamente desde los

---

88 John Piper, "'My Glory I Will Not Give to Another': Preaching the Fullness of Definite Atonement to the Glory of God", capítulo 23 de este volumen.

89 En este punto está influenciado por H. A. W. Meyer, *Critical and Exegetical Hand-Book to the Epistles to the Philippians and Colossians, and to Philemon* (1883; reimpr., Winona Lake, IN: Alpha, 1980), 241-42.

90 Piper, "'My Glory I Will Not Give to Another'", capítulo 23 de este volumen.

efectos escatológicos de la muerte de Cristo hasta una expiación universal es una falsa deducción. De hecho, el pasaje paralelo, Romanos 8:19-23, muestra que lo que hay detrás de la renovación cósmica no es una provisión universal hecha por la expiación de Cristo, sino una redención consumada de un grupo particular de personas: "los hijos de Dios".

La expiación definitiva y la restauración de la creación (Romanos 8:19-23)

> **Romanos 8:19–23** Porque el anhelo profundo de la creación es aguardar ansiosamente la revelación de los hijos de Dios. Porque la creación fue sometida a vanidad, no de su propia voluntad, sino por causa de Aquel que la sometió, en la esperanza de que la creación misma será también liberada de la esclavitud de la corrupción a la libertad de la gloria de los hijos de Dios. Pues sabemos que la creación entera gime y sufre hasta ahora dolores de parto. Y no solo *ella*, sino que también nosotros mismos, que tenemos las primicias del Espíritu, aun nosotros mismos gemimos en nuestro interior, aguardando ansiosamente la adopción como hijos, la redención de nuestro cuerpo.

Un análisis cuidadoso de Romanos 8:19-23 revela que en la soteriología de Pablo hay una conexión integral entre los creyentes humanos físicos, "los hijos de Dios", y el universo físico creado. La creación (ἡ κτίσις) espera (ἀπεκδέχεται) con ansia (ἀποκαραδοκία) la revelación (τὴν ἀποκάλυψιν) de los hijos de Dios (τῶν υἱῶν τοῦ θεοῦ; v. 19); la propia creación será liberada (ἐλευθερωθήσεται) de su esclavitud a la corrupción (ἀπὸ τῆς δουλείας τῆς φθορᾶς) para obtener la libertad de la gloria de los hijos de Dios (τὴν ἐλευθερίαν τῆς δόξης τῶν τέκνων τοῦ θεοῦ; v. 21); toda la creación (πᾶσα ἡ κτίσις) gime conjuntamente (συστενάζει), como nosotros, esperando la adopción como hijos (υἱοθεσίαν), la redención (τὴν ἀπολύτρωσιν) de nuestros cuerpos (τοῦ σώματος ἡμῶν; vv. 22-23).

Dios ha sometido (ὑπετάγη) a la creación a la futilidad (τῇ ματαιότητι; v. 20) a causa del pecado humano (cf. Gn 3,17-19), pero fue sometida "en esperanza" (ἐφ' ἐλπίδι; Ro. 8:20), la esperanza de que un día sería renovada. Lo que anticipa e inaugura la renovación de este mundo creado es la redención consumada de un grupo particular de personas, "los hijos de Dios". Hay una relación integral entre ambas: la primera depende de la segunda: es decir, "sólo con la gloria de los hijos de Dios y a causa de ella la creación experimenta su propia liberación plena y final".[91]

Así, en contra de algunos argumentos, no es una expiación *universal y potencial* la que trae consigo una recreación universal, sino una redención *particular y eficaz* de los hijos de Dios: la expiación definitiva. Así, cuando se aplica el principio de *analogia fidei*, y se leen conjuntamente Colosenses 1:20 y Romanos 8:19-23, la expiación definitiva y no la expiación universal surge como la mejor explicación de la causa de la renovación cósmica.

1 Timoteo 2:4-6

> ...el cual quiere que todos los hombres sean salvos y vengan al pleno conocimiento de la verdad. Porque hay un solo Dios, y también un solo Mediador entre Dios y los hombres, Cristo Jesús hombre, quien se dio a sí mismo en rescate por todos, testimonio dado a su debido tiempo.

Este pasaje se emplea comúnmente en el arsenal de los opositores a la expiación definitiva.[92] Sin embargo, deseo mostrar que una lectura atenta de 1 Timoteo 2:4-6 es compatible con la doctrina de la expiación definitiva. Una serie de observaciones ayudarán a dilucidar el texto.

En primer lugar, a partir de una lectura de espejo[93] de 1 Timoteo, la mayoría de los comentaristas reconocen que Pablo escribió a Timoteo en un contexto eclesiológico de falsas enseñanzas, cuyos aspectos incluían un exclusivismo/elitismo influenciado por el esoterismo (mitos, genealogías; 1:4-6), la ley judía (1:7) y el ascetismo (abstención del matrimonio y de ciertos alimentos, etc.; 4:3).

En este sentido, una de las principales preocupaciones de Pablo en la epístola es reenfocar el alcance universal del evangelio frente a este

---

[91] Moo, *Romans*, 517.

[92] Así, por ejemplo, I. Howard Marshall, "Universal Grace and Atonement in the Pastoral Epistles", en *Grace of God and the Will of Man*, 61-63. Bruce Demarest, *The Cross and Salvation: The Doctrine of Salvation, Foundations of Evangelical Theology* (Wheaton, IL: Crossway, 1997), 191, sostiene que "la cita de Pablo en el v. 4 de que Dios 'quiere que todos los hombres se salven' indica que hasta la última persona está en vista" en el versículo 6: "y se dio a sí mismo en rescate por todos los hombres".

[93] Una lectura de espejo, es por definición, una lectura que sigue un patrón al reverso del que generalmente se emplea (Nota del traductor).

exclusivismo y estrechez heréticos. Las afirmaciones "todos" (2:2, 4, 6; 4:10) y "el mundo" (3:16) tienen, pues, mucho sentido cuando se leen en este contexto. Curiosamente, las afirmaciones de "todos" del capítulo 2 vienen después de las referencias al elitismo herético (1:4-7), y del mismo modo, el "todos" de 4:10 viene después de las referencias a la enseñanza de la abstención (4:1-8). Como concluye Philip Towner:

> la razón que subyace a la justificación de Pablo de esta misión universal es, casi con toda seguridad, la falsa enseñanza, con su enfoque de la vida centrado en la Torá, que incluía una inclinación exclusivista o una minimización de la misión gentil.... El enfoque de Pablo es la construcción de un pueblo de Dios que incorpore a todas las personas, independientemente de su origen étnico, social o económico...[94]

En segundo lugar, el contexto literario demuestra que las referencias de Pablo a "todos" deben entenderse en términos de categorías o subgrupos de personas. Así, en 2:1, Pablo pide oraciones "por todas las personas" (ὑπὲρ πάντων ἀνθρώπων); difícilmente una tarea alcanzable si quiere decir "cada persona de la tierra".

En el versículo 2, la repetición de ὑπὲρ, junto con la especificación adicional del subgrupo de reyes y gobernantes civiles (βασιλέων καὶ πάντων τῶν ἐν ὑπεροχῇ ὄντων), añade apoyo a la opinión de que "todas las personas" significa "toda clase de personas"; es decir, "individuos de todo tipo de grupos diversos". En el versículo 4, el deseo de Dios de que "todas las gentes" (πάντας ἀνθρώπους) se salven se fundamenta en la verdad del monoteísmo ("Porque hay un solo Dios"; Εἷς γὰρ θεός), y en la exclusiva obra mediadora de Cristo ("y un solo mediador entre Dios y los hombres"; εἷς καὶ μεσίτης θεοῦ καὶ ἀνθρώπων; v. 5), algo que sustenta la disponibilidad del evangelio tanto para el judío como para el gentil en otro pasaje de Pablo (Ro. 3:21-31).

Además, el testimonio del "rescate por todos" de Cristo (ἀντίλυτρον ὑπὲρ πάντων) —tanto en el propio acontecimiento como en la posterior predicación del mismo— se ha revelado ahora (1 Ti. 2:6), lo que apoya la idea de que "todos" se refiere a que la salvación se ofrece tanto a los gentiles como a los judíos en

94 Philip H. Towner, *The Letters to Timothy and Titus, NICNT* (Grand Rapids, MI: Eerdmans, 2006), 177.

este momento de la historia. El "todos" es, pues, redentor-histórico. La muerte de Cristo es ahora inclusiva: es para judíos y gentiles. Esta lectura se apoya en el versículo 7: "Con este fin [es decir, con el fin de dar testimonio de la obra redentora de Cristo que lo incluye todo] he sido nombrado heraldo y apóstol... y maestro de la verdadera fe a los gentiles" (Traducción del autor).[95]

A la luz del contexto literario inmediato, parece totalmente razonable considerar que la lectura de "todos" en los versículos 4 y 6 significa "toda clase de personas": individuos de diversas etnias (judíos y gentiles), de diferentes clases de la sociedad que normalmente se consideran fuera del ámbito de la salvación (reyes y autoridad civil), e incluso de diferentes antecedentes morales (el primero de los pecadores, como era Pablo; 1:15). Esta posición también se ve reforzada por la ausencia de cualquier referencia al individuo. En ninguna parte del texto Pablo escribe como si estuviera argumentando a nivel individual, lo que hace menos plausible la posición de que "todos" se refiere a "cada persona".

En tercer lugar, además del contexto eclesiológico y literario inmediato, el contexto más amplio del llamamiento de Pablo al ministerio nos orienta hacia la lectura de "todos" como "todos sin distinción".[96] En Hechos 22:15, Pablo afirma que el llamamiento de Dios al ministerio estaba relacionado con su condición de testigo de "todas las personas", lo que apoya de nuevo la idea de judío y gentil.

En cuarto lugar, la teología de Pablo apoya esta lectura. En otras partes del Nuevo Testamento, Pablo utiliza el monoteísmo y la muerte de Cristo como base para que la salvación sea "inclusiva a todos": disponible tanto para los judíos como para los gentiles (Ro. 3:21-31).

En quinto lugar, atender a las conexiones bíblicas internas entre 1 Timoteo 2:6, por un lado, y Mateo 20:28 y Marcos 10:45, por otro, refuerza mi lectura de 1 Timoteo 2:6. La frase "se dio a sí mismo como rescate por todos" se hace eco de la frase de Mateo y Marcos "El Hijo del Hombre vino... a dar su vida como rescate por muchos":[97]

---

[95] En 1 Timoteo 3:16, el uso que hace Pablo de "mundo" es claramente una referencia a "judíos y gentiles", pero no a todo el mundo, a menos que se adopte una posición universalista.

[96] Por ejemplo, el uso que hace Pablo de "todos" en otros lugares incluye diferentes categorías de la humanidad (Gá. 3:8; Col. 3:11).

[97] F. Buschel, "ἀντίλυτρον", *TDNT* 4:349, dice que 1 Timoteo 2:6 "se basa claramente en Marcos 10:45". De acuerdo con ello: James R. Edwards, *The Gospel according to Mark, PNTC* (Leicester, UK: Apollos, 2002), 327 n. 65; y George W. Knight III, *The Pastoral Epistles:*

1 Timoteo 2:6: ... *ὁ δοὺς ἑαυτὸν* ***ἀντίλυτρον ὑπὲρ πάντων*** ...
... que **se dio** a sí mismo como **rescate por todos** ...

Mateo 20:28: ... *ὥσπερ ὁ υἱὸς τοῦ ἀνθρώπου οὐκ ἦλθεν διακονηθῆναι ἀλλὰ διακονῆσαι καὶ δοῦναι τὴν ψυχὴν αὐτοῦ* ***λύτρον ἀντὶ πολλῶν***.
... como el Hijo del Hombre no ha venido a ser servido, sino a servir, y a **dar** su vida en **rescate por muchos**.

Marcos 10:45: *καὶ γὰρ ὁ υἱὸς τοῦ ἀνθρώπου οὐκ ἦλθεν διακονηθῆναι ἀλλὰ διακονῆσαι καὶ* ***δοῦναι*** *τὴν ψυχὴν αὐτοῦ* ***λύτρον ἀντὶ πολλῶν***.
Porque también el Hijo del Hombre no ha venido a ser servido, sino a servir, y a **dar** su vida en **rescate por muchos**.

La mayoría de los comentaristas coinciden en que los dos textos evangélicos llevan consigo una alusión a Isaías 53,[98] y, por tanto, 1 Timoteo 2:6 puede albergar en su interior un eco latente de Isaías 53. Ciertamente, esto estaría en consonancia con el uso explícito que hace Pablo de Isaías 52:13- 53:12 en otros lugares, siempre en el contexto de la oferta gratuita del Evangelio a todas las personas.[99]

A Commentary on the Greek Text, NIGTC (Grand Rapids, MI: Eerdmans, 1992), 123: "[Las palabras de Pablo] son aquí tan idénticas a los relatos evangélicos como puede serlo una objetivación replanteada de una declaración personal". Marshall, "Universal Grace and Atonement in the Pastoral Epistles", 59, sostiene que el uso que hace Pablo de "todos" es una paráfrasis adecuada de los textos sinópticos: "Es la palabra natural que se utiliza al pasar de una interpretación crasamente literal del hebreo ['muchos'] a un griego más idiomático". El apóstol alterna los términos "muchos" y "todos" en Romanos 5:12-21.

[98] Aparte de la palabra de conexión πολύς ("muchos"), la alusión funciona principalmente en el nivel conceptual más que en el lingüístico (así la mayoría de los comentaristas de Mateo y Marcos, contra Morna D. Hooker, *Jesus and the Servant* [Londres: SPCK, 1959]). Para un argumento detallado en respuesta a Hooker, véase Rikki E. Watts, "Jesus' Death, Isaiah 53, and Mark 10:45", en *Jesus and the Suffering Servant: Isaiah 53 and Christian Origins*, ed. William H. Bellinger, Jr. y William R. Farmer (Harrisburg, PA: Trinity Press International, 1998), 125-51. Cf. también, O. Betz, "Jesus and Isaiah 53", 70-87, en el mismo volumen.

[99] Véase Romanos 15:14-21; cf. versículos 16, 20, 21 con Isaías 52:13; Romanos 10:11-20; cf. versículo 11 con Isaías 28:16, y versículo 16 con Isaías 53:1 (Knight, *Pastoral Epistles*, 123).

Si esta conexión bíblica interna es válida, entonces la observación restringe el significado de "todos" en 1 Timoteo 2:6 a los que se salvan finalmente, ya que en Isaías 53 "los muchos" no son sólo aquellos por los que el Siervo hace expiación, sino que son coextensivos con "los muchos" que son justificados por el Siervo (v. 12).

No se trata de argumentar que por "muchos" Isaías quería decir "muchos creyentes" o que por "todos" Pablo se refiere a "todos los creyentes". En ambos casos, se crearían tautologías: ¿por qué necesitaría el Siervo justificar a "muchos creyentes", y por qué querría Dios que "todos los creyentes"" se salvaran y llegaran a conocer la verdad?[100] En ambos textos, el grupo objetivo de la obra salvadora son pecadores que necesitan salvación. Por lo tanto, no estoy argumentando aquí una correlación directa en el significado de "muchos" y "todos" con "creyentes". Lo que estoy argumentando es que "muchos" y "todos" en ambos textos están restringidos por sus contextos y por lo tanto no pueden significar "cada uno". Más allá de eso, los términos se dejan deliberadamente indefinidos y ambiguos.

Otros factores en el texto apoyan la idea de una expiación definitiva para "todos":

(1) El *hapax* ἀντίλυτρον apunta a un rescate "real", no a uno "potencial".[101] De los dos posibles significados de ἀντίλυτρον —"pago" o "liberación de la esclavitud"— hay que preferir este último (cf. Tit. 2:14). Además, la forma en que se utiliza el grupo de palabras *lutr* en el Nuevo Testamento (por ejemplo, Mt. 20:28; Mc. 10:45) no ofrece ningún ejemplo de "potencialidad" al rescate de Cristo.

(2) La frase "se entregó a sí mismo" (ὁ δοὺς ἑαυτόν) es una forma típicamente paulina de referirse al autosacrificio definitivo de Cristo en la cruz (Ro. 8:32; Gá. 1:4; 2:20; Ef. 5:2; Tit. 2:14). Curiosamente, estos textos hablan de que Cristo "se entregó por nosotros", es decir, por los creyentes que ya han sido salvados mediante la fe en el "rescate" de Cristo. ¿Por qué entonces Pablo utiliza la palabra "todos" en 1 Timoteo 2:6 en lugar de "nosotros"? Esto se

---

[100] Las tautologías se evitarían si uno sustituye "creyentes potenciales" o "los elegidos", pero incluso entonces, mi argumento es que ni Isaías ni Pablo tienen en mente a "los elegidos"; simplemente tienen en mente a un gran número de pecadores de todas las clases, pero no a todos los pecadores sin reserva.

[101] Leon Morris, *The Apostolic Preaching of the Cross*, 3ª ed. (Grand Rapids, MI: E. (Grand Rapids, MI: Eerdmans, 1965), 51, lo traduce como "sustituto del rescate".

explica fácilmente recurriendo al contexto histórico, donde se dirige a una herejía exclusivista y elitista en Éfeso.

A veces, Pablo habla de la muerte de Cristo con un particularismo estricto (por "mí"; por la "iglesia"; por "su pueblo"; por "nosotros"); otras veces, con un universalismo abierto (por "todos"). La razón de su cambio es siempre contextual.

En conjunto, los párrafos anteriores demuestran que el "todos" de 1 Timoteo 2:4-6 se entiende mejor como "todos sin distinción" que como "todos sin excepción". Esta interpretación se ajusta mejor a los contextos eclesiológico, literario, redentor-histórico, teológico e intrabíblico.

1 Timoteo 4:10

> Porque por esto trabajamos y nos esforzamos, porque hemos puesto nuestra esperanza en el Dios vivo, que es el Salvador de todos los hombres, especialmente de los creyentes

Junto a 1 Timoteo 2:6, los defensores de una expiación universal suelen emplear 1 Timoteo 4:10 como uno de los textos más impactantes a la hora de defender que la muerte de Cristo fue por todos y cada uno.[102] Para algunos, este texto sirve para justificar un doble propósito en la muerte de Cristo. Así, por ejemplo, E. H. Johnson representa a muchos cuando escribe:

> El Nuevo Testamento declara con igual distinción que Cristo murió por todos los hombres, y que murió en un sentido especial por algunos hombres... Ambos aspectos del caso se presentan juntos en 1 Ti. 4:10; el Dios vivo... es el Salvador de todos los hombres, especialmente de los creyentes.[103]

---

[102] Miethe, "Universal Power of the Atonement", 80: "Así, evidentemente, este versículo está diciendo que, aunque Cristo murió por *todos los hombres* —es decir, el don gratuito se extendió a todos—, finalmente es efectivo sólo para aquellos que lo aceptan".

[103] E. H. Johnson, *An Outline of Systematic Theology* (Filadelfia, 1895), 239-40. De manera similar: Knox, "Some Aspects of the Atonement", 262; y Demarest, *Cross and Salvation*, 191-93.

De los "textos problemáticos" para una expiación definitiva, 1 Timoteo 4:10 es ciertamente uno de los textos más difíciles, y por lo tanto merece un tratamiento cuidadoso.

1 Timoteo 4:10 ¿se lee en paralelo con 2:4?

Towner nos ayuda al recordarnos que debemos "leer esta declaración final de la sección [1 Timoteo 4:6-10] con la batalla polémica en mente". Aporta tres razones: Primero, los requisitos ascéticos de 4:4-5 "conformarían la presencia de un exclusivismo judaizante en funcionamiento en la comunidad". Segundo, la "piedad" se afirmaba como la auténtica vida asociada al evangelio de Pablo (2:2 y 4:7-8). En tercer lugar, esta realidad y el rechazo del evangelio paulino por parte de los opositores llevaron a Pablo, en 2:7 y 4:10, a insistir en la autoridad de su misión (universal) a los gentiles. Towner concluye:

> Este patrón de temas sugiere que la declaración potencialmente confusa ('que es el Salvador de todas las personas, especialmente de las que creen') debe leerse a la luz de 2:1-7 y especialmente de 2:4.[104]

Para Towner, 4:10 "replica casi perfectamente la afirmación de 2:4",[105] como lo muestra el siguiente paralelismo:

1 Timoteo 4:10: *εἰς τοῦτο γὰρ κοπιῶμεν καὶ ἀγωνιζόμεθα, ὅτι ἠλπίκαμεν ἐπὶ θεῷ ζῶντι,* ***ὅς*** *ἐστιν* ***σωτὴρ πάντων ἀνθρώπων*** *μάλιστα πιστῶν.*
Pues para ello trabajamos y nos esforzamos, porque tenemos nuestra esperanza puesta en el Dios vivo, **que** es **el Salvador de todos los hombres**, *especialmente de los que creen.*

1 Timoteo 2:4: ... ***ὃς πάντας ἀνθρώπους*** *θέλει* ***σωθῆναι*** *καὶ εἰς ἐπίγνωσιν ἀληθείας ἐλθεῖν.*
... **que desea que todos los hombres se salven** y *lleguen al conocimiento de la verdad.*

---

[104] Towner, *Timothy and Titus*, 311.
[105] Ibid., 312.

La voluntad/deseo universal de Dios en 2:4 (ὃς πάντας ἀνθρώπους θέλει σωθῆναι) coincide en 4: 10 por la frase "que es el Salvador de todos los hombres" (ὅς ἐστιν σωτὴρ πάντων ἀνθρώπων), mientras que "llegar al conocimiento de la verdad" (εἰς ἐπίγνωσιν ἀληθείας ἐλθεῖν) corresponde a "especialmente de los que creen" (μάλιστα πιστῶν).

La primera parte de cada texto se refiere a la postura salvífica de Dios, mientras que la segunda parte de cada texto se refiere a la realidad de esa salvación en los creyentes. En otras palabras, la voluntad universal de Dios está relacionada con una respuesta al evangelio. Como concluye Towner:

> El punto que se plantea de esta manera es que la voluntad salvífica universal de Dios se realiza 'particularmente' a través de la proclamación y la creencia en el evangelio.[106]

Esta interpretación encaja bien con el contexto inmediato de exclusivismo y ascetismo extremos, que estaba produciendo un elitismo en la iglesia de Éfeso (4:3-5, 7). Pablo quiere recordar a la iglesia que Dios es el Salvador de todas las personas, no sólo de la élite ascética.

Aunque ciertamente estoy de acuerdo con la exhortación de Towner a leer 1 Timoteo 4:10 en su contexto eclesiológico y literario, el único problema con su interpretación es que el paralelismo con 2:4 no es tan claro como él sugiere. En 2:4, no hay una distinción tajante entre la voluntad universal de Dios y la respuesta provisional al evangelio (en la lectura de Towner), como sí la hay en 4:10.

El conjuntivo καί en 2:4 une dos infinitivos que complementan el verbo principal θέλω: Dios desea (θέλω) que todos se salven (σωθῆναι) y (καί) lleguen (ἐλθεῖν) al conocimiento de la verdad. La segunda cláusula infinitiva no introduce una nueva realidad diferente a la de ser "salvado", sino la misma realidad expresada de forma diferente. En otras palabras, las dos cláusulas infinitivas no pueden dividirse para que coincidan con las dos partes diferentes de 4:10: ambas forman parte de la única voluntad universal de Dios. En este sentido, la comparación con 2:4 se debilita.

---

106 Ibid.

¿*Μάλιστα* significa "es decir"?

Reconociendo que σωτήρ significa "Salvador" en el sentido soteriológico que tiene en otras partes de 1 Timoteo y de las Epístolas Pastorales (1 Ti. 1:1; 2:3; 2 Ti. 1:10; Tit. 1:3-4; 2:10, 13),[107] algunos estudiosos pretenden eludir el posible desafío a la expiación definitiva argumentando que μάλιστα significa "es decir", en lugar de "especialmente".[108]

> **1 Timoteo 1:1** Pablo, apóstol de Cristo Jesús por mandato de Dios nuestro Salvador, y de Cristo Jesús nuestra esperanza.
> **1 Timoteo 2:3** *Porque* esto es bueno y agradable delante de Dios nuestro Salvador.
> **2 Timoteo 1:10** y que ahora ha sido manifestada por la aparición de nuestro Salvador Cristo Jesús, quien puso fin a la muerte y sacó a la luz la vida y la inmortalidad por medio del evangelio.

En otras palabras, el versículo dice "el Dios vivo, que es el Salvador de todos los hombres, es decir, de los que creen". Sin embargo, esta interpretación de μάλιστα parece poco probable, ya que el medio común para expresar "esto es" o "a saber" es τοῦτ' ἔστιν, que Pablo emplea en otros lugares (ej., Ro. 7:18; 9:8; 10:6-8; Flm. 12).1[109] Cabe preguntarse por qué Pablo utilizaría μάλιστα para esta expresión, cuando μάλιστα tiene el significado común de "especialmente, sobre todo".[110] Hacerlo sería como crear un nuevo significado para el adverbio.

---

107 "El enfoque en la promesa de ζωῆς τῆς νῦν καὶ τῆς μελλούσης, y en una esperanza puesta en θεῷ ζῶντι, exige esa comprensión de σωτήρ aquí" en 1 Timoteo 4:10 (Knight, *Pastoral Epistles*, 203).

108 Por ejemplo, Knight, *Pastoral Epistles*, 203-204. Sorprendentemente, Marshall, "Universal Grace and Atonement", 55, está de acuerdo con la interpretación, a la vez que sostiene la expiación universal. Knight está influenciado por T. C. Skeat, "'Especially the Parchments': A Note on 2 Timothy iv. 13", *JTS* 30 (1979): 174. R. A. Campbell, "*KAI MALISTA OIKEIWN* - A New Look at 1 Timothy 5:8", *NTS* 41 (1995): 157-60, ha añadido apoyo a la posición de Skeat.

109 Vern S. Poythress, "The Meaning of μάλιστα in 2 Timothy 4:13 and Related Verses", *JTS* 53 (2002): 523-32, que rebate cada uno de los ejemplos de Skeat, mostrando que su comprensión del término es defectuosa tanto en los papiros griegos como en los ejemplos del Nuevo Testamento. Según Poythress, las lecturas de Skeat son ambiguas (y, por tanto, no demostrables) o están equivocadas.

110 *BAGD*.

Σωτήρ conlleva dos sentidos: Preservador (físicamente) y preservador (espiritualmente)

Otra opción es que σωτήρ conlleva dos sentidos en el versículo: primero se usa en el sentido más amplio de Dios como "Preservador y Dador de vida" a todas las personas (cf. 1 Ti. 6:13; cf. Hch. 14:15-17; 17:28, con posible alusión a LXX Sal. 36:6: σῴζω), y luego en un sentido espiritual para los creyentes.[111] El hecho de que todos los demás usos de σῴζω y sus sustantivos afines (σωτήρ y σωτήρια) y el adjetivo (σωτήριος) en las Epístolas Pastorales se utilicen en un sentido soteriológico puede parecer, a primera vista, convincente para desechar esta interpretación.

Pero Pablo sí utiliza tanto el verbo σῴζω como el sustantivo afín σωτηρία en el sentido de vida física en Hechos 27:31 y 34, respectivamente, cuando insta a los soldados a bordo de las naves en apuros a salvar sus propias vidas. El sentido de "preservador y dador de vida" es, por tanto, totalmente plausible y no está fuera del rango semántico del apóstol para este grupo de palabras. De hecho, como comenta Henri Blocher en este volumen, el contexto de 1 Timoteo lo apoya:

> El contexto inmediato, a partir del versículo 7b, introduce la dualidad: el ejercicio corporal sí aporta algún beneficio —podríamos hablar de una "salvación" temporal—, pero el ejercicio de la piedad es fructífero a ambos niveles, terrenal y (Pablo podría haber dicho) μάλιστα celestial. Pablo no restringe los beneficios de la piedad al nivel superior, ya que algunos afectan también a la vida en el cuerpo. La dualidad se obtiene con la obra salvadora de

---

[111] Se trata de una interpretación con una larga tradición desde los primeros padres de la Iglesia (Crisóstomo, Ecumenio, Primasio y Ambrosio), pasando por los comentaristas medievales (Aquino), hasta los reformadores (Calvino) y los teólogos posteriores a la Reforma (Turretin). Aquino interpretó el versículo así: "que es el Salvador de la vida presente y futura porque salva con una salvación corporal en cuanto a todos, y por eso se le llama el Salvador de todos los hombres. También salva con una salvación espiritual en cuanto al bien y por eso se dice que es el Salvador especialmente de los que creen" (*Angelici Doctoris Divi Thomae ... Commentaria in Epistolas omnes D. Pauli, II/V* [1856], 34, citado en Turretin, *Institutes*, 2:461); y Juan Calvino, *2 Corinthians and Timothy, Titus, and Philemon, CNTC* (Grand Rapids, MI: Eerdmans, 1964), 245: "Porque aquí σωτήρ es un término general, que significa uno que guarda y preserva". Más recientemente, W. Foerster, "σωτήρ", *TDNT* 7:1017, interpreta el versículo como "Dios es el Benefactor y Preservador de todos los hombres en esta vida y de los creyentes en la vida futura".

> Dios Padre: asegura los bienes de la vida presente *para todos* (gracia común enraizada en la cruz), y la vida de la edad venidera *sólo para los creyentes*. El adverbio μάλιστα no puede significar la diferencia entre lo potencial y lo real.[112]

Esta última interpretación es ciertamente plausible y evita algunas de las dificultades que afectan a las otras interpretaciones.

1 Timoteo 4:10 y la expiación definitiva

Sea cual sea la interpretación por la que se opte —yo simpatizo más con esta última—, un examen más detallado del texto revela que, de hecho, no hay ningún dilema para la doctrina reformada de la expiación definitiva. Aunque no estoy de acuerdo con Towner en que "no hay necesidad de plantear dos matices de significado para el término 'Salvador'", tiene razón al señalar que "no hay aquí ninguna división basada en la expiación limitada e ilimitada".[113] Puede decir esto porque el texto no trata explícitamente de la obra expiatoria *de Cristo*.

Ciertamente hay conexiones, y "Salvador" tiene aquí un sentido soteriológico para los que creen, pero Dios *el Padre* es el referente de θεὸς ζῶντος en 4:10 (cf. 1:1; 2:3) y por lo tanto es el referente de σωτήρ, no el Hijo.[114] La frase "Dios vivo" bien puede ser "una digresión polémica dirigida a la falsa veneración de hombres que ya no vivían y que, sin embargo, eran honrados públicamente como dioses y salvadores en las inscripciones de Éfeso".[115] Así, lo que Pablo también puede estar subrayando aquí es la unicidad de Dios, en el sentido de que para todos los individuos de todo tipo sólo hay un Dios-Salvador, que preserva la vida de todas las personas ahora en la era presente, y especialmente de los creyentes en la vida venidera.

Tito 2:11-14

---

112 Henri A. G. Blocher: "Jesus Christ the Man: Toward a Theology of Definite Atonement", capítulo 20 de este volumen. Véase el compromiso de Blocher con la interpretación de Thomas R. Schreiner en este volumen.

113 Towner, *Timothy and Titus*, 312.

114 Bruce Demarest, por lo tanto, exagera su caso cuando comenta: "Por lo tanto, 1 Ti. 4:10 enseña que Cristo es el Salvador universal en el sentido de que hace una provisión redentora para todas las personas, pero es el Salvador efectivo de aquellos que creen" (*The Cross and Salvation*, 191).

115 Steven M. Baugh, "'Savior of All People': 1 Tim 4:10 in Context", *WTJ* 54 (1992): 338.

> Porque la gracia de Dios se ha manifestado, trayendo salvación a todos los hombres, enseñándonos, que negando la impiedad y los deseos mundanos, vivamos en este mundo sobria, justa y piadosamente, aguardando la esperanza bienaventurada y la manifestación de la gloria de nuestro gran Dios y Salvador Cristo Jesús. Él se dio por nosotros, para redimirnos de toda iniquidad y purificar para Sí un pueblo para posesión Suya, celoso de buenas obras.

Este pasaje es similar a 1 Timoteo 2:4-6 al presentar un posible desafío a la doctrina de la expiación definitiva. Pablo escribe que "se ha manifestado la gracia de Dios, que trae la salvación para todos los hombres" (Ἐπεφάνη γὰρ ἡ χάρις τοῦ θεοῦ σωτήριος πᾶσιν ἀνθρώποις; Tit. 2:11). Como en la discusión anterior, la cuestión se centra en el significado de "todos".

Varios factores sugieren que "todos sin distinción" es la lectura más plausible.

En primer lugar, al igual que en 1 Timoteo, una lectura en espejo de Tito indica que Pablo está criticando a algunos maestros judíos que construían genealogías para excluir a algunos de la salvación (Tit. 1:10, 14-15; 3:9). Por tanto, el énfasis de Pablo es que la gracia salvadora de Dios se manifestó para todas las personas, no sólo para una élite judía.

En segundo lugar, el "para" (γάρ) de 2:11 muestra que la gracia de Dios sirve de base para el material exhortativo de Pablo a varios tipos de cristianos: en los versículos 1-10, Pablo se dirige a hombres y mujeres mayores, a mujeres y hombres más jóvenes y a esclavos. Dada la relación sintáctica que γάρ crea entre el material de los versos 1-10 y el verso 11, tiene mucho sentido que πᾶσιν ἀνθρώποις se refiera a "todos sin distinción".

En tercer lugar, que Pablo no pretende referirse a "todos sin excepción" queda más claro por la cláusula de propósito del versículo 14. Cristo "se entregó por nosotros" (ὃς ἔδωκεν ἑαυτὸν ὑπὲρ ἡμῶν) para "*redimirnos*" (ἵνα λυτρώσηται ἡμᾶς) "de toda iniquidad y para purificar *un pueblo* para su propiedad" (καὶ καθαρίσῃ ἑαυτῷ λαὸν περιούσιον). Como concluye Robert Reymond:

> Así que en el mismo contexto en el que algunos instan a una universalidad distributiva para la obra expiatoria de Cristo, el énfasis lo recibe la

particularidad de la intención detrás de la obra de la cruz de Cristo y la especialidad de la comunidad redimida resultante de esa obra de la cruz.[116]

La observación de las conexiones bíblicas internas entre Tito 2:14 y la LXX (Septuaginta) de Ezequiel 37:23 refuerza aún más este punto:

LXX Ezequiel 37:23:	*... ἵνα μὴ μιαίνωνται ἔτι ἐν τοῖς εἰδώλοις αὐτῶν. καὶ ῥύσομαι αὐτοὺς ἀπὸ* ***πασῶν*** *τῶν* ***ἀνομιῶν*** *αὐτῶν, ὧν ἡμάρτοσαν ἐν αὐταῖς, καὶ* ***καθαριῶ*** *αὐτούς, καὶ ἔσονταί* ***μοι εἰς λαόν****, καὶ ἐγὼ κύριος ἔσομαι αὐτοῖς εἰς θεόν.* ... para que nunca más se contaminen con sus ídolos. Y *los rescataré* de **toda** su **iniquidad**, en la que han pecado, y **los purificaré**, y serán **para mí como un pueblo**, y yo, el Señor, seré un Dios para ellos.[117]
Tito 2:14:	*... ὃς ἔδωκεν ἑαυτὸν ὑπὲρ ἡμῶν, ἵνα λυτρώσηται ἡμᾶς ἀπὸ* ***πάσης ἀνομίας*** *καὶ* ***καθαρίσῃ ἑαυτῷ λαὸν*** *περιούσιον, ζηλωτὴν καλῶν ἔργων.* ... que se entregó a sí mismo por nosotros para *redimirnos* de **toda iniquidad** y **purificar para sí un pueblo** en posesión suya, celoso de las buenas obras.

La similitud en el propósito existe no sólo en (a) *lo que* Dios en el Antiguo Testamento y Cristo en el Nuevo Testamento pretendían hacer —rescatar, redimir y limpiar— sino también en (b) *para quién* lo pretendían.

(a) El propósito de Dios en el nuevo pacto tal como se presenta en Ezequiel, rescatar (ῥύσομαι) al pueblo de todas sus iniquidades (ἀπὸ πασῶν τῶν ἀνομιῶν αὐτῶν) y limpiarlo para que sea un pueblo para Él (καί καθαριῶ αὐτούς, καὶ ἔσονταί μοι εἰς λαόν), se presenta en Tito como el propósito del Hijo encarnado, que se entrega a sí mismo para rescatar (λυτρώσηται) al pueblo de toda su

[116] Reymond, *Systematic Theology,* 694 (énfasis original).
LXX: Septuaginta
[117] Mi traducción.

iniquidad (ἀπὸ πάσης ἀνομίας) y limpiar para sí un pueblo para su propia posesión (καὶ καθαρίσῃ ἑαυτῷ λαὸν περιούσιον).

(b) En Ezequiel, Dios prometió redimir a un pueblo concreto (un Israel reconstituido); en Tito, la intención del Hijo es redimir a un pueblo concreto para su propia posesión (el pueblo de Dios del nuevo pacto). En este sentido, la voluntad de Dios en el Antiguo Testamento y la voluntad del Hijo en el Nuevo Testamento son una sola.

III. Textos "de perdición": Falsos maestros "obtenidos con su propia sangre"; destruyendo al hermano "por el que Cristo murió"

Hechos 20:28-30

> Tengan cuidado de sí mismos y de toda la congregación, en medio de la cual el Espíritu Santo les ha hecho obispos para pastorear la iglesia de Dios, la cual Él compró con Su propia sangre. Sé que después de mi partida, vendrán lobos feroces entre ustedes que no perdonarán el rebaño. También de entre ustedes mismos se levantarán algunos hablando cosas perversas para arrastrar a los discípulos tras ellos.

Romanos 14:15 y 1 Corintios 8:11

> Porque si por causa de la comida tu hermano se entristece, ya no andas conforme al amor. No destruyas con tu comida a aquel por quien Cristo murió.

> Por tu conocimiento se perderá el que es débil, el hermano por quien Cristo murió.

Además de los textos universalistas comúnmente conocidos, los opositores a la expiación definitiva suelen ver Hechos 20:28-30, Romanos 14:15 y 1 Corintios 8:11 como problemáticos para un propósito limitado en la expiación de Cristo. En cada texto, se dice que Cristo murió por personas que pueden perecer, ya sea porque más tarde son expuestos como falsos maestros o porque, como creyentes débiles con una conciencia tierna, tropiezan con el pecado. ¿No demuestra esto que Cristo murió por algunos que finalmente se pierden?

Responderé a esta pregunta empezando por los dos últimos textos: Romanos 14:15 y 1 Corintios 8:11. Los textos comparten contextos similares: se refieren a un cristiano más fuerte que posiblemente abusa de su libertad en cuestiones alimentarias de manera que puede hacer perecer a un hermano "más débil" (ἀδελφός). Pablo dice que es posible que un cristiano coma de tal manera que haga tropezar y se destruya a otro hermano con una conciencia más débil sobre los alimentos que se consumen (ἀπόλλυμι).

En cada caso, Pablo describe al cristiano más débil como uno "por quien Cristo murió" (οὗ Χριστὸς ἀπέθανεν; Ro. 14:15; ὃν Χριστὸς ἀπέθανεν; 1 Co. 8:11). Los opositores a la expiación definitiva argumentan que los textos afirman que Cristo murió por algunos que finalmente pueden perecer.[118] El argumento parece girar en torno al significado de ἀπόλλυμι. El término podría referirse a la pena espiritual o a la autocondena,[119] pero cuando Pablo utiliza el verbo ἀπόλλυμι con un objeto personal, se refiere con mayor frecuencia a la ruina espiritual final, a la destrucción eterna (Ro. 2:12; 1 Co. 1:18; 8:11; 15:18; 2 Co. 2:15; 4:3; 2 Ts. 2:10).[120]

> **Romanos 2:12** Pues todos los que han pecado sin la ley, sin la ley también perecerán; y todos los que han pecado bajo la ley, por la ley serán juzgados.
> **1 Corintios 1:18** Porque la palabra de la cruz es necedad para los que se pierden, pero para nosotros los salvos es poder de Dios.

Si se opta por esta interpretación, parece que el argumento contra una expiación definitiva adquiere cierta fuerza.

---

[118] Por ejemplo, Knox, "Some Aspects of the Atonement", 263. Fritz Guy, "The Universality of God's Love", en *Grace of God and the Will of Man*, 49 n. 31, sostiene que este par de afirmaciones paulinas sugieren "que, en cierto sentido, es posible que una persona limite la eficacia de la expiación para otros al no respetar sus convicciones religiosas".

[119] Así, Judith M. Gundry-Volf, *Paul and Perseverance: Staying in and Falling Away, Wissenschaftliche Untersuchungen zum Neuen Testament* 2/37 (Tübingen: Mohr, 1990), 1:96. Igualmente, John R. W. Stott, *The Message of Romans: God's Good News for the World* (Leicester, Reino Unido: Inter-Varsity Press, 1994), 365-66; Robert A. Peterson, *Salvation Accomplished by the Son: The Work of Christ* (Wheaton, IL: Crossway, 2011), 572; y Craig L. Blomberg, *1 Corinthians* (Grand Rapids, MI: Zondervan, 1994), 163.

[120] Tres posibles excepciones son 1 Corintios 10:9, 10; 2 Corintios 4:9. El significado mayoritario de "ruina espiritual" no requiere ese significado aquí, pero, en aras del argumento, permítanme suponer que es la mejor interpretación.

Sin embargo, seguir esta línea de pensamiento es un movimiento hermenéutico erróneo. Incluso si se opta por la interpretación de la "destrucción eterna" en ambos textos, el argumento pierde su fuerza cuando se ve que Pablo (y también otros escritores del Nuevo Testamento) puede referirse a los que pueden perecer finalmente como si, durante un tiempo, poseyeran visiblemente todas las descripciones de los auténticos creyentes.

Así, por ejemplo, Juan se refiere a Judas como uno de los "discípulos" de Jesús (Jn. 12:4), y Pedro puede hablar de los falsos maestros como aquellos que una vez habían "conocido el camino de la justicia" (2 P. 2:21) y, por tanto, los que fueron "comprados" por Cristo (2 P. 2:1). Hechos 20:28 presenta un ejemplo comparativo: Pablo exhorta a los ancianos de Éfeso a cuidar de la "iglesia de Dios, la cual obtuvo con su propia sangre", y luego dice que *dentro de* esa misma iglesia surgirían falsos maestros (v. 30). Es decir, en un momento dado los miembros *visibles* en la comunidad del pacto, son descritos como los comprados por Cristo. Pero esto no quiere decir que fueran necesariamente miembros *genuinos y elegidos de* la comunidad del pacto; más bien, mientras eran miembros en la comunidad del pacto, se les describe con todas las descripciones de los miembros elegidos: en este caso, como aquellos "obtenidos por su propia sangre".

Lo mismo se aplicaría aquí en Romanos 14:15 y en 1 Corintios 8:11: si el "hermano" más débil fue llevado al pecado y pereció, entonces la cuestión sería si era un hermano genuino en primer lugar.[121] Pero incluso esto supone adelantarse al texto. Pablo no dice que el hermano *vaya a ser* realmente destruido; más bien, está utilizando un lenguaje directo de una realidad escatológica que *ocurriría si* el cristiano más fuerte no cambia su comportamiento.

La advertencia es real, pero no se hace realidad.[122] La advertencia sobre la posibilidad de que el hermano por el que murió Cristo perezca sirve de

---

[121] Véase Moo, *Romans*, 854-55 n. 28. Moo se equivoca al decir que los que creen en la expiación limitada deben concluir que el hermano fue genuinamente regenerado en primer lugar (véase más adelante).

[122] El Nuevo Testamento hace referencia a la apostasía (y a la subsiguiente destrucción eterna) como una posibilidad real y genuina para los creyentes, con el fin de advertirles de que no caigan en el pecado (cf. Heb. 6:1-12; 10:26-31). Para más comentarios, véase Peter T. O'Brien, *The Letter to the Hebrews, PNTC* (Grand Rapids, MI: Eerdmans, 2010), ad loc. El problema de tratar tales advertencias como hipotéticas es que la realidad de la advertencia se asume a menudo en la advertencia. Judas y Demas realmente se apartaron.

motivación para que el cristiano más fuerte viva de forma sacrificada por él, tal y como hizo Cristo por él en su muerte. El fundamento de la exhortación de Pablo es, pues, el lenguaje de una expiación definitiva: Cristo murió por *este hermano*. Aquellos que deseen contemplar el escenario de un hermano por el que Cristo murió y que finalmente perezca, como prueba de la expiación universal, deben tener en cuenta la cuestión más amplia de la enseñanza de Pablo sobre la seguridad del pueblo de Dios (por ejemplo, Ro. 8:29-39; Fil. 1:6; 2 Ti. 2:13; Jud. 24).

IV. Cristo murió por "todos", por el "mundo": Aclaraciones importantes y verdadero optimismo

Aclaración sobre el significado de "todos"

Al argumentar que "todos" en este tipo de textos no significa "todos sin excepción", no quiero dar la impresión de que la única otra alternativa es considerar que el apóstol quiere decir "todos los creyentes" o "todos los creyentes potenciales" o "todos los elegidos". No se trata de una elección de uno u otro. Hay una tercera categoría: "todos" significa "todos los *pecadores* sin *distinción*". Estoy de acuerdo con Marshall sobre este punto en sus comentarios sobre 1 Timoteo 2:4-6: el texto "no se refiere a los creyentes, sino a los que necesitan tanto un mediador que se ofrezca en rescate por ellos como un apóstol que les anuncie el evangelio".[123]

Marshall es culpable, sin embargo, de caricaturizar la posición de la expiación definitiva cuando sugiere que la interpretación reformada significa necesariamente "todos los elegidos/creyentes".[124] He luchado en vano por encontrar un exégeta reformado de calibre que interprete "todos" del modo que sugiere Marshall.[125]

123 Marshall, "Universal Grace and Atonement", 57-58.

124 Ibid.

125 Incluso un exégeta reformado conservador como William Hendriksen, *1 y 2 Thessalonians, 1 y 2 Timothy and Titus, New Testament Commentary* (1955; repr., Edinburgh: Banner of Truth, 1991), 95-99, quien desea defender la "expiación limitada", no argumenta de esta manera.

Calvino es un ejemplo de alguien que evita la falsa dicotomía en la interpretación de la palabra "todos" en los versículos 4-6. En su comentario, Calvino se enfrenta a quienes tienen la "ilusión infantil" de que este pasaje contradice la predestinación. Después de darles poca trascendencia, pasa del tema de la predestinación porque "no es relevante para el contexto actual":

> El significado del apóstol aquí es simplemente que ninguna nación de la tierra y ningún rango de la sociedad está excluido de la salvación, ya que Dios quiere ofrecer el Evangelio a todos sin excepción. Puesto que la predicación del Evangelio da vida, concluye con razón que Dios considera a todos los hombres igualmente aptos para participar en la salvación. Pero él habla de clases y no de individuos y su única preocupación es incluir a los príncipes y a las naciones extranjeras en este número.[126]

Sobre los versículos 5 y 6, Calvino escribe:

> este Mediador no se da sólo a una nación, o a unos pocos hombres de una clase particular, sino a todos, pues el beneficio del sacrificio por el que ha expiado nuestros pecados se aplica a todos. Puesto que en aquel tiempo una gran parte del mundo se había alejado de Dios, menciona explícitamente al Mediador por medio del cual se acercan ahora los que estaban lejos. El término universal "todos" debe referirse siempre a clases de hombres, pero nunca a individuos. Es como si dijera: "No sólo los judíos, sino también los griegos, no sólo las personas de condición humilde, sino también los príncipes, han sido redimidos por la muerte de Cristo". Puesto que, por tanto, pretende que el beneficio de su muerte sea común a todos, los que sostienen un punto de vista que excluye a cualquiera de la esperanza de salvación le causan un agravio.[127]

En resumen: Calvino no sugiere en ninguna parte que "todos" se refiera a "todos los elegidos" o "todos los creyentes", pero tampoco piensa que "todos" se refiera a "cada individuo". Para Calvino, "todos" se refiere a "todas las categorías de personas en el mundo alienado".[128]

---

[126] Calvino, *2 Corinthians and Timothy, Titus and Philemon*, 208-209.

[127] Ibid., 210.

[128] Contra Martin Foord, "God Wills All People to Be Saved—Or Does He? Calvin's Reading of 1 Timothy 2:4", en *Engaging with Calvin: Aspects of the Reformer's Legacy for Today*, ed. Mark D. Thompson (Nottingham, Reino Unido: Apollos, 2009), 179-203, quien

La interpretación de "todos" en 1 Timoteo 2:4-6 presentada aquí es que "todos" se refiere a "todos los *pecadores* sin *distinción*". Cristo se dio a sí mismo como rescate por pecadores particulares de toda índole de procedencia, independientemente de su etnia, clase, ingresos económicos o historial moral.

Aclaración sobre el significado de "mundo"

Aunque la muerte de Cristo por "todos sin distinción" implica a los individuos, también se dice que murió por la "iglesia" y el "mundo" como conjuntos orgánicos.[129] Es decir, Cristo no muere sólo por los individuos que se agrupan en un conjunto llamado "los elegidos".

Pablo habla ciertamente de la muerte de Cristo por los individuos (Gá. 2:20), pero también considera su muerte de forma orgánica: Cristo murió por su esposa, la iglesia (ἐκκλησίαν); como Cabeza (κεφαλή) por su cuerpo (σώματος) (Ef. 5:23-25); compró la iglesia de Dios (ἐκκλησίαν τοῦ θεοῦ) con su sangre (Hch. 20:28); Dios estaba en Cristo, reconciliando al mundo (κόσμον) consigo mismo (2 Co. 5:19). No se trata de términos colectivos para un grupo de individuos; son términos orgánicos, entendidos en relación con quien es Cristo como Esposo, Cabeza y Salvador cósmico. Esta dimensión orgánica debe tener todo su peso en relación con los textos sobre el "mundo" en Pablo. Como escribe R. B. Kuiper:

> Cristo salva, en efecto, a individuos, pero por y a través de la salvación de los individuos salva al mundo. Quien olvida esto nunca podrá hacer justicia a los pasajes universalistas de las Escrituras. Cristo es el Salvador del mundo.[130]

---

afirma que Calvino se refiere a que Dios quiere la salvación de "todos de toda clase" (198). Véase la crítica de Muller a Foord sobre este punto en Richard A. Muller, "Calvin on Christ's Satisfaction and Its Efficacy: The Issue of 'Limited Atonement'", en *Calvin and the Reformed Tradition: On the Work of Christ and the Order of Redemption* (Grand Rapids, MI: Baker Academic, 2012), 85 n. 55.

129 R. B. Kuiper, *For Whom Did Christ Die?* (Grand Rapids, MI: Eerdmans, 1959), 96: "Los elegidos no son simplemente unos cuantos individuos, sino que colectivamente constituyen la iglesia. Y los hombres no son un número de partículas separadas unas de otras como unidades aisladas. Por el contrario, son miembros de ese organismo que se conoce como la raza humana".

130 Ibid., 95.

Para ver esto con más claridad, vuelvo brevemente a la analogía que Pablo utiliza entre Adán y Cristo en Romanos 5:12-21. Si la analogía se mantiene, entonces Cristo se presenta como el postrer Adán y, por tanto, como la cabeza de una nueva humanidad. Como comenta Herman Bavinck:

> la iglesia no es un agregado accidental y arbitrario de individuos que puede ser igualmente más pequeño o más grande, sino que forma con Él un todo orgánico que está incluido en Él como segundo Adán, al igual que el conjunto de la humanidad surge del primer Adán. Por tanto, la aplicación de la salvación debe extenderse en la misma medida que su adquisición.[131]

Todos los que están unidos a Él forman parte de una nueva humanidad, pertenecen a una nueva era, han sido salvados para un mundo nuevo: "es decir, en Cristo Dios estaba reconciliando al *mundo* consigo mismo" (2 Co. 5:19). Cuánta verdad. Al salvar a las personas, Cristo vino a salvar a la humanidad: judíos y gentiles unidos para formar un solo hombre nuevo (Ef. 2:15). En palabras de B. B. Warfield:

> Así, la raza humana alcanza la meta para la que fue creada, y el pecado no la arrebata de las manos de Dios: el propósito primordial de Dios con ella se cumple; y por medio de Cristo la raza humana, aunque caída en el pecado, es recuperada para Dios y cumple su destino original.

Abraham Kuyper ofrece una hermosa analogía que complementa la teología de Romanos 5:

> Si comparamos a la humanidad, tal y como ha surgido de Adán, con un árbol, entonces los elegidos no son hojas que han sido arrancadas del árbol para que se trence con ellas una corona para la gloria de Dios, mientras que el árbol mismo ha de ser talado, desarraigado y arrojado al fuego; sino precisamente lo contrario, los perdidos son las ramas, las varas y las hojas que se han desprendido del tallo de la humanidad, mientras que los elegidos son los únicos

131 Bavinck, *Sin and Salvation in Christ*, 467.

que permanecen unidos a él... lo que se pierde se desprende del tallo y pierde su conexión orgánica.[132]

Como dijo Agustín de los elegidos, comentando 1 Timoteo 2:4: *omne genus hominum est in eis* ("Todo el género humano está en ellos").[133]

Verdadero optimismo: El universalismo escatológico

A la luz de lo anterior, la interpretación de "todos" y "mundo" en ciertos contextos como "todos sin distinción" no equivale a un número mísero de personas. No debemos dedicar tanto tiempo a aclarar estos textos como para acabar minimizándolos. Se han producido algunos tratamientos de la expiación definitiva que transmiten el sentido de que Cristo murió por "sólo una porción de la humanidad" o que "la mayor parte del mundo" se perderá.[134] Pascal habló desafortunadamente del "*pequeño número* de elegidos por cuya salvación murió Jesucristo".[135]

Pero tal pesimismo está ausente en Pablo (y en el resto del Nuevo Testamento): la *paucitas salvandorum* es una categoría no bíblica. El particularismo y la parsimonia no son concepciones equivalentes.[136] "Por poco o mucho que sea Su pueblo hoy o mañana, al final Su pueblo será el mundo".[137]

---

132 Abraham Kuyper, *E Voto dordraceno II*, 178, citado (y traducido, probablemente) por B. B. Warfield, "Are They Few that Be Saved?", en *Biblical and Theological Studies*, ed., Samuel G. Craig (reimpr., Filadelfia: P&R, 1952), 336.

133 Agustín, *On Rebuke and Grace*, en *NPNF1* 5:489.

134 Así, R. A. Morey, *Studies in the Atonement* (Southbridge, MA: Crowne, 1989), 60, se refiere a que Dios eligió *"sólo a una parte de la humanidad"* (énfasis original), y John MacArthur en *The MacArthur Study Bible* (Nashville: Word, 1997), 1955, comentando 1 Juan 2:2, escribe: "*La mayor parte del mundo* será condenada eternamente al infierno para pagar por sus propios pecados, por lo que no podrían haber sido pagados por Cristo" (énfasis añadido). La redacción en ambos casos es desafortunada en el mejor de los casos y pesimista en el peor.

135 Citado por Lucien Goldmann, *Le Dieu caché: Etude sur la vision tragique dans les Pensées de Pascal et dans le théâtre de Racine* (Bibliothèque des idées; París: NRF Gallimard, 1955), 324, de *Deux pièces imparfaites sur la Grâce et le concile de Trente* (París: Vrin, 1947), 31, citado en (y traducido por) Blocher, "Jesus Christ the Man", capítulo 20 de este volumen (énfasis añadido). Comentando la "visión más común de la salvación escatológica de Pablo", Boring, "Universal Salvation in Paul", 281, la resume como "la mayor parte de la humanidad queda en la tumba", o la obra de Cristo afecta a "una minoría de seres humanos" (285).

136 B. B. Warfield, *The Plan of Salvation* (Grand Rapids, MI: Eerdmans, 1935), 97.

137 Kuiper, *For Whom Did Christ Die?*, 95-96.

Aunque Pablo no cree en un universalismo de "todos y cada uno", tampoco piensa que los elegidos puedan caber todos en un cubo de arena: el suyo es un "universalismo escatológico" genuinamente *universal* en el sentido correcto de la palabra. El Dios del apóstol es el mismo Dios de Abraham, al que se le prometió una "descendencia" tan numerosa como la arena de la orilla del mar y las estrellas del cielo (Ro. 4:17-18; cf. Gn. 22:17; 32:12; Ex. 32:13; Dt. 1:10-11; Jer. 33:22; Os. 1:10; Gá. 3:8; Heb. 11:12; Ap. 5:9; 7:9).

> **Romanos 4:17–18** Como está escrito: «Te he hecho padre de muchas naciones», delante de Aquél en quien creyó, *es decir* Dios, que da vida a los muertos y llama a las cosas que no son, como si fueran. Abraham creyó en esperanza contra esperanza, a fin de llegar a ser padre de muchas naciones, conforme a lo que se *le* había dicho: «Así será tu descendencia».
> **Génesis 22:17** de cierto te bendeciré grandemente, y multiplicaré en gran manera tu descendencia como las estrellas del cielo y como la arena en la orilla del mar, y tu descendencia poseerá la puerta de sus enemigos.

"La Escritura no teme que se salven *demasiadas* personas".[138] A Abraham se le prometió ser "el heredero del *mundo*", y Pablo lo creyó (Ro. 4:13).

Es en este sentido que los términos "todos" y "mundo", cuando se definen correctamente en cada contexto particular, deben tener todo su peso *universal.* Los teólogos reformados tienen "una misión tan importante en la preservación del verdadero universalismo del evangelio... como en la preservación del verdadero particularismo de la gracia".[139]

Nuestro universalismo no es un universalismo "espurio" del molde semipelagiano, arminiano, amyraldiano o universalista hipotético —que, si los proponentes son coherentes, pueden ofrecer como mucho sólo la esperanza de la *posible* salvación del mundo, pero que nunca llegará a producirse—, ni nuestro universalismo es la esperanza injustificada que nos ofrecen Barth o McCormack —cuya línea de pensamiento a este respecto es contraria a una serie de textos paulinos—, sino que la teología reformada, en su mejor versión,

---

138 Bavinck, *Sin and Salvation in Christ*, 465.
139 Warfield, *Plan of Salvation*, 125.

defiende un universalismo escatológico verdadero, genuino y realizable.[140] "Porque la tierra se llenará del conocimiento de la gloria de Yahveh como las aguas cubren el mar" (Hab. 2:14).

V. Evitando un *Non Sequitur*: La expiación definitiva y el evangelismo

Una de las acusaciones que a menudo se lanzan contra los reformados que sostienen la expiación definitiva es que la doctrina necesariamente merma el celo por la evangelización.[141] Pero esto es un *non sequitur*. Las tendencias particularistas y universalistas dentro de la soteriología de Pablo se codean entre sí. El Apóstol de los Gentiles es capaz de hablar de hacerse todo a todos para salvar a algunos por todos los medios (1 Co. 9:22), y al mismo tiempo declarar que todo lo soporta por los elegidos (Hch. 18:10; 2 Ti. 2:10; Tit. 1:1).

En Romanos, Pablo puede decir con toda honestidad que desearía ser él mismo anatema y estar apartado de Cristo por el bien de sus compatriotas (9:3), pero al mismo tiempo ese deseo apasionado no empaña su perspectiva sobre la elección soberana de Dios: "Porque no todos los que descienden de Israel pertenecen a Israel" (9:6). Es razonable sugerir que el apóstol mantiene la misma perspectiva cuando se trata de la obra expiatoria de Cristo y la evangelización. Dentro de la soteriología de Pablo, la expiación de Cristo tiene un enfoque particular: la iglesia, su esposa (Hch. 20:28; Ef. 5:25-27), los elegidos como una nueva humanidad de todas las naciones; sin embargo, esa perspectiva no impide ni amortigua el deseo del apóstol de predicar el evangelio a toda criatura bajo el cielo (Col. 1:23).

¡Así, la sugerencia de que la expiación definitiva conduce necesariamente a un obstáculo en la evangelización puede recibir razonablemente la réplica común del apóstol: μὴ γένοιτο! Por el contrario, la expiación definitiva fundamenta y motiva la causa de la evangelización, pues lo que se ofrece a las

---

140 Esto es cierto tanto para el amilenialismo optimista como para el postmilenialismo. Resulta útil que Warfield, *Plan of Salvation*, 128-31, y Kuiper, *For Whom Did Christ Die?*, 96-97, enfaticen la necesidad de ver la salvación del mundo como un proceso.

141 Por ejemplo, Knox, "Some Aspects of the Atonement", 266: la expiación definitiva "corta la base de una oferta genuina del evangelio a todo el mundo, y embota el sentido de la evangelización al impedir la presión de los reclamos de Cristo en las conciencias del oyente (sic), al prohibir frases como 'Cristo murió por ti', 'Dios te amó tanto...'".

personas no es la oportunidad o posibilidad de salvación, sino la salvación misma.

Resumen

En sus epístolas, Pablo habla de la muerte de Cristo tanto de forma particularista como universalista. El argumento de este capítulo es que estos textos presentan elementos compatibles en la teología de la expiación de Pablo. Los textos universalistas no se oponen a la posibilidad de la expiación definitiva en Pablo, sino que la complementan. La atención a los textos universalistas revela que el significado de "muchos", "todos" y "mundo" no puede interpretarse de forma simplista en cada caso como "todos sin excepción" o "cada persona".

Mi análisis revela una serie de puntos importantes al considerar el lenguaje universalista en Pablo. En primer lugar, aunque Pablo tenía el arsenal lingüístico para afirmar sin ambigüedad que no había nadie por quien Cristo no muriera, decidió no utilizarlo. Los términos "muchos", "todos" y "mundo" permanecen indefinidos y ambiguos, dependiendo del contexto para su significado.

En segundo lugar, el significado de los términos universalistas "muchos", "todos" y "mundo" está influido por varios factores contextuales: (1) una unión implícita con Cristo (Ro. 5:12-21; 2 Co. 5:14-15); (2) un contexto eclesiológico en el que el apóstol se enfrenta a las falsas enseñanzas que promovían una cultura elitista y exclusivista en la iglesia (1 Ti. 1:4-7; 4:1-8; Tit. 1:10, 14-15; 3:9); (3) un contexto literario en el que el foco de atención es "toda clase de personas" (1 Ti. 2:4-6; 4:10; Tit. 2:11-14); (4) un contexto redentor-histórico en el que Pablo se presenta como Apóstol de los Gentiles (Hch. 22:15); (5) un contexto teológico en el que el monoteísmo es la base para que el evangelio sea para todas las personas (1 Ti. 2:5-6; cf. Ro. 3:27-31); y (6) conexiones bíblicas internas con textos del Nuevo y el Antiguo Testamento (1 Ti. 2:6; cf. Mt. 20:28//Mc. 10:45; cf. Is. 53; Tit. 2:14; cf. Ez. 37:23). La atención a estos factores nos obliga a no concluir que Pablo otorga un sentido distributivo a su terminología universalista.

En tercer lugar, un texto como Colosenses 1:20, en el que se destaca el impacto universal de la obra expiatoria de Cristo, resulta ser intrascendente para las discusiones sobre el alcance de la muerte sustitutiva de Cristo: argumentar retrospectivamente desde el impacto universal de la muerte de Cristo hasta un alcance universal en su muerte es una deducción ilegítima. Como demuestra Romanos 8:19-23, la restauración universal de toda la creación se basa en una redención particular: la adopción de los hijos de Dios.

En cuarto lugar, se demostró que los textos "de perdición" de Romanos 14:15 y 1 Corintios 8:11 (cf. Hch. 20:28) apoyan finalmente la expiación definitiva y no la expiación universal; y quienes desean emplearlos en defensa de una expiación universal deben responder a las repercusiones para la perseverancia de los santos: algunos de aquellos por los que Cristo murió se salvan y luego finalmente se pierden.

Teniendo en cuenta estos puntos, ahora es razonable ver cómo el lenguaje universalista de Pablo es más que compatible con su particularismo. Sin embargo, son necesarias dos importantes aclaraciones. En primer lugar, al argumentar a favor de un significado no distributivo de los términos "muchos", "todos" y "mundo", no quiero sugerir que con estos términos Pablo quiera decir "muchos elegidos", "todos los elegidos" o el "mundo de los elegidos". Si ha habido algunos intérpretes reformados que han argumentado así, su exégesis es lamentable.

Calvino ha demostrado ser un mejor ejemplo a seguir: no cae en la interpretación del término "todos" en 1 Timoteo 2 en el sentido de "todos los elegidos", por un lado, ni en argumentar que el apóstol pretende el significado de "todos sin excepción", por otro. Más bien hay una tercera opción, "todos los pecadores sin distinción". Como argumentó Calvino, la discusión sobre la predestinación es irrelevante en el contexto, pero tampoco eso le lleva a concluir que "muchos" y "todos" deben significar necesariamente "cada uno". El lenguaje de Pablo es deliberadamente indefinido y ambiguo, y todas las partes en el debate deberían respetarlo.

La razón por la que a veces Pablo emplea un lenguaje universalista en relación con la expiación es porque se enfrenta a herejías en la iglesia que promovían la salvación para una élite y unos pocos exclusivos. Pablo es enfático en tales contextos: Cristo murió por *todos*, por el *mundo*, por los *judíos* y los *gentiles*. Los términos son histórico-redentores: Pablo ve el evangelio como el fin de los tiempos en el que la gracia y el amor de Dios han de ser proclamados a todos los pueblos de la tierra. Es el "gran universalizador del evangelio".[142] En este sentido, el significado de "todos sin distinción" debe verse como lo que

142 Vos, "Biblical Doctrine of the Love of God", 448.

realmente es: inclusivo, omnicomprensivo, nadie queda fuera: ni gentil, ni mujer, ni esclavo, ni bárbaro, ni niño, ni anciano, ni pobre, ni blanco, ni negro, ¡nadie!

En segundo lugar, la dimensión orgánica de aquellos por los que Cristo murió no debe ser descuidada en la teología de la expiación de Pablo. Pablo presenta la muerte de Cristo por individuos (Gá. 2:20), pero también por conjuntos orgánicos (Hch. 20:28; Ef. 5:25; 2 Co. 5:19). Como Esposo y Cabeza, Cristo murió por su esposa y su cuerpo; como Salvador Cósmico, murió por el mundo; y como Postrer Adán, murió por una nueva humanidad. En este sentido, Cristo es verdaderamente el Salvador del *mundo*: una cantidad innumerable de personas de toda tribu y lengua y nación.

§13. LA OBRA GLORIOSA, INDIVISIBLE Y TRINITARIA DE DIOS EN CRISTO: LA EXPIACIÓN DEFINITIVA EN LA TEOLOGÍA DE LA SALVACIÓN DE PABLO

Jonathan Gibson[1]

Introducción

En el capítulo anterior sostuve, a riesgo de simplificar demasiado, que la teología de la expiación de Pablo se compone de al menos cuatro grupos de textos (con cierto solapamiento presente entre ellos): (1) textos particularistas que se refieren a la muerte de Cristo por un grupo particular ("yo", "iglesia", "su pueblo", "nosotros"); (2) textos universalistas que se refieren a la muerte de Cristo por un grupo indefinido y ambiguo ("muchos", "todos", "mundo"); (3) textos "de perdición" que se refieren a la muerte de Cristo por personas que finalmente pueden perecer, ya sea porque son expuestos como falsos maestros

[1] Agradezco a Henri Blocher, Richard Gaffin y Jonathan Moore sus útiles comentarios sobre un borrador anterior de este capítulo.

o porque tropiezan con el pecado a través de una conciencia débil; y (4) textos de "*loci* doctrinales" que se refieren a doctrinas importantes que inciden directamente en la intención y naturaleza de la expiación (como la escatología, la elección, la unión con Cristo, la cristología, el trinitarismo, la doxología, el pacto, la eclesiología y la sacramentología). Estos cuatro grupos de textos constituyen elementos importantes de una lente teológica unificada a través de la cual se puede considerar la muerte de Cristo.

En las discusiones sobre el propósito y la naturaleza de la expiación, los textos particularistas, universalistas y "de perdición" suelen emplearse en un *quid pro quo* textual, en el que cada bando en cuestión procura apoyar su posición. En mi último capítulo, me propuse demostrar que los textos universalistas y "de perdición" en la teología de la expiación de Pablo complementan, en lugar de comprometer, la posibilidad de interpretar la muerte de Cristo como una expiación definitiva.

Sin embargo, la exégesis aislada de textos sueltos no prueba ni refuta la doctrina de la expiación definitiva en Pablo: hay que tener en cuenta un marco soteriológico más amplio.

Un nuevo enfoque

Si bien un estudio totalmente exhaustivo de la intención y la naturaleza de la expiación en Pablo requiere ciertamente una exégesis cuidadosa y exhaustiva de los textos particularistas, universalistas y "de perdición", aquí presento un enfoque diferente, que pretende superar el punto muerto que suele surgir cuando todas las partes se enzarzan en el debate.

En este capítulo planteo un enfoque *bíblico-sistemático*. La expiación definitiva, entendida cuidadosa y adecuadamente, no es una doctrina *bíblica per se*, ni siquiera una doctrina *sistemática per se*; más bien, la expiación definitiva es una doctrina *bíblico-sistemática*. Es decir, la doctrina de la expiación definitiva surge de la unión de varios textos soteriológicos y, *al mismo tiempo*, de la síntesis de doctrinas relacionadas entre sí, como la escatología, la elección, la unión con Cristo, la cristología, el trinitarismo, la doxología, el pacto, la eclesiología y la sacramentología.[2]

---

[2] Como comenta David Ford, *Theology: A Very Short Introduction* (Oxford: Oxford University Press, 1999), 103, "la salvación es un tema en el que se puede considerar que

La expiación definitiva es una conclusión teológica a la que se llega en el otro lado de la síntesis comprensiva.[3] Cuando la exégesis está al servicio del dominio de la teología constructiva —o mejor dicho, cuando hay una relación simbiótica entre la exégesis y la teología constructiva— se puede argumentar no sólo que la teología de Pablo concede una expiación definitiva, sino que no puede apuntar en otra dirección. Mi enfoque entiende la doctrina paulina de la expiación a través de la lente de su soteriología, es decir, a través del marco más amplio de la obra salvífica de Dios en Cristo. Como ha comentado acertadamente R. A. Morey, "la confusión que envuelve a esta doctrina [sobre el alcance de la expiación] a menudo se debe a que no se ve a la luz del plan de salvación en su conjunto".[4]

No se trata de imponer una retícula "sistemática" sobre los textos universalistas o "de perdición", que "domine" o "minimice" los elementos universalistas de la teología de la expiación de Pablo mientras privilegia los textos particularistas. Una formulación precisa y completa de la soteriología de Pablo *incluirá* sus textos universalistas y "de perdición" como componentes significativos en esa lente.

Sin embargo, estos textos no son más que dos de los numerosos componentes del marco soteriológico de Pablo, y no deben privilegiarse ni prejuzgarse, ya que coexisten con los textos particularistas y los textos de "*loci* doctrinales", siendo estos últimos los que hacen referencia a diversas doctrinas que inciden directamente en su teología de la expiación, como la escatología, la elección, la unión con Cristo, la cristología, el trinitarismo, la doxología, el pacto, la eclesiología y la sacramentología. Son estos últimos *loci* los que a menudo se descuidan, y el objetivo de este capítulo es lograr que su voz sea escuchada en el debate sobre la intención y la naturaleza de la expiación.[5]

De hecho, yo diría que los textos de los *loci* doctrinales pueden desempeñar un papel mediador en el *quid pro quo* textual: por un lado, nos evitan las

---

convergen la mayoría de las cuestiones teológicas clave". Como he mencionado en el capítulo anterior, la lista no pretende ser exhaustiva.

[3] Para un intento reciente, véase Jarvis J. Williams, *For Whom Did Christ Die? The Extent of the Atonement in Paul's Theology, Paternoster Biblical Monographs* (Milton Keynes, Reino Unido: Paternoster, 2013).

[4] R. A. Morey, *Studies in the Atonement* (Southbridge, MA: Crowne, 1989), 57.

[5] El espacio impide un análisis de las tres últimas doctrinas —pacto, eclesiología y sacramentología—, pero me gustaría argumentar que éstas también prestan argumentos de apoyo a la trayectoria particularista en la teología de la expiación de Pablo.

interpretaciones anodinas y reduccionistas de los textos particularistas; por otro, nos restringen de las interpretaciones ingenuas y simplistas de los textos universalistas y "de perdición".

El paradigma soteriológico de Pablo

Comenzando con un análisis de Efesios 1:3-14, distingo cinco componentes clave de la soteriología de Pablo, que ayudan a formar las secciones principales de este capítulo. A continuación, estos componentes se desgranan mediante una cuidadosa exégesis de diversos textos paulinos.

Sostendré que para Pablo la obra salvífica de Dios es (1) indivisible; (2) circunscrita por la gracia electiva de Dios; (3) abarcada por la unión con Cristo; (4) trinitaria; y (5) doxológica. Cada una de las cuatro primeras secciones exegéticas concluye con reflexiones teológicas en las que expongo la soteriología de Pablo a diversas posturas sobre el propósito y la naturaleza de la expiación, como el semipelagianismo, el arminianismo, el amiraldianismo, el universalismo hipotético y la teología de Karl Barth.[6]

Opino que abordar la cuestión del propósito y la naturaleza de la expiación desde el punto de vista de los loci doctrinales en el paradigma soteriológico de Pablo proporciona recursos útiles para avanzar en el debate.

La obra salvífica de Dios en Cristo

La tarea principal de la soteriología cristiana es explicar la obra salvífica de Dios en Cristo.[7] La soteriología, a menudo denominada "economía de la salvación", puede parecer una categoría "sistemática", pero tiene raíces bíblicas. La palabra "economía" se utiliza en Efesios 1:10: "como una economía [οἰκονομίαν] de la plenitud de los tiempos, para unir en Cristo todas las cosas, las que están en el

---

[6] Como queda claro en la introducción de este libro, y como se verá más adelante, es importante apreciar las diversas posturas sobre el propósito y la naturaleza de la expiación y sus diferencias de matiz; de ahí que haya distinguido cinco escuelas de pensamiento distintas, además de la que se presenta en este capítulo. A veces, algunas de ellas coinciden en la forma en que se desvían de la teología bíblica de la expiación; otras veces, se desvían por diferentes razones y de distintas maneras.

[7] John B. Webster, "'It Was the Will of the Lord to Bruise Him': Soteriology and the Doctrine of God", en *God of Salvation: Soteriology in Theological Perspective*, ed. Ivor J. Davidson y Murray A. Rae (Farnham, Surrey, Reino Unido: Ashgate, 2011), 15.

cielo y las que están en la tierra en Él".[8] Este versículo es el punto culminante del párrafo de *berakah* de Pablo en 1:3-14.

La palabra οἰκονομία describe la manera en que el plan de Dios se está llevando a cabo en la historia humana.[9] Como escribe Fred Sanders, "cuando Pablo habla de la economía de Dios, su punto es que Dios es un administrador supremamente sabio que ha dispuesto los elementos de su plan con gran cuidado".[10] No debería sorprender, pues, encontrar en la teología de Pablo un patrón ordenado para su presentación de la obra salvadora de Dios en Cristo. Y esto es exactamente lo que encontramos en Efesios 1:3-14.

Efesios 1:3-14

> Bendito sea el Dios y Padre de nuestro Señor Jesucristo, que nos ha bendecido con toda bendición espiritual en los lugares celestiales en Cristo. Porque Dios nos escogió en Cristo antes de la fundación del mundo, para que fuéramos santos y sin mancha delante de Él. En amor nos predestinó para adopción como hijos para sí mediante Jesucristo, conforme a la buena intención de Su voluntad, para alabanza de la gloria de Su gracia que gratuitamente ha impartido sobre nosotros en el Amado.
>
> En Él tenemos redención mediante Su sangre, el perdón de nuestros pecados según las riquezas de Su gracia que ha hecho abundar para con nosotros. En toda sabiduría y discernimiento nos dio a conocer el misterio de Su voluntad, según la buena intención que se propuso en Cristo, con miras a una buena administración en el cumplimiento de los tiempos, es decir, de reunir todas las cosas en Cristo, tanto las que están en los cielos, como las que están en la tierra. También en Él hemos obtenido herencia, habiendo sido predestinados según el propósito de Aquel que obra todas las cosas conforme al consejo de Su voluntad, a fin de que nosotros, que fuimos los primeros en esperar en Cristo, seamos para alabanza de Su gloria.
>
> En Él también ustedes, después de escuchar el mensaje de la verdad, el evangelio de su salvación, y habiendo creído, fueron sellados en Él con el Espíritu Santo de la promesa, que nos es dado como garantía de nuestra

---

[8] Traducción mía.

[9] Peter T. O'Brien, *The Letter to the Ephesians, PNTC* (Leicester, Reino Unido: Apollos, 1999), 113, 227-28.

[10] Fred Sanders, *The Deep Things of God: How the Trinity Changes Everything* (Wheaton, IL: Crossway, 2010), 130.

herencia, con miras a la redención de la posesión adquirida de Dios, para alabanza de Su gloria.

Este párrafo de una sola frase (en griego) esboza cinco componentes principales de la soteriología de Pablo.

(1) *La obra salvífica de Dios es indivisible.* Pablo pinta su soteriología en un lienzo escatológico en el que describe la salvación de Dios en cuatro "momentos" distintos pero interrelacionados, que se extienden desde la eternidad pasada a través de la historia y hasta la eternidad futura.[11] Hay un primer momento: la redención predestinada (pretemporal), cuando el Padre nos eligió en Cristo antes de la fundación del mundo y nos predestinó para ser adoptados como hijos (vv. 4-5); un segundo momento: la redención realizada, expresada por la frase concisa "por su sangre" (v. 7), una referencia a la muerte de Cristo en la cruz; momento tres: redención aplicada, el momento en que la redención y el perdón de los pecados se realizaron personalmente en nuestras vidas (v. 7), y fuimos sellados con el Espíritu Santo (v. 13); y momento cuatro: redención consumada (postemporal), nuestra herencia futura que adquiriremos un día (v. 14). Este cuarto momento de la redención es la consumación de los momentos dos y tres.[12]

(2) *La obra salvífica de Dios está circunscrita por la gracia electiva de Dios.* La elección y la predestinación ponen en marcha el plan de salvación de Dios. Dicho de otro modo, el momento de la redención

---

[11] Geerhardus Vos, *The Pauline Eschatology* (Grand Rapids, MI: Eerdmans, 1953), 42-61: "la conformación de la soteriología por la escatología no está tanto en la terminología; procede de las realidades mismas y el lenguaje simplemente se ajusta a eso" (46).

[12] Roger R. Nicole, "The Nature of Redemption", en *Standing Forth: Collected Writings of Roger Nicole* (Ross-shire, Reino Unido: Mentor, 2002), 245-46, ofrece seis formas de entender el término redención: (1) un término global para el plan divino, incluyendo las presuposiciones e implicaciones de este plan; (2) el propósito y la actividad salvífica de Dios; (3) la base objetiva para la restauración del pecador que se encuentra en la persona y la obra de Cristo; (4) la obra de Cristo como algo distinto de su persona; (5) la aplicación de la salvación, es decir, la impartición subjetiva de los beneficios salvíficos de Cristo; (6) la consumación final del plan de gracia y la entrada del creyente en la gloria futura. Cuando hablo en este capítulo de los "momentos de la redención", estoy utilizando el término "redención" para referirme a (2): El propósito y la actividad salvífica de Dios: la redención predestinada, realizada, aplicada y consumada. En otras palabras, redención se emplea aquí como un término general para referirse a la salvación.

predestinado sirve de principio y fuente de los otros tres momentos de la redención. Es el momento que inicia y da forma a los otros.

(3) *La obra salvífica de Dios está englobada en la unión con Cristo.* La obra salvífica de Dios se realizó "en" y "por medio de Cristo". Once veces en este párrafo aparece la frase "en Él", "en quien" o "por medio de Cristo". Por mencionar algunas: fuimos elegidos "en Él" (v. 4) y predestinados "por medio de Jesucristo" (v. 5); "en Él" tenemos redención (v. 7), y "en Él" obtuvimos una herencia (v. 11) y fuimos sellados con el Espíritu Santo (v. 13). La salvación, para Pablo, ocurre "por medio de Cristo" y "en unión con" Cristo.

(4) *La obra salvífica de Dios en Cristo es trinitaria.* Las bendiciones que nos han llegado son obra del Dios trino: Padre, Hijo y Espíritu Santo. El Padre actúa en el primer momento de la redención, eligiéndonos y predestinándonos (vv. 4-5); el Hijo asegura el segundo momento, la redención y el perdón de los pecados (v. 7); y luego el Espíritu, en el tercer y cuarto momento, nos aplica esa redención y sirve de garantía de nuestra herencia futura (vv. 13-14).

(5) *La obra salvífica de Dios en Cristo es doxológica.* El propósito de la obra salvadora de Dios en Cristo es la "alabanza de su gloria", una frase que se repite tres veces en este párrafo (vv. 6, 12, 14).[13]

Efesios 1:3-14 no es la *summa* de la soteriología de Pablo, pero proporciona una matriz, un paradigma, dentro del cual uno puede explorar. Lo que aquí se presenta en forma de esbozo puede ser complementado con mayor claridad mediante un análisis de varios textos paulinos. Los cinco puntos anteriores nos servirán de heurística para explorar el corpus paulino.

I. La obra salvífica de Dios es indivisible

Tito 3:3-7

---

[13] El versículo 6 es ligeramente diferente: "para alabanza de la gloria de su gracia" (εἰς ἔπαινον δόξης τῆς χάριτος αὐτοῦ).

> Porque nosotros también en otro tiempo éramos necios, desobedientes, extraviados, esclavos de deleites y placeres diversos, viviendo en malicia y envidia, aborrecibles y odiándonos unos a otros. Pero cuando se manifestó la bondad de Dios nuestro Salvador, y Su amor hacia la humanidad, Él nos salvó, no por las obras de justicia que nosotros hubiéramos hecho, sino conforme a Su misericordia, por medio del lavamiento de la regeneración y la renovación por el Espíritu Santo, que Él derramó sobre nosotros abundantemente por medio de Jesucristo nuestro Salvador, para que justificados por Su gracia fuéramos hechos herederos según la esperanza de la vida eterna.

En Tito 3, Pablo sitúa temporalmente la salvación de Dios en los tres momentos de la redención realizada, aplicada y consumada. El momento de la redención realizada es explícito y se denota con el adverbio temporal ὅτε ("cuando"; v. 4), que califica al verbo principal ἐπεφάνη ("apareció").[14] La "bondad y la amorosa benevolencia" de Dios (χρηστότης καὶ φιλανθρωπία[15]) se refieren aquí a la primera manifestación de Cristo, en la que "se entregó por nosotros para redimirnos de toda iniquidad" (2,13-14).

Sintácticamente, el verbo ἔσωσεν en 3:5 es el punto central de los versos 3-7: "todo lo que conduce al verbo y fluye de él entra en la comprensión de lo que se pretende con él".[16] La cláusula ὅτε precedente está ligada sintácticamente a este verbo principal en una relación de prótasis-apódosis: cuando Cristo apareció la primera vez para morir y resucitar, Dios nos salvó (ἔσωσεν) (v. 5).[17]

Pablo introduce el siguiente momento (implícito) de la redención aplicada en una frase preposicional que está conectada al verbo principal ἔσωσεν: Dios nos salvó "por el lavamiento de la regeneración y la renovación del Espíritu

---

14 Salvo en Hechos 27:20, el verbo ἐπιφαίνω se presenta en contextos soteriológicos (Lc.1:79; Tit. 2:11; aquí).

15 Χρηστότης se refiere a la "bondad, amabilidad, generosidad" de Dios (*BAGD*) en relación con la salvación de Dios (Ro. 2:4; 11:22 [3×]; Ef. 2:7); φιλανθρωπία se refiere a la filantropía de Dios hacia la humanidad (*BAGD*). En conjunto, las palabras pueden entenderse como la "bondad y amor de Dios hacia la humanidad" que se manifestó en la primera aparición de Cristo (George W. Knight III, *The Pastoral Epistles: A Commentary on the Greek Text, NIGTC* [Grand Rapids, MI: Eerdmans, 1992], 338).

16 Ibid., 341.

17 Interpuestas entre las dos cláusulas, dos cláusulas preposicionales (puestas en antítesis) proporcionan la base motivadora del acto salvífico de Dios: no por obras hechas en justicia por nuestra parte (ούκ ἐξ ἔργων τῶν ἐν δικαιοσύνη ἃ ἐποιήσαμεν ἡμεῖς), sino según su propia misericordia (ἀλλὰ κατὰ τὸ αὐτοῦ ἔλεος).

Santo" (διὰ λουτροῦ παλιγγενεσίας καὶ ἀνακαινώσεως πνεύματος ἁγίου).[18] El primer par de genitivos se centra en la necesidad de lavamiento; el segundo, en la de renovación. Juntos, el lavamiento de la regeneración y la renovación del Espíritu Santo prevén una existencia humana transformada, un punto en el tiempo que sólo puede haber ocurrido durante nuestra propia experiencia de vida.

En el versículo 7, Pablo insinúa el momento final de la redención consumada: ἔσωσεν está ligado sintácticamente a una cláusula de propósito en el verso 7, que nos orienta hacia el futuro. El propósito del acto salvífico de Dios en Cristo y la regeneración del Espíritu es "para que [ἵνα] siendo justificados por su gracia [δικαιωθέντες τῇ ἐκείνου χάριτι], podamos llegar a ser herederos [κληρονόμοι] según la esperanza de la vida eterna [ἐλπίδα ζωῆς αἰωνίου]". "Herederos" sugiere una "posición anticipada", y "esperanza de vida eterna" habla de "una futura vida interminable con Dios".[19]

Así, en Tito 3, Pablo sitúa la salvación de Dios en tres momentos: el momento de la redención realizada, cuando Cristo apareció en la historia; el momento de la redención aplicada, cuando el Espíritu Santo nos regenera y renueva en nuestra propia experiencia de vida; y el momento de la redención consumada, la esperanza de la vida eterna.

Siguiendo con el texto de Tito, observamos que estos tres momentos de la salvación de Dios son distintos, pero están íntegramente conectados. Pablo mantiene una *distinción* entre los tres momentos y no funde uno en el otro. Nuestra salvación no es un "trato hecho" en el "cuando" de la cruz; más bien, hay un "cuando" y un "ahora" específicos para nuestra salvación. De hecho, el versículo 3 nos impide fundir la redención aplicada en la redención realizada, porque (γάρ), dice Pablo, "nosotros mismos fuimos en otro tiempo [ποτε] insensatos, desobedientes", etc. (cf. Ef. 2:1-3, 12-13).

El estado del creyente, alguna vez no regenerado, en el tiempo anterior a la conversión, asegura la distinción entre los momentos de la redención realizada y la redención aplicada, y contrarresta cualquier pretensión de una "justificación eterna". Adicionalmente, Tito 3:5 nos refrena de ver la redención ya totalmente

---

[18] Δία con el genitivo se usa con σῴζω nueve veces en el Nuevo Testamento, pero en ningún otro lugar el Nuevo Testamento se refiere tan completa y explícitamente a los medios de salvación como lo hace aquí.

[19] Knight, *Pastoral Epistles*, 347.

consumada al hablar de la "esperanza" (ἐλπίδα) de la vida eterna. El hecho de que el creyente "aún no" alcance la vida eterna preserva una distinción entre los momentos de la redención aplicada y la redención consumada, lo que nos retiene de una "escatología sobre-realizada".

Aunque los tres momentos de la salvación de Dios son distintos, también están *integralmente conectados*. Pablo pasa con suma facilidad del momento de la redención realizada al momento de la redención aplicada, a pesar de que hay un lapso de tiempo significativo entre ambos, especialmente para los creyentes que hoy viven. La conexión es aún más estrecha: la abundante efusión del Espíritu en la regeneración (v. 5) viene *a través de* (διά) la persona de Cristo en su obra expiatoria como Salvador (v. 6).[20]

Para decirlo en términos sistemáticos: la redención aplicada fluye de la redención realizada. Así, los dos momentos de la salvación son distintos, pero están íntimamente conectados: no sólo el momento de la redención realizada conduce al momento de la redención aplicada, sino que el primero es la *fuente* del segundo. Hay algo más que una mera secuencia cronológica; existe relación de causa y efecto. Por último, estos dos momentos de la salvación de Dios también están relacionados con el momento futuro de la redención consumada: Dios nos salvó para que (ἵνα) tengamos la esperanza de la vida eterna (v. 7).

Otros dos textos paulinos desenvuelven con más detalle la relación entre los momentos de la redención predestinada, realizada, aplicada y consumada.

Romanos 5:9-10

> Entonces mucho más, habiendo sido ahora justificados por Su sangre, seremos salvos de la ira de Dios por medio de Él. Porque si cuando éramos enemigos fuimos reconciliados con Dios por la muerte de Su Hijo, mucho más, habiendo sido reconciliados, seremos salvos por Su vida.

En Romanos 5, Pablo vincula los momentos de la redención realizada y la redención aplicada al hablar del estado actual de los creyentes ante Dios. El momento de la redención aplicada se ve en nuestra justificación (δικαιωθέντες;

[20] Aunque el texto no menciona explícitamente la obra expiatoria de Cristo como tal, se le describe aquí como Salvador (σωτῆρος), un título que sólo puede derivar su definición de lo que realmente hizo.

v. 9) y nuestra reconciliación (κατηλλάγημεν; v. 10).[21] Las referencias al momento de la redención realizada se dan en frases preposicionales que sirven para explicar los medios por los que Dios nos aplicó la redención: ahora (νῦν) hemos sido justificados "por su sangre" (ἐν τῷ αἵματι αὐτοῦ),[22] y hemos sido reconciliados con Dios "por la muerte de su Hijo" (διὰ τοῦ θανάτου τοῦ υἱοῦ αὐτοῦ). El tercer momento de la salvación futura (la redención consumada) se transmite mediante el verbo en tiempo futuro σωθησόμεθα ("seremos salvos"), una referencia al día del juicio final.

Al igual que en los otros pasajes paulinos que he analizado, afloran las similitudes: (1) cada momento se mantiene como distinto, pero íntegramente conectado a los demás; y (2) la salvación no se ve como totalmente completada en los momentos de la redención realizada o de la redención aplicada, sino que sigue siendo una esperanza escatológica.

Además de estas similitudes, Romanos 5:9-10 revela un nuevo vínculo, un lazo irrompible. Todo el argumento de Pablo sobre la seguridad de la salvación del creyente en el juicio final se basa en la conexión entre la redención realizada y aplicada, por un lado, y la redención consumada, por otro. Como en Tito 3:3-5, la redención aplicada ocurre a través de la redención realizada, pero ahora la sinergia de la redención realizada y aplicada conjuntamente *garantiza* la redención consumada: si Dios ya ha hecho lo más difícil —reconciliarnos y justificarnos por la muerte de Cristo—, *cuánto más* (πολλῷ οὖν μᾶλλον) nos rescatará en ese último día de su ira. Pablo enfatiza su punto haciendo uso dos veces de este argumento de mayor a menor.[23]

Romanos 8:29-34

---

[21] Douglas J. Moo, *The Epistle to the Romans, NICNT* (Grand Rapids, MI: Eerdmans, 1996), 311-12, piensa que la reconciliación aquí se refiere a la realización de la reconciliación por Cristo en la cruz, así como a la aceptación de esa reconciliación por parte del creyente. En cualquier caso, la redención aplicada abarca aquí el resultado final.

[22] El marcador temporal νῦν sitúa el momento de nuestra justificación en nuestra experiencia de vida.

[23] Ambos argumentos se exhiben mediante participios temporales (δικαιωθέντες y καταλλαγέντες, respectivamente), que establecen la prótasis, antes de que σωθησόμεθα introduzca la apódosis: "habiendo sido justificados... cuánto más seremos salvados; ... habiendo sido reconciliados... cuánto más seremos salvados".

> Porque a los que de antemano conoció, también los predestinó a ser hechos conforme a la imagen de Su Hijo, para que Él sea el primogénito entre muchos hermanos. A los que predestinó, a esos también llamó. A los que llamó, a esos también justificó. A los que justificó, a esos también glorificó.
> Entonces, ¿qué diremos a esto? Si Dios está por nosotros, ¿quién estará contra nosotros? El que no negó ni a Su propio Hijo, sino que lo entregó por todos nosotros, ¿cómo no nos dará también junto con Él todas las cosas? ¿Quién acusará a los escogidos de Dios? Dios es el que justifica. ¿Quién es el que condena? Cristo Jesús es el que murió, sí, más aún, el que resucitó, el que además está a la diestra de Dios, el que también intercede por nosotros.

En Romanos 8:29-30, Pablo presenta una "cadena de oro" de la salvación de Dios que se remonta a antes del comienzo del tiempo, se desplaza a través del tiempo y llega hasta el final del tiempo. En la cadena están presentes tres momentos de la salvación de Dios en Cristo: la redención predestinada (προέγνω ... προώρισεν), la redención aplicada (ἐκάλεσεν ... ἐδικαίωσεν), y la redención consumada (ἐδόξασεν).[24]

La redención predestinada actúa como el "manantial" que inicia el proceso de la salvación de Dios en la eternidad pasada y que se consuma en la glorificación en la eternidad futura. El pronombre demostrativo τούτους ("estos"), el uso sostenido de καί ("también"), y la repetición de los verbos clave (προώρισεν, ἐκάλεσεν, ἐδικαίωσεν) señalan una correspondencia exacta entre los que son conocidos de antemano, predestinados, llamados, justificados y glorificados.

La extensión de la salvación en cada etapa es la misma. Es interesante también observar la forma ajustada en que Pablo se refiere a cada uno de estos eslabones de la cadena, especialmente a los tres últimos: Sólo Dios se presenta como el agente que actúa, sin que el hombre aporte nada en ninguno de los puntos de la cadena.[25] Para Pablo, la salvación es, de principio a fin, "del Señor".

---

[24] Entiendo que ἐδόξασεν es un aoristo proléptico, que se utiliza para expresar la certeza de un acontecimiento como si ya hubiera ocurrido. John Murray, *The Epistle to the Romans, 2 vols., NICNT* (Grand Rapids, MI: Eerdmans, 1959), 1:320, se refiere a las dos primeras acciones como pretemporales y a las tres últimas como temporales.

[25] Por supuesto, para Pablo, tanto el llamamiento como la justificación no ocurren independientemente de la fe —el primero es una condición previa para la fe; el segundo es el resultado de la fe— pero, hablando con precisión, estos actos de Dios no se definen por la actividad humana (Murray, *Romans*, 321).

Aunque no está presente en la "cadena de la salvación" de los versículos 29-30, el momento de la redención consumada entra en escena en el versículo 32, cuando Pablo responde a su propia pregunta retórica del versículo 31: "Si Dios es por nosotros, ¿quién estará contra nosotros?". Pablo habla de la muerte de Cristo en términos antitéticos: Dios no escatimó a su propio Hijo (ὅς γε τοῦ ἰδίου υἱοῦ οὐκ ἐφείσατο) sino que (ἀλλά) lo entregó por todos nosotros (ὑπὲρ ἡμῶν πάντων παρέδωκεν αὐτόν).

La frase comprimida está llena de ricas verdades para la doctrina de la expiación. El adjetivo ἰδίου ("propio") añade dramatismo a la moderación: se trataba del propio Hijo amado de Dios, a quien no escatimó.[26] Dios no sólo no escatimó a su propio Hijo, sino que "lo entregó" (παρέδωκεν αὐτόν), una expresión paulina para referirse a la muerte sustitutiva de Jesús.[27] Octavius Winslow escribe conmovedoramente: "¿Quién entregó a Jesús a la muerte? No Judas, por dinero; ni Pilato, por miedo; ni los judíos, por envidia, sino el Padre, por amor".[28]

El enfoque de la redención realizada en el versículo 32a sirve de prótasis ("si") en la oración "cuasi" condicional de Pablo, y el versículo 32b se convierte en la apódosis ("entonces"). Juntas, ambas frases se combinan para producir un argumento *a maiori ad minus* similar al de Romanos 5:9-10. La partícula interrogativa πῶς, junto con la partícula negativa enfática οὐχὶ y el conjuntivo enfático καί, aumenta la lógica: Si Dios, en efecto (γε), ha dado a su Hijo por nosotros, *¿cómo no* va a darnos *también* (πῶς οὐχὶ καί), junto con Él, todas las cosas? "Todas las cosas" (τὰ πάντα) son todas las bendiciones que necesitamos en el camino hacia la glorificación final,[29] lo cual tiene sentido dada la referencia a la glorificación en Romanos 8:30.

Así, Pablo no sólo conecta el momento de la redención realizada en el verso 32a con el momento de la redención consumada en el verso 32b, sino que

---

26 Moo, *Romans*, 540, entre otros (véase n. 18), cree que aquí hay una alusión (y, por tanto, un contraste) al hecho de haber dejado ir a Isaac, el propio hijo de Abraham (el mismo verbo en LXX Génesis 22:16: φείδομαι).

27 A veces παραδίδωμι es pasiva refiriéndose al Padre que "lo entrega" (Ro. 4:25), y otras veces se refiere al propio Hijo que "se entrega" (Gá. 2:20; Ef. 5:2, 25). Una raíz similar (δίδωμι) se usa en otros textos que hablan de Cristo "entregándose a sí mismo" (Gá. 1:4; 1 Ti. 2:6; Tit. 2:14).

28 Octavius Winslow, *No Condemnation in Christ Jesus* (Londres, 1857), 358 (citado en Murray, *Romans*, 324).

29 Moo, *Romans*, 541.

presenta la conexión como un vínculo irrompible. Para Pablo, es inconcebible que Dios realice la redención de las personas y no conduzca esa redención realizada a su extremo consumado en la glorificación. Para él, lo primero no sólo está vinculado a lo segundo, sino que *garantiza* lo segundo. En la mente de Pablo, ¿cómo *no* iba a ser así? Porque, si Dios ya ha entregado a Cristo por nosotros, ¿cómo *no* va a darnos también gracias de menor proporción?[30] Como escribe John Murray:

> Puesto que Él es la expresión y encarnación suprema del don gratuito y puesto que su entrega por el Padre es la demostración suprema del amor del Padre, toda otra gracia debe suceder a la posesión de Cristo y acompañarla.[31]

En Romanos 5:9-10, la redención realizada *y* aplicada *garantizan* la redención consumada. Romanos 8:32 proporciona otra nueva visión del marco soteriológico de Pablo: la redención realizada *por sí misma* garantiza la redención consumada, sin ninguna referencia a la redención aplicada. Lo que Pablo presenta aquí es la *eficacia* de la obra expiatoria de Cristo (sin referencia a su aplicación): no puede *sino* producir su efecto previsto. Dicho de otro modo, todos aquellos por los que Cristo murió no pueden dejar de recibir todas las cosas para alcanzar la glorificación final.

Otra idea importante para la expiación definitiva existe en referencia a aquellos por los que el Hijo fue entregado. Como vimos antes, el pronombre demostrativo τούτους muestra que los momentos de la redención predestinada, aplicada y consumada conllevan todos la misma extensión. En el versículo 32, Pablo muestra ahora que la redención consumada también implica el mismo alcance que los otros momentos de la salvación.

Pablo presenta la redención realizada y la redención consumada como coextensivas: si Cristo se entregó "por todos nosotros" (ὑπὲρ ἡμῶν πάντων), cómo no va a darnos Dios también libremente, junto con Cristo (σὺν αὐτῷ), "a nosotros" (ἡμῖν) todas las cosas para ser glorificados. Esto significa que, a menos que se quiera afirmar la salvación universal, la palabra "todos" debe estar limitada de alguna manera. El contexto proporciona el referente correcto para "todos nosotros" (ἡμῶν πάντων): el "nosotros" del verso 32 es el mismo que el

---

30 Esto posiblemente ayuda a explicar la difícil frase σὺν αὐτῷ.

31 Murray, *Romans*, 326.

"nosotros" del verso 31 y aquellos a los que se refieren los versos anteriores: aquellos a los que Dios conoció de antemano, predestinó, llamó, justificó y un día glorificará (vv. 29-30).

Los versículos siguientes también apoyan un referente intencionado y definido: los "todos nosotros" son los elegidos de Dios (ἐκλεκτῶν θεοῦ; v. 33) y aquellos por los que Cristo intercede (ὃς καὶ ἐντυγχάνει ὑπὲρ ἡμῶν; v. 34). Murray concluye el punto de forma útil:

> La identificación sostenida de las personas en estos términos muestra que este pasaje no ofrece ningún apoyo a la noción de expiación universal. Cristo fue entregado 'por todos nosotros', que pertenecemos a la categoría definida en el contexto.[32]

Resumen

Permítanme resumir el marco soteriológico de Pablo hasta ahora. En primer lugar, Pablo presenta cuatro momentos clave de la obra salvífica de Dios en Cristo: la redención predestinada, realizada, aplicada y consumada. Situada en un lienzo temporal, la salvación para Pablo es completamente escatológica: desde el momento de la predestinación, los propósitos redentores de Dios avanzan inexorablemente hacia el momento final en el que la redención se consumará por completo.[33]

---

[32] Ibid., 325. Moo, *Romans*, 540, acierta al observar que el texto no dice que Cristo murió "sólo por todos ustedes los creyentes"; y Norman F. Douty, *Did Christ Die Only for the Elect? A Treatise on the Extent of Christ's Atonement* (1978; reimpr., Eugene, OR: Wipf & Stock, 1998), 92, está en lo cierto cuando escribe: "Leer [a Pablo] en el sentido de que Dios entregó a Cristo por todos nosotros que creemos *y por nadie más*, es inyectar en las palabras algo que no está ahí". Pero *la mera proposición* de que el texto no contiene la palabra "sólo" no puede utilizarse para contrarrestar el caso de la expiación definitiva en Romanos 8, ya que el texto tiene su propia lógica inherente, una que demuestra claramente que (1) aquellos por los que Cristo murió son los elegidos, y que (2) la muerte de Cristo es una expiación sustitutiva *eficaz* que no puede dejar de producir su efecto previsto. La *naturaleza* de la expiación está en el punto de mira de Pablo aquí, y su naturaleza es una de eficacia definitiva: aquellos por los que Cristo murió llegarán a la gloria. El argumento de Pablo es, por tanto, propicio a la expiación definitiva y no puede apuntar en otra dirección.

[33] Richard B. Gaffin, *Resurrection and Redemption: A Study in Paul's Soteriology, 2da ed.* (Phillipsburg, NJ: P&R, 1987), 59: "la escatología no sólo es la meta de la soteriología, sino que también la abarca, constituyendo su sustancia misma desde el principio".

Para Pablo, en el momento uno, nuestra salvación ha sido predestinada; en el momento dos, toda nuestra salvación ha sido procurada y asegurada, aunque la redención aún debe ser aplicada experimentalmente (momento tres) y consumada escatológicamente en su presencia (momento cuatro). Pablo vincula estos cuatro momentos de tal manera que el momento uno (redención predestinada) pone en marcha la salvación de Dios, mientras que el momento dos (redención realizada) es la fuente de la que deriva el momento tres (redención aplicada) y la garantía de que el momento cuatro (redención consumada) será inevitable.

Estos cuatro momentos de la salvación no pertenecen a "vías" teológicas separadas, como si la obra redentora de Cristo estuviera de alguna manera desconectada de la obra electiva de Dios; más bien, Pablo presenta una "cadena" teológica cuyos "eslabones" se unen para presentar los propósitos redentores de Dios en Cristo como una salvación completa e integrada. La obra salvífica de Dios es indivisible.

Reflexiones teológicas: la obra salvífica indivisible de Dios y la expiación

Afirmar que la obra salvífica de Dios es una obra indivisible, en la que los momentos de la redención son distintos pero inseparables, impide que caigamos en dos errores:

(1) *El error de fundir el momento de la redención aplicada en el momento de la redención realizada, como ocurre en la teología de Karl Barth.* Para Barth, el acto de reconciliación de Dios es una gracia que no puede ser:

> Dividida en una gracia objetiva que no es como tal fuerte y efectiva para el hombre, sino que simplemente se presenta ante él como una posibilidad, y una gracia subjetiva que, ocasionada y preparada por la primera, es la realidad correspondiente tal como llega al hombre.[34]

[34] Karl Barth, *Church Dogmatics*, ed. G. W. Bromiley y T. F. Torrance, 14 vols. (Edimburgo: T. & T. Clark, 1956-1975), IV/1, 87-88 (en adelante *CD*).

Al escribir sobre la justificación y la santificación, Barth se esfuerza por evitar establecer "un dualismo entre una procuración objetiva de la salvación allí y entonces y una apropiación subjetiva de la salvación aquí y ahora".[35] Tal dualismo, según Barth, pasa por alto:

> La simultaneidad de la única obra de la salvación, cuyo Sujeto es el único Dios por el único Cristo a través del único Espíritu; 'estando más estrechamente unidos que en un punto matemático'.[36]

Sobre la base de este carácter unitario de la única obra de Dios en Cristo, Barth rechazó el concepto de un *ordo* temporal en la *salus* divina, si por ello se entiende "una secuencia temporal [de actos] en la que el Espíritu Santo produce sus efectos... aquí y ahora en los hombres".[37] McCormack capta la posición de Barth de forma sucinta:

> Su insistencia en el carácter unitario de la obra de Dios en Cristo y en el Espíritu Santo significa que la obra de Cristo es efectiva como tal, que la obra del Espíritu no la completa ni le da una eficacia que no tendría de otro modo. La obra de Cristo y la obra del Espíritu pertenecen a un *único* movimiento de Dios hacia la criatura, un movimiento que implica tanto la realización de la obra de Cristo como el despertar de los individuos a esta realización.[38]

Aunque Barth tenía buenas intenciones, su punto de vista es gravemente erróneo por una serie de razones. Al cambiar lo *temporal* por el *simul*, Barth ha colapsado la redención aplicada en la redención realizada. Lo que Pablo sostiene como momentos *temporalmente* distintos pero inseparables en el lienzo escatológico de su soteriología, Barth lo une como momentos *simultáneamente* distintos pero inseparables.

---

[35] Barth, *CD* IV/2, 502-503: "Lo uno se hace total e inmediatamente con lo otro" (502).

[36] Ibid., 503. No es que Barth funda los dos actos el uno en el otro hasta el punto de que pierdan su identidad: "... tenemos aquí, en este acontecimiento, dos momentos genuinamente diferentes... Los dos pertenecen indisolublemente juntos... Pero se trata de una conexión, no de una identidad. El uno no puede ocupar el lugar del otro" (503).

[37] Ibid., 502.

[38] Bruce L. McCormack, "*Justitia Aliena*: Karl Barth in Conversation with the Evangelical Doctrine of Imputed Righteousness", en *Justification in Perspective: Historical Developments and Contemporary Challenges*, ed. Bruce L. McCormack (Grand Rapids, MI: Baker, 2006), 181 (énfasis original).

El deseo de Barth de evitar presentar lo que Cristo ha hecho como "oportunidad y posibilidad proferidas" es encomiable, pero el cambio de lo *temporal* por el *simul* colapsa la redención realizada y aplicada en *un solo* acto temporal. Al hacerlo, Barth no sólo elimina la distinción paulina entre la obra del Espíritu aquí y ahora y la obra de Cristo allí y entonces, sino que también borra en la experiencia existencialista del hombre el estado una vez caído del estado ahora renovado.

Esto está en desacuerdo con varios textos paulinos. Pablo habla de haber estado "muertos en delitos y pecados" y de ser "hijos de ira" en un tiempo (ποτε) pasado (Ef. 2:1-3), anteriormente insensatos y desobedientes y necesitados de lavamiento y renovación (Tit. 3:3-5). Resurrección, recreación, regeneración, transferencia de reino; estas eran nuestras necesidades, no nuestras (desconocidas) posesiones, *durante nuestra experiencia de vida*. La posición de Barth reduce la obra del Espíritu a un mero "despertar" de las personas a una realidad que *ya* es suya,[39] lo que infravalora gravemente el papel del Espíritu en lavarnos y renovarnos (Tit. 3:5).

(2) *En contraste con Barth, existe el error contrapuesto de forzar una disyunción entre los momentos de la redención (como ocurre en el semipelagianismo y el arminianismo, el amyraldianismo y el universalismo hipotético).* En estos esquemas, la redención realizada es disociada de la redención aplicada, de manera que la primera no influye necesariamente en la segunda.

Así, por ejemplo, en el caso de los arminianos, Roger Olson escribe: "Los arminianos creen que la muerte de Cristo en la cruz proporcionó una salvación *posible* para todos, pero que ésta *se actualiza* sólo cuando los seres humanos la aceptan mediante el arrepentimiento y la fe".[40] Para Amyraut, "no hay una relación necesaria de causa y efecto entre la salvación procurada por Cristo y su

---

[39] Véase Barth, *CD* IV/1, 751: La fe, pues, "no altera nada. Como acto humano es simplemente la confirmación de un cambio que ya ha tenido lugar, el cambio en toda la situación humana que tuvo lugar en la muerte de Jesucristo y fue revelado en su resurrección y atestiguado por la comunidad cristiana". Los cristianos son "los que despiertan" a la realidad que ya pertenece a toda la humanidad (*CD* IV/2, 554); únicamente ven lo dispuesto para todos en la muerte de Cristo (*CD* IV/3.2, 486-97).

[40] Roger E. Olson, *Arminian Theology: Myths and Realities* (Downers Grove, IL: IVP Academic, 2006), 222.

aplicación".[41] Y, en el seno del universalismo hipotético, Gary Shultz escribe: "Todas las personas están objetivamente reconciliadas con Dios, pero no todas las personas están subjetivamente reconciliadas con Dios, y por lo tanto no todas las personas se salvan".[42]

En tales afirmaciones, la muerte expiatoria de Cristo por todos no conduce necesariamente a que todos se apropien de ella; estas opiniones fallan en ver las conexiones integrales entre los momentos distintos pero inseparables de la redención en la soteriología de Pablo. Como hemos visto en Pablo, si Cristo ha asegurado la reconciliación objetiva, ¿cómo no va a asegurar también la reconciliación subjetiva?

Estos enfoques alternativos —que fusionan o disocian los momentos de la redención realizada y la redención aplicada— presentan errores en cualquiera de los dos lados de la soteriología de Pablo. Karl Barth elimina las distinciones temporales, viendo sólo un acto unificado en un punto de la historia, mientras que los semipelagianos y los arminianos, los amyraldianos y los universalistas hipotéticos sostienen las distinciones temporales, pero no las conexiones. En contraste con ambos, Pablo presenta distinciones entre cada uno de los momentos de la salvación de Dios, pero nunca permite disyunciones entre ellos. La obra salvífica de Dios es indivisible.

II. La obra salvífica de Dios está circunscrita por la gracia electiva de Dios

Tres textos paulinos ilustran este punto.

Efesios 1:4-5 y 5:25-27

> ...nos escogió en Cristo antes de la fundación del mundo, para que fuéramos santos y sin mancha delante de Él. En amor nos predestinó para adopción como hijos para sí mediante Jesucristo, conforme a la buena intención de Su voluntad

---

[41] Así lo afirma Brian G. Armstrong en su evaluación de la formulación de Amyraut (*Calvinism and the Amyraut Heresy: Protestant Scholasticism and Humanism in Seventeenth-Century France* [Madison: University of Wisconsin Press, 1969], 210).

[42] Gary L. Shultz, Jr, "The Reconciliation of All Things", *BSac* 167 (octubre-diciembre 2010): 449.

> Maridos, amen a sus mujeres, así como Cristo amó a la iglesia y se dio Él mismo por ella, para santificarla, habiéndola purificado por el lavamiento del agua con la palabra, a fin de presentársela a sí mismo, una iglesia en toda su gloria, sin que tenga mancha ni arruga ni cosa semejante, sino que fuera santa e inmaculada

La elección y la predestinación de Dios conforman y guían sus propósitos redentores en la historia. Esto puede verse en la reutilización que hace Pablo de la terminología clave en su epístola. En el capítulo 1, Pablo explica que el propósito de Dios al elegirnos "en Cristo" era que pudiéramos "ser santos e irreprochables ante Él" (εἶναι ἡμᾶς ἁγίους καὶ ἀμώμους κατενώπιον αὐτοῦ; v. 4).

Luego, en el capítulo 5, Pablo repite la misma terminología al describir el propósito de la entrega sacrificial de Cristo por la iglesia: para que sea "santa e irreprochable" (ἵνα ᾖ ἁγία καὶ ἄμωμος; v. 27). Así, el propósito electivo de Dios Padre (1:4) y el propósito redentor de Dios Hijo encarnado (5:27) son uno y el mismo: presentar a los elegidos como la esposa del Hijo, santa e irreprochable, en el último día.[43] Más específicamente, la muerte de Cristo es el *medio* para cumplir el propósito electivo del Padre. En resumen, la elección circunscribe la expiación.

Gálatas 1:4

> …que Él mismo se dio por nuestros pecados para librarnos de este presente siglo malo, conforme a la voluntad de nuestro Dios y Padre…

Este texto apoya la proposición anterior. Cristo "se entregó a sí mismo" (τοῦ δόντος ἑαυτόν) por un grupo particular de personas —por "nuestros pecados" (ὑπὲρ τῶν ἁμαρτιῶν ἡμῶν)— según la voluntad de Dios Padre (κατὰ τὸ θέλημα τοῦ θεοῦ καὶ πατρὸς ἡμῶν). En Efesios, Cristo se entregó por la iglesia para presentarnos santos e irreprochables; aquí, en Gálatas, el propósito de la entrega de Cristo es liberar a su pueblo del presente siglo malo (ὅπως ἐξέληται ἡμᾶς ἐκ

---

[43] Por supuesto, hay otros propósitos redentores en la muerte de Cristo (véase, por ejemplo, Tit. 2:14).

τοῦ αἰῶνος τοῦ ἐνεστῶτος πονηροῦ). En ambos casos, el propósito y la voluntad de Dios circunscriben la expiación a un grupo específico de personas.

2 Timoteo 1:9-11

> ...nos ha salvado y nos ha llamado con un llamamiento santo, no según nuestras obras, sino según Su propósito y según la gracia que nos fue dada en Cristo Jesús desde la eternidad, y que ahora ha sido manifestada por la aparición de nuestro Salvador Cristo Jesús, quien puso fin a la muerte y sacó a la luz la vida y la inmortalidad por medio del evangelio. Para este evangelio yo fui constituido predicador, apóstol y maestro...

Este pasaje presenta conexiones similares a las ya vistas en Efesios y Gálatas. En los versículos 9-11, en un "paréntesis" doxológico, Pablo presenta los cuatro momentos de la salvación, que se extienden de eternidad en eternidad —algunos más explícitos que otros—, con diversos vínculos entre ellos. En el versículo 9, dos cláusulas relativas explicativas describen las acciones de Dios hacia nosotros en nuestra propia experiencia de vida: nos salvó (τοῦ σώσαντος ἡμᾶς) y nos llamó (καλέσαντος).[44]

Los teólogos suelen ubicar estas acciones en la categoría soteriológica de redención aplicada, un acto salvífico de Dios que ocurre en nuestra propia experiencia de vida.[45] La base de esta salvación y llamamiento divinos se explica en términos antitéticos: no según nuestras obras (οὐ κατὰ τὰ ἔργα ἡμῶν), sino según el propio propósito y gracia de Dios (κατὰ ἰδίαν πρόθεσιν καὶ χάριν). A continuación, Pablo desgrana este χάριν en dos cláusulas relativas explicativas (τὴν δοθεῖσαν ... φανερωθεῖσαν), ambas acompañadas de marcadores temporales que destacan dos momentos más del plan de salvación de Dios.

---

[44] En la obra de Pablo, se trata de un llamamiento eficaz (cf. Ro. 8:30; 9:11 [2×], 24; 1 Co. 1:9; Gá. 1:6; 5:8; 1 Ts. 5:24).

[45] John Murray, *Redemption Accomplished and Applied* (Edimburgo: Banner of Truth, 1955), identifica nueve componentes en esta categoría soteriológica de redención aplicada: llamamiento eficaz, regeneración, fe y arrepentimiento, justificación, adopción, santificación, perseverancia, unión con Cristo y glorificación. Para los propósitos de este capítulo, coloco la glorificación dentro de una nueva categoría soteriológica de redención consumada, ya que se relaciona con un nuevo "momento" distinto de la salvación de Dios en la historia, aunque el resultado final de la redención aplicada.

En la primera cláusula, la gracia de Dios nos ha sido dada "antes de los tiempos eternos" (πρὸ χρόνων αἰωνίων; cf. Tit. 1:2) —el momento de la redención predestinado (2 Ti. 1:9); en la segunda cláusula, la gracia de Dios se manifestó (ἐπιφάνεια) "ahora" (νῦν), en la era presente, una referencia al tiempo de la primera aparición de Cristo— el momento de la redención realizada (v. 10a).[46] La referencia a la "inmortalidad" implica un elemento temporal final en el texto: la vida y la inmortalidad (ζωὴν καὶ ἀφθαρσίαν) fueron inauguradas mediante la primera aparición de Cristo, pero sus efectos continuarían en el futuro: el momento de la redención consumada (v. 10b).

Dando un paso atrás, se pueden discernir las siguientes conexiones teológicas. La redención aplicada (el hecho de que Dios nos salve y nos llame en nuestra experiencia vital) se basa en la gracia de la redención predestinada (el propósito y la gracia de Dios que se nos dio antes de que empezara el tiempo), que se manifiesta en la redención realizada (la obra de Cristo en su primera aparición), que a su vez asegura la redención consumada (la vida inmortal que continúa en el futuro).

Como en Romanos 8:29-34, el momento de la redención predestinada actúa como "fuente" de los otros momentos de la redención: es el "fundamento meritorio" (κατά) para aplicar la redención (2 Ti. 1:9), y circunscribe la revelación (φανερωθεῖσαν) de la redención consumada (v. 10). Este último punto es significativo para nuestra discusión. Para Pablo, el evangelio de Jesucristo es la manifestación, no principalmente de la filantropía universal de Dios, ni siquiera de su actitud salvífica hacia el mundo, sino de su gracia hacia *los elegidos*. En otras palabras, la elección circunscribe la obra salvífica de Dios, y no a la inversa.

Reflexiones teológicas: la elección y la expiación

Estas observaciones sobre 2 Timoteo 1:9-11 refuerzan las conexiones que ya he señalado en Efesios 1:4-5; 5:25-27, y Gálatas 1:4, y sirven para contrarrestar cualquier intento de (1) *hacer que la elección no sea determinante para la*

---

[46] Entre los escritores del Nuevo Testamento, ἐπιφάνεια es utilizado sólo por Pablo y se refiere exclusivamente a la aparición de Jesús en su primera venida (aquí) o segunda venida (2 Ts. 2:8; 1 Ti. 6:14; 2 Ti. 1:10; 4:1, 8; Tit. 2:13).

salvación (i.e., como presciencia simple, en el caso del semipelagianismo y el arminianismo),[47] o de (2) *situar el decreto de la elección después del decreto de la redención* (en el caso del amyraldianismo),[48] o de (3) *subordinar el amor electivo de Dios por sus elegidos a un pacto universal* (en el caso del universalismo hipotético).[49]

En cada uno de estos casos, el amor universal general de Dios se impone a su amor especial por los elegidos, hasta el punto de que este último se convierte en una mera "ocurrencia tardía".[50] Por el contrario, en el marco soteriológico de Pablo, el propósito de elección y la gracia de Dios para su pueblo están en primer plano. El Evangelio es la manifestación de esta gracia.

III. La obra salvífica de Dios está comprendida en la unión con Cristo

Varios textos de Pablo que se refieren a la obra de la redención hablan, implícita o explícitamente, de que la muerte y la resurrección de Cristo se producen en

---

47 Por ejemplo, Jacobo Arminio, "A Declaration of the Sentiments of Arminius", en *The Works of James Arminius*, trad. James Nichols y William Nichols, 3 vols. (Londres, 1825; reimpr., Grand Rapids, MI: Baker, 1956), 1:653: "[Dios] conocía desde la eternidad a los individuos que, por su [gracia preveniente], *creerían*, y, por su gracia subsiguiente *perseverarían*" (énfasis original; citado en Olson, *Arminian Theology*, 184).

48 Por ejemplo, D. Broughton Knox, "Some Aspects of the Atonement", en *The Doctrine of God*, vol. 1 de *D. Broughton Knox, Selected Works* (3 vols.), ed., Tony Payne (Kingsford, NSW: Matthias Media, 2000), 265: "el decreto de la elección es lógicamente posterior al decreto de la expiación, donde también, de hecho, pertenece en el desarrollo de la aplicación de la salvación". Sería inexacto calificar a Knox de "amyraldiano" en todos los sentidos del término: sobre la naturaleza de la expiación era más bien un universalista hipotético británico. En este punto, sin embargo, coincidía con Amyraut.

49 Por ejemplo, John Davenant, "A Dissertation on the Death of Christ, as to its Extent and special Benefits: containing a short History of Pelagianism, and shewing the Agreement of the Doctrines of the Church of England on general Redemption, Election, and Predestination, with the Primitive Fathers of the Christian Church, and above all, with the Holy Scriptures", en *An Exposition of the Epistle of St. Paul to the Colossians*, trad. Josiah Allport, 2 vols. (London: Hamilton, Adams, 1832 [traducción inglesa de la edición en latín de 1650]), 2:555–56, dijo que el amor especial de Dios para salvar a los elegidos es "una especie de designio especial subordinado al cumplimiento infalible de este pacto universal... Para que, por lo tanto, este pacto universal no acabe por efectuar la salvación a nadie, Dios, por una intención especial y secreta, ha tenido cuidado de que el mérito de la muerte de Cristo se aplique a algunos para la obtención infalible de la fe y la vida eterna".

50 Geerhardus Vos, "The Biblical Doctrine of the Love of God", en *Redemptive History and Biblical Interpretation: The Shorter Writings of Geerhardus Vos*, ed. Richard B. Gaffin (Phillipsburg, NJ: P&R, 1980), 456.

unión con su pueblo. Cuando el concepto está presente, la obra salvífica de Dios se describe en términos eficaces.

Romanos 5:12-21

> Por tanto, tal como el pecado entró en el mundo por medio de un hombre, y por medio del pecado la muerte, así también la muerte se extendió a todos los hombres, porque todos pecaron. Pues antes de la ley había pecado en el mundo, pero el pecado no se toma en cuenta cuando no hay ley. Sin embargo, la muerte reinó desde Adán hasta Moisés, aun sobre los que no habían pecado con una transgresión semejante a la de Adán, el cual es figura de Aquel que había de venir.
>
> Pero no sucede con la dádiva como con la transgresión. Porque si por la transgresión de uno murieron los muchos, mucho más, la gracia de Dios y el don por la gracia de un Hombre, Jesucristo, abundaron para los muchos. Tampoco sucede con el don como con lo que vino por medio de aquel que pecó; porque ciertamente el juicio surgió a causa de una transgresión, resultando en condenación; pero la dádiva surgió a causa de muchas transgresiones resultando en justificación. Porque si por la transgresión de un hombre, por este reinó la muerte, mucho más reinarán en vida por medio de un Hombre, Jesucristo, los que reciben la abundancia de la gracia y del don de la justicia.
>
> Así pues, tal como por una transgresión resultó la condenación de todos los hombres, así también por un acto de justicia resultó la justificación de vida para todos los hombres. Porque así como por la desobediencia de un hombre los muchos fueron constituidos pecadores, así también por la obediencia de Uno los muchos serán constituidos justos.
>
> La ley se introdujo para que abundara la transgresión, pero donde el pecado abundó, sobreabundó la gracia, para que así como el pecado reinó en la muerte, así también la gracia reine por medio de la justicia para vida eterna, mediante Jesucristo nuestro Señor

El argumento de Romanos 5:12-21 tiene como telón de fondo los versículos 1-11, en los que Pablo asegura a los creyentes la gloria futura de Dios a pesar de las pruebas y tribulaciones a las que se enfrentan.[51] Los creyentes pueden estar

---

[51] Lo más probable es que Pablo tenga un ojo puesto en el recelo judío respecto a la justificación ante Dios en el presente, ya que los judíos relegaban el veredicto de la justificación al último día (Moo, *Romans*, 293).

seguros de la salvación en el día de la ira de Dios (vv. 9-11), porque (διὰ τοῦτο; v. 12) el único acto de obediencia de Cristo es mucho más poderoso que el único acto de desobediencia de Adán (vv. 12-21).

La comparación entre Adán y Cristo se exhibe en las comparaciones positivas "así como [ὥσπερ]... así también [οὕτως καί]" (vv. 12, 18, 19, 21), al igual que las comparaciones negativas "no como [οὐχ ὡς] ... así es [οὕτως καί]" (vv. 15-17).[52] En los versículos 15-17, Pablo presenta tres contrastes entre la obra de Adán y la obra de Cristo.[53]

El versículo 15 presenta un contraste *de grado*: la obra de Cristo, descrita aquí como un don de gracia (χάρισμα), es mucho mejor en todo sentido que la obra de Adán: donde la transgresión de Adán (παραπτώματι) trajo la muerte a muchos (οἱ πολλοὶ ἀπέθανον), la obra de Cristo ha traído la gracia de Dios (ἡ χάρις τοῦ θεοῦ) y el don gratuito (ἡ δωρεά). La potencia de la gracia de Cristo sobre el pecado de Adán es un "plus abundante"[54] (πολλῷ μᾶλλον), que tiene "el poder no sólo de anular los efectos de la obra de Adán, sino de crear, positivamente, la vida y la paz".[55]

Los versículos 16-17 constan de dos contrastes: el primero es de *consecuencias*, que enfatiza el *poder* de las acciones de cada hombre: El pecado de Adán (ἁμαρτήσαντος) trajo la condena (κατάκριμα) y la muerte (θάνατος); Cristo trajo la justicia (δικαίωμα) y la vida (ζωῇ). El otro contraste es *numérico*, enfatizando la *gracia* de Dios: el veredicto judicial de condenación siguió al único pecado de Adán (ἐξ ἑνός), pero la justificación traída por Cristo se produjo después de muchos pecados (ἐκπολλῶν παραπτωμάτων). El verso 17 actúa como clímax del contraste de estas dos figuras clave en la historia del mundo: Adán introdujo en el escenario mundial el reino de la muerte (ὁ θάνατος ἐβασίλευσεν), mientras que Cristo introdujo el reino de la vida (ἐν ζωῇ βασιλεύσουσιν).

En los versículos 18-19, Pablo lleva su comparación general a una conclusión: la condenación (κατάκριμα) llegó a todas las personas por la única transgresión (δι' ἑνὸς παραπτώματος) de Adán; la justificación que lleva a la

---

52 En el versículo 16, οὕτως καί falta por elipsis, pero la comparación entre el que pecó (ἑνὸς ἁμαρτήσαντος) y el don (τὸ δώρημα) sigue presente.

53 Moo, *Romans*, 334.

54 Murray, *Romans*, 193.

55 Moo, *Romans*, 337.

vida (δικαίωσιν ζωῆς) llegó a todos los hombres por el único acto justo (δι' ἑνὸς δικαιώματος) de Cristo (v. 18).

Pablo reitera y elabora el mismo punto de nuevo en el versículo 19: el resultado de los actos iniciadores de la época de Adán y de Cristo son declarados en términos más personales: por el único acto de desobediencia de Adán (διὰ τῆς παρακοῆς), muchos fueron constituidos pecadores (ἁμαρτωλοὶ κατεστάθησαν οἱ πολλοί); por el único acto de obediencia de Cristo (διὰ τῆς ὑπακοῆς),[56] muchos fueron constituidos justos (δίκαιοι κατασταθήσονται οἱ πολλοί).

En suma, para fundamentar la seguridad de la salvación futura del creyente, Pablo recurre a una grandiosa comparación entre las dos figuras históricas de Adán y Cristo. Como escribe Henri Blocher:

> El gran paralelo con Adán sirve como base de esa seguridad: si el papel de Adán fue tan dramáticamente eficaz para asegurar la condena de todas las personas en él, y por lo tanto el reino de la muerte, ¡cuánto más eficaz es la obra de Cristo para los que están en él, llevándolos a la vida eterna![57]

En toda la argumentación de Pablo está implícita una unión entre Adán y todos sus descendientes y una unión entre Cristo y todos sus descendientes: "existe una unión vivificante entre Cristo y los suyos que es similar, pero más poderosa, que la unión productora de muerte entre Adán y los suyos".[58] La unión se ve por la conexión de Adán y Cristo con "los muchos" (οἱ πολλοί; vv. 15b, 15c, 19a, 19b) y los "todos" (πάντες; v. 18a, b) que se encuentran a lo largo de este párrafo.

El uso de οἱ πολλοί y πάντες en los versículos 12-21 debe interpretarse a la luz del ἑνός con el que están conectados. Argumentar a favor de una denotación exacta entre los dos grupos relacionados con Adán y Cristo es optar por la posición del universalismo, que, a la luz de otros textos paulinos (por ejemplo, Ro. 2:12; 2 Ts. 1:8-9) es insostenible. Como afirma Doug Moo:

---

[56] Muy probablemente una referencia a su acto final de obediencia hasta la muerte (ibid., 344).

[57] Henri A. G. Blocher, *Original Sin: Illuminating the Riddle, NSBT* (Leicester, Reino Unido: Apollos, 1997), 80.

[58] Moo, *Romans*, 318.

> El planteamiento de Pablo no es tanto que los grupos afectados por Cristo y Adán, respectivamente, sean coextensivos, sino que Cristo afecta a los suyos con la misma certeza que Adán a los suyos.[59]

Respetar esta cuidadosa distinción ayuda a evitar la posición injustificada del universalismo[60] o la confusa interpretación de la "paradoja".[61] Cristo ha *asegurado* los beneficios de la justificación y la vida para todos los que están unidos a Él, no para cada persona. El argumento de Pablo en Romanos 5 también invalida la opinión de que Cristo ha hecho que la justificación esté "disponible" y sea "posible" para todos los que crean,[62] o que el beneficio de la obediencia de Cristo "se extienda a todos los hombres potencialmente", pero "es sólo la voluntad humana la que pone límites a su funcionamiento".[63]

Estas versiones suavizan el lenguaje de 5:12-21. La obra de Cristo no puede reducirse a una mera potencialidad: el lenguaje de la justificación en Pablo siempre se utiliza para referirse al estatus real conferido al individuo.[64] Además, cualquier conversación sobre la voluntad humana que se resiste al poder de la expiación de Cristo con toda seguridad se opone al argumento del apóstol. El único acto de obediencia de Cristo es *mucho más poderoso* que el único acto de desobediencia de Adán.

Por supuesto, se puede argumentar que Romanos 5:12-21 presenta la obra de Cristo como eficaz *sólo para los que creen*, y dentro del pasaje esto es

---

59 Ibid., 343.

60 Así, A. J. Hultgren, *Christ and His Benefits: Christology and Redemption in the New Testament* (Philadelphia: Fortress, 1987), 54-55. Bruce L. McCormack, "So That He Might Be Merciful to All: Karl Barth and the Problem of Universalism", en *Karl Barth and American Evangelicalism*, ed. Bruce L. McCormack y Clifford B. Anderson (Grand Rapids, MI: Eerdmans, 2011), 227-49, sostiene que Pablo nos permite al menos esperar la salvación universal.

61 Así, C. K. Barrett, *A Commentary on the Epistle to the Romans* (Londres: A. & C. Black, 1957), 108-11; C. E. B. Cranfield, *The Epistle to the Romans*, 2 vols., ICC, (Edimburgo: T. & T. Clark, 1975), 1:294-95, quien reconoce estar en deuda con Karl Barth, *Christ and Adam. Man and Humanity in Romans 5* (Nueva York: Collier, 1962), 108-109. M. Eugene Boring "The Language of Universal Salvation in Paul", *JBL* 105 (1986): 269-92, habla de "juegos de lenguaje".

62 Así, R. C. H. Lenski, *The Interpretation of St. Paul's Epistle to the Romans* (1936; reimpr., Minneapolis: Augsburg, 1961), 383: "Lo que Cristo obtuvo para todos los hombres, no lo reciben todos"; P. E. Hughes, *True Image: The Origin and Destiny of Man in Christ* (Grand Rapids, MI: Eerdmans, 1989), 174-75.

63 Así, J. B. Lightfoot, *On a Fresh Revision of the English New Testament*, 3ª ed. (Londres y Nueva York: Macmillan, 1891 [1872]), 108, citado en *sus Notes on the Epistles of St. Paul* (Londres, 1895), 291.

64 Moo, *Romans*, 343.

ciertamente cierto: es para los que "reciben" (λαμβάνοντες) el don de la justicia (v. 17). Sobre esta base, algunos concluyen que la eficacia de la obra de Cristo se produce sólo en el momento de la fe, y no antes. Si bien esto puede parecer cierto a primera vista, ignora el hecho de que la unión con Cristo (fuertemente asumida en todo el párrafo de Pablo aquí) *precede* a cualquier recepción de la obra de Cristo por la fe.

Como demostraré más adelante, es esta unión con Cristo la que *conduce* a la potente eficacia de la obra de Cristo para aquellos que le pertenecen y que reciben el don de la justicia.

Romanos 6:1-11

> ¿Qué diremos, entonces? ¿Continuaremos en pecado para que la gracia abunde? ¡De ningún modo! Nosotros, que hemos muerto al pecado, ¿cómo viviremos aún en él? ¿O no saben ustedes que todos los que hemos sido bautizados en Cristo Jesús, hemos sido bautizados en Su muerte?
> Por tanto, hemos sido sepultados con Él por medio del bautismo para muerte, a fin de que como Cristo resucitó de entre los muertos por la gloria del Padre, así también nosotros andemos en novedad de vida. Porque si hemos sido unidos a Cristo en la semejanza de Su muerte, ciertamente lo seremos también en la semejanza de Su resurrección.
> Sabemos esto, que nuestro viejo hombre fue crucificado con Cristo, para que nuestro cuerpo de pecado fuera destruido, a fin de que ya no seamos esclavos del pecado; porque el que ha muerto, ha sido libertado del pecado.
> Y si hemos muerto con Cristo, creemos que también viviremos con Él, sabiendo que Cristo, habiendo resucitado de entre los muertos, no volverá a morir; la muerte ya no tiene dominio sobre Él. Porque en cuanto a que Él murió, murió al pecado de una vez para siempre; pero en cuanto Él vive, vive para Dios. Así también ustedes, considérense muertos para el pecado, pero vivos para Dios en Cristo Jesús.

La unión con Cristo implícita en Romanos 5:12-21 se hace explícita en 6:1-11. Como fundamento de por qué los creyentes ya no deben vivir en el pecado, sino vivir para la justicia, Pablo se refiere a la participación de los creyentes en los acontecimientos redentores de la muerte y resurrección de Cristo. Utilizando el bautismo como símbolo de nuestra "conversión-iniciación" en la vida cristiana,[65] Pablo establece una correspondencia exacta entre los que fueron bautizados en Cristo y los que fueron bautizados en su muerte: ὅσοι ἐβαπτίσθημεν ... ἐβαπτίσθημεν (v. 3; cf. Gá. 3:27).

Pablo habla de que los creyentes son sepultados con Cristo (συνετάφημεν ... αὐτῷ) mediante el bautismo en la muerte (διὰ τοῦ βαπτίσματος εἰς τὸν θάνατον), para que, así como Cristo resucitó de entre los muertos, también nosotros andemos en una vida nueva (καινότητι ζωῆς; Ro. 6:4).[66] ¿Por qué? Porque nuestra unión con Cristo está presente a lo largo de su muerte y resurrección, versículo 5: "Porque si hemos estado unidos a Él en una muerte como la suya [εἰ γὰρ σύμφυτοι γεγόναμεν τῷ ὁμοιώματι τοῦ θανάτου αὐτοῦ], ciertamente estaremos unidos a Él en una resurrección como la suya [ἀλλὰ καὶ τῆς ἀναστάσεως ἐσόμεθα]". Asimismo, Pablo señala que nuestra unión con Cristo en su muerte (εἰ δὲ ἀπεθάνομεν σὺν Χριστῷ) conduce a la esperanza de vivir con Él en el futuro (καὶ συζήσομεν αὐτῷ; v. 8).

En resumidas cuentas: para Pablo, los creyentes estaban unidos a Cristo en su muerte y resurrección. Nuestra unión con Él es lo que provoca nuestra propia muerte y resurrección espiritual. Pablo reitera esto en otro texto relevante para nuestra discusión.

2 Corintios 5:14-21

> Pues el amor de Cristo nos apremia, habiendo llegado a esta conclusión: que Uno murió por todos, y por consiguiente, todos murieron. Y por todos murió, para que los que viven, ya no vivan para sí, sino para Aquel que murió y resucitó por ellos.
>
> De manera que nosotros de ahora en adelante ya no conocemos a nadie según la carne. Aunque hemos conocido a Cristo según la carne, sin embargo, ahora ya no lo conocemos así. De modo que si alguno está en Cristo, nueva criatura es; las cosas viejas pasaron, ahora han sido hechas nuevas. Y todo esto procede

---

[65] Término tomado de James Dunn, *Baptism in the Holy Spirit, SBT* 15 (Londres: SCM, 1970), 145.

[66] El "tiempo" de este morir y resucitar con Cristo trasciende en cierto modo el tiempo. La transición de la muerte a la vida, de la era antigua a la nueva, se produjo a través de la obra redentora de Cristo el Viernes Santo y el Domingo de Resurrección, pero la realidad de esta transición sólo se produce durante la vida de los creyentes individuales (Moo, *Romans*, 365).

de Dios, quien nos reconcilió con Él mismo por medio de Cristo, y nos dio el ministerio de la reconciliación; es decir, que Dios estaba en Cristo reconciliando al mundo con Él mismo, no tomando en cuenta a los hombres sus transgresiones, y nos ha encomendado a nosotros la palabra de la reconciliación.

Por tanto, somos embajadores de Cristo, como si Dios rogara por medio de nosotros, en nombre de Cristo les rogamos: ¡Reconcíliense con Dios! Al que no conoció pecado, lo hizo pecado por nosotros, para que fuéramos hechos justicia de Dios en Él.

De forma similar a Romanos 6:1-11, Pablo insinúa aquí la unión de los creyentes con Cristo en su muerte, e implica que esta unión efectúa la muerte de los pecadores para sí mismos: "uno ha muerto por todos, por tanto, todos han muerto" (εἷς ὑπὲρ πάντων ἀπέθανεν, ἄρα οἱ πάντες ἀπέθανον; 2 Co. 5:14). Puesto que la mayoría de los comentaristas y eruditos están de acuerdo en que los tres usos de πάντες en los versos 14-15 son coextensivos, el referente exacto de πάντες no tiene por qué retenernos por ahora.[67]

Es quizá el exceso de atención al referente de πάντες en los versos 14-15 lo que hace que se pierda el sentido simple del texto, que gira en torno a la conjunción ἄρα. Tomando la conjunción en su sentido consecuencial, vemos que todos aquellos por los que Cristo murió[68] murieron para sí mismos *a causa de* la muerte de Cristo por ellos (v. 14). A la luz del enfoque ético del versículo 15, ésta parece la mejor lectura del verbo aoristo ἀπέθανον del versículo 14b. "La muerte de uno fue la muerte de todos",[69] para que todos los que murieron vivieran para Otro.

[67] Como señalé en mi capítulo anterior, dos observaciones sugieren que los tres usos sucesivos de πάντες son todos coextensivos. El artículo definido (οἱ) que precede a πάντες en el verso 14b es anafórico, y apunta hacia el πάντες del verso 14a; y, tanto si se toma καί como epexegético o conjuntivo en el verso 15a, la siguiente frase ὑπὲρ πάντων ἀπέθανεν es idéntica en sentido al verso 14a.

[68] La preposición ὑπέρ puede tener el sentido general de representación ("en beneficio de, en nombre de") o de sustitución ("en lugar de"). Trazar una distinción demasiado tajante entre estas opciones parece injustificado. Véase Murray J. Harris, *The Second Epistle to the Corinthians, NIGTC* (Grand Rapids, MI: Eerdmans, 2005), 421.

[69] Charles Hodge, *Commentary on the Second Epistle to the Corinthians* (Grand Rapids, MI: Eerdmans, 1953), 136.

Para hacer tal afirmación aquí, Pablo *asume* una unión de los creyentes con Cristo en su muerte y en su resurrección.[70] El propósito de la muerte de Cristo es para que (ἵνα) aquellos por los que murió ya no vivan para sí mismos (οἱ ζῶντες μηκέτι ἑαυτοῖς ζῶσιν) sino (ἀλλά) por aquel que murió y resucitó por ellos (τῷ ὑπὲρ αὐτῶν ἀποθανόντι καὶ ἐγερθέντι). Es cierto que ἵνα "introduce un resultado previsto, no un resultado automático",[71] pero cuando el versículo 15 se lee en correspondencia con Romanos 6:4-5, es difícil conciliar cómo en la soteriología de Pablo puede haber quienes murieron con Cristo, pero no resucitan con Él para andar en novedad de vida y vivir para Él.

Pablo llega a decir que si alguien está "en Cristo" (ἐν Χριστῷ) es una nueva creación (καινὴ κτίσις): lo viejo ha desaparecido (τὰ ἀρχαῖα παρῆλθεν), lo nuevo ha llegado (ἰδοὺ γέγονεν καινά; 2 Co. 5:17). Esto es así precisamente porque los que están "en Cristo" fueron unidos a Él en su muerte *y* resurrección.[72] La obra de muerte y resurrección de Cristo tuvo una fuerza tan potente que efectuó una nueva creación en la historia redentora, de la que se apropian los que están unidos a Él por la fe durante su experiencia de vida.[73]

Resumen

Hemos visto que la expiación de Cristo es decisiva para la vida y la muerte de los que están "en Él" como su representante y como su sustituto: "en este sentido, 'por nosotros', 'por nuestros pecados', y 'en Él', 'con Él', son correlativos e inseparables; el primero sólo funciona dentro del vínculo indicado por el segundo".[74] Es decir, en la soteriología paulina, la muerte de Cristo por

---

[70] Curiosamente, este versículo ha sido descuidado en el tratamiento, por lo demás exhaustivo, de Constantine R. Campbell sobre la unión con Cristo (*Paul and Union with Christ: An Exegetical and Theological Study* [Grand Rapids, MI: Zondervan, 2013]).

[71] Harris, *Second Corinthians*, 423.

[72] La frase ἐν Χριστῷ no debe pasarse por alto, y contrarresta afirmaciones como "toda la humanidad está ligada a Él, murió por toda la humanidad y toda la humanidad murió en Él" (T. F. Torrance, *The Atonement: The Person and Work of Christ* [Downers Grove, IL: IVP Academic, 2009], 183).

[73] Vos, *Pauline Eschatology*, 47: "Se ha creado un entorno totalmente nuevo, o, más exactamente, un mundo totalmente nuevo, en el que la persona de la que se habla es habitante y participante".

[74] Richard B. Gaffin, *By Faith, Not By Sight: Paul and the Order of Salvation* (Carlisle, Reino Unido: Paternoster: 2006), 36.

las personas no puede verse separada de su unión con esas mismas personas: "ὑπέρ no es sin σύν y σύν no es sin ὑπέρ".[75]

Atendiendo a esta unión vital entre Cristo y su pueblo se explica la potente eficacia de la muerte de Cristo, una eficacia en la que la redención realizada no sólo asegura todos los recursos para la redención aplicada, sino que garantiza el resultado de la redención consumada.[76]

La unión con Cristo como clave de la soteriología de Pablo

La unión con Cristo es "la verdad central de la salvación para Pablo, la realidad soteriológica clave que engloba todas las demás".[77] Para Pablo, la unión con Cristo no se limita al momento de la redención consumada, sino que atraviesa los cuatro momentos de la obra salvadora de Dios. En la redención predestinada, fuimos elegidos "en Cristo" (Ef. 1:4; 2 Ti. 1:9); en la redención realizada, morimos "con Cristo" (Ro. 6:5-6; Gá. 2:20) y resucitamos "con Él" (Ro. 6:5-6; 2 Co. 5:14-15); en la redención aplicada, los que estábamos muertos revivimos "con Cristo", resucitamos "con Él" y nos sentamos "con Él" en los lugares celestiales (Ef. 2:5-6); y, misteriosamente, el Cristo que estaba "fuera de nosotros" ahora vive en nosotros por la fe (Col. 1:27); en la redención consumada, finalmente estaremos "con Cristo" (2 Co. 5:8; Fil. 1:23; Col. 3:4).[78]

Estas son dimensiones distintas de la única unión con Cristo. Estas dimensiones no deben separarse nunca unas de otras —podría decirse que es esta única unión con Cristo la que une los cuatro momentos de la redención—, pero también deben mantenerse como distintas, sin que una se fusione con la otra. Por ejemplo, aunque Pablo afirma que los creyentes fueron elegidos "en Cristo" (Ef. 1:4), todavía teníamos que morir "con Cristo" y resucitar "con Él" (Ro. 6:3-5); hasta que creímos, estábamos fuera de Cristo como "hijos de la ira"

---

[75] W. T. Hahn, *Das Mitsterben und Mitauferstehen mit Christus bei Paulus: Ein Beitrag zum Problem der Gleichzeitigkeit des Christen mit Christus* (Gütersloh, Alemania: C. Bertelsmann, 1937), 147, citado y traducido en Gaffin, *Resurrection and Redemption*, 58.

[76] Cuando hablo de la "eficacia" de la expiación, no pretendo sugerir que sea una "sustancia" o "fuerza" potente, sino que es *personalmente* poderosa. Es decir, su poder reside en la persona que la realizó.

[77] Gaffin, *By Faith, Not By Sight*, 36, quien señala que el concepto proviene de la descripción veterotestamentaria de que Dios es la "porción" de su pueblo (Sal. 73:26; 119:57; Jer. 10:16) y, recíprocamente, ellos son la "porción" de Él (Dt. 32:9) (35).

[78] Con respecto a la unión con Cristo, Gaffin se refiere a los tres primeros momentos como predestinatario, redentor-histórico y existencial (*By Faith, Not By Sight*, 37).

(Ef. 2:3), antes de ser sentados "con Cristo" en los lugares celestiales por la fe (Ef. 2:6); y mientras disfrutamos de la condición de "Cristo en nosotros" (Col. 1:27), todavía esperamos el día de estar "con Cristo" en persona (Fil. 1:23).

En resumen: La soteriología de Pablo se sitúa en un lienzo escatológico en el que presenta cuatro momentos distintos pero inseparables de la obra salvífica de Dios *en Cristo*. La unión con Cristo distingue y conecta estos cuatro momentos, y garantiza la eficacia de la obra expiatoria de Cristo. Como en los momentos de la redención, en la unión con Cristo hay distinción en la unidad y unidad en la distinción.

Reflexiones teológicas: la unión con Cristo y la expiación

Afirmar que la unión con Cristo es el centro de la soteriología paulina aclara una serie de aspectos clave de la expiación de Cristo:

(1) *Afirmar las dimensiones distintas pero inseparables de la única unión con Cristo contrarresta la fusión de un aspecto en otro, como ocurre en la teología de Karl Barth.*
La presentación de Barth de la fe como "despertar" a una realidad que ya pertenece al pecador[79] tiene el potencial de eliminar las distinciones paulinas sobre estar fuera de Cristo en un momento dado y estar unido a Cristo mediante la fe en un momento posterior. En este sentido, Barth no ha logrado preservar las distintas dimensiones *temporales* de la única unión con Cristo. Para Pablo, la fe es el medio instrumental por el que el pecador experimenta una transferencia de reino: el que fue elegido en Cristo antes de que empezara el tiempo (Ef. 1:4; 2 Ti. 1:9) estuvo, sin embargo, fuera de Cristo en un momento de su vida (Ef. 2:1-3; cf. Ro. 16:7, por inferencia), antes de estar unido a Cristo por la fe en su conversión (Ef. 2:5-8; Col. 3:3).

(2) *La unión con Cristo contrarresta los intentos de forzar una disyunción entre la redención realizada y la redención aplicada, que a su vez hacen que la eficacia de la muerte de Cristo dependa necesariamente de la fe.*

[79] Cf. Barth, *CD* IV/1, 751; *CD* IV/2, 554; *CD* IV/3.2, 486-97.

Dado que Cristo se unió a su pueblo en su muerte, hablar de "potencialidad" o "condicionalidad" en relación con la expiación resulta del todo inadecuado, ya que condiciona la eficacia de la expiación a la fe, ya sea una fe sinérgica (como en el semipelagianismo y el arminianismo)[80] o una fe monérgica elegida por Dios (como en el amyraldianismo y el universalismo hipotético); pero en cualquier caso, una fe *humana*. En la primera concepción, la fe, por así decirlo, "saca provecho" de la expiación, o incluso sirve de "catalizador" para su activación;[81] en el segundo esquema, la elección por la fe funciona en una "vía" teológica desconectada de la expiación.[82] Cualquiera que sea la opción que se elija, no se puede escapar al hecho de que cada esquema, en última instancia, hace que la expiación sea impotente para salvar: La adquisición de la salvación por parte de Cristo se deja *in suspenso* hasta que se cumpla la condición *humana*.[83] Tal postura no

---

80 Esta fe sinérgica puede adoptar una de las dos formas siguientes: un sinergismo simétrico (cooperación igualitaria entre Dios y el *libre* albedrío del hombre) como en el semipelagianismo, o un sinergismo asimétrico (cooperación no resistente y permisiva de la voluntad del hombre que ya ha sido *liberada* por la gracia preveniente de Dios) como en el arminianismo clásico. Para esta importante distinción, véase Olson, *Arminian Theology*, 158-78, especialmente 164-66.

81 Así, Olson, *Arminian Theology*, 222: "Los arminianos creen que la muerte de Cristo en la cruz proporcionó una *posible* salvación para todos, pero que ésta *se actualiza* sólo cuando los humanos la aceptan mediante el arrepentimiento y la fe". No estoy acusando a los arminianos de fundamentar la salvación *en* la fe; más bien, la cuestión es si la fe es lo que hace efectiva la expiación. Existe una distinción.

82 Así Lewis Sperry Chafer, *Systematic Theology, Volume III* (Dallas: Dallas Seminary Press, 1948), 187: "La ruta de la elección divina está muy separada de la ruta de la redención".

83 Así, por ejemplo, Amyraut escribió: "Esta voluntad de hacer que la gracia de la salvación sea universal y común a todos los seres humanos es tan condicional que sin el cumplimiento de la condición es totalmente ineficaz" ("Ceste volonté de rendre la grace du salut vniuerselle & cómune à tous les humains estant tellement conditionnelle, que sin el cumplimiento de la condición, es totalmente ineficaz") (Moïse Amyraut, *Brief Traitté de la Predestination et de ses principales dependances* [Saumur, Francia: Jean Lesnier & Isaac Debordes, 1634], 90). Aunque el arminianismo clásico postula la gracia preveniente antes de la fe, tampoco puede eludir la acusación de que la expiación de Cristo es provisional y contingente y, por tanto, impotente en última instancia, ya que incluso la voluntad liberada del hombre puede seguir resistiendo la eficacia de la obra regeneradora de Dios que se deriva de la expiación (véase Jacobo Arminio, "Declaration of Sentiments", *Works*, 1:659-60). Cf. también I. Howard Marshall, "Predestination in the New Testament", en *Grace Unlimited*, ed. Clark H. Pinnock (Minneapolis: Bethany Fellowship, 1975), 140: "El efecto del llamamiento de Dios es situar al hombre en una posición en la que puede decir 'Sí' o 'No' (cosa que no podía hacer antes de que Dios le llamara; hasta entonces estaba en una actitud continua de 'No')".

sólo huele a antropocentrismo: —"el centro de gravedad se ha desplazado de Cristo y se ha situado en el cristiano.
La fe es la verdadera reconciliación con Dios"[84]—, sino que también es contraria a la opinión de que la muerte de Cristo es una expiación sustitutiva *efectiva*. Como se ve en Romanos 5:12-21, la obra redentora de Cristo superó los poderosos efectos de la caída de Adán —el pecado y la muerte—; ¿cuánto menos, entonces, podría una voluntad humana —ya sea libre de nacimiento o liberada por la gracia preveniente— resistir el dinamismo de la obra de Cristo cumpliendo su propósito? Además, en contraste con el amyraldianismo, como se ha visto antes en algunos textos paulinos (Ef. 1:4; 5:27; Gá. 1:4; 2 Ti. 1:9-11), la elección y la expiación no operan en vías teológicas separadas: la primera circunscribe a la segunda. Y lo que Dios ha unido, que no lo separe nadie.

(3) *Afirmar la unión con Cristo en el momento de la redención consumada contrarresta cualquier disyunción entre el efecto de la muerte sustitutiva de Cristo y el efecto de su resurrección, como si la muerte de Cristo pudiera llevar a la muerte espiritual de algunos pecadores, pero no lo hiciera igualmente a su resurrección a una nueva vida.*[85]
Sugerir tal separación es causar un grave detrimento a la doctrina paulina de la redención consumada. Como afirma Richard Gaffin, "en sentido estricto, no la muerte de Cristo, sino su resurrección (es decir, su exaltación), marca la culminación del cumplimiento de la redención de una vez por todas".[86] Esto no supone equiparar la inseparabilidad con la indistinción. La muerte y la resurrección de Cristo son acontecimientos *distintos* en la vida de Cristo y del creyente; pero, para ser fieles a Pablo, no puede haber *disyunción* entre ellos: "si hemos estado unidos a Él en una muerte semejante a la suya, ciertamente

[84] Herman Bavinck, *Sin and Salvation in Christ*, vol. 3 de *Reformed Dogmatics*, ed. John Bolt, trad. John Vriend, 4 vols. (Grand Rapids, MI: Baker, 2006), 469.

[85] Contra Harris, *Second Corinthians*, 421: "aunque todas las personas 'murieron' cuando Cristo murió, no todas resucitaron a una nueva vida cuando Él resucitó de entre los muertos". Para Harris, "esta muerte puede ser la muerte merecida por el pecado, o una muerte objetiva 'ética' que debe ser apropiada subjetivamente por la fe individual, o una participación colectiva en el evento de la muerte de Cristo por la cual el poder del pecado fue destruido" (422).

[86] Gaffin, *Resurrection and Redemption*, 116.

estaremos unidos a Él en una resurrección semejante a la suya" (Ro. 6:5). Encontramos más que una mera analogía aquí.[87] Como escribe Sinclair Ferguson, "si estamos unidos a Cristo, entonces estamos unidos a Él en todos los aspectos de su actividad en nuestro favor".[88]

(4) *Estar unido a Cristo significa que la expiación sustitutiva de Cristo es una expiación representativa y no una mera expiación "en vez de".*

Tratar la muerte de Cristo como esto último es ver a Cristo como un individuo arbitrario —aunque sea el Hijo de Dios— que murió por nadie en particular porque no tenía ninguna relación intrínseca con aquellos por los que murió. En este caso, no se diferencia de un sustituto en un partido deportivo. En cambio, considerar la unión con Cristo significa que Cristo murió como un sustituto *representativo*, uno que se unió en su persona a aquellos por quienes murió, con todos sus papeles y oficios en juego.

Cristo murió como un hombre público, no como un hombre particular. Es decir, Cristo murió como Rey por su pueblo, como Esposo por su novia, como Cabeza por su cuerpo, como Pastor por sus ovejas, como Maestro por sus amigos, como Primogénito por sus hermanos y hermanas, como Segundo y Postrer Adán por una nueva humanidad.[89] Como dijo Murray, "Cristo Jesús no puede ser contemplado aparte de su obra ni su obra aparte de Él".[90] Esto es lo que hace que la muerte de Cristo sea una expiación sustitutiva eficaz, porque, al estar unido a su pueblo, Cristo murió como Alguien, como su representante.

Este punto conlleva un corolario necesario.

(5) *La unión con Cristo significa que la particularidad de la expiación debe tener lugar antes del momento de la redención aplicada.*

Si la unión con Cristo atraviesa los cuatro momentos de la redención, entonces no se puede introducir la particularidad en la expiación en el

---

[87] Gaffin, de nuevo: "el vínculo solidario entre la realización de la redención en la historia de la vida del creyente y su realización pasada y definitiva es tan fuerte y de tal naturaleza que la primera sólo puede entenderse y expresarse en términos de la segunda" (ibid., 59).

[88] Sinclair B. Ferguson, "The Reformed View", en *Christian Spirituality: Five Views of Sanctification*, ed. Donald L. Alexander (Downers Grove, IL: IVP Academic, 1989), 58.

[89] Henri A. G. Blocher, "The Scope of Redemption and Modern Theology", *SBET* 9.2 (1991): 102.

[90] Murray, *Romans*, 214.

punto de aplicación.[91] La muerte expiatoria de Cristo es en favor de un grupo particular de personas precisamente porque es una muerte "en-unión-con". El alcance de la redención realizada y de la redención aplicada es, por tanto, necesariamente coextensivo.[92]

IV. La obra salvífica de Dios en Cristo es trinitaria

John Webster escribe que "la soteriología... tiene su lugar dentro de la teología del *mysterium trinitatis*, es decir, la riqueza inherente y comunicada de la vida de Dios como Padre, Hijo y Espíritu Santo".[93] No se puede subestimar el comentario de Webster. Una lectura atenta del corpus paulino revela un trinitarismo tácito que impregna prácticamente todo el pensamiento de Pablo. En particular, demuestra una conjunción del Padre, el Hijo y el Espíritu en la economía de la salvación.

La doctrina paulina de la Trinidad

Tres textos se destacan en particular por revelar la doctrina paulina de la Trinidad, donde el patrón triádico se expresa dentro de la realidad de la unicidad de Dios.

En primer lugar, en 1 Corintios 12:4-6, Pablo explica que la presencia del Espíritu en el pueblo de Dios se manifiesta en una rica diversidad de dones, diversidad que se refleja también en la propia naturaleza de Dios: Espíritu, Señor y Dios (el Padre). Esta diversidad debe servir a la unidad del cuerpo, ya que es el mismo Espíritu, Señor y Dios.

---

[91] Contra Knox, "Some Aspects of the Atonement", 265.

[92] Contra Harris, *Second Corinthians*, 423: "Hay universalismo en el alcance de la redención, ya que ninguna persona está excluida de la oferta de salvación de Dios; pero existe una particularidad en la aplicación de la redención, ya que no todos se apropian de los beneficios ofrecidos por esta salvación universalmente ofrecida"; o Bruce A. Demarest, *The Cross and Salvation: The Doctrine of Salvation, Foundations of Evangelical Theology* (Wheaton, IL: Crossway, 1997), 193: "Cristo ... proporcionó la salvación a más personas que a las que se propuso aplicar sus beneficios salvadores".

[93] Webster, "It Was the Will of the Lord", 20.

En segundo lugar, esta diversidad en la unidad y la unidad en la diversidad se expresa en la formulación del credo de Efesios 4:4-6, donde Pablo habla de un solo Espíritu, un solo Señor y un solo Padre.

En tercer lugar, la gracia-bendición de 2 Corintios 13:14 presenta la actividad de las tres personas divinas en concierto. La gracia de nuestro Señor Jesús, vista en su muerte y resurrección por los demás, manifiesta el amor fundacional de Dios Padre, mientras que el Espíritu actualiza continuamente ese amor y esa gracia en la vida del creyente y de la comunidad cristiana.[94]

El hecho de que el trinitarismo sea fundamental para la soteriología de Pablo se ve corroborado por una serie de textos en los que Pablo formula su doctrina de la salvación en términos trinitarios, tanto implícita como explícitamente.[95] Podemos dividirlos en textos triádicos (es decir, textos sobre el Padre, el Hijo y el Espíritu) y textos diádicos (es decir, textos sobre el Padre y el Hijo y textos sobre el Hijo y el Espíritu). Existe una superposición evidente entre algunos de ellos.

Textos triádicos: Padre, Hijo y Espíritu Santo

Gálatas 4:4-6

> Pero cuando vino la plenitud del tiempo, Dios envió a Su Hijo, nacido de mujer, nacido bajo la ley, a fin de que redimiera a los que estaban bajo la ley, para que recibiéramos la adopción de hijos. Y porque ustedes son hijos, Dios ha enviado el Espíritu de Su Hijo a nuestros corazones, clamando: "¡Abba! ¡Padre!".

Este pasaje ofrece un excelente ejemplo de la "Trinidad en unidad" que actúa en nuestra salvación. La repetición de la frase ἐξαπέστειλεν ὁ θεός ("Dios envió") con las respectivas cláusulas objetivas τὸν υἱὸν αὐτοῦ ("su Hijo") y τὸ πνεῦμα

---

[94] Gordon D. Fee, *Pauline Christology: An Exegetical-Theological Study* (Peabody, MA: Hendrickson, 2007), 592.

[95] Véanse pasajes soteriológicos como Romanos 8:3-4, 15-17; 1 Corintios 6:11; 2 Corintios 1:21-22; Gálatas 4:4-7; 1 Tesalonicenses 1:4-6; 2 Tesalonicenses 2:13-14; Tito 3:4-7. Gordon D. Fee, *God's Empowering Presence: The Holy Spirit in the Letters of Paul* (Peabody, MA: Hendrickson, 1994), 48 n. 39, enumera muchos otros textos de este tipo, soteriológicos o no: Romanos 5:5-8; 8:9-11; 15:16-19, 30; 1 Corintios 1:4-7; 2:4-5, 12; 6:19-20; 2 Corintios 3:16-18; Gálatas 3:1-5; Efesios 1:3, 17-20; 2:17-22; 3:16-19; 5:18-19; Filipenses 1:19-20; 3:3; Colosenses 3:16. Para el desglose de algunos de ellos, véase ibid., 841-42.

τοῦ υἱοῦ αὐτοῦ ("el Espíritu de su Hijo"; vv. 4, 6) revela el profundo trinitarismo en la economía de la salvación de Pablo. Dios el Padre envía a sus dos Emisarios para realizar y aplicar la redención: el Hijo para *redimirnos* a nosotros que estamos bajo la ley (ἵνα τοὺς ὑπὸ νόμον ἐξαγοράσῃ) para "que recibamos la adopción como hijos" (ἵνα τὴν υἱοθεσίαν ἀπολάβωμεν); y el Espíritu para *que esté en nuestros corazones* (εἰς τὰς καρδίας ἡμῶν) a fin de que como hijos clamemos: "¡Abba! Padre!" (κρᾶζον, αββα ὁ πατήρ).[96]

La obediencia del Hijo y del Espíritu al Padre asegura la armonía de propósitos: el "círculo" de la salvación que se inicia con el Padre al enviar al Hijo y el Espíritu se cierra en comunión con Él cuando los nuevos hijos adoptivos claman: "¡Abba! Padre!". Es notable también, que mientras el Hijo es designado simplemente como Hijo de Dios (τὸν υἱὸν αὐτοῦ), el Espíritu enviado desde el Padre es el Espíritu del Hijo (τὸ πνεῦμα τοῦ υἱοῦ αὐτοῦ), lo que implica que el envío del Espíritu por parte del Padre es en cooperación con el Hijo, cuyo Espíritu es.[97]

Romanos 8:1-11

Por tanto, ahora no hay condenación para los que están en Cristo Jesús, los que no andan conforme a la carne sino conforme al Espíritu. Porque la ley del Espíritu de vida en Cristo Jesús te ha libertado de la ley del pecado y de la muerte.

Pues lo que la ley no pudo hacer, ya que era débil por causa de la carne, Dios lo hizo: enviando a Su propio Hijo en semejanza de carne de pecado y como ofrenda por el pecado, condenó al pecado en la carne, para que el requisito de la ley se cumpliera en nosotros, que no andamos conforme a la carne, sino conforme al Espíritu.

---

[96] Aunque el participio κρᾶζον ("clamor") está directamente relacionado con el Espíritu (ya sea como participio atributivo que explica lo que hace el Espíritu, o como participio adverbial que indica el propósito o el resultado del verbo principal ἐξαπέστειλεν), pocos discutirían que el clamor del Espíritu aquí también se convierte en el clamor del creyente (cf. Ro. 8:15).

[97] Hechos 2:33 revela un patrón triádico similar en relación con la efusión del Espíritu: habiendo sido exaltado a la derecha de Dios Padre (τῇ δεξιᾷ οὖν τοῦ θεοῦ ὑψωθείς), el Hijo recibe del Padre (λαβὼν παρὰ τοῦ πατρός) la promesa del Espíritu Santo (τήν τε ἐπαγγελίαν τοῦ πνεύματος τοῦ ἁγίου), que luego derrama (ἐξέχεεν) en Pentecostés.

> Porque los que viven conforme a la carne, ponen la mente en las cosas de la carne, pero los que viven conforme al Espíritu, en las cosas del Espíritu. Porque la mente puesta en la carne es muerte, pero la mente puesta en el Espíritu es vida y paz. La mente puesta en la carne es enemiga de Dios, porque no se sujeta a la ley de Dios, pues ni siquiera puede hacerlo, y los que están en la carne no pueden agradar a Dios.
> Sin embargo, ustedes no están en la carne sino en el Espíritu, si en verdad el Espíritu de Dios habita en ustedes. Pero si alguien no tiene el Espíritu de Cristo, el tal no es de Él. Y si Cristo está en ustedes, aunque el cuerpo esté muerto a causa del pecado, sin embargo, el espíritu está vivo a causa de la justicia. Pero si el Espíritu de Aquel que resucitó a Jesús de entre los muertos habita en ustedes, el mismo que resucitó a Cristo Jesús de entre los muertos, también dará vida a sus cuerpos mortales por medio de Su Espíritu que habita en ustedes.

Este pasaje es similar al de Gálatas 4:4-6 en el sentido de que comienza con la iniciativa de Dios Padre para salvar y termina con los hijos adoptivos de Dios clamando: "¡Abba! Padre", y todo ello gracias a la labor conjunta del Hijo y el Espíritu. En Romanos 8:1-11, la obra del Espíritu y la del Hijo están estrechamente vinculadas, ya que juntas llevan a cabo la salvación de Dios para los pecadores: la ley del Espíritu de vida (νόμος[98] τοῦ πνεύματος τῆς ζωῆς) nos hace libres (ἠλευθέρωσέν) en Cristo Jesús (ἐν Χριστῷ Ἰησοῦ)[99] de la ley del pecado y de la muerte (ἀπὸ τοῦ νόμου τῆς ἁμαρτίας καὶ τοῦ θανάτου; v. 2).

El Hijo y el Espíritu sirven al Padre en la economía de la salvación al enviar al Hijo "en semejanza de carne de pecado y por el pecado" (ἐν ὁμοιώματι σαρκὸς ἁμαρτίας καὶ περὶ ἁμαρτίας), Dios Padre "condenó el pecado en la carne" (κατέκρινεν τὴν ἁμαρτίαν ἐν τῇ σαρκί; v. 3): redención realizada. Lo hizo "para que se cumpliera la justa exigencia de la ley en nosotros, que no andamos según la carne, sino según el Espíritu" (τοῖς μὴ κατὰ σάρκα περιπατοῦσιν ἀλλὰ κατὰ πνεῦμα; v. 4): redención aplicada. Así, vemos al Hijo y al Espíritu trabajando en armonía a las órdenes del Padre en ambos momentos de la redención.

---

98 La mejor interpretación de νόμος aquí es probablemente "principio", "autoridad vinculante" o "poder" (Moo, *Romans*, 474).

99 La frase preposicional se lee mejor en relación con el verbo ἠλευθέρωσέν que en relación con la frase genitiva τῆς ζωῆς, y conlleva una fuerza instrumental.

En este pasaje se presta especial atención al Espíritu, que es esencial para la salvación: "Quien no tiene el Espíritu de Cristo no es de Él [de Cristo]" (v. 9). Pero si Cristo está en nosotros (εἰ δὲ Χριστὸς ἐν ὑμῖν), entonces "el Espíritu es vida" (πνεῦμα ζωή) en nosotros (v. 10), y si el Espíritu vive en nosotros (εἰ δὲ τὸ πνεῦμα ... οἰκεῖ ἐν ὑμῖν), entonces Dios, que resucitó a Cristo de entre los muertos (ὁ ἐγείρας Χριστὸν ἐκ νεκρῶν), dará vida a nuestros cuerpos mortales por medio de su Espíritu que habita en nosotros (διὰ τοῦ ἐνοικοῦντος αὐτοῦ πνεύματος ἐν ὑμῖν; v. 11).

Todo esto es así porque el Espíritu es el "Espíritu de Dios" (πνεῦμα θεοῦ) y el "Espíritu de Cristo" (πνεῦμα Χριστοῦ; v. 9), y así el Padre y el Hijo no pueden actuar sin el acompañamiento del Espíritu.

Tito 3:4-6

> Pero cuando se manifestó la bondad de Dios nuestro Salvador, y Su amor hacia la humanidad, Él nos salvó, no por las obras de justicia que nosotros hubiéramos hecho, sino conforme a Su misericordia, por medio del lavamiento de la regeneración y la renovación por el Espíritu Santo, que Él derramó sobre nosotros abundantemente por medio de Jesucristo nuestro Salvador.

Este pasaje también revela que las tres personas de la Trinidad están activas en la salvación de Dios, obrando en los momentos de la redención realizada y la redención aplicada. Parafraseando el texto, cuando (ὅτε) apareció la bondad y el amor de Dios Padre hacia la humanidad (ἐπεφάνη) (en la muerte y resurrección del Hijo; v. 4),[100] el Padre nos salvó (ἔσωσεν) mediante (διά) la obra regeneradora y renovadora del Espíritu Santo (λουτροῦ παλιγγενεσίας καὶ ἀνακαινώσεως πνεύματος ἁγίου; v. 5), que el Padre derramó (ἐξέχεεν) sobre nosotros por (διά) el Hijo, Jesucristo nuestro Salvador (Ἰησοῦ Χριστοῦ τοῦ σωτῆρος ἡμῶν; v. 6).

La obra de la redención es aquí una obra del Padre, del Hijo y del Espíritu, cada uno trabajando en armonía para lograr la salvación. Esto puede verse más claramente en relación con la administración del Espíritu: como sujeto del ἐξέχεεν, el Padre es el agente primario en el derramamiento del Espíritu, pero lo

---

[100] Como he mencionado antes, "cuando" y "apareció" se refieren a la primera aparición de Cristo (cf. Tit. 2:13-14; Knight, *Pastoral Epistles*, 339).

hace a través de (διά) la agencia intermedia del Hijo.[101] Las implicaciones cristológicas son obvias,[102] pero igualmente profundo es el hecho de que el Padre, el Hijo y el Espíritu son todos de una misma mente en la aplicación de la redención.

Texto diádico: Padre e Hijo

2 Timoteo 1:9-10

> ...nos ha salvado y nos ha llamado con un llamamiento santo, no según nuestras obras, sino según Su propósito y según la gracia que nos fue dada en Cristo Jesús desde la eternidad, y que ahora ha sido manifestada por la aparición de nuestro Salvador Cristo Jesús, quien puso fin a la muerte y sacó a la luz la vida y la inmortalidad por medio del evangelio...

Este es un ejemplo de texto diádico en el que se unen las obras del Padre y del Hijo. Dios Padre (θεοῦ) nos salvó (σώσαντος) y llamó (καλέσαντος) según su propio (ἰδίαν) propósito y gracia (πρόθεσιν καὶ χάριν), una elección pretemporal que nos fue dada en su Hijo, Jesucristo (τὴν δοθεῖσαν ἡμῖν ἐν Χριστῷ Ἰησοῦ; v. 9). Luego, en la historia, el Hijo encarnado, Jesucristo nuestro Salvador (τοῦ σωτῆρος ἡμῶν Χριστοῦ Ἰησοῦ), manifestó (φανερωθεῖσαν) el misericordioso propósito electivo del Padre (v. 10). Así que lo que el Padre se propone, el Hijo lo manifiesta, y por lo tanto su obra debe conllevar el mismo alcance.

Papeles diferentes pero inseparables en la Trinidad

Aunque el análisis anterior demuestra que las Escrituras dan testimonio de la *armonía* de propósitos dentro de la trinidad, es importante respetar también las funciones *distintas* de cada persona de la divinidad en la realización de los propósitos salvíficos de Dios. Simplificando: para Pablo

---

[101] El hecho de que el Hijo esté implicado en la administración del Espíritu no es de extrañar cuando se lee en el contexto de otros textos en los que Pablo se refiere al Espíritu como el Espíritu de Cristo (Ro. 8:9; 2 Co. 3:17; Gá. 4:6; Fil. 1:19).

[102] Mientras que en otros lugares el Padre es designado con el título de "Salvador" (σωτῆρος; por ejemplo, Tit. 1:3; 3:4), aquí el Hijo es designado como "Salvador" (σωτῆρος).

> la redención humana es la actividad combinada del Padre, el Hijo y el Espíritu, en el sentido de que (1) se basa en el amor de Dios, el cual la pone en marcha; (2) se lleva a cabo históricamente mediante la muerte y resurrección de Cristo el Hijo; y (3) se actualiza en la vida de los creyentes mediante el poder del Espíritu Santo.[103]

Esto es cierto, pero John Owen aporta una aclaración necesaria. Cuando una de las personas de la Trinidad actúa "*principalmente*, inmediatamente y por eminencia" en su papel distintivo, nunca es excluyente en relación con las otras personas de la Trinidad; cuando una persona de la Trinidad actúa, las otras no están de alguna manera ausentes o pasivas o son meros espectadores.[104] Los papeles de cada persona de la Trinidad no son intercambiables, pero tampoco son independientes.

En el momento de la redención predestinada, aunque fuimos elegidos "en Cristo", el Hijo de Dios, y predestinados para la adopción como hijos "por medio de Cristo Jesús", el Padre fue el agente principal en la elección (Ef. 1:4-5). En el momento de la redención realizada, si bien fue el Hijo quien vino en semejanza de carne de pecado, fue el Padre quien lo envió (Ro. 8:3), y el Espíritu quien vindicó su aparición en la carne (1 Ti. 3:16); y si bien el Hijo se entregó por nuestros pecados (Gá. 1:4; 2:20; Ef. 5:2, 25; 1 Ti. 2:6; Tit. 2:14), fue el Padre el que lo puso como propiciación (Ro. 3:25).[105] El Hijo aseguró nuestra reconciliación (Ro. 5:9-11), pero la iniciativa vino del Padre (Ro. 5:8) en el poder del Espíritu que resucitó a Cristo de entre los muertos (Ro. 1:4; 8:11). *Ubi Filius, ibi Pater et Spiritus.*

En el momento de la redención aplicada, sólo pudimos recibir el Espíritu prometido por medio de la fe porque el Hijo encarnado se hizo maldición por nosotros (Gá. 3:13-14); la acción regeneradora del Espíritu se produjo por la

---

103 Fee, *Pauline Christology*, 589.

104 John Owen, *Of Communion with God the Father, Son, and Holy Spirit, Each Person Distinctly, in Love, Grace, and Consolation*, en *The Works of John Owen*, ed. W. H. Goold, 24 vols. (Edimburgo: Johnstone & Hunter, 1850-1853; reimpr., Edimburgo: Banner of Truth, 1967), 2:18: "Cuando asigno alguna cosa como peculiar en la que mantenemos claramente la comunión con alguna persona, no excluyo a las demás personas de la comunión con el alma en la misma cosa".

105 Hebreos 9:14 habla del Hijo ofreciéndose al Padre por medio del Espíritu eterno. Véase Peter T. O'Brien, *The Letter to the Hebrews, PNTC* (Nottingham, Reino Unido: Apollos, 2010), 324, para una defensa de πνεύματος αἰωνίου como referencia al Espíritu Santo, entre otras opciones.

obra del Hijo como Salvador (Tit. 3:5-6); y cuando el Espíritu actúa en nosotros, es el amor del Padre el que derrama en nuestros corazones cuando confiamos en el Hijo (Ro. 5:1, 5).

Los elementos de la redención aplicada -lavamiento, santificación y justificación- ocurren a través de la doble agencia de Jesús y el Espíritu de Dios (1 Co. 6:11). El hecho de que el Espíritu trabaje en armonía con el Padre y el Hijo tanto en la redención realizada como en la redención aplicada tiene sentido dado que es el "Espíritu de Dios" y el "Espíritu de Cristo" (Ro. 8:9): es el agente por el que pertenecemos a Cristo (Ro. 8:9) y por el que Dios dará vida a nuestros cuerpos mortales (Ro. 8:11). *Ubi Spiritus, ibi Pater et Filius.*

La actividad de Dios Padre se extiende a los momentos de la redención realizada y aplicada: en el primero, envía a su Hijo para redimirnos de la ley (Gá. 4:4-5); en el otro, envía a su Espíritu para asegurar nuestra adopción como hijos (Gá. 4:6). Si bien el Hijo ocupa un lugar destacado en la redención realizada y el Espíritu en la redención aplicada, ninguno de los dos es pasivo o está ausente del otro en ninguno de los dos momentos de la salvación; y ambos desempeñan sus funciones siguiendo las órdenes del Padre. Sanders ofrece un claro resumen que resume la cuestión:

> Cristo el Hijo lleva a cabo la redención en su propia obra (creada por el Espíritu y llena de Espíritu). El Espíritu Santo aplica esa redención terminada a nosotros en su propia obra (dirigida por el Hijo y formada por el Hijo). Las dos obras están unidas por una unidad inherente. El Hijo y el Espíritu actúan en ambas fases; sin embargo, el Hijo encabeza la realización, y el Espíritu la aplicación.[106]

Y también:

> Así, el Hijo es activo en la aplicación de la redención, pero actúa equipando al Espíritu para que realice la aplicación. Siempre se implican mutuamente, aunque en cada fase uno de ellos prepara al otro para que asuma el protagonismo. Así como Cristo (capacitado por el Espíritu) realizó la redención, el Espíritu (haciendo presente a Cristo en la fe) la aplica. En ninguna parte de la doble economía hay una mera salida o ausencia total de uno de los agentes. Siempre nos hallamos en las dos manos del Padre a la vez.[107]

---

[106] Sanders, *Deep Things of God*, 142.

[107] Ibid., 148. La referencia de Sanders a las "dos manos" del Padre se toma de Ireneo.

En resumen: "El Espíritu sirve al Hijo aplicando lo que éste realizó, y el Hijo sirve al Espíritu haciendo posible su morada. Tanto el Hijo como el Espíritu, en su doble misión desde el Padre, sirven al Padre y nos sirven a nosotros".[108] *Ubi Pater, ibi Filius et Spiritus.*

La Trinidad económica refleja la Trinidad inmanente

Las "procesiones"" que se ven en la Trinidad económica en Gálatas 4:4-6 surgen de la Trinidad inmanente (ontológica), de Dios en sí mismo. En otras palabras, lo que Dios es en la historia de la redención surge de lo que Dios es en sí mismo. Su acto refleja su ser. Y si el ser de Dios vive en armonía —tres personas en un solo Dios y un Dios en tres personas que se armonizan y complementan mutuamente— entonces cuando el mismo Dios actúa en la historia en la economía de la salvación, no debemos esperar menos que la misma armonía de propósito y amor. Como dijo Agustín: *opera trinitatis ad extra indivisa sunt*: "El Padre, el Hijo y el Espíritu Santo, como son indivisibles, actúan indivisiblemente".[109] Desde la redención predestinada hasta la redención consumada, nuestra salvación es abarcada por el Dios trino.

Reflexiones teológicas: la Trinidad y la expiación

La obra salvífica de Dios en Cristo es trinitaria. "La salvación cristiana viene de la Trinidad, pasa por la Trinidad y nos lleva a casa con la Trinidad".[110] Más concretamente, las obras de la Trinidad en la economía de la salvación son indivisibles. Es decir, las obras del Padre, el Hijo y el Espíritu son distintas pero inseparables. Cada persona desempeña funciones específicas en el plan de salvación, pero nunca aisladas de las demás. Lo que se deduce de esto es que cada persona trabaja en conjunto para un objetivo común: salvar a los pecadores. La intención de Cristo al morir fue hacer expiación por todos aquellos que el Padre había elegido en Él antes de la fundación del mundo y enviar su Espíritu en el tiempo sobre los individuos elegidos para aplicarles esa redención.

---

108 Ibid., 149.

109 Agustín, *On the Trinity*, en *NPNF1* 3:17-228 (20).

110 Sanders, *Deep Things of God*, 10.

La Trinidad y el propósito de Cristo al morir

Afirmar que las personas de la Trinidad trabajan juntas en armonía en la economía de la salvación tal y como se relacionan con Dios en sí —"la Trinidad eterna es la Trinidad evangélica"[111]— proporciona un peso teológico significativo a las declaraciones de Pablo sobre el propósito relativo a la expiación de Cristo. Frecuentemente en los textos de Pablo, la mención de la muerte de Cristo va acompañada de una cláusula de propósito (ἵνα/ὅπως) para expresar el objetivo por el que Cristo murió.

Murió para que la gente dejara de vivir para sí misma (2 Co. 5:15); para enriquecernos espiritualmente (2 Co. 8:9); "para librarnos del presente siglo malo" (Gá. 1:3); para redimir a los que estaban bajo la ley, "para que recibiéramos la adopción como hijos" (Gá. 4:5-6); para santificar a su iglesia y presentársela a sí mismo sin mancha ni arruga, santa e irreprochable (Ef. 5:25-27); para redimirnos de la iniquidad y purificar un pueblo para sí mismo (Tit. 2:14).

A la luz del trinitarismo tácito observado, las cláusulas de propósito de estos textos soteriológicos adquieren un significado totalmente nuevo: no expresan un deseo en forma de cláusula de propósito —un potencial no realizado—, sino que demuestran un objetivo primario e intencionado que se llevará a cabo. Si el Dios trino —Padre, Hijo y Espíritu Santo— tiene estos objetivos, ¿quién puede oponerse a ellos?

Esta perspectiva esclarece la intencionalidad de la expiación y proporciona algunos recursos para responder al dilema de si el alcance de la redención realizada puede ser más amplio que la redención aplicada (como en el semipelagianismo, el arminianismo y el amyraldianismo), o si puede haber intenciones gemelas de la Trinidad dentro de la economía de la salvación (como en algunas formas de universalismo hipotético). Todas las partes implicadas en el debate afirman que la obra salvífica de Dios en Cristo es trinitaria.[112]

Sin embargo, una cosa es decir que la Trinidad actúa en la economía de la salvación y otra cosa es afirmar que la intención y el alcance de la obra de cada

[111] Ibid., 156.

[112] Por ejemplo, Jacobo Arminio habló del *pactum salutis*, y Amyraut y los universalistas hipotéticos (como John Davenant) afirmaron una soteriología trinitaria.

persona es la misma en la economía de la salvación. La cuestión no es si la Trinidad actúa; la cuestión es si los objetivos y propósitos de cada persona de la Trinidad son los mismos. Teniendo esto en consideración, un enfoque trinitario nos conduce hacia una doctrina de la expiación definitiva porque, junto a la unión con Cristo, excluye cualquier discrepancia entre el alcance de la redención realizada y el de la redención aplicada, al tiempo que plantea cuestiones sobre las intenciones gemelas en la economía de la salvación de Dios.

Problemas trinitarios dentro de un esquema de expiación universal

Sostener una expiación universal presenta varios problemas para la teología trinitaria.

Disonancia en la Trinidad (semipelagianismo, arminianismo y amyraldianismo)

Uno de los principales problemas con el semipelagianismo, el arminianismo y el amyraldianismo es que introducen una disonancia en la Trinidad, de tal manera que el Hijo tiene la intención de morir por todos, pero el Padre elige sólo a algunos y el Espíritu atrae sólo a algunos.

Cuando se hace esto, no sólo se desvincula la expiación de la elección (enfrentando al Padre con el Hijo), sino que se fuerza una disyunción entre la redención realizada y la redención aplicada (enfrentando al Hijo con el Espíritu). Optar por esta postura es "separar al Padre y al Espíritu Santo del Hijo, cuando la esencia misma de Dios es que hay un propósito en el que están unidos".[113] Esto desvirtúa la obra indivisible y trinitaria de Dios en Cristo: el Padre y el Hijo están unidos en sus obras distintas dentro de la economía de la salvación, al igual que el Hijo y el Espíritu.[114] A pesar de las protestas en contra, estas diversas

---

[113] Roger R. Nicole, *Our Sovereign Savior: The Essence of the Reformed Faith* (Ross-shire, Reino Unido: Christian Focus, 2002), 65.

[114] Esta última conexión a menudo se pasa por alto o se descuida. Como he señalado, el Espíritu se da a través de la administración autoritativa del Hijo a la derecha del Padre, y por tanto la obra del Espíritu no puede ser más estrecha ni más amplia que la del Hijo. Como dice Pablo en 1 Corintios 15:45, "el postrer Adán se convirtió en Espíritu vivificador"; la declaración más enfática de Pablo sobre la unidad e inseparabilidad de la obra del Cristo exaltado y del Espíritu.

posiciones sobre la expiación no pueden eludir la acusación de una Trinidad disfuncional, en la que la disonancia, más que la armonía, es la nota que más suena.

Bajo desempeño del Espíritu; confusión en el Hijo (universalismo hipotético)

Los universalistas hipotéticos evaden la acusación anterior argumentando una dualidad armoniosa de los papeles del Padre, el Hijo y el Espíritu en la economía de la salvación. Así, por ejemplo, John Davenant sostenía que el Hijo tenía una intención universal que "se ajustaba a la ordenación del Padre",[115] y, sin embargo, al mismo tiempo, Cristo afirmaba la voluntad particular de Dios cuando murió, ya que:

> ¿De qué otra manera podría Cristo haberse manifestado como conforme a la designación eterna de su Padre, si, en su pasión salvadora, no hubiera aplicado sus méritos de una manera peculiar e infalible para efectuar y completar la salvación de los elegidos?[116]

Curt Daniel ofrece un ejemplo contemporáneo de la misma posición:

> Hay aspectos generales y particulares en la obra de cada miembro de la Trinidad. El Padre ama a todos los hombres como criaturas, pero otorga un amor especial sólo a los elegidos. El Espíritu llama a todos los hombres, pero llama eficazmente sólo a los elegidos. Del mismo modo, el Hijo murió por todos los hombres, pero murió de manera especial por los elegidos.[117]

Al discrepar de esta postura, hay que señalar que Pablo afirma otras intenciones en la expiación particular realizada por Cristo en la cruz (cf. Col. 1:19-20). Sin

---

[115] Davenant, "Dissertation", 2:398.

[116] Ibid., 2:542.

[117] Curt Daniel, *The History and Theology of Calvinism* (n.p.: Good Books, 2003), 371. Se pueden encontrar argumentos similares en Gary L. Shultz, Jr., "Why a Genuine Universal Gospel Call Requires an Atonement That Paid for the Sins of All People", *EQ* 82.2 (2010): 118-20; idem, "God's Purposes in the Atonement for the Nonelect", *BSac* 165 (abril-junio de 2008): 152; Robert P. Lightner, *The Death Christ Died: A Biblical Case for Unlimited Atonement*, 2nd ed. (Grand Rapids, MI: Kregel, 1998), 130; Knox, "Some Aspects of the Atonement", 262, 265; y Douty, *Did Christ Die Only for the Elect?*, 60: "Una única transacción con una doble intención".

embargo, lo que quiere decir con ellas es diferente de lo que quieren decir los universalistas hipotéticos. Un análisis más detallado de estas posturas revela tres problemas principales:

(1) *A pesar de lo que puedan argumentar algunos universalistas hipotéticos, la intención universal del Espíritu no se corresponde en realidad con la intención universal del Padre y del Hijo.*
En el eje universal, el Padre pretende la expiación para todos, el Hijo muere por todos y hace provisión para todos, pero el Espíritu no lleva el evangelio a todos. Los no evangelizados siguen siendo un problema para los defensores de una expiación universal. En este sentido, el Espíritu tiene un rendimiento inferior y, al hacerlo, genera desarmonía en la Trinidad.

(2) *Parece difícil evitar el hecho de que en el Universalismo Hipotético el Hijo termina mostrando una personalidad "confusa" o "dividida".*
En las exposiciones del Universalismo Hipotético, la persona y los oficios de Cristo se dividen inadvertidamente. Se ven obligadas a la conclusión de que Cristo murió por todos como su "Salvador general" para ofrecer una expiación que nunca expiaría realmente, pero, al mismo tiempo, proponen que Cristo murió por los que están unidos a Él en todos sus oficios y funciones para lograr una expiación que sí expía. Esto no sólo pone en duda la definición de "Salvador",[118] sino que también presenta a un Cristo confuso. Turretin insiste en este punto:

> Como si éste fuera el designio de Cristo: quiero obtener la redención para todos con el fin de que se les aplique, siempre que crean; y, sin embargo, no estoy resuelto a revelar esta redención a multitudes, ni a dar a aquellos a los que se les revela la condición sin la cual nunca se les podrá aplicar (es decir, deseo que suceda lo que no sólo sé que no sucederá ni puede suceder, sino también aquello que no estoy dispuesto a que suceda porque me niego a comunicar aquello sin lo cual nunca podrá suceder, ya que depende

---

118 Para que el término "Salvador" tenga algún significado, Cristo debe salvar realmente a aquellos por los que murió, de lo contrario no muere realmente por ellos como su "Salvador"; el término mismo carece de sentido.

> sólo de mí). Ahora bien, si esto no sería apropiado en un hombre sabio, ¿cuánto menos en Cristo, supremamente sabio y bueno?[119]

Turretin tiene razón. En otras palabras:

> Puesto que Cristo no podía querer morir absolutamente por los elegidos sin implicar (por la ley de los contrarios) una voluntad de no morir por los réprobos, no se puede concebir cómo en un solo acto querría tanto morir por los réprobos como no morir por ellos.[120]

Al dividir la persona y los oficios de Cristo, los universalistas hipotéticos distorsionan inadvertidamente la cristología ortodoxa. En la obra de Pablo, Cristo es presentado como Esposo (2 Co. 11:2; cf. Ef. 5:25), Cabeza (Ef. 5:23), Primogénito (Ro. 8:29: Col. 1:15, 18) y Último Adán (Ro. 5:14; 1 Co. 15:45). Esto es lo que el Hijo encarnado es, y por lo tanto cuando muere por los pecadores no muere como un simple individuo particular, sino como un hombre público, como Esposo, Cabeza, Primogénito y Último Adán. La obra de la salvación es el acto de su persona.[121] En su vida, muerte, resurrección y ascensión, Cristo no se desprendió de su persona ni de sus oficios o funciones en ningún momento. Al morir por los hombres en la cruz, Cristo no podía dejar de ser para todos ellos quien era.

En resumen, así como no hay disyunción entre los momentos de la obra de Dios en Cristo, o entre las personas de la Trinidad dentro de la economía de la salvación, tampoco hay disyunción entre la cristología y la soteriología, entre la persona de Cristo y la obra de Cristo. Él es una sola persona y nunca actúa en su obra salvadora separado de su persona

---

[119] Francis Turretin, *Institutes of Elenctic Theology*, ed. James T. Dennison, Jr., trad. George Musgrave Giger, 3 vols. (Phillipsburg, NJ: P&R, 1993), 2:467.

[120] Ibid., 460.

[121] T. F. Torrance, *Atonement*, xliv-xlv, está de acuerdo en que la soteriología no puede divorciarse de la cristología, pero para él, dado que Cristo es Dios y hombre, su obra debe remitirse a toda la humanidad (igualmente, Knox, "Some Aspects of the Atonement", 260). Pero esto es un *non sequitur*. Como señala Donald Macleod, *The Person of Christ* (Downers Grove, IL: InterVarsity Press, 1998), 202: "Su humanidad es la de todo hombre. Pero no es Todos-los-hombres (Everyman). Es el hombre, Cristo Jesús; y la única humanidad unida a Él hipostáticamente es la suya".

o con cualquiera de sus oficios o funciones temporalmente desactivadas.

(3) *El argumento de los dos niveles de intención en la expiación también da la impresión de que existen dos "economías" de la salvación*: una para los no elegidos, para los que Dios sólo pretende proporcionar una expiación "potencial", si alguna vez creyeran; y otra para los elegidos, para los que Dios proporciona una expiación "real", a través de Cristo asegurando incluso los medios necesarios para apropiarse de esa expiación. Esto no sólo es problemático a la luz del hecho de que en la soteriología de Pablo la elección circunscribe la expiación, sino que carece de todo apoyo textual en las Escrituras. En Efesios 1:10-11, Pablo presenta a Dios como teniendo una sola economía de salvación; en ningún momento nos presenta una economía "hipotética" de salvación que nunca se realiza.

V. La obra salvífica de Dios en Cristo es doxológica

Volviendo a la *berakah* de Efesios con la que comenzó este capítulo, he de señalar un último componente de la soteriología de Pablo. El apóstol declara tres veces el propósito último de los actos salvíficos de Dios: "para alabanza de su gloria" (εἰς ἔπαινον τῆς δόξης αὐτοῦ). Es importante observar en qué parte del párrafo aparece la frase. Dios Padre nos elige y predestina en Cristo "para alabanza de la gloria de su gracia" (εἰς ἔπαινον δόξης τῆς χάριτος αὐτοῦ; 1: 6): redención predestinada. Obtenemos una herencia para que los que fuimos los primeros en esperar en Cristo seamos "para alabanza de su gloria" (εἰς ἔπαινον δόξης αὐτοῦ; 1: 12): redención aplicada. Y somos sellados con el Espíritu Santo, que actúa como garantía de nuestra futura herencia "para alabanza de su gloria" (εἰς ἔπαινον τῆς δόξης αὐτοῦ; 1:14): redención consumada.

La gloria de Dios acompaña sus actos de predestinar, aplicar y consumar la salvación. Dios salva a las personas —real y verdaderamente— para la alabanza de su propia gloria. Y aquí radica el último obstáculo, tal vez el mayor, para los defensores de una expiación universal: una salvación prevista pero nunca realizada no puede traer a Dios ninguna alabanza. Hay una opción mejor: una expiación definitiva que muestra la obra indivisible y trinitaria de Dios en Cristo, por la que los pecadores se salvan realmente "para alabanza de su gloriosa gracia".

Conclusión

En este capítulo he tratado de superar el *impasse* del *quid pro quo* textual que a menudo se produce entre todas las partes en el debate sobre la intención y la naturaleza de la expiación. He pretendido integrar y sintetizar varios textos que se refieren a algunos de los loci doctrinales que inciden directamente en la teología de la expiación de Pablo, y que durante demasiado tiempo han sido descuidados. De mis conclusiones se desprenden dos implicaciones.

En primer lugar, no puede haber un debate razonable sobre la intención y la naturaleza de la expiación sin que se pongan sobre la mesa los *loci* doctrinales de la soteriología paulina. El análisis de varios pasajes paulinos revela que la escatología, la elección, la unión con Cristo, la cristología, el trinitarismo y la doxología son componentes significativos e interrelacionados en la lente de la soteriología del apóstol. Para Pablo, la obra salvífica de Dios es (1) indivisible; (2) circunscrita por la gracia electiva de Dios; (3) abarcada por la unión con Cristo; (4) trinitaria; y (5) doxológica. Cuando se observan estos cinco *loci* doctrinales, *así como las interconexiones entre ellos*, entonces la expiación definitiva emerge como la posición más plausible a sostener sobre el propósito y la naturaleza de la expiación en la obra de Pablo.[122]

En segundo lugar, hay que dejar que estos *loci* doctrinales de la soteriología de Pablo tengan voz e influencia en cualquier debate sobre los textos universalistas y "de perdición" del corpus paulino. Atender a estos componentes doctrinales en la soteriología de Pablo proporciona color y matiz a la interpretación de los textos particularistas, a la vez que aporta alguna restricción teológica a: (a) la interpretación ingenua y simplista de los pasajes universalistas en los que "muchos", "todos" y "mundo" se toman como "todos sin excepción" en todos los casos, y a (b) la interpretación superficial o apresurada de los textos "de perdición" en los que un hermano "por el que murió Cristo" puede salvarse y luego perderse.

---

[122] Me gustaría sugerir que los otros loci doctrinales en Pablo del pacto, la eclesiología y la sacramentología —que no tengo espacio para analizar aquí— también sirven para reforzar aún más el caso de la expiación definitiva.

La restricción no es impuesta externamente por un "escolástico reformado", sino que está presente en el entramado de la propia teología del apóstol. Por ejemplo, interpretar los textos universalistas en el sentido de "cada individuo" no sólo requiere una exégesis forzada en los respectivos contextos,[123] sino que también introduce una incoherencia teológica en el mundo del pensamiento de Pablo. Privilegia la diversidad en detrimento de la unidad en la soteriología de Pablo.

No se trata de insistir en que los textos universalistas (y "de perdición") deban leerse *a través* de la lente del marco presentado aquí; como se ha dicho al principio, esos textos son *en sí mismos* componentes importantes *de* la lente. Se trata de insistir, sin embargo, en que las líneas de influencia entre la exégesis de los textos concretos (dentro de una teología bíblica más amplia) y una construcción sistemática de la soteriología de Pablo son bidireccionales.[124]

---

123 Véase mi capítulo anterior, "¿Por quién murió Cristo?".

124 Para un estudio más profundo, véase D. A. Carson, "Unity and Diversity in the New Testament: The Possibility of Systematic Theology", en *Scripture and Truth*, ed. D. A. Carson y John D. Woodbridge (Grand Rapids, MI: Zondervan, 1983), 65-95, 368-75; Henri A. G. Blocher, "The 'Analogy of Faith' in the Study of Scripture: In Search of Justification and Guide-Lines", *SBET* 5 (1987): 17-38; y Moisés Silva, "Epilogue", en su *Explorations in Exegetical Method: Galatians as a Test Case* (Grand Rapids, MI: Baker, 1996), 197-215.

§14. "TEXTOS PROBLEMÁTICOS" PARA LA EXPIACIÓN DEFINITIVA EN LAS EPÍSTOLAS PASTORALES Y GENERALES

Thomas R. Schreiner

¿Se enseña realmente la expiación definitiva en las Escrituras, o es que intérpretes con prejuicios la introducen en los textos bíblicos? I. Howard Marshall hace la pregunta correcta:

> ¿Es posible interpretar las afirmaciones sobre la elección de manera que sean coherentes con las afirmaciones universales sin tergiversar el significado de ninguna de ellas?.[1]

---

[1] I. Howard Marshall, "Universal Grace and Atonement in the Pastoral Epistles", en *The Grace of God and the Will of Man*, ed. Clark H. Pinnock (Minneapolis: Bethany, 1995), 53.

Argumentaré aquí que los partidarios de la expiación definitiva pueden responder a esa pregunta de manera afirmativa. Se examinarán varios textos de las Epístolas Pastorales, las Epístolas Petrinas y Hebreos que hablan de la cuestión de la expiación definitiva. Muchos de los textos examinados aquí forman parte del arsenal de quienes defienden la expiación ilimitada/general. En este capítulo, argumentaré que (1) entender algunos de estos textos de una manera que apoye la expiación definitiva es más persuasivo exegéticamente y teológicamente; y (2) aquellos textos que sí se refieren a la postura salvífica de Dios hacia todo tipo de personas (1 Ti. 2:4; 4:10) o a todos (2 P. 3:9) no refutan de hecho la doctrina de la expiación definitiva: el deseo de Dios de que la gente se salve y su intención de salvar sólo a los elegidos son elementos compatibles en la soteriología bíblica.

Epístolas pastorales

Contexto de 1 Timoteo

Como coinciden la mayoría de los comentaristas, una lectura en espejo de 1 Timoteo sugiere que en esta epístola el apóstol Pablo se enfrenta a algún tipo de herejía de exclusivismo. Tal vez los oponentes de Pablo se basaban en genealogías para limitar la salvación a un determinado grupo de personas, excluyendo de los propósitos salvíficos de Dios a los que eran consabidamente pecadores o a los que provenían de los llamados orígenes inferiores (1:4; cf. Tit. 3:9).[2] Pablo escribe para recordar a Timoteo y a la iglesia que la gracia de Dios es sorprendente: su gracia llega hasta abajo y rescata a todo tipo de pecadores, incluso a personas como Pablo que parecen estar más allá de su amor salvador (1:12-17).

---

[2] Para un análisis completo de la falsa enseñanza que Pablo aborda en las Epístolas Pastorales, véase George W. Knight III, *The Pastoral Epistles: A Commentary on the Greek Text, NIGTC* (Grand Rapids, MI: Eerdmans, 1992), 10-12; I. Howard Marshall, *A Critical and Exegetical Commentary on the Pastoral Epistles, ICC* (Edimburgo: T. & T. Clark, 1999), 44-51; y Philip H. Towner, *The Letters to Timothy and Titus, NICNT* (Grand Rapids, MI: Eerdmans, 2006), 41-50. Gordon D. Fee, *1 and 2 Timothy, Titus, NIBC* (Peabody, MA: Hendrickson, 1984), 64, escribe: "La preocupación [en 1 Timoteo 2:3-4] es simplemente con el alcance universal del evangelio en contra de alguna forma de exclusivismo y limitación heréticos".

El deseo de Dios de salvar a todos en 1 Timoteo 2:1-7

> **1 Timoteo 2:1–7** Exhorto, pues, ante todo que se hagan plegarias, oraciones, peticiones *y* acciones de gracias por todos los hombres, por los reyes y por todos los que están en autoridad, para que podamos vivir una vida tranquila y sosegada con toda piedad y dignidad. *Porque* esto es bueno y agradable delante de Dios nuestro Salvador, el cual quiere que todos los hombres sean salvos y vengan al pleno conocimiento de la verdad. Porque hay un solo Dios, *y* también un solo Mediador entre Dios y los hombres, Cristo Jesús hombre, quien se dio a sí mismo en rescate por todos, testimonio *dado* a su debido tiempo. Y para esto yo fui constituido predicador y apóstol, (digo la verdad en Cristo, no miento), como maestro de los gentiles en fe y verdad.

Las reflexiones de Pablo sobre su propia salvación funcionan como un importante telón de fondo para el debate sobre la salvación en 1 Timoteo 2:1-7, un pasaje clave relacionado con la expiación definitiva. Algunos sostienen que el énfasis en "todos" excluye la expiación definitiva.[3]

Pablo comienza exhortando a sus lectores a orar "por todos los hombres" (ὑπὲρ πάντων ἀνθρώπων; v. 1). ¿Se refiere Pablo aquí a toda persona sin excepción o a toda persona sin distinción? La referencia inmediata a los ""reyes y a todos los que están en cargos elevados" (v. 2) sugiere que se trata de varias clases de personas.[4] ¿Esta lectura de 1 Timoteo 2:1-2 se ve confirmada por los versículos siguientes? Orar por todos es "bueno" y "agradable" (v. 3), pues Dios "quiere que todos los hombres se salven y lleguen al conocimiento de la verdad" (ὃς πάντας ἀνθρώπους θέλει σωθῆναι καὶ εἰς ἐπίγνωσιν ἀληθείας ἐλθεῖν; v. 4). La misma cuestión que surge en el versículo 1 vuelve a aflorar aquí: ¿Se refiere la expresión "todos los hombres" (πάντας ἀνθρώπους; v. 4) a toda persona sin excepción o a toda persona sin distinción? Los reformados han defendido tradicionalmente esta última opción.[5]

---

[3] Véase, por ejemplo, Marshall, "Universal Grace and Atonement", 62-63; y Robert P. Lightner, *The Death Christ Died: A Biblical Case for Unlimited Atonement*, rev. ed. (Grand Rapids, MI: Kregel, 1998), 62-73.

[4] Así Knight, *Pastoral Epistles*, 115.

[5] Juan Calvino, *Institutes of the Christian Religion*, ed. John T. McNeill, trad. Ford Lewis Battles (Filadelfia: Westminster, 1960), 3.24.16; John Owen, *The Death of Death in the Death of Christ* (Carlisle, PA: Banner of Truth, 1995), 233-35; y Knight, *Pastoral Epistles*, 119.

En ocasiones, esta exégesis se descarta como un alegato extraordinario y es atribuida a prejuicios reformados. Esta respuesta es demasiado simplista, ya que hay buenas razones contextuales que apoyan esta lectura. El versículo 7, en el que Pablo subraya su condición de apóstol y su ministerio entre los gentiles, respalda la idea de centrarse en todas las personas sin distinción: "Para esto fui nombrado predicador y apóstol (digo la verdad, no miento), maestro de los gentiles en la fe y la verdad".

Por lo tanto, hay motivos en el contexto para concluir que "todos los hombres" se refiere a grupos de personas, de modo que Pablo está reflexionando sobre su misión gentil. En Hechos 22:15, cuando Pablo habla de ser testigo "a todos los hombres" (πρὸς πάντας ἀνθρώπους), está claro que no se refiere a todos los pueblos sin excepción; "todos" se refiere a la inclusión de los gentiles en su misión (Hch. 22:21).[6]

El paralelismo con Romanos 3:28-30 es una prueba más de que Pablo piensa particularmente en todas las personas sin distinción en 1 Timoteo 2:4.[7] Tanto los judíos como los gentiles, según Pablo, están incluidos en el círculo de las promesas salvíficas de Dios. Pablo sostiene que ambos son justificados por la fe, pues la unicidad de Dios significa que sólo puede haber un camino de salvación (cf. 1 Ti. 2:5). Una de las ventajas de esta interpretación basada en un grupo de personas es que se centra en un tema importante de la teología paulina, a saber, la inclusión de los gentiles.

Tal interpretación no parece ser un alegato extraordinario, ya que incluso intérpretes que no simpatizan con la posición reformada advierten un énfasis en la inclusión de los gentiles como respuesta a algún tipo de exclusivismo judío (1 Ti. 1:4). Por ejemplo, Marshall dice:

> Este impulso universalista es muy probablemente una respuesta correctiva a una comprensión elitista exclusiva de la salvación relacionada con la falsa

---

[6] Si "mundo" en 1 Timoteo 3:16 se refiere a los seres humanos, el término se refiere a toda persona sin distinción, no a toda persona sin excepción, pues es obvio que muchos en el mundo no creyeron.

[7] Cf. Romanos 11:32, donde "todos" abarca a judíos y gentiles, pero no a cada persona (cf. Gá. 3:28; Col. 3:11).

> enseñanza... El contexto muestra que la inclusión de los gentiles junto a los judíos en la salvación es la cuestión principal aquí.[8]

Y Gordon Fee señala sobre el versículo 7: "Esta última frase en particular parecería sugerir que alguna forma de exclusivismo judío yace en el corazón del problema".[9]

En resumen, Pablo recuerda a sus lectores una verdad fundamental de su evangelio: Dios desea salvar a todo tipo de personas.[10] Como dice William Mounce, "la universalidad de la salvación [es] el tema dominante" en el párrafo.[11] La idea de la salvación se apoya en la frase "llegar al conocimiento de la verdad" (εἰς ἐπίγνωσιν ἀληθείας ἐλθεῖν; v. 4), que es simplemente otra forma de describir el mensaje evangélico de salvación (cf. 2 Ti. 2:25; 3:7; cf. Tit. 1:1). El alcance universal de la salvación se deriva de un principio fundamental del Antiguo Testamento y del judaísmo: sólo hay un Dios (cf. Dt. 6:4). Puesto que hay un solo Dios, hay un solo camino de salvación, pues "hay un solo mediador entre Dios y los hombres, Jesucristo hombre" (εἷς καὶ μεσίτης θεοῦ καὶ ἀνθρώπων, ἄνθρωπος Χριστὸς Ἰησοῦς; 1 Ti. 2:5). Las intenciones salvadoras de Dios son universales, incluyendo tanto a judíos como a gentiles.

Marshall se opone a la interpretación reformada de toda clase de personas, argumentando que separar los grupos de los individuos supone un error, "ya que en última instancia las divisiones entre los individuos y las clases de la humanidad se funden unas con otras".[12] Pero el punto de vista reformado no excluye a los individuos de los propósitos salvíficos de Dios, ya que los grupos de personas están formados por individuos.

La cuestión exegética se centra en si Pablo se refiere aquí a toda persona sin excepción o a toda persona sin distinción. Ya hemos visto que hay fuertes evidencias (incluso en Marshall) de que el enfoque es la salvación de individuos

---

[8] Marshall, *Pastoral Epistles*, 420, 427. En su comentario sobre 1 Timoteo 2:4, Marshall dice que "el énfasis en 'todos' está presumiblemente dirigido a la falsa enseñanza de alguna manera" (425).

[9] Fee, *1 and 2 Timothy, Titus*, 67.

[10] El énfasis en toda clase de personas asegura que, sea cual sea el género, la clase, la situación económica, la posición social o la historia moral, nadie queda excluido de la salvación de Dios. La posición de "todos sin distinción" es una posición expansiva, que lo incluye todo, y no debe entenderse de otro modo.

[11] William D. Mounce, *Pastoral Epistles, WBC* (Nashville: Thomas Nelson, 2000), 78.

[12] Marshall, *Pastoral Epistles*, 427.

pertenecientes a diferentes grupos de personas. Por ejemplo, en su artículo "Gracia universal y expiación en las epístolas pastorales" (Universal Grace and Atonement in the Pastoral Epistles), Marshall afirma:

> El pastor [Pablo] está enfatizando que la salvación es para todos, tanto judíos como gentiles... Pero esto no ayuda al defensor de la expiación limitada, al igual que la opinión de que "todos" se refiere a "toda clase de personas", pues lo que el pastor está diciendo a sus lectores es que oren por "tanto judíos como gentiles", no por los "elegidos entre los judíos y los gentiles".[13]

Marshall no acierta a ver que al argumentar que se debe orar por "judíos y gentiles" afirma inadvertidamente lo que antes niega: la posición reformada de "toda clase de personas". Además, Marshall en realidad tergiversa el punto de vista reformado aquí, el cual *no* supone que Pablo enseñe que nuestras oraciones deben limitarse a los elegidos. La posición reformada ha mantenido sistemáticamente que debemos orar por judíos y gentiles, armenios y turcos, tutsis y hutus, sabiendo que Dios desea salvar a individuos de cada grupo étnico. Saber esto no significa que sepamos quiénes son los elegidos para limitar nuestras oraciones a ellos.

La interpretación de "todos sin distinción" debe trasladarse a 1 Timoteo 2:6. Aquí se designa a Cristo como aquel "que se entregó a sí mismo en rescate [ἀντίλυτρον] por todos".[14] Claramente, se tiene la idea del sacrificio sustitutivo de Cristo, en el que da su vida como rescate por el bien de los demás.[15] Parece mejor tomar el "todos" (πάντων) en el mismo sentido que vimos antes (vv. 1, 4), significando toda clase de personas, ya que Pablo enfatiza particularmente su misión gentil en el siguiente verso (v. 7).

Además, lo más probable es que Pablo aluda aquí a la enseñanza de Jesús de que dio "su vida en rescate [λύτρον] por muchos [πολλῶν]" (Mt. 20:28; Mc. 10:45), que a su vez se hace eco de Isaías 53:11-12. Como demuestra Alec Motyer en otra parte de este volumen, el referente de "muchos" en Isaías 53, aunque abarca un grupo indefinido pero numeroso de personas, sigue siendo necesariamente limitado —se refiere a aquellos para los que la redención se

---

[13] Marshall, "Universal Grace and Atonement in the Pastoral Epistles", 63.

[14] Leon Morris, *The Apostolic Preaching of the Cross*, 3ª ed. rev. (Grand Rapids, MI: Eerdmans, 1965), 51, traduce ἀντίλυτρον como "sustituto-rescate".

[15] Cf. Marshall, *Pastoral Epistles*, 432; Mounce, *Pastoral Epistles*, 89-90.

realiza *y* se aplica— y, por tanto, no puede referirse a todas las personas.[16] Si estas conexiones intertextuales son correctas, entonces queda descartado que Cristo se entregue como rescate por "todos sin excepción".[17]

Primera a Timoteo 2:6 apoya la noción de que Cristo compró la salvación para todo tipo de individuos de varios grupos de personas. El versículo y el contexto no dicen nada sobre que Cristo sea el rescate *potencial* de todos. El lenguaje del versículo 6 —"que se entregó a sí mismo" (ὁ δοὺς ἑαυτόν)— es una forma típicamente paulina de referirse a la cruz, y siempre se refiere al sacrificio *real* de Cristo en favor de *los creyentes* (Ro. 8:32; Gá. 1:4; 2:20; Ef. 5:2; Tit. 2:14). Destaca que Cristo se dio a sí mismo como rescate, de modo que al coste de su muerte compró realmente a los que serían su pueblo. La razón por la que Pablo puede hablar de la muerte de Cristo en términos expansivos e inclusivos en 1 Timoteo 2:6 es porque considera que su ministerio es mundial (2:7; cf. Hch. 22:15), su soteriología es universal en el sentido correcto (2:5; cf. Ro. 3:28-30), y se enfrenta a una herejía elitista que excluía a cierto tipo de personas de la salvación de Dios (1 Ti. 1:4).

Pablo quiere dejarlo claro: Cristo murió por todo tipo de personas, no sólo por un grupo de élite.[18]

1 Timoteo 4:10

> **1 Timoteo 4:10–11** Porque por esto trabajamos y nos esforzamos, porque hemos puesto nuestra esperanza en el Dios vivo, que es el Salvador de todos los hombres, especialmente de los creyentes. Esto manda y enseña.

Los intérpretes han debatido durante mucho tiempo el significado de la afirmación paulina de que Dios "es el Salvador de todos los hombres,

---

[16] Véase J. Alec Motyer, "'Stricken for the Transgression of My People': The Atoning Work of Isaiah's Suffering Servant", capítulo 10 de este volumen.

[17] Por lo tanto, debe rechazarse la tesis principal de Gary L. Shultz, Jr. "A Biblical and Theological Defense of a Multi-Intentioned View of the Extent of the Atonement" (tesis doctoral, The Southern Baptist Theological Seminary, 2008), de que Cristo pagó realmente por los pecados de todas las personas sin excepción.

[18] Algunos podrían decir que Jesús es realmente el rescate de todos y optar por el universalismo, pero como señalo más adelante en la discusión sobre 1 Timoteo 4:10, hay serios problemas con una lectura universalista.

ESV English Standard Version

especialmente de los que creen" (ὅς ἐστιν σωτὴρ πάντων ἀνθρώπων μάλιστα πιστῶν; 1 Ti. 4:10). Un aspecto del debate se centra en el significado de la palabra μάλιστα. La ESV traduce la palabra por "especialmente", como lo hacen prácticamente todas las traducciones inglesas.

En 1979, sin embargo, T. C. Skeat argumentó que μάλιστα debería traducirse "a saber", o "es decir". Skeat defendió su caso citando algunos ejemplos de cartas de papiros griegos, y luego con algunos ejemplos del Nuevo Testamento. Por ejemplo, según Skeat, cuando Pablo pide a Timoteo que le traiga "los libros, y sobre todo los pergaminos" (τὰ βιβλία μάλιστα τὰς μεμβράνας; 2 Ti. 4:13), los "pergaminos" definen qué libros hay que traerle. Del mismo modo, los "habladores y engañadores vacíos" (ματαιολόγοι καὶ φρεναπάται) son identificados como "el partido de la circuncisión" (οἱ ἐκ τῆς περιτομῆς) utilizando la palabra μάλιστα en Tito 1:10. O, cuando Pablo dice que uno debe proveer "para sus parientes", los define como "miembros de su casa" (εἰ δέ τις τῶν ἰδίων καὶ μάλιστα οἰκείων οὐ προνοεῖ; 1 Ti. 5:8).

Así que aquí, en 1 Timoteo 4:10, según Skeat, el texto debería traducirse: "Dios, que da la salvación a todos los hombres, es decir, a todos los que creen en Él".[19] La afirmación de Skeat de que μάλιστα significa "es decir" o "a saber" ciertamente ofrece una lectura coherente y plausible de algunos versículos.

Sin embargo, la noción de que μάλιστα significa "es decir" o "a saber" debería ser rechazada. Vern Poythress rebate cada uno de los ejemplos de Skeat, mostrando que su interpretación del término es errónea tanto en los papiros griegos como en los ejemplos del Nuevo Testamento.[20] Demuestra que las lecturas de Skeat o bien son ambiguas y, por tanto, no están demostradas, o bien están equivocadas. Los textos ambiguos, que podrían apoyar la hipótesis de Skeat, no deberían presentarse a favor de su interpretación.

Poythress objeta acertadamente que no se debe aceptar un nuevo significado para una palabra en los textos ambiguos si un significado establecido para la palabra tiene sentido en el texto considerado. Argumenta que el significado "especialmente" o "particularmente", un sentido elativo de μάλιστα, se ajusta a todos los ejemplos. En otras palabras, el término μάλιστα debería traducirse

---

[19] T. C. Skeat, "'Especially the Parchments': A Note on 2 Timothy iv. 13", *JTS* 30 (1979): 174. R. A. Campbell, "KAI MALISTA OIKEIWN - A New Look at 1 Timothy 5:8", *NTS* 41 (1995): 157-60, ha añadido apoyo a la posición de Skeat. También Knight, *Pastoral Epistles*, 203-204.

[20] Vern S. Poythress, "The Meaning of μάλιστα in 2 Timothy 4:13 and Related Verses", *JTS* 53 (2002): 523-32.

como "especialmente" o "particularmente"; intensifica adverbialmente la palabra que modifica.

Por motivos de espacio no vamos a repetir aquí las pruebas extrabíblicas aportadas por Skeat. Baste decir que Poythress demuestra en todos los casos que la interpretación de Skeat es poco convincente. La palabra μάλιστα se encuentra seis veces en 2-4 Macabeos y nunca significa "es decir" o "a saber" (2 Mac. 8:7; 3 Mac. 5:3; 4 Mac. 3:10; 4:22; 12:9; 15:4). Los dos ejemplos de Hechos también deberían traducirse "especialmente". Hechos 20:38 dice que los que acompañaron a Pablo a la nave estaban "especialmente apenados" (ὀδυνώμενοι μάλιστα) por no volver a verlo. Hechos 25:26 es particularmente útil. Festo, al presentar a Pablo a sus invitados, explica que lo ha traído "“ante todos ustedes, y especialmente ante ti, rey Agripa" (προήγαγον αὐτὸν ἐφ' ὑμῶν καὶ μάλιστα ἐπὶ σοῦ, βασιλεῦ Ἀγρίππα; Hch. 25:26). Cualquier noción de que μάλιστα significa aquí "es decir" es claramente errónea, pues el plural "ustedes" se refiere a los invitados, y Agripa se distingue de ellos como el invitado especial de la ocasión.

Hay algunos casos en los que la interpretación de Skeat es contextualmente posible. Los santos que saludan a los creyentes filipinos podrían identificarse como aquellos que forman parte de la casa del César (Fil. 4:22). Pero es mucho más probable que los santos y los de la casa del César no sean coextensivos. De ahí que los santos con Pablo saluden a los filipenses, y en particular o especialmente (μάλιστα) "los de la casa del César" (δὲ οἱ ἐκ τῆς Καίσαρος οἰκίας).

Del mismo modo, encaja mejor con el significado léxico de μάλιστα si, en Tito 1:10, "los del partido de la circuncisión" son un subconjunto de los "habladores y engañadores vanos". Todos los del partido de la circuncisión son habladores y engañadores vanos, pero también hay habladores y engañadores vanos que no pertenecen al grupo de la circuncisión.[21] Del mismo modo, 2 Timoteo 4:13 encaja con lo que significa μάλιστα en otras partes, pues tiene perfecto sentido pedir libros en general y luego especificar que Timoteo debe traer particularmente los pergaminos.

---

[21] Hong Bom Kim, "The Interpretation of μάλιστα in 1 Timothy 5:17", *Novum Testamentum* 46 (2004): 360-68, muestra que μάλιστα nunca significa "es decir" o "a saber" en las Epístolas Pastorales, y que la traducción "especialmente" es correcta. Sorprendentemente, Kim no muestra conocimiento del artículo de Poythress sobre el tema.

Otros usos del término por parte de Pablo confirman que μάλιστα significa "especialmente" o "particularmente". Por ejemplo, Pablo ordena a los gálatas que "hagan el bien a todos, y especialmente [μάλιστα] a los de la familia de la fe" (Gá. 6:10). "Todos" es una categoría más amplia que "la familia de la fe", pues incluye a los que no son creyentes. Por tanto, Pablo exhorta a la iglesia a hacer el bien a todas las personas, pero especialmente a los hermanos creyentes. Del mismo modo, en Filemón 16, Pablo amonesta a Filemón a recibir a Onésimo como hermano en el Señor, añadiendo "especialmente para mí" (μάλιστα ἐμοί). De nuevo, la traducción de Skeat no encajaría en absoluto aquí. En 1 Timoteo 5:8, proveer para los propios "y especialmente [μάλιστα] para los miembros de [la propia] casa" se lee naturalmente como si dijera que lo último es un subconjunto de lo primero.

Los que forman parte de la propia casa tienen una prioridad especial. Así también, en 1 Timoteo 5:17, "los ancianos que gobiernan bien" (οἱ καλῶς προεστῶτες πρεσβύτεροι) deben recibir "doble honor" (διπλῆς τιμῆς), y luego Pablo añade: "especialmente los que trabajan en la predicación y la enseñanza" (μάλιστα οἱ κοπιῶντες ἐν λόγῳ καὶ διδασκαλίᾳ). Dado el significado de μάλιστα en otros lugares, es probable que Pablo recomiende una subcategoría de ancianos: los que se dedican a la predicación y la enseñanza de la Palabra.

En conclusión, pues, hay pocas dudas de que μάλιστα significa "especialmente" en lugar de "es decir" o "a saber" en 1 Timoteo 4:10. Naturalmente, la traducción "es decir" parecería encajar muy bien con la expiación definitiva, pues entonces el versículo enseñaría que Dios es el Salvador de todas las personas, es decir, de los creyentes. La expresión "todos los hombres" se definiría como creyentes, y así no tendría sentido que Dios salve universalmente a todas las personas. Sin embargo, desde el punto de vista léxico, esta interpretación es bastante inverosímil y, por tanto, debe rechazarse. La ESV traduce bien el versículo: Dios "es el Salvador de todas las personas, especialmente de las que creen".

Ahora bien, a primera vista 1 Timoteo 4:10 podría interpretarse en apoyo del universalismo, ya que el versículo dice que Dios "es el Salvador de todas las personas". Pero un significado universalista queda descartado por la adición de las palabras "especialmente de los creyentes", que resultan superfluas si todos se salvan, pues es difícil ver cómo los creyentes se salvan de manera especial si todas las personas sin excepción se salvan. Si el universalismo es cierto, todos sin excepción se salvan, y no hay una salvación única para los creyentes. Además, incluso en 1 Timoteo, Pablo enseña una destrucción final de los impenitentes, lo que no encaja con una lectura universalista (por ejemplo, 6:9).

Pero, ¿qué significa el versículo si la traducción de la ESV es correcta? La frase "todas las personas" (πάντων ἀνθρώπων) podría traducirse como "toda clase de personas", y entonces el enfoque se centraría en varios grupos de personas.[22] Naturalmente, esto encaja bien con lo que hemos visto antes en 1 Timoteo 2:1-7 y Tito 2:11.[23] Sin embargo, esto sigue planteando la cuestión de cómo Dios puede ser el *Salvador* de toda clase de personas, y especialmente de los creyentes.

Steven Baugh propone una interpretación que parece resolver cualquier dilema para una postura reformada sobre la expiación definitiva. Sostiene que la palabra "salvador" no se refiere aquí a la salvación espiritual, "sino a las amables bondades de Dios para con toda la humanidad",[24] o "al cuidado de Dios por toda la humanidad durante nuestro tiempo en la tierra".[25]

Baugh señala muchos ejemplos en la literatura grecorromana, y especialmente en las inscripciones efesias, en las que Salvador se refiere a la protección y preservación concedidas por reyes, emperadores, patronos y otros líderes. Pablo rebate la idea, según Baugh, de que los difuntos eran dioses y salvadores. Por tanto, identificar a Dios como Salvador denota lo que suele llamarse su gracia común, que es concedida a todas las personas. Baugh entiende que el versículo dice que Dios concede su gracia común a todas las personas sin excepción. Quizá podamos pensar aquí en la provisión de alimentos, salud y tiempos de alegría (cf. Hch. 14:17). La bondad de Dios se ha manifestado especialmente con los que creen, pues se les han concedido bendiciones tanto materiales como espirituales.

La interpretación de Baugh resuelve el problema que tenemos ante nosotros, pues si el versículo no se refiere a la salvación espiritual, no hay necesidad de sugerir que Dios asegura la salvación de todas las personas. Sin embargo, es

---

[22] Así, por ejemplo, Louis Berkhof, *Systematic Theology*, 4ª ed. (Grand Rapids, MI: Eerdmans, 1941), 396-97; y Knight, *Pastoral Epistles*, 203.

[23] Steven M. Baugh, "'Savior of All People': 1 Tim 4:10 in Context", *WTJ* 54 (1992): 333. Aunque es reformado, Baugh rechaza esta interpretación aquí, pero la adopta en 1 Timoteo 2:4.

[24] Ibid., 331. Así también Juan Calvino, *Commentaries on the Epistles to Timothy, Titus, and Philemon*, trad. William Pringle (repr., Grand Rapids, MI: Baker, 2005), 112.

[25] Baugh, "Savior of All People: 1 Tim 4:10 in Context", 333.

bastante improbable que la interpretación de Baugh sea correcta, ya que hay un problema crucial con su lectura. Uno de los temas principales de las Epístolas Pastorales es la salvación. Pablo se refiere tanto a Dios como a Cristo como "Salvador" (σωτήρ) y utiliza el verbo "salvar" (σώζω) siete veces (1 Ti. 1:15; 2:4, 15; 4:16; 2 Ti. 1:9; 4:18; Tit. 3:5). Dios es identificado como "Salvador" seis veces en las Epístolas Pastorales (1 Ti. 1:1; 2:3 4:10; Tit. 1:3; 2:10; 3:4) y Cristo cuatro veces (2 Ti. 1:10; Tit. 1:4; 2:13; 3:6). El sustantivo "salvación" (σωτήρια) se utiliza dos veces (2 Ti. 2:10; 3:15), y el adjetivo "traer la salvación" (σωτήριον) una vez (Tit. 2:11).

Lo que llama la atención es que no hay un solo caso en las Pastorales en el que el grupo de palabras de salvación se refiera a algo que no sea la salvación espiritual.[26] En otras palabras, el término nunca significa preservación, ni se centra en las bendiciones materiales. Un estudio de algunos ejemplos confirmará este dictamen.

En 1 Timoteo 1:1, Dios como Salvador se relaciona con la esperanza que pertenece a los creyentes en Cristo, lo que deja claro que se trata de una salvación espiritual. En 1 Timoteo 2:3-4 queda aún más claro que se trata de una salvación espiritual, pues Dios "nuestro Salvador" (τοῦ σωτῆρος ἡμῶν; v. 3) es el que "desea que todos los hombres se salven" (ὅς πάντας ἀνθρώπους θέλει σωθῆναι; v. 4). Luego Pablo procede a hablar de Cristo como "Mediador" (μεσίτης; v. 5), por lo que no cabe duda de que se trata de la salvación del pecado.

Una referencia a la salvación espiritual es evidente en 1 Timoteo 1:15: "Cristo Jesús vino al mundo para salvar a los pecadores" (Χριστὸς Ἰησοῦς ἦλθεν εἰς τὸν κόσμον ἁμαρτωλοὺς σῶσαι). Del mismo modo, en 2 Timoteo 1: 10, se identifica a Cristo como Salvador (σωτῆρος), como el que "abolió la muerte y sacó a la luz la vida y la inmortalidad por medio del Evangelio" (καταργήσαντος μὲν τὸν θάνατον φωτίσαντος δὲ ζωὴν καὶ ἀφθαρσίαν διὰ τοῦ εὐαγελίου). Las referencias a la conquista de la muerte y al amanecer de la vida mediante el evangelio confirman una referencia a la salvación espiritual. En 2 Timoteo 2:10, la "salvación" (σωτηρίας) se vincula con la obtención de la "gloria eterna" (δόξης αἰωνίου).

---

[26] Fee, *1 and 2 Timothy, Titus*, 110, dice con razón que tal interpretación de Salvador "no se encuentra en ninguna otra parte del Nuevo Testamento". También Knight, *Pastoral Epistles*, 203; y Shultz, "Multi-Intentioned View of the Extent of the Atonement", 138-39.

Las Escrituras conducen a la "salvación por la fe en Cristo Jesús" (σωτηρίαν διὰ πίστεως τῆς ἐν Χριστῷ Ἰησοῦ; 2 Ti. 3:15). Así también, el Señor "salvará" (σώσει) a Pablo "en su reino celestial" (εἰς τὴν βασιλείαν αὐτοῦ τὴν ἐπουράνιον; 2 Ti. 4:18).[27] Tanto Dios como Cristo son identificados como Salvador (σωτῆρος) en la introducción de Tito (1:3-4), y la salvación espiritual está claramente en vista, ya que en el contexto Pablo se refiere a los "elegidos de Dios" (ἐκλεκτῶν θεοῦ), al "conocimiento de la verdad" (ἐπίγνωσιν ἀληθείας; v. 1), la "vida eterna" (ζωῆς αἰωνίου; v. 2), su "predicación" (κηρύγματι; v. 3), y la "fe común" (κοινὴν πίστιν; v. 4).

En Tito 2:10, Dios como "Salvador" (σωτῆρος) se vincula con que trae "la salvación para todos los hombres" (σωτήριος πᾶσιν ἀνθρώποις; v. 11) y "esperando nuestra bendita esperanza" (τὴν μακαρίαν ἐλπίδα; v. 13) de la venida de Cristo como "Dios y Salvador" (θεοῦ καὶ σωτῆρος). Tanto Dios como Cristo son identificados como Salvador (σωτῆρος) en Tito 3:4-6, y esto se vincula con la verdad de que Dios "nos salvó" (ἔσωσεν ἡμᾶς; v. 5).

Léxicamente, pues, hay pocas dudas de que Pablo se refiere a la salvación espiritual en 1 Timoteo 4:10. Sorprendentemente, Baugh no considera cómo se usan "salvación" y "Salvador" en otras partes de las Epístolas Pastorales, y recurre erróneamente a cómo se usa la palabra en las inscripciones de Éfeso en lugar de basarse en el contexto más cercano e importante: el uso paulino en las Epístolas Pastorales. La referencia a la salvación espiritual queda confirmada por el contexto en el que aparece el versículo 10. Pablo contrasta explícitamente la formación espiritual y la física (vv. 7-8), dando prioridad a la primera sobre la segunda. En efecto, la formación espiritual es primordial, pues proporciona beneficios tanto "para la vida presente como para la vida futura" (ζωῆς τῆς νῦν καὶ τῆς μελλούσης; v. 9). La referencia a "la vida futura" indica que se pretende la salvación espiritual.

En conclusión, la interpretación de Baugh es creativa y resuelve el problema que tenemos ante nosotros, pero falla léxicamente y no explica correctamente el significado de "salvación" y "Salvador" en las Epístolas Pastorales, y por lo tanto debe ser rechazada.

¿Cuál es entonces la mejor interpretación de 1 Timoteo 4:10? Hemos visto hasta ahora: (1) que la palabra μάλιστα significa "especialmente"; (2) que se

---

[27] Los académicos discuten el significado de "salvar" en 1 Timoteo 2:15 y 4:16, pero es probable que en estos casos también se hable de salvación espiritual.

excluye el universalismo; (3) que "todas las personas" probablemente se centra en grupos de personas (tanto judíos como gentiles); y (4) que "Salvador" se refiere a la salvación espiritual.

Se puede arrojar más luz sobre este difícil versículo viendo su paralelismo con 1 Timoteo 2:3-4:[28]

> ... Dios, nuestro Salvador, **que quiere que todos los hombres se salven** y *lleguen al conocimiento de la verdad* (2:3-4)
> ... τοῦ σωτῆρος ἡμῶν θεοῦ, **ὃς πάντας ἀνθρώπους θέλει σωθῆναι** καὶ εἰς ἐπίγνωσιν ἀληθείας ἐλθεῖν
> ... el Dios vivo, **que es el Salvador de todos los hombres**, *especialmente de los que creen* (4:10)
> ... θεῷ ζῶντι, **ὅς ἐστιν σωτὴρ πάντων ἀνθρώπων** μάλιστα πιστῶν

La frase "Dios, nuestro Salvador, que quiere que todos los hombres se salven" (2:3b-4a) comparte el mismo horizonte conceptual con "el Dios vivo, que es el Salvador de todos los hombres" (4:10b-c) y se refiere al deseo salvífico de Dios hacia todo tipo de personas; en este sentido, Dios se ofrece como Salvador a todo tipo de individuos de diversos grupos humanos.

La frase "llegar al conocimiento de la verdad" (2:4b) se corresponde con "especialmente... los que creen" (4:10d), mostrando que la salvación es una realidad sólo para aquellos que llegan al conocimiento de la verdad por medio de la fe. Parece, pues, que Pablo está diciendo aquí que Dios es *potencialmente* el Salvador de todo tipo de personas —en tanto que es el Dios vivo no hay otro Salvador disponible para las personas—, pero que en *realidad* es el Salvador sólo de los creyentes.

El comentario adicional, "especialmente de los que creen", intensifica el significado de la salvación. La posibilidad de que Dios sea un Salvador para todo tipo de personas existe porque sólo hay un Dios vivo (4:10b) y un Mediador disponible para las personas (2:5-6), pero esta posibilidad se hace realidad para los que creen. La frase aclara que los creyentes son un subconjunto de todas las personas; son una categoría especial porque son realmente salvos.

---

[28] También debemos tener en cuenta el contexto del exclusivismo judío (1 Ti. 1:4), al que Pablo se dirigía.

Pero, ¿refuta esta interpretación la expiación definitiva? En primer lugar, esta interpretación no debe confundirse con la que sugiere dos niveles para la expiación: Cristo muere por todos para hacerlos redimibles, y muere por los elegidos para redimirlos realmente.[29] Esto introduce un desnivel injustificado en la expiación. La cuestión en 1 Timoteo 4:10 no son los dos niveles de la expiación, sino más bien las verdades gemelas de que Dios (el Padre) es el Salvador *disponible* para todo tipo de personas —la postura salvífica de Dios— mientras que al mismo tiempo es el Salvador *real* sólo para los que creen (en Cristo).

En segundo lugar, 1 Timoteo 4:10 ilustra que la expiación definitiva puede afirmarse junto con otras verdades bíblicas, como la postura salvífica de Dios hacia el mundo y la posibilidad de que las personas se salven si creen en Cristo. Los que sostienen una intención definida en la expiación de salvar sólo a los elegidos también creen que Dios desea que la gente se salve (1 Ti. 2:3-4; cf. Ez. 18:32), que está disponible como Salvador para todas las personas (1 Ti. 4:10), que la muerte de Cristo es suficiente para la salvación de toda persona,[30] y que todos están invitados a ser salvos sobre la base de la muerte de Cristo por los pecadores (1 Ti. 1:15). Pero es un *non sequitur* sugerir que la afirmación de cualquiera de estas verdades bíblicas niega de algún modo la verdad de que Cristo tenía la intención de morir sólo por sus elegidos, pagando realmente sólo por sus pecados. En la soteriología bíblica, estos elementos teológicos van de la mano.

Tito 2:11-14

> **Tito 2:11–14** Porque la gracia de Dios se ha manifestado, trayendo salvación a todos los hombres, enseñándonos, que negando la impiedad y los deseos mundanos, vivamos en este mundo sobria, justa y piadosamente, aguardando la esperanza bienaventurada y la manifestación de la gloria de nuestro gran Dios y Salvador Cristo Jesús. El se dio por nosotros, para redimirnos de toda

---

[29] Véase, por ejemplo, D. Broughton Knox, "Some Aspects of the Atonement", en *The Doctrine of God*, vol. 1 de *D. Broughton Knox, Selected Works* (3 vols.), ed., Tony Payne (Kingsford, NSW: Matthias Media, 2000), 260-66.

[30] La suficiencia de la muerte de Cristo es una declaración de su valor intrínseco sin relación con su propósito.

iniquidad y purificar para Sí un pueblo para posesión Suya, celoso de buenas obras.

Otro texto que se refiere a la expiación definitiva en las Epístolas Pastorales es Tito 2:11-14. El versículo 11 es especialmente llamativo: "Porque se ha manifestado la gracia de Dios, que trae la salvación para todos los hombres" (Ἐπεφάνη γὰρ ἡ χάρις τοῦ θεοῦ σωτήριος πᾶσιν ἀνθρώποις). Nos encontramos de nuevo con la cuestión que nos ha ocupado en 1 Timoteo.

Algunos sostienen que "todos los hombres" (πᾶσιν ἀνθρώποις) se refiere a todas las personas sin excepción, pero es más probable que Pablo vuelva a referirse a todas las personas sin distinción. Se puede argumentar a favor de tal criterio porque Pablo hace referencia a personas de varios grupos anteriormente en el capítulo 2: hombres mayores (v. 2), mujeres mayores (vv. 3-4), mujeres más jóvenes (vv. 4-5), hombres más jóvenes (v. 6) y esclavos (vv. 9-10). De hecho, el versículo 14 se centra especialmente en la obra redentora de Cristo para los creyentes: Cristo "se entregó por nosotros [ὑπὲρ ἡμῶν] para redimirnos [λυτρώσηται ἡμᾶς]".

El uso repetido del pronombre de primera persona del plural "nosotros" (ἡμῶν, ἡμᾶς) en el texto (2:12, 14) apunta a que Cristo asegura la salvación de los suyos. Además, la cláusula ἵνα muestra que la intención de Cristo no era simplemente hacer posible la salvación para todos, sino redimir realmente (λυτρώσηται) y purificar (καθαρίσῃ) a un pueblo especial para sí mismo (ἑαυτῷ λαὸν περιούσιον)

Epístolas petrinas

Introducción

El espacio impide una evaluación exhaustiva de la soteriología de Pedro en sus epístolas,[31] pero un rápido estudio revela que son ricas a nivel de la teología de

[31] Asumo aquí que 1 y 2 Pedro fueron escritas por el apóstol Pedro. La segunda de Pedro es particularmente controvertida. Para una defensa de la autoría petrina, véase Thomas R. Schreiner, *1 and 2 Peter and Jude, New American Commentary* (Nashville: B&H Academic, 2003), 255-76.

la elección y la expiación (por ejemplo, 1 P. 1:1-2, 8-9, 20; 2:24; 3:18).[32] Sin embargo, para los fines de este capítulo, mi atención se centra en dos textos petrinos que a menudo se aducen para refutar la expiación definitiva: 2 Pedro 2:1 y 3:9.

2 Pedro 2:1

> **2 Pedro 2:1** Pero se levantaron falsos profetas entre el pueblo, así como habrá también falsos maestros entre ustedes, los cuales encubiertamente introducirán herejías destructoras, negando incluso al Señor que los compró, trayendo sobre sí una destrucción repentina.

A algunos les parece que 2 Pedro 2:1 presenta un caso contrario a la expiación definitiva, pues al hablar de los falsos maestros, que inicialmente abrazaron el evangelio, pero ahora lo han negado, Pedro dice que están "negando al Señor que los compró".[33] Lo que resulta bastante sorprendente es que Pedro dice que Cristo "los compró" (ἀγοράσαντα αὐτούς). Lo que Pedro quiere decir aquí se ha interpretado de diferentes maneras.

Algunos argumentan que la compra aquí no es soteriológica, y por lo tanto Pedro no enseña que Cristo redimió a los falsos maestros.[34] Se evita así el problema de que Cristo realmente compre a creyentes que luego pierden el beneficio de ser comprados. Pero esta interpretación se enfrenta a un grave problema léxico. No tenemos ningún caso en el Nuevo Testamento en el que el grupo de palabras ἀγοράζω, cuando se asocia con la muerte de Cristo, tenga un significado no soteriológico (cf. 1 Co. 6:20; 7:23; Gá. 3:13; 4:5).

Así que esta interpretación parece un alegato especial en el que se redefine la palabra "comprado" para salvar la teología de la expiación definitiva. Gary

---

[32] Para un tratamiento útil de 1 Pedro, véase Martin Williams, *The Doctrine of Salvation in the First Letter of Peter, Society for New Testament Studies Monograph Series* 149 (Cambridge: Cambridge University Press, 2010).

[33] Por ejemplo, R. C. H. Lenski, *The Interpretation of the Epistles of St. Peter, St. John and St. Jude* (Minneapolis: Augsburg, 1966), 305, "Aquí tenemos una respuesta adecuada a la expiación limitada de Calvino: el Soberano, Cristo, compró con su sangre no sólo a los elegidos sino también a los que van a la perdición".

[34] Wayne Grudem, *Systematic Theology: An Introduction to Biblical Doctrine* (Grand Rapids, MI: Zondervan, 1994), 600; Owen, *Death of Death*, 250-52, enfatiza la solución no soteriológica, pero también reconoce que el lenguaje puede ser fenomenológico.

D. Long defiende otro punto de vista no soteriológico. Sostiene que δεσπότης se refiere aquí a Cristo como Creador y que ἀγοράζω es un término de creación también, que se refiere a la propiedad de Cristo sobre los falsos maestros.[35] Pero el punto de vista de Long fracasa por la misma razón que el punto de vista examinado anteriormente, pues ya hemos visto que el grupo de palabras ἀγοράζω es soteriológico en el Nuevo Testamento.[36]

Otra posibilidad es que la palabra "compró" tenga su significado habitual, pero los que fueron comprados o redimidos se apartaron de la fe. Los falsos maestros fueron verdaderamente redimidos por la sangre de Cristo, pero apostataron y negaron la fe que habían abrazado al principio. Esta es otra forma de decir, por supuesto, que perdieron o abandonaron su salvación.[37] En esta lectura, algunos de los que Cristo ha redimido o comprado acaban siendo condenados.

La visión de la apostasía tiene la ventaja de ser una lectura directa y clara del texto. Algunos de los que Cristo redimió han caído y han negado la fe. No hay espacio para interactuar en detalle, ni exegética ni teológicamente, con la noción de que algunos de los redimidos pueden terminar siendo condenados eternamente.[38] Yo argumentaría que hay muchos textos que enseñan que los que verdaderamente pertenecen al Señor nunca caerán finalmente y, en definitiva, puesto que el Señor ha prometido guardarlos (ver, por ejemplo, Jn. 10:28-29; Ro. 8:28-39; 1 Co. 1:8-9; Fil. 1:6; 1 Ts. 5:23-24). Por lo tanto, el punto de vista de la pérdida de la salvación debe ser rechazado.

D. W. Kennard propone otra solución al texto que nos ocupa.[39] El término "compró", dice Kennard, es soteriológico. Los falsos maestros, por lo tanto, fueron genuinamente comprados o redimidos por Cristo. Kennard, sin embargo, se aparta de los puntos de vista arminianos y reformados estándar al explicar la

---

[35] Gary D. Long, *Definite Atonement* (Phillipsburg, NJ: P&R, 1977), 67-79. Al igual que Owen, Long reconoce la posibilidad del punto de vista fenomenológico. Cf. también Baugh, "'Savior of All People': 1 Tim 4:10 in Context", 331; y Calvino, *Epistles to Timothy, Titus, and Philemon*, 112.

[36] Para las críticas de Long, véase Andrew D. Chang, "Second Peter 2:1 and the Extent of the Atonement", *BSac* 142 (1985): 52-56.

[37] Así, por ejemplo, I. Howard Marshall, *Kept by the Power of God: A Study of Perseverance and Falling Away* (Minneapolis: Bethany, 1969), 169-70.

[38] Véase Thomas R. Schreiner y Ardel B. Caneday, *The Race Set Before Us: A Biblical Theology of Perseverance and Assurance* (Downers Grove, IL: InterVarsity Press, 2001).

[39] D. W. Kennard, "Petrine Redemption: Its Meaning and Extent", JETS 39 (1987): 399-405.

naturaleza de la redención aquí, pues sostiene que algunos de los redimidos no se salvarán en el día final.

A primera vista, uno podría concluir que esta interpretación encaja con el arminianismo, ya que algunos de los que son verdaderamente redimidos perderán su redención y, por tanto, no se salvarán en el día del juicio. Kennard, sin embargo, introduce una particularidad que lo distingue del arminianismo clásico, ya que en su esquema todos los elegidos serán ciertamente salvados y nunca perderán su condición de elegidos. Sin embargo, según Kennard, algunos de los redimidos no son elegidos.

¿Qué valoración debe hacerse de la propuesta de Kennard? Nos extenderíamos demasiado si consideráramos su propuesta en detalle, ya que tendríamos que investigar la naturaleza de la redención y la elección en otras partes del Nuevo Testamento. Baste decir que su lectura, que separa la elección de la redención, es poco convincente y carece de apoyo exegético y teológico en el resto del Nuevo Testamento. Los eruditos tradicionales arminianos y reformados ofrecen lecturas más plausibles cuando postulan, respectivamente, que los elegidos y redimidos pueden apostatar o que los elegidos y redimidos serán seguramente guardados de la apostasía por Dios mismo.

También se ha propuesto otra posible lectura. El término "compró" aquí se refiere a lo que Andrew Chang llama "redención espiritual".[40] La expiación es de naturaleza ilimitada; el problema con los falsos maestros es su negativa a aceptar la salvación comprada para ellos. Este punto de vista debe distinguirse de la noción de "pérdida de la salvación" presentada anteriormente, ya que Chang insiste en que ningún verdadero creyente puede apostatar.

La interpretación arminiana dice que algunos fueron verdaderamente redimidos, pero repudiaron su salvación. Pero Chang sostiene que Pedro describe a los falsos maestros como "comprados" en términos de potencialidad. Teológicamente, esta interpretación termina diciendo que Cristo compró a todos potencialmente, pero la compra no tiene efecto a menos que alguien crea.

La interpretación de Chang, aunque pueda parecer atractiva a primera vista, debe ser rechazada. Cuando nos acercamos a un texto, es vital leerlo en su contexto. Debemos atender a lo que pretende el texto que estamos investigando, de modo que lo leamos en sus propios términos. La interpretación de Chang no

---

[40] Chang, "Second Peter 2:1 and the Extent of the Atonement", 60.

convence porque separa lo que dice Pedro sobre los falsos maestros redimidos por Cristo de lo que dice Pedro sobre su apostasía, en 2 Pedro 2:20-22.

Los falsos maestros son descritos como aquellos que "han escapado de las contaminaciones del mundo mediante el conocimiento de nuestro Señor y Salvador Jesucristo" (v. 20).[41] El versículo 21 dice que "han conocido el camino de la justicia". Por lo tanto, es bastante sorprendente que Chang diga: "El texto no da ninguna evidencia de que estos falsos maestros profesaran ser creyentes".[42] Pedro señala que después de haber escapado, ahora han sido "enredados" y "vencidos" (v. 20), de modo que "el último estado ha llegado a ser peor para ellos que el primero" (v. 20). Se han "apartado del santo mandamiento que les fue entregado" (v. 21).

Por lo tanto, son como perros y cerdos inmundos, que han vuelto a frecuentar su inmundicia. Pedro describe a los falsos maestros como comprados por Cristo (v. 1), como conocedores de Jesús como Señor y Salvador (v. 20), y como conocedores del camino justo (v. 21). Es precisamente aquí donde es evidente que la solución de Chang no es válida, porque Pedro no está diciendo que los falsos maestros *potencialmente* conocían a Cristo como Señor y Salvador o que *potencialmente* conocían el camino justo. Es evidente, por el lenguaje de Pedro, que los falsos maestros daban todas las indicaciones, inicialmente, de que eran verdaderos cristianos. El punto de vista de Chang carece de coherencia interna y consistencia, ya que no integra lo que Pedro dice acerca de que los falsos maestros fueron comprados por Cristo (v. 1) con su conocimiento de Cristo como Señor y Salvador (v. 20) y su conocimiento del camino de la justicia (v. 21).

¿Acaso existe una lectura que trate este texto de forma plausible y que interprete de forma coherente lo que Pedro dice sobre los falsos maestros tanto en el versículo 1 como en los 20-22? Yo sugiero que sí: El lenguaje de Pedro es fenomenológico. En otras palabras, *parecía* que el Señor había comprado a los falsos maestros con su sangre (v. 1), aunque en realidad no pertenecían verdaderamente al Señor.[43] De forma similar, los falsos maestros *aparentaban*

---

[41] En realidad, lo que Pedro dice aquí es cierto tanto para los falsos maestros como para sus "conversos" que también han caído. En defensa de este punto de vista, véase Schreiner, *1 and 2 Peter and Jude*, 360-61.

[42] Chang, "Second Peter 2:1 and the Extent of the Atonement", 56.

[43] Ibid., 60, rechaza esta opinión, que identifica como la "opinión de la caridad cristiana", diciendo que "el texto no apoya esta opinión". Pero no ve que los versículos 20-22 sí apoyan este punto de vista cuando estos versículos se integran con el versículo 1. De

a todas luces conocer a Jesucristo como Señor y Salvador (v. 20) y *parecían* haber conocido el camino justo de la salvación (v. 21).[44]

Hay que preferir esta interpretación a la de Chang, ya que se propone la misma interpretación para el versículo 1 y los versículos 20-21. En ambos casos, la lectura fenomenológica da sentido al texto, mientras que no funciona hablar de una redención potencial (v. 1) y de un conocimiento potencial de Cristo (vv. 20-21), pues Pedro dice que conocieron al Señor, y por tanto no hace referencia a la potencialidad en los versículos 20-21. La cuestión es si es plausible interpretar el lenguaje de ser comprado por Cristo y conocer al Señor como fenomenológico.

¿Por qué iba Pedro a utilizar un lenguaje fenomenológico si los falsos maestros no eran verdaderamente salvos? ¿Es esta una interpretación artificial introducida para apoyar un sesgo teológico? Ya he dicho que la lectura arminiana del texto es directa y clara. Se puede entender por qué ha atraído a tantos comentaristas a lo largo de la historia. Sin embargo, es mejor decir que los falsos maestros daban toda la apariencia de ser salvos. *Parecían* formar parte de la comunidad redimida, pero su apostasía demostró que nunca pertenecieron verdaderamente a Dios.

Las palabras de 1 Juan 2:19 se ajustan a ellos: "Salieron de nosotros, pero no eran de nosotros; porque si hubieran sido de nosotros, habrían permanecido con nosotros. Pero salieron, para que quedara claro que no todos son de nosotros". Del mismo modo, Jesús dijo sobre los que profetizaban en su nombre, exorcizaban demonios y hacían milagros, pero que vivían impíamente: "Nunca

---

hecho, este último no debe separarse del primero, pues ambos textos se refieren a los falsos maestros.

[44] Shultz, "Multi-Intentioned View of the Extent of the Atonement", 150 n. 180, se contradice en su exposición de 2 Pedro 2. Al referirse al versículo 1 y a la noción de que los falsos maestros eran creyentes declarados, dice: "No hay apoyo para este punto de vista en el texto, y hay buenas razones para creer que los falsos maestros no eran creyentes declarados". Poco después dice que "los falsos maestros no son cristianos apóstatas o antiguos cristianos que han perdido su salvación" (151). Pero más adelante dice sobre los versículos 20-22: "Estos falsos maestros son incrédulos que una vez hicieron falsas profesiones de fe sin experimentar nunca la regeneración" (182). Contrariamente a lo que dice Shultz, los falsos maestros eran "cristianos apóstatas", en el sentido de que se habían alejado de su anterior profesión de fe. Shultz, como muchos, no considera el papel de los versículos 20-22 y lo que dicen respecto a los falsos maestros, en sus comentarios sobre el versículo 1. Por lo tanto, su afirmación dogmática de que no hay apoyo para la interpretación fenomenológica es falsa y se contradice con sus propias palabras, pues si uno cree que los falsos maestros no habían perdido su salvación (como hace Shultz), como mínimo habían renunciado a la profesión de fe que habían hecho anteriormente.

los conocí" (Mt. 7:23). No dice que los conoció una vez, pero que ya no los conoce.

Por el contrario, nunca fueron verdaderamente miembros del pueblo de Dios, aunque durante un tiempo dieron la impresión de serlo. Hay otros textos que enseñan que algunos que realmente parecían ser creyentes resultaron más tarde tener una fe espuria (Mc. 4:1-20; 1 Co. 11:19; 2 Ti. 2:19).[45] Además, el uso que hace Pedro del lenguaje fenomenológico tiene sentido, ya que los falsos maestros tenían una participación vital en la iglesia. No era como si llegaran personas ajenas a la iglesia que no decían ser cristianas y empezaran a propagar enseñanzas contrarias al evangelio.

Por el contrario, los falsos maestros eran personas de dentro que se apartaban de lo que se les había enseñado en un principio. Por eso, Pedro subraya la gravedad de lo ocurrido. Los que fomentaban el falso camino eran, por así decirlo, "cristianos". A todas luces habían sido "comprados" por Cristo (2 P. 2:1) y parecían "conocerlo" como Señor y Salvador (v. 20). Pedro no está afirmando que fueran realmente cristianos, que estuvieran verdaderamente redimidos (v. 1), o que conocieran realmente a Jesús como Señor y Salvador (v. 20), sino que inicialmente dieron todas las razones para que los observadores pensaran que así era. Su posterior salida demostró que en realidad eran perros y cerdos (v. 22). En otras palabras, nunca fueron verdaderamente cambiados, y por lo tanto eventualmente revelaron su verdadera naturaleza.

En resumen, 2 Pedro 2:1 no desmiente la expiación definitiva, pues Pedro no pretende enseñar que Cristo redimió real o potencialmente a los falsos maestros. En cambio, utiliza un lenguaje fenomenológico, que es la misma forma en que debemos interpretar el lenguaje de que conocieron a Cristo como Señor y Salvador (v. 20). Los falsos maestros inicialmente *daban toda la impresión* de ser creyentes, y por ello *parecían* haber sido "comprados" (en sentido soteriológico) por Cristo. De ahí que su posterior deserción resultase aún más sorprendente.

Una interpretación correcta de 2 Pedro 2:1 apoya en realidad la expiación definitiva, ya que Cristo no compró *realmente* a estos falsos maestros, pues si lo hubiera hecho, habrían perseverado. La expiación definitiva se refiere no sólo al

---

[45] Véase aquí D. A. Carson, "Reflections on Assurance"", en *Still Sovereign: Contemporary Perspectives on Election, Foreknowledge, and Grace*, ed. Thomas R. Schreiner y Bruce A. Ware (Grand Rapids, MI: Baker, 2000), 260-69, donde presenta un argumento muy persuasivo a favor de una categoría de personas en las Escrituras con fe espuria.

objetivo de la expiación —a saber, los elegidos— sino también a su *eficacia*: la expiación logra su propósito, que es la salvación plena y definitiva de los elegidos.

Lo que algunos no comprenden al utilizar 2 Pedro 2:1 en apoyo de una expiación general[46] es que afirmar la expiación general aquí es comprometer la doctrina de la perseverancia de los santos. Porque hemos visto en 2 Pedro 2 que lo que Pedro enseña sobre la expiación (v. 1) no puede separarse de lo que enseña sobre la perseverancia (vv. 20-22). Ninguna doctrina está aislada, y sugerir una expiación general en este versículo es distorsionar la doctrina de la perseverancia cristiana.[47] Por lo tanto, decir que Cristo murió por los falsos maestros fenomenológicamente encaja *tanto* exegética *como* teológicamente.

2 Pedro 3:9

> **2 Pedro 3:9–10** El Señor no se tarda *en cumplir* Su promesa, según algunos entienden la tardanza, sino que es paciente para con ustedes, no queriendo que nadie perezca, sino que todos vengan al arrepentimiento. Pero el día del Señor vendrá como ladrón, en el cual los cielos pasarán con gran estruendo, y los elementos serán destruidos con fuego intenso, y la tierra y las obras *que hay* en ella serán quemadas.

Otro versículo que juega un papel importante en la discusión de la expiación definitiva es 2 Pedro 3:9. Dios "no quiere que ninguno perezca, sino que todos lleguen al arrepentimiento" (μὴ βουλόμενός τινας ἀπολέσθαι ἀλλὰ πάντας εἰς μετάνοιαν χωρῆσαι). Aquí Pedro explica que la paciencia de Dios proporciona la razón por la que se retrasa la venida de Jesús. A continuación, se explica la razón de su paciencia: no quiere que ninguno perezca, sino que todos se arrepientan.

La idea de que Dios es paciente para que la gente se arrepienta es común en las Escrituras (Jl. 2:12-13; Ro. 2:4). La lentitud de Dios "para la ira" es un estribillo que se repite a menudo en el Antiguo Testamento (Ex. 34:6; Nm.

---

46 Por ejemplo, Knox, "Some Aspects of the Atonement", 263; y Mark Driscoll y Gerry Breshears, *Death by Love: Letters from the Cross* (Wheaton, IL: Crossway, 2008), 172.

47 O, para evitar esto, los defensores deben volver al lenguaje de la "potencialidad", que, como hemos visto, carece de coherencia en el contexto más amplio.

14:18; Neh. 9:17; Sal. 86:15; 145:8; Jl. 2:13; Jon. 4:2; Nah. 1:3), pero no aplazará su ira para siempre.

Debemos notar de entrada que perecer (ἀπολέσθαι) se refiere al juicio eterno, como es típico con el término. El arrepentimiento (μετάνοιαν), correspondientemente, implica el arrepentimiento que es necesario para la vida eterna. Pedro no se limita a hablar de las recompensas que algunos recibirán si viven fielmente. Dirige su atención a si las personas se salvarán de la ira de Dios. También debemos preguntar quién está en vista cuando habla de que "ninguno" (τινας) perezca y "todos" (πάντας) vengan al arrepentimiento. Nótese que el versículo dice "paciente con ustedes" (μακροθυμεῖ εἰς ὑμᾶς). El "ninguno" y el "todos" del verso pueden ser una ampliación del "ustedes" (ὑμᾶς) anterior en el verso. Pedro no reflexiona, según una interpretación, sobre el destino de todas las personas del mundo sin excepción. Él considera a los de la iglesia que han vacilado bajo la influencia de los falsos maestros. Dios desea que cada uno de ellos se arrepienta.[48]

Un significado restrictivo de "ustedes" es ciertamente posible. Pero parece más probable que las palabras "ninguno" y "ustedes" se refieran al deseo de Dios de que todos sin excepción se salven. John Murray argumenta con razón que no hay ninguna referencia definitiva a los elegidos en el contexto, que la llamada al arrepentimiento sugiere que algunos de los dirigidos podrían perecer si no se arrepienten, y por lo tanto Pedro convoca indiscriminadamente a todos a arrepentirse.[49]

Es evidente, por supuesto, que no todos se salvan. Entonces, ¿cómo se explica un deseo de Dios que se ve frustrado en parte? Los teólogos han apelado a menudo y con razón a dos sentidos diferentes en la voluntad de Dios: hay una voluntad decretiva de Dios y una voluntad permisiva de Dios. Dios desea la salvación de todos en un sentido, pero no ordena y decreta en última instancia que todos se salven. Sin embargo, ¿existe una contradicción al decir que Dios desea la salvación de todos, pero decreta o determina la salvación de sólo algunos? Plantear una contradicción no es convincente, ya que las Escrituras nos enseñan que hay "complejidad" en la voluntad divina.[50]

---

[48] Así, Owen, *Death of Death*, 236-37.

[49] John Murray, "The Free Offer of the Gospel", en *Collected Writings of John Murray. Volume 4: Studies in Theology* (Edimburgo: Banner of Truth, 1982), 129-30.

[50] Juan Calvino, *Commentaries on the Catholic Epistles*, ed. John Owen, trad. John Owen (reimpr., Grand Rapids, MI: Eerdmans, 1948), 22:419-20, defendió la noción de que la

Por ejemplo, en Romanos 9, Pablo afirma explícitamente la voluntad decretiva de Dios de elegir a algunos (Jacob y no Esaú), y sin embargo en 10:21 Dios extiende sus manos a todo Israel en señal de invitación porque anhela que se salven. La doble dimensión de la voluntad de Dios se expresa también en el ministerio de los apóstoles. En 2 Timoteo 2:10, Pablo dice que lo soporta todo por los elegidos, pero en 1 Corintios 9:22 se hace todo por todos para poder salvar a algunos. La "complejidad" de la voluntad divina es, pues, notoria.[51]

Si la interpretación que se propone aquí es correcta, debe entenderse que 2 Pedro 3:9 enseña que Dios desea la salvación de todos. Sin embargo, de muchos textos se desprende que sólo decreta la salvación de algunos. La noción de que Cristo murió para asegurar la salvación de algunos y que realmente pagó por los pecados de los que él ha elegido encaja con la elección divina y con la aplicación de la obra del Espíritu en los corazones de los creyentes.

El Padre, el Hijo y el Espíritu trabajan juntos para asegurar la redención del pueblo de Dios (cf. 1 P. 1:1-2). Desde la eternidad pasada, Dios decretó que la muerte de Cristo fuera efectiva para los elegidos. Al mismo tiempo, a los pecadores se les ofrece indistintamente el perdón total porque Dios desea que todos se salven.

Hebreos

---

voluntad de Dios es "compleja". Calvino dice: "Pero se puede preguntar: Si Dios no quiere que nadie perezca, ¿por qué perecen tantos? A esto respondo que no se menciona aquí el propósito oculto de Dios, por el cual los réprobos están condenados a su propia ruina, sino sólo su voluntad tal como se nos da a conocer en el Evangelio. Porque allí Dios extiende su mano sin diferencia a todos, pero pone la mano sólo en quienes, para conducirlos a sí mismo, ha elegido antes de la fundación del mundo" (420). Es importante matizar que la voluntad de Dios sólo es "compleja" *en la medida en que se nos presenta*. Calvino, de nuevo, es útil aquí: "La voluntad de Dios es una y simple en Él", pero "se nos aparece múltiple a causa de nuestra incapacidad mental" (*Institutes*, 1.18.3). Hay que referir la "complejidad" a nuestra percepción y no a la voluntad divina *per se*.

[51] La "complejidad" en la voluntad de Dios no depende de plantear una distinción entre θέλω y βούλομαι, como si el último término se refiriera a la voluntad decretiva de Dios y el primero a su preferencia. Véanse especialmente los agudos comentarios de Marshall, "Universal Grace and Atonement in the Pastoral Epistles", 55-57. Cf. también Mounce, *Pastoral Epistles*, 86. Pero, en contra de Marshall, la distinción entre la voluntad decretiva y la deseada por Dios descansa en una perspectiva más amplia que la lectura individual de palabras particulares, y por lo tanto sigue siendo una conclusión teológica legítima.

> **Hebreos 2:9–10** Pero vemos a Aquel que fue hecho un poco inferior a los ángeles, *es decir,* a Jesús, coronado de gloria y honor a causa del padecimiento de la muerte, para que por la gracia de Dios probara la muerte por todos. Porque convenía que Aquel para quien son todas las cosas y por quien son todas las cosas, llevando muchos hijos a la gloria, hiciera perfecto por medio de los padecimientos al autor de la salvación de ellos.

El principal texto de Hebreos que se relaciona con la expiación definitiva es Hebreos 2:9, donde el autor dice que Jesús sufrió "por la gracia de Dios" (χάριτι θεοῦ) para "gustar la muerte por todos" (ὑπὲρ παντὸς γεύσηται θανάτου). Es comprensible que este texto se haya aducido a menudo para apoyar la expiación ilimitada. Argumentaré, sin embargo, que tal lectura del texto, aunque superficialmente atractiva, no encaja bien con el contexto de Hebreos 2.

Antes de abordar el significado de Hebreos 2:9, conviene hacer un rápido repaso de Hebreos en relación con la expiación. En Hebreos, Jesús es el Sacerdote según el orden de Melquisedec que, en cumplimiento del Salmo 110:1, "se sentó a la diestra de la Majestad en las alturas" después de realizar la "purificación de los pecados" (1:3).

Jesús, en contraste con el sacerdocio levítico, trajo la "perfección", en el sentido de que los creyentes ahora "se acercan a Dios" (7:19) mediante su sacrificio. Su sacrificio tiene una eficacia permanente, ya que intercede por los creyentes sobre la base de su muerte como el que vive y reina para siempre (7:24-25). La relación entre la muerte de Jesús y su intercesión es crucial. Es evidente que la intercesión de Jesús como resucitado es invariablemente eficaz, ya que intercede sobre la base de su muerte (cf. Ro. 8,31-34). Sin embargo, sería ilegítimo plantear una separación entre su muerte y su intercesión. En otras palabras, Jesús intercede especial y exclusivamente por aquellos por los que ha muerto. Así como no intercede por todos, del mismo modo murió en un sentido único por aquellos a los que vino a salvar, abogando en base a su muerte por su salvación.

El autor a los Hebreos desea que sus lectores estén plenamente seguros. Por eso les recuerda que la sangre de Cristo limpia sus conciencias (Heb. 9:14). El sacrificio de Cristo es el último y definitivo (9:25-28), por lo que no es necesario ningún otro sacrificio. Cristo ha llevado efectivamente "los pecados de muchos" (9:28). Su único sacrificio hace superflua la necesidad de otros sacrificios (10:1-4). Los creyentes son "santificados mediante la ofrenda del cuerpo de Jesucristo hecha una vez y para siempre" (10:10; cf. 10:14). Dado que la obra de Cristo en la cruz está completa, se sienta a la derecha de Dios (10:12). El pecado ha sido completa y decisivamente perdonado en la cruz de Cristo (10:14).

Los textos sobre la intercesión y la santificación apuntan a la verdad de que Cristo murió especialmente por los suyos. Sin embargo, Hebreos 2:9 podría entenderse fácilmente como que apunta en la otra dirección, ya que dice que Jesús probó la muerte por todos, y el Salmo 8 presumiblemente incluye una referencia a todo ser humano (cf. Heb. 2:5-8).[52]

Sin embargo, cuando examinamos realmente el contexto de Hebreos 2, encontramos pruebas que sugieren que la muerte que Jesús probó "por todos" (ὑπὲρ παντός) no se refiere, en este contexto, a todos sin excepción, sino a todos sin distinción.[53]

En primer lugar, en los versículos 5-8, aunque el autor se refiere a los seres humanos en general, no pone ningún énfasis en todos los seres humanos sin excepción. En cambio, el autor se centra en Jesucristo y enseña que sólo los que le pertenecen disfrutarán del gobierno sobre todas las cosas descrito en el Salmo 8.

En segundo lugar, el versículo 10 habla de "llevar muchos hijos a la gloria" (πολλοὺς υἱοὺς εἰς δόξαν ἀγαγόντα). El sufrimiento de Jesús fue eficaz en su designio y propósito, en el sentido de que realmente trajo "hijos a la gloria". El enfoque descansa claramente en lo que Jesús logró efectivamente a través de su muerte.

En tercer lugar, los redimidos son descritos como "hermanos" (ἀδελφούς) de Jesús (vv. 11-12).[54] Los beneficiarios de la muerte de Jesús son identificados como miembros de su familia. De ahí que el autor no llame la atención sobre el beneficio de la muerte de Jesús para todas las personas en general, sino sobre la ventaja que existe para los que forman parte de su familia.

En cuarto lugar, la particularidad en la familia de Jesús es aún más clara en el versículo 13, donde el autor, al citar Isaías 8:18, representa a Jesús diciendo: "He aquí que yo y los hijos que Dios me ha dado" (ἰδοὺ ἐγὼ καὶ τὰ παιδία ἅ μοι

---

[52] Así, Lightner, *The Death Christ Died*, 71-72; y Shultz, "Multi-Intentioned View of the Extent of the Atonement", 144.

[53] Acertadamente, Owen, *Death of Death*, 238; y John Murray, *Redemption Accomplished and Applied* (Grand Rapids, MI: Eerdmans, 1955), 61.

[54] William L. Lane, *Hebrews 1-8, WBC* (Waco, TX: Word, 1991), 59, dice que son parte de la "familia del pacto".

ἔδωκεν ὁ θεός). No se trata de cualquier hijo o de todos los hijos, sino de hijos concretos: los hijos que Dios ha dado a Jesús. Parece, pues, que los hermanos de Jesús equivalen a los hijos que Dios le dio. Jesús sufrió para llevar a éstos a la gloria, lo que sugiere que su muerte "por todos" en el contexto se refiere a aquellos hermanos que Dios había ordenado que formaran parte de su familia.

En quinto lugar, en el versículo 16 el autor de Hebreos comenta que Jesús no ayuda a los ángeles, "sino que ayuda a la descendencia de Abraham". La frase "descendencia de Abraham" (σπέρματος Ἀβραάμ) es sumamente interesante. Si el autor tuviera en mente una expiación general o ilimitada, esperaríamos una referencia a la "descendencia de Adán" o a "los hijos de Adán". Tal designación enfatizaría la universalidad de la obra de Jesús para todos los seres humanos. Pero ese no es el propósito del autor de Hebreos aquí. Se centra en la "descendencia de Abraham", de modo que el énfasis está en el pueblo elegido por Dios: los hijos de Abraham.

Como vemos en otras partes del Nuevo Testamento, la iglesia de Jesucristo se considera la simiente de Abraham (cf. Gá. 3:6-9).[55] Muchos lectores pueden interpretar el texto rápidamente e incurrir en el error de pensar que la "descendencia de Abraham" es equivalente a la "descendencia de Adán". Evidentemente, no se hace hincapié en el amor indiferenciado de Cristo, sino en su particular preocupación por la simiente elegida de Abraham.

Cuando colocamos esta descripción de la descendencia de Abraham con el énfasis en los hijos que Dios dio a Jesús y el uso de la palabra "hermanos", tenemos pruebas significativas de que la muerte de Jesús "por todos" (v. 9) es particular y no general.

Por lo tanto, apoya la expiación definitiva en lugar de la expiación general. Todo esto encaja con el versículo 17, que habla del ministerio sumosacerdotal de Jesús "para hacer propiciación por los pecados del pueblo" (εἰς τὸ ἱλάσκεσθαι τὰς ἁμαρτίας τοῦ λαοῦ). Dado el enfoque en los elegidos de Dios y la familia de Jesús en el contexto, parece justo concluir que aquí el énfasis está en la satisfacción real lograda en la muerte de Jesús para aquellos que serían parte de su familia.[56]

---

[55] Cf. aquí Harold W. Attridge, *The Epistle to the Hebrews, Hermeneia* (Philadelphia: Fortress, 1989), 94; y Philip E. Hughes, *A Commentary on the Epistle to the Hebrews* (Grand Rapids, MI: Eerdmans, 1977), 119.

[56] En apoyo de la interpretación de ἱλαστήριον como "propiciación" aquí, véase Lane, *Hebrews 1-8*, 66, y Hughes, *Hebrews*, 121-23; en contra de Attridge, *Hebrews*, 96 n. 192, que

En conclusión, aunque a primera vista Hebreos 2:9 puede apoyar la expiación general, un examen más detallado del contexto sugiere que se trata de una expiación definitiva.

Conclusión

Este capítulo se ha centrado en los textos que a menudo se citan para refutar la expiación definitiva. En las Epístolas Pastorales, 1 Timoteo 2:1-7, 4:10 y Tito 2:11 se centran en que la salvación se realiza para todos sin distinción, tanto judíos como gentiles. Los propósitos salvíficos de Dios no se limitan a los judíos, sino que se extienden a todo el mundo. Además, la salvación que Cristo ha llevado a cabo es efectiva; realmente ha rescatado a algunos para que sean salvos (1 Ti. 2:6; Tit. 2:11, 14). No se ha limitado a hacer posible la salvación, sino que ha salvado realmente a los que ha elegido.

Segunda de Pedro 2:1, que habla de la redención de los falsos maestros por parte de Jesús, se cita a menudo en apoyo de la expiación general. Sin embargo, he intentado demostrar que, cuando comparamos 2:1 con 2:20-22, el lenguaje de la redención es fenomenológico. Los falsos maestros parecían ser creyentes por su adhesión inicial a la fe cristiana. Su posterior deserción demostró que no eran verdaderos creyentes y, por tanto, no fueron verdaderamente rescatados por Cristo.

Por lo tanto, 2 Pedro 2:1 no apoya la expiación general, y argumentar que lo hace es comprometer potencialmente la perseverancia cristiana. 2 Pedro 3:9, que habla del deseo de Dios de que todos se arrepientan, debe interpretarse como una expresión de la voluntad de Dios, pero la voluntad de Dios para desear algo no niega el hecho de que haya decretado que sólo algunos se salven. Hemos visto en este capítulo que debemos distinguir entre la voluntad deseada de Dios (su deseo de que todos se salven) y su voluntad decretiva (su determinación de que sólo algunos se salven).

Finalmente, Hebreos 2:9 se cita regularmente en defensa de la expiación general, ya que habla de la muerte de Jesús "por todos". Cuando consideramos

---

argumenta a favor de "expiación". Shultz, "Multi-Intentioned View of the Extent of the Atonement", 144, dice que todas las cosas no pueden ser sometidas a Jesús si no pagó por los pecados de todos, pero tal deducción teológica no está justificada por el argumento de Hebreos 2.

Hebreos en su conjunto, el autor enfatiza la eficacia de la muerte de Jesús, especialmente al vincular la intercesión de Jesús con su sacrificio expiatorio. Además, hay indicaciones significativas en el contexto de Hebreos 2 de que "todos" se refiere al pueblo elegido de Dios, pues el autor habla de los hijos que son llevados a la gloria (v. 10), de los hermanos de Jesús (vv. 11-12), de los hijos que Dios le dio a Jesús (v. 13) y de la descendencia de Abraham (v. 16). En el contexto, la atención se centra en la familia de Abraham —el pueblo elegido por Dios—, lo que descarta una expiación general. La propiciación de Jesús (v. 17), pues, es específicamente en favor de su pueblo.

[LOS ÍNDICES DE REFERENCIAS BÍBLICAS, NOMBRES Y TEMAS APARECERÁN AL FINAL DEL SEGUNDO VOLUMEN]

Printed in Great Britain
by Amazon